Die
deutschen Päpste.

Nach

handschriftlichen und gedruckten Quellen

verfaßt

von

Conſtantin Höfler.

Erſte Abtheilung.
Die Päpſte Gregor V, Clemens II u. Damaſus II.

Mit einem Plane des mittelalterlichen Roms.

Regensburg, 1839.
Verlag von G. Joſeph Manz.

Ihren Excellenzen

den hochgeborenen Herren Grafen,

Herrn

Fridrich Christian Ludwig

Grafen Senfft v. Pilsach,

Grofskreuz des Oestr. Kaiserl. Leopold - Ordens,
Ritter des Russisch K. K. weifsen Adler- und des
St. Stanislaus-Ordens I. Klasse, dann des Johan-
niter-Ordens, Grofskreuz des Königl. Französ. Ordens
der Ehrenlegion, des Königl. Sächs. Civilverdienst-
und des Grosherzogl. Toskanischen St. Joseph-
Ordens 2c. 2c. K. K. wirkl. geheimen Rathe, Kämmerer, aufserordentlichen Gesandten und bevollmächtigten Minister am Königl. Niederl. Hofe,

und

Herrn

Karl Grafen v. Spaur,

Sr. Königl. Majestät von Bayern Kämmerer, aufserordentlichen Gesandten und bevollmächtigten Minister
am hl. Stuhle, Ritter des Kgl. Preufsischen
rothen Adlerordens III. Classe 2c. 2c.

widmet

als ein geringes Zeichen

schuldiger Dankbarkeit und unbegrenzter Ergebenheit

diese Geschichte der deutschen Päpste

in

unterthänigster Ehrfurcht

der Verfasser.

Vorrede.

Der Plan zu der vorliegenden Geschichte der deutschen Päpste fällt bereits in das Frühjahr 1834, als der Verfasser sich für eine wissenschaftliche Reise nach Italien vorbereitete. Besonderen Anlaß dazu gab die Untersuchung, ob und welchen Einfluß die Nationalität auf die obersten Lenker der christlichen Kirche ausgeübt habe, und da der Verfasser hiebei bemerkte, wie wenig in der Gegenwart Namen und Schicksale jener ausgezeichneten deutschen Männer bekannt seyen, welche unter den verwickeltsten Verhältnissen, ja als kein Anderer die hohe Bürde auf sich nehmen wollte, den päpstlichen Thron bestiegen, so glaubte er ein für den Ruhm des deutschen Vaterlandes und der gesammten christlichen Kirche nicht unersprießliches Werk zu unternehmen, würde er die längst verschollene Kunde der mühevollen Bestrebungen, der heissen Kämpfe, der unablässigen Versuche acht deutscher Päpste, die Christenheit aus dem Zustande äussersten Verfalles herauszureissen, aus dem Dunkel der Vergessenheit wieder zu Tage fördern.

Die erste Abtheilung enthält die Geschichte dreier Päpste, von denen der letzte ein Bayer, die zwei ersten Sachsen waren. Während von dem Pontificate des ersten deutschen Papstes 47 Jahre bis zu dem des zweiten verstrichen, treten dann innerhalb 15 Jahren 6 deutsche Päpste unmittelbar hinter einander auf, von welchen 2 als Vorläufer einer neuen Aera noch in die erste Abtheilung gewiesen wurden, die 4 übrigen, P. Leo IX, P. Victor II, P. Stefan IX, P. Nicolaus II, der nächstfolgenden Abtheilung angehören. Die große Pause, welche mit dem Tode P. Nicolaus II eintritt, giebt zu der dritten Abtheilung Veranlassung, welche mit dem Leben P. Hadrian's VI das Ganze schließen wird.

Möge das Werk, das bei der Schwierigkeit und Kargheit des Materials nur mit äusserster Mühe seine Vollendung erhielt, mit der Gesinnung aufgenommen werden, mit der es geschrieben wurde.

München, den 25. April 1839.

Der Verfasser.

Inhaltsverzeichniß.

Einleitung.

Erstes Buch.

Die Zeiten Papst Gregor's V.

Erster Abschnitt.

Von dem Tode K. Otto's II bis zur Wahl und Krönung P. Gregor's V. 7. Dec. 983 – 3. Mai 996.

Inhaltsverzeichniß. IX

Zweiter Abſchnitt.

Von der Wahl und Krönung P. Gregor's V bis zum
Tode des hl. Adalbert. 3. Mai 996 — 23. April 997.

Dritter Abſchnitt.

Von der Vertreibung P. Gregor's aus Rom bis zur
Hinrichtung des Creſcentius. Mai 997 — Mai 998.

Vierter Abschnitt.

Die Wirksamkeit P. Gregor's V von seiner Wiedereinsetzung bis zu seinem Tode. Febr. 998 — 18. Febr. 999.

Fünfter Abschnitt.

Nächste Folgen der Wirksamkeit P. Gregor's V.

Die deutschen Päpste.

Einleitung.

Die Wiederherstellung des Kaiserthums bei den Deutschen.

So gewaltig die politischen Erschütterungen waren, durch welche der Verein christlicher Völker des Abendlandes, den Carl der Große beherrschte, aber bereits Kaiser Ludwig des Frommen Söhne schimpflich aufgaben, in der letzten Hälfte des neunten Jahrhunderts vollends zertrümmert wurde, von so geringem Bestande waren sie doch als Versuche, an die Stelle der alten, mit der Kirche im Innersten verbundenen Ordnung der Dinge, eine neue nach den einzelnen Völkerschaften zu begründen. Zwar waren auch die Beherrscher der neuen Reiche fast sämmtlich Carolingen[1], Franken oder dem fränkischen Königshause nahe verwandt, und es fehlte weder Wido noch Berengar in Italien, weder Odo in Francien, noch Rudolf in Burgund, noch den übrigen Fürsten, welche nach Kaiser Carl's des Dicken Tode sich in das große Frankenreich zu theilen unternommen hatten, an kühnem, unternehmendem Geiste. Aber mit dieser Erbtugend der Carolingen war dem verjüngten Ge- schlechte auch der Erbfehler dieses Hauses zu Theil geworden, der Geist der Zwietracht und des Bruderhasses, den kaum Carl der Große, sein nächster Nachfolger aber schon nicht mehr zu bändigen verstanden. So kam es, daß fast alle diese Fürsten wechselseitigen Kriegen, der Hinterlist und dem Verrathe unter- lagen, während vom Osten, Süden, Westen, Norden in fana- tischer Wuth heidnische Barbaren gegen die christlichen Land-

---

1) Vergl. Beil. Nr. I. Regino. ad a. 887. Hadr. Vales. Berenga- rius Aug. c. 1. n. 4. etc. in Murat. S. R. J. II. 1.

marken heranstürmten. Das Heimathland Kaiser Carl's des Großen, das die Arianer bezwungen und dem Islam Gränzen gesetzt, die heidnischen Sachsen besiegt und nach 30 Feldzügen dem Banne ihrer falschen Götter entrissen hatte, noch vor wenigen Jahrzehnten die Schutzwehr der Kirche im Abendlande, ward nun die Beute raubgieriger Heiden und bald einer Wüste gleich [2]). Nur wenige Städte entgingen den Flammen; das flache Land ward verödet, die Bewohner, die dem Tode entrannen, wurden in die Sklaverei geschleppt oder ihrer Habe beraubt in die Wälder versprengt. Von den Mönchen verlassen, sanken die Klöster vor der Wuth der Feinde in Asche; nur zu oft begruben dieselben Flammen das Heiligthum und seine frommen Hüter. Als die Mühe, das Leben zu fristen, der Menschen Thätigkeit ganz in Anspruch nahm, verfiel vollends, was die Barbaren verschont; mit dem Untergange jener Anstalten, welche die Kirche zum Heile der Seelen gegründet, hörten Wissenschaft und Kunst, diese lieblichen Früchte der rastlosen Wirksamkeit Kaiser Carl's des Großen, wieder auf; das Recht des Stärkeren trat an die Stelle der Gesetze; die alte Barbarei verdrängte die Gesittung. Ein neu Geschlecht stand auf [3]); in Wildheit erzeugt, in Unwissenheit erzogen,

---

2) Vergl. Annal. Bertiniani ad a. 961. Totam Franciam militum praesidii nudam, cujus robur in bello Fontanedo nuper depererat, tantus metus corripuerat, ut ei (duci Alstagno) nemo possit resistere. Chron. vetus ap. Duch. S. R. N. p. 32. Ab ipso quippe ut ita loquar Oceani littore orientem versus Avernum usque, clarissimam veteri tempestate Aquitaniae urbem, nulla libertatem retinere valuit regio; non oppidum aut vicus, non denique civitas, quae non strage ferali conciderit paganorum. Adrevaldus Floriac. de mirac. S. Bened. ap. Duchesne sc. rer. Nor. — Non erat via vel locus, quo non jacerent mortui et erat tribulatio omnibus et dolor. Gest. Norm. in Franc. ad a. 885. ap. Duch. Im Jahre 891 verließen die Normannen Frankreich videntes omne regnum fame atteri. Cf. hist. S. Vincentii ap. Duch. S. R. N. p. 21. p. 24. etc.

3) Pater — meus — alterius moris, erzählt der hl. Odo in der berühmten Stelle, in welcher er die Gesunkenheit seiner Zeit mit der Blüthe der früheren vergliecht. Vita S. Odonis ap. Sur.

weidete es sich an Verbrechen. So ward der Inhalt aller
Geschichtsbücher dieser Zeit nur Einer: Krieg und Elend als
Scheidegruß des zu Ende gehenden Jahrhunderts.

Aber nicht allein Gallien, auch die übrigen Länder des
christlichen Occidents boten so grausenhaften Anblick dar. Hatten in Deutschland die Verwüstungen der Normannen nach
Kaiser Arnulfs großem Siege [4] etwas nachgelassen, so erfolgten nun vom Osten her die noch verheerenderen Ungarnzüge [5]);
nur mit Mühe erwehrte sich England [6], mit Irland die Wiege
so vieler Heiligen Gottes, noch für einige Zeit der Herrschaft
der heidnischen Dänen. Ein noch traurigeres Schicksal bedrohte
Italien, in dessen Mitte, gleich nahe an Rom, wie unheilvoll
für Benevent, Neapel und Salerno sich Saracenen aus Africa
ein Raubschloß [7] gebaut hatten, von dem aus sie 48 Jahre
lang das flache Land verwüsteten, Städte und Klöster verbrannten, während schon früher eine freche Rotte spanischer
Moslimen auf unzugänglichem Felsen [8] zwischen Frankreich

4) Im Jahre 891. Cf. Adam. Brem. hist. eccles. I. c. 40.

5) Nur allein vom Jahre 903—925 waren zehn solche. Ueber die tie-
feren Folgen dieser Züge, durch welche auch die Blüthe des slavischen
Völkerstammes vernichtet wurde, vgl. Palacky's Geschichte von Böhmen. I. S. 195 2c.

6) Die Hauptstellen sind zusammengetragen bei Lappenberg's Gesch. v.
Engl. S. 281. 285.

7) Am Garigliano im J. 876. Cf. Pagi ad a. 879. Sigeb. ad a. 910,
jedoch irrig. Liutprand I. c. 12. Saraceni ab Africa ratibus
exeuntes Calabriam, Apuliam, Beneventum, Romanorum
etiam civitates ita occupaverunt, ut unamquamque civitatem
mediam Romani tenerent, mediam Saraceni. In monte quippe
Gareliano munitionem constituerant, in quo uxóres, captivos,
parvulos omnemque supellectilem satis tutò servabant. Nachdem L. hierauf erzählt, wie die Wallfahrer dadurch von Rom abge-
schnitten wurden, fährt er fort: Quamvis enim miséra Italia multis Hungarorum et ex Fraxineto Saracenorum cladibus preme-
retur, nullis tamen furiis aut pestibus sicut ab Africanis agi-
tabatur. Vergl. Chron. Farfense p. 454.

8) Fraxinetum (cf. Liutpr. hist. I. c. 1. Sigeb. Gembl. ad a. 891,
von welchem Jahre an sie bis zum J. 973 daselbst blieben. Cf. Pagi
ad Baron. 972. IV.) heut zu Tage Frainet in der Gegend von Fre-

und Italien Wache haltend, dem Pilger wie dem Kaufmanne die Alpenpässe sperrte, in wiederholten Zügen die mordbrenne-rischen Schaaren der Ungarn das offene Land durchzogen und die Raubflotten der Mohammedaner [9]) die Küsten verwüsteten, Klöster und Städte verbrannten, ja selbst die hochheiligen Kir-chen der Beschützer von Rom, der Apostel Petrus und Paulus plünderten.

Ein neuer Abschnitt der Völkerwanderung verdrängte ge-waltsam jene Periode der Weltgeschichte, welche von der Grund-legung der christlichen Staaten des Abendlandes ihren Namen hat; zugleich neue Völker in den Kreis der christlichen Kirche aufzunehmen und ausgeartete [10]) christliche Völker zu bestra-fen, brach die Vorsehung von dem äußeren Bau der Kirche wieder ab, was Menschliches daran war, entfesselte die noch übrigen Reste heidnischer Wuth und richtete diese gegen die Kirche selbst, eine ewig denkwürdige Probe veranstaltend, ob, im Sturme untergehend, sich ihre Ordnung als Menschenwerk, ob sie, im fürchterlichen Drange bestehend, sich göttlicher Art und des verheißenen Geistes würdig bewähre.

---

jus. Die Hauptstelle über die von den Saracenen in Italien ange-richtete Verwüstung ist im Chron. S. Vincentii. S. R. J. I. 1. p. 404. putabant homines jam tunc mundi finem appropin-quasse.

9) Saraceni — cuncta monasteria extra Romam devastarunt fun-ditus, ita ut et hoc monasterium (Farfense) 47 annis usque absque habitatore esset. Chron. Farf. p. 498. im J. 891. Schon 854 wurde das mon. Casauriense verbrannt. Cf. Chr. Ca-saur. apud Mur. S. R. J. T. II. p. 2.; 846 waren die Saracenen in Rom. Cf. Leo Ostiens. I. c. 27. Fast alle Chroniken ital. Klöster berichten aus dieser Zeit von ihren Klöstern dasselbe, was die Chronik von Farfa erzählt. Vgl. Leo Ost. I. c. 44. über Monte Casino, das im J. 884 von den Saracenen verbrannt und dessen Abt, Ber-thar, am Altare des hl. Martin ermordet wurde.

10) Non inscius sum, eam quae nunc respublica dicitur usque adeo vitiorum proluvie omnium obsolevisse, ut de ejus salute merito desperetur a pluribus, quod nec virtute subigi nec sapientia patitur moderari. Henrici mon. epla apud Duch. scr. II. p. 390.

Als das römische Kaiserreich in den Stürmen der großen Völkerwanderung allmälig in Trümmer zerfiel, Sueven, Vandalen, Gothen und Longobarden, Franken, Alemannen und Burgunder sich in die reiche Beute theilten, der römische Kaiser nach dem äußersten Osten gedrängt kaum mehr einen Winkel des Abendlandes sein nennen konnte und die Völker des Römerreiches [11]) unter dem Schwerte der Feinde und inneren Drangsalen, die eingewanderten Nationen durch eigene Barbarei zu Grunde zu gehen schienen: da hatte sich bereits, ein Schutz der Bedrängten, eine Zuflucht der Lebensmüden, der Armen und der Verlassenen, auf dem Boden, den mehr als 30 Päpste mit ihrem Blute getränkt, die römische Kirche aus kleinen Anfängen zu voller Kraft erhoben, und, nachdem sie den wahren Glauben gegen den Osten wie gegen den Süden behauptet, ihre Arme auch über das Abendland ausgebreitet, den Barbaren des Nordens den Segen der Erlösung des Menschengeschlechtes zu spenden, den die übrigen Völker des römischen Erdkreises bereits empfangen hatten. Beinahe zu gleicher Zeit wurde die untrügliche Wahrheit apostolischer Ueberlieferung gegen Constantinopel, die nimmer müde Mutter hochmüthiger Ketzerei, siegreich behauptet und der gefährlichste Feind der christlichen Kirche, der Arianismus, welcher das Wesen des Christenthums durch sein Dogma zerstörend, in 3 Welttheilen der Einen und apostolischen Kirche eine Nebenkirche entgegenzusetzen unternommen hatte, nach langem Kampfe vollständig bezwungen; wurden christlichem Glauben und christlicher Zucht, ohne welche der Glaube gehaltlos schwankt, christlicher Wissenschaft und Kunst in der Einsamkeit hoher Gebirge, in fast unzugänglichen Thalschluchten und abgeschlossenen Gebäuden bleibende Stätten bereitet. Damals blühte in Irland ein Chor von Heiligen, in Britannien und Spanien ward die christliche Kirche erneut, in Frankreich ihrem Verfalle gesteuert, in Deutschland sie gepflanzt, gewartet und gepflegt; in blutigem Hader entzweite Völker wurden dem Erlöser gewonnen und dem Genusse überirdischer Güter zugeführt. Die gefeierte Geschichte der alten Welt hat

---

11) Cf. Salvian. de gubernatione Dei, passim.

keine Veränderung nachzuweisen, die an Umfang wie an Be-
deutung der geistigen Umwälzung gliche, die sich auf dem von
der Völkerwanderung durchwühlten Boden in kürzester Zeit
ereignete; kein Staat hat eine so lange Reihe untadeliger
Vorsteher gehabt, als der römische Stuhl auch nur in den 3
Jahrhunderten vom Papste Gregor dem Großen bis Papst
Bonifacius IV [12]) zählte. Das Vorbild der Heiligkeit, welches von diesen Männern ausging, wirkte durch alle Stände.
Es stiegen Könige von ihren Thronen, um in Armuth und
Gehorsam Christo, dem Gekreuzigten, zu dienen und für Auf-
gebung zeitlicher Wohlfahrt ewiges Heil zu empfangen. [13]) Die
edelsten Jungfrauen entsagten freiwillig den Genüssen des
Lebens; statt des Panzers ward das Cilicium der Schmuck vieler Jünglinge, eine einsame Celle ersetzt nun die Halle, die
früher von dem Klange der Becher und dem Geräusche der
Waffen ertönt hatte. Den weltlichen Gesetzen, die aus heidnischen Zeiten stammten, gegenüber, sie milbernd und durch-
bringend, hatten die geistlichen Satzungen Geltung erlangt,
welche, auf Aussprüchen der Apostel, auf uranfänglichem Herkommen der Christenheit beruhend, aus den Decreten [14]) und
authentischen Interpretationen jener Versammlungen gebildet
waren, in welchen die Väter der allgemeinen Kirche, seit den
frühesten Zeiten und in Einem Geiste, was Norm des Glaubens sey, erläuterten und heilsame Regeln des gesammten
christlichen Lebens aufstellten. Durch das Festhalten an diese,
welche spätere Zeiten folgerichtig ausbildeten und als die Grund-

---

12) Vom Jahre 590—896. Vergl. die Beilage Nr. II. des Anhanges.
13) Nur allein aus dem Stamme der Angelsachsen sieben an der Zahl.
14) Wohl zu unterscheiden von den pseudoisidorischen Decretalen, obgleich selbst von dieser Sammlung, aus welcher so viele unberufene
Eiferer ein gewaltiges Rüstzeug gegen die christliche Kirche in diesen
Jahrhunderten zu schmieden suchten, jetzt hergestellt ist, daß ihr Inhalt dem Wesen nach mit den frühesten päpstlichen (apostolischen)
Decreten übereinstimmt, während die eigenmächtigen Zusätze Isidor's
der Entwicklung der Hierarchie mehr schadeten als nützten. Vgl. die
einschlägigen Abschnitte in Phillips deutscher Reichsgeschichte I. Wat-
ters Kirchenrecht. Ausg. v. 1836.

lagen der gesammten kirchlichen Ordnung fortwährend aner-
kannten, wurde die uranfängliche Wahrheit der christlichen
Kirche erhalten, die ihrer göttlichen Einsetzung angemessene
Würde behauptet und jene Unterordnung der Gewalten hervor-
gebracht, welche die Grundlage aller Freiheit der germanischen
Völker und die Bedingung alles christlichen Lebens geworden
ist. So in eigener lebensvoller Entwicklung sich ausbreitend,
der Willkühr menschlicher Satzung nicht unterworfen, ward die
Kirche wahrhaft Gemeingut Aller. Bei, ja vor der Geburt
schon empfing sie den Menschen, nahm ihn auf in den Bund,
den der allmächtige Gott mit jedem Einzelnen in der heiligen
Taufe schließt, machte ihn der Erlösung theilhaftig und begleitete ihn schützend und tröstend durch alle Lebenswege bis an
das Grab, ihm dort ein ewiges Jenseits in der Gemeinschaft
der Heiligen Gottes zu eröffnen, die, ein lebendiges Evange-
lium¹⁵), der Geist des Herrn in jedem Jahrhunderte sich zu
fortwährenden Zeugen der Wahrheit seiner Kirche schafft. In
ihr war Raum für Alle. Bischöfe und Aebte, Priester und
Mönche, Fürsten, Ritter und Knechte, Bürger und Bauern
hatten gemeinsamen Antheil an dem Siege des Kreuzes, gemeinsame Mühe und gemeinsamen Lohn; mehr als Alle der
Papst, der oberste Bischof, als Nachfolger des Apostelfürsten,
als Bewahrer apostolischer Tradition, in diesen Zeiten nur der
Apostolische genannt. Neben ihm der Kaiser, der Beschützer
der Kirche, der, wie er die Krone im Namen Jesu Christi
empfangen, sie auch nur zur Bereitung Seines Reiches tragen
sollte¹⁶). Denn nicht Zufall war es oder Politik, sondern in

15) Worte des hl. Franz von Sales. Dieß ist auch einer der Gründe,
warum die jüngsten Angriffe gegen das Christenthum durch den Versuch, die Evangelien als Mythen auszulegen, den Katholiken mehr
lächerlich als furchtbar erschienen. Die Geschichte der Heiligen ist der
unumstößlichste Beweis der Wahrheit des Evangeliums.
16) Wie sehr die Carolingen gerade diesen religiösen Moment in dem
Kaiserthume, sowie die freie Vergebung der Kaiserkrone durch den
Papst erkannten, geht vorzüglich aus dem Briefe Kaiser Ludwig's II.
an den Kaiser Basilius von Constantinopel hervor, in welchem jener
erklärte: seine Oheime erkannten ihn, den Neffen und jüngeren, als

dem Wesen der Kirche gegründete Fügung, daß der Papst erst
die fränkische Königskrone auf Pipin, dann die römische Kaiserkrone auf Carln den Großen übertrug, und so die innigste
Verbindung zwischen der Kirche und der weltlichen Macht
schuf, damit jene, unter Barbaren ausgebreitet, fortan ihren
durch Krönung und Salbung berufenen Vertheidiger finde, dieser[17]) aber sacramentalische Weihe empfange, Recht zu sprechen
auf Erden, wie Recht zu üben, und anstatt mit roher Gewalt
gegen Christen zu wüthen, die Störer des Friedens bekämpfe,
die Boten des Glaubens beschütze. Seitdem schien das Abendland nicht nur, es war[18]) von dem Ebro bis zur Raab, von
dem Nordmeere bis Calabrien ein ständiges Heerlager zum
Schutze der Kirche wie zum Kampfe gegen alle Völker gerüstet, welcher von dem Irrwahn heidnischer Götter oder der
Truglehre Mohammeds befangen, gegen die trostbringende
Botschaft der Erlösung, gegen die allumfassende Liebe des
Mensch gewordenen Heilandes streiten zu müssen wähnten.
Aber nicht wie diese trieb ein wüthender Haß die christlichen
Völker zum Angriffe gegen die übrigen Nationen; der Kampf
der Christen war zur Bereitung des Heiles für die Ueberwun-
denen, und noch immer waren es in diesen Zeiten, wie acht

Kaiser an, attendentes — ad unctionem et sacrationem, qua
per summi Pontificis manus impositionem divinitus sumus ad
hoc culmen provecti. Vgl. Phillips deutsche Reichsgeschichte B. II.,
welcher diese Verhältnisse in §. 47 und 48 mit bewunderungswürdi-
ger Klarheit und Gründlichkeit behandelt. Siehe auch Beilage Nr. III.
über die Krönung Kaiser Otto's I.

17) Duo sunt quibus principaliter mundus hic regitur, auctoritas sacra pontificum et regalis potestas, in quibus tanto gra-
vius est pondus sacerdotum, quanto etiam pro ipsis regibus in
divino reddituri sunt examine rationem. S. Gelasius Papa ad
Anastasium Imperatorem.

18) Die kriegerische Stellung der christlichen (fränkischen) Völker als
feurige Theilnehmer an der streitenden Kirche erhellt vorzüglich aus
den damals üblichen Litaneien, von welchen einige schon von Meibo-
mius, Leibnitz etc. abgedruckt wurden, zwei andere, aus einem Re-
gensburger Codex der Münchner Hof- und National-Bibliothek in
dem Anhange mitgetheilt werden. Vgl. Beilage Nr. III.

Jahrhunderte früher, wehrlose Männer, die wie Lämmer unter Wölfen, sich zuerst dem Grimme der Heiden aussetzten, auch sie zum Reiche Gottes zu berufen, während mit ungetheilter Aufmerksamkeit die römischen Päpste darüber wachten, daß der ausgestreute Same nicht zertreten würde, noch, von der allgemeinen Kirche willkührlich getrennt, andere Satzung, andere Sitte, als die von den Aposteln empfangene, sich Geltung verschaffe [19]).

Diese Stellung der Kirche gebot höchste Uebereinstimmung mit ihr von Seite der weltlichen Macht; ihr diese zu bieten, war stets der weiseren Carolingen vorzüglichstes Bestreben. „Da es der göttlichen Vorsehung gefallen hat, schrieb der vielverkannte Kaiser Ludwig der Fromme in dem berühmten Capitulare des Jahres 823, unsere geringe Person dazu zu bestimmen, daß wir Sorge tragen sollen für Gottes heilige Kirche und für dieses Reich, so wünschen wir, daß sowohl wir selbst, als unsere Söhne und Genossen in den Tagen unseres Lebens dahin streben, daß besonders 3 Punkte von uns und euch bei Verwaltung dieses Reiches ganz vorzüglich beachtet werden: nämlich, daß der heiligen Kirche Gottes und ihren Dienern Schutz, Erhebung und die geziemende Ehre bleibe, und Friede und Gerechtigkeit in der ganzen Gesammtheit unseres Volkes erhalten werden. Darnach müssen wir am meisten trachten, und wollen euch auch unseren Pflichten gemäß in allen Versammlungen, die wir noch mit Gottes Hülfe halten werden, dazu ermahnen." „Dieß aber, wurde mit desselben Fürsten Geheiß auf der sechsten Synode zu Paris erklärt, ist des Königs Gerechtigkeit [20]), Niemanden mit Gewalt wider das Recht zu

---

19) Aus diesem Gesichtspunkte ließe sich das Verhältniß des hl. Bonifacius zu den Päpsten, welches noch in der neuesten Zeit auf so gehässige Weise dargestellt wurde, selbst dann noch rechtfertigen und erklären, wenn man auch so ganz falsche Anmuthungen machen dürfte, wie die akatholischen Biographen dieses Heiligen bisher gemacht haben.

20) Eine andere Stelle, welche die hohe Würde, wie die hohen Pflichten darstellt, welche auf die Fürsten von diesem engen Verhältnisse zu der Kirche übergingen, möge im Originale nachfolgen. Auf der 3. Synode zu Aachen im Jahre 862 sagten die Bischöfe von König

bedrücken, ohne Ansehen der Person, ob Mann oder Nachbar, Recht zu sprechen, Fremde, Unmündige und Wittwen zu beschützen, Entwendungen zu verhindern, den Ehebruch zu bestrafen, Ungerechte nicht zu erheben, Unkeusche und Possenreißer nicht zu begünstigen, Gottlose von der Erde zu vertilgen, Vatermörder und Eidbrüchige nicht beim Leben zu lassen, die Kirchen zu beschützen, die Armen durch Almosen zu nähren, die Angelegenheiten des Reichs gerechten Männern zu übergeben, bejahrte, erfahrene und mäßige Männer zu Räthen zu haben, dem Aberglauben von Zauberern, Zeichendeutern und Wahrsagern nicht zu huldigen, den Ausbruch des Zorns zu unterdrücken, das Vaterland gerecht und kräftig gegen Feinde zu vertheidigen, in Allem in Gott zu leben, im Glücke nicht stolz zu werden, das Unglück mit Geduld zu ertragen, mit katholischem Glauben an Gott zu hängen, seine Söhne nicht gottlos handeln zu lassen, in gewissen Stunden des Gebets zu pflegen und vor den geeigneten Stunden keine Nahrung zu sich zu nehmen: auf solche Weise wird das Blühen des Reiches bewirkt und der König selbst den besseren, himmlischen Reichen zugeführt."

Noch Ludwig der Deutsche, Kaiser Ludwig's I Sohn, selbst Arnulf[21], König Carlmann's Sohn, suchten, wenn auch nicht ohne manches Schwanken, diese streng christliche Haltung

---

Lothar II: Principi ad memoriam reduximus, ut non immemor vocationis suae, quod nomine censetur, opere compleat, ut Rex Regum Christus, qui sui nominis vicem illi contulit in terris, dispensationis sibi creditae dignam remunerationem reddat in coelis. Harzh. conc. II. p. 266. In gleicher Hinsicht nennt auch Wippo im Leben Conrad's des Saliers diesen Fürsten Vicarium Dei. Wenn aber heut zu Tage in Staaten, die auf atheistischer Grundlage beruhen, ähnliche Ausdrücke gebraucht werden, kann man sich freilich des Lächelns nicht enthalten.

21) Nos igitur, sagte Kaiser Arnulf auf dem Concil zu Tribur im J. 895, quibus regni cura et sollicitudo ecclesiarum Christi commissa est, aliter regnum et imperium jure ecclesiastico regere et gubernare non possumus, nisi hos, qui ecclesiam Christi, non habentem maculam, ut Apostolus ait, neque rugam, conturbant, zelo fidei persequamur. Harzheim conc. II. p. 392.

zu behaupten. So lange dieß geschah, begleitete der Sieg die
Fahnen der Carolingen; als diese aber die ihnen gewordene
großartige Aufgabe verließen, um sie in vater- und bruder-
mörberischen Kampf zu verkehren, ward die Herrschaft von
ihnen genommen; in kürzester Frist wurden die gewaltigen
Schöpfungen ihrer Ahnen zerstört und Last auf Last gehäuft,
dem in Entartung versunkenen Zeitalter die Nichtigkeit seines
Bestrebens, zugleich aber auch die Mittel zur Rettung zu
zeigen [22]).

Als aber durch den Verfall dieses Hauses, auf welches
fromme Päpste die weltliche Ordnung der Dinge gegründet
hatten, alle Reiche des Abendlandes in ihren Grundfesten erschüttert wurden, vermochte bei solch allgemeiner Wendung der
Dinge auch die Hauptstadt der alten Welt, die Mutter der
neuen, nicht länger, tiefgreifende Bewegungen von sich fern zu
halten. Seit den Tagen der letzten Longobarden-Könige und
in Folge der hinterlistigen Politik dieser Fürsten hatten die weltlichen Großen Rom's immer größeren Einfluß auf die Papstwahl zu gewinnen gewußt, so daß nur die Uebermacht der
Carolingen im Stande war, die Erhebung des Würdigsten vor
dem den römischen Großen Gefälligsten zu befördern, während andererseits von den Päpsten selbst nicht geringe Klugheit und Festigkeit erheischt ward, damit die Beschützer nicht
Bedrücker, die gekränkten Wähler nicht offene Feinde [23])

---

22) Usque ad animam gladius pervenit cum justo Dei judicio
    amissis exterioribus bonis et exhausto flagellis atque afflictio-
    nibus corpore, ipsa virtus animae lassata deficere videtur et
    quasi nihil vitale in illa reservatur. Conc. Trosl. ap. Mansi
    XVIII. p. 265. — Conradus Haeopagus atque Geophardus Argen-
    toratensis, vates divini, tum facundiam in vitia sacerdotum et
    monachorum aviditatem exercebant; ac nisi resipiscerent, fla-
    gellum Dei Attilam adfore propediem praedicabant. Sed nemo
    his recte praecipientibus admonentibusque obtemperabat.
    Aventin. ann. Boj. IV. Basil. 1580. p. 368.

23) Solemne Romanis et consuetudinarium fuit, ut omnes alicu-
    jus momenti Apostolicis ad sedem Apostolicam per tempora
    subrogatis jugiter essent infensi vel potius infesti. Mon. San-
    gall. lib. I. de eccles. cura Caroli M.

würden. Der Verfall der Carolingen befreite endlich die römi=
schen Consuln, Herzoge und Grafen von einer lästigen Aufsicht
und eröffnete zugleich ihrer unmäßigen Begierde nach den
Gütern der Kirche und ihrer Verwaltung freien Spielraum [24]).
So wurde der Sieg der Weltlichen über die Geistlichen einge=
leitet: Miethlinge [25]) auf dem heiligen Stuhle, Zeiten voll
Trübsal und Verwirrung waren die nächsten Folgen dieses
heidnischen Treibens. Gerade damals ward das Longobarden=
reich wieder hergestellt; ja seit Kaiser Carl's des Dicken Tode
war selbst die Kaiserkrone von den Beherrschern der Franken
und Deutschen auf die Lombardiens übergegangen. Obwohl
wie früher von den Päpsten vergeben, verlor diese jetzt immer
mehr ihre eigentliche Bedeutung und wurde bald nur Gegenstand
der Bewerbung fürstlicher Abentheurer, denen die italischen
Großen neue Gegner zu bereiten rastlos sich bemühten, selbst in
die unseligen Folgen jenes Fluches verwickelt, der von dem
Geschlechte des ersten Lothar's [26]) ausgehend, die ihm ver=
wandten Fürstenhäuser Italiens erfüllte und sich vom Vater zum
Sohne, vom Sohne zum Enkel in endlosem Unheil fortzog,
ja selbst die Ordnung der Kirche so tief in die allgemeine Ver=
wirrung schleuderte, als dieß nur immer ihrer göttlichen Anlage
und den ihr gewordenen Verheißungen gemäß geschehen konnte.
Fast unmittelbar bei dem Beginn dieser Epoche der Trüb=
sal, zwei Jahre nach dem Tode Kaiser Carl's des Dicken, mit

---

24) Von ihnen gilt, was Paschas. in vita Walae von den Fürsten
seiner Zeit schreibt: Nescio, principum nostrorum quis salvus
esse possit, quibus nihil tam dulcia sunt quam praedia ecclesiarum nihilque tam suavia sicut scriptum est: panis abscondi-
tus suavior est et aquae furtivae dulciores. Ap. Mabill. AA.
SS. O. S. Bened. IV p. 1. Gegen Ende des neunten Jahrhun=
derts (Aug. 898) suchte Papst Johannes IX die Papstwahl durch ein
Decret zu regeln: Constituendus pontifex convenientibus episcopis et universo clero eligatur expetente senatu et populo —
et — praesentibus legatis imperialibus consecretur. Pertz
mon. II. p. 158. — Allein, quid vanae sine moribus leges
proficiunt?

25) Evang. Joh. X, 1. etc.

26) Vgl. den Stammbaum in der Beilage V.

welchem die Herrschaft des ächtcarolingischen Stammes in Deutschland und Italien zu Ende ging, hielten die italienischen Bischöfe eine Synode zu Pavia [27]), die Noth des Landes zu berathen und den Herzog Wido von Spoleto zum Könige von Italien zu erwählen. Sie thaten dieß, indem sie hiebei die feierliche und merkwürdige Erklärung von sich gaben, „sie erwählten nur deßhalb den Herzog zu ihrem Beschützer und Fürsten, weil er den Sieg über seine Gegner der göttlichen Vorsehung zugeschrieben und eidlich versprochen habe, die heilige römische Kirche von ganzem Herzen zu lieben und zu erheben, die Rechte der Kirche aufrecht zu erhalten, seine Unterthanen in ihrem Herkommen zu beschützen, die Fehden in seinem Reiche auszurotten und den Frieden zu bewahren.“ Es war dieß für lange Zeit in Italien die letzte Ausübung jener hohen Macht, welche die Bischöfe ihrem erhabenen Amte zufolge in den neuen Staaten behauptet hatten, als Schiedsrichter zwischen dem Stärkeren und dem Schwachen einzutreten, göttliche Satzung zu bewahren, menschliche aber in diejenigen Schranken zurückzuführen, durch welche das Recht des Einen ungekränkt, die Freiheit des Andern ungefährdet blieb. Nur zu bald gewöhnten sich die neuen Herrscher, in dem Glanze der weltlichen Macht ihre Pflichten als christliche Fürsten zu vergessen. Erst suchte Lambert, Wido's Sohn, den Bischöfen seines Reiches ihre Verbindung mit dem Haupte der Kirche zu erschweren; dadurch wurde es den nachfolgenden Königen, vor Allem Hugo von Provence ein Leichtes, das Episcopat vollends zu einem Werk-

---

27) Bei Murat. S. R. J. II. p. 416. Inprimis, beginnt der erste Canon dieser Synode, oramus, optamus operamque damus, ut mater nostra S. Romana Ecclesia in statu et honore suo cum omnibus privilegiis et auctoritatibus sicut ab antiquis et modernis imperatoribus atque regibus sublimata est, ita habeatur, teneatur et perenniter custodiatur illaesa. Nefas est enim, ut haec quae totius corporis ecclesiae caput est et confugium atque relevatio infirmantium, a quoquam temere propulsari vexative permittatur, praesertim cum sanitas ipsius nostrorum omnium sit salubritas.

zeuge ihrer falschen und habsüchtigen Politik zu verkehren, die gleichzeitig ihre Hände nach den Gütern der Klöster ausstreckte und zugab, daß Weltliche sich der Stifter bemächtigten und daselbst als Aebte verweilend, selbst die Möglichkeit einer Wiederherstellung kirchlicher Disciplin vernichteten. Unbekümmert darum, daß ein solches Verfahren sie aus der Reihe christlicher Könige in die habsüchtiger Tyrannen warf, erkannten diese Fürsten in ihrer Willkühr und Kurzsichtigkeit noch viel weniger, wie die Grundpfeiler ihrer eigenen Macht dadurch erschüttert wurden. Denn zu der Verachtung der Kirche, mit welcher die Fürsten vorangingen, gesellte sich bei den Unterthanen alsbald die Verhöhnung der göttlichen Gebote, des Gehorsames, der Treue, des Eides; es löste sich vor Allem die Heiligkeit der Ehe, das Band der Familien, und eine solche Verwirrung aller menschlichen Verhältnisse trat ein, daß kein Fürstenhaus Italiens von blutschänderischer Vermengung frei blieb [28]), die nächste Verwandtschaft der Grund der höchsten Feindschaft wurde, Schwestern und Gemahlinnen, Mütter und Töchter nur mit Mühe unterschieden werden können und Gräuelscenen

---

28) So wurde König Hugo, der Berta Sohn und Gemahl Marozia's, die in ihm den (Stief-) Bruder eines ihrer Männer, Guido's, geheirathet hatte, Stief- und Schwiegervater Alberich's von Rom, der in seiner Gemahlin Alda, Hugo's Tochter, seine (Stief-) Schwester, umfing. Wer darf sich wundern, daß aus solcher Ehe ein Octavian (P. Johann XII) entsproß? Drei Frauen, nach einander geheirathet, genügten dem König Hugo noch immer nicht; er hatte neben ihnen einen Haufen von Concubinen aus allen Ländern, von welchen wieder 3 seine ganz besondere Gunst genoßen, denen er nach der Aehnlichkeit ihrer Charaktere die Namen Juno, Venus und Semele beilegte. Dennoch rühmt Liutprand von ihm, er sey Dei etiam cultor sanctaeque religionis amator gewesen; in pauperum necessitatibus curiosus, erga ecclesias sollicitus (wie? wird weiter unten erhellen), religiosus; philosophosque viros non solum amabat, verum etiam fortiter amabat. Wenn der König mit einem solchen Beispiele der schändlichsten Liederlichkeit vorausging, läßt sich denken, auf welchen Wegen Adel, Volk, ja auch der Clerus wandelten, wie allmälig sogar die Begriffe von der moralischen Schändlichkeit mancher Handlungen aufhören mußten.

aller Art, Verrath und Mord zur Tagesordnung wurden.
Wie in Tuscien die Markgräfin Bertha[29]), die Frucht des
sündhaften Umgangs jenes K. Lothar's II, deſſen ſchreckli=
ches Ende die Welt entſetzte[30]), mit Waldrada, — ſie ward
König Hugo's Mutter, dann des Markgrafen Adalbert's I
Gemahlin, — wie in Oberitalien ihre Tochter Ermengarda[31]),
die Helena des zehnten Jahrhundertes, die Großen durch buh=
leriſche Künſte an ſich feſſelten und damit die Quelle unauf=
hörlicher Kriege wurden, ſo unterwarf ſich in Rom durch gleiche
Mittel wie zu gleichem Ende erſt Theodora[32]) aus ſenatori=
ſchem Geſchlechte, dann ihre gleichnamige Tochter die Vorneh=
men der Stadt. Mehr als Mutter und Schweſter wußte
Marozia, der älteren Theodora zweite Tochter, durch den Reiz
ihres Leibes und die Schamloſigkeit ihres Lebens die Fürſten
Italiens an ſich zu ketten, während Gemeinſchaft des Laſters

29) Vergl. Liutprand hist. II. c. 10. 11. 15. Die Vertreibung des
Königs Ludwig von Burgund aus Italien war recht eigentlich
Bertha's Werk.

30) Bekanntlich verſtieß Lothar II ſeine rechtmäßige Gemahlin Thiet=
berga, um mit Waldraden zu leben. Bei dieſem ſchändlichen Con=
cubinate fand der König die eifrigſten Vertheidiger an ſeinen Bi=
ſchöfen; allein P. Nicolaus I vernichtete alle Pläne des Königs und
ſeiner Genoſſen, und als Lothar von deſſen Nachfolger Adrian II die
heil. Communion begehrte, reichte ſie ihm dieſer unter der Bedin=
gung, ſie zu genießen, wenn er mit Waldraden ſeit ihrer Excommuni=
cation keinen Umgang gepflogen. Lothar und ſein Gefolge empfingen
ſie dennoch, ſtarben aber ſämmtlich nach wenigen Tagen.

31) Cf. Liutpr. hist. III. c. 5. — Italienses omnes coeperunt
inter se dissidere; zelo quippe non modico propter Ermen-
gardae pulchritudinem juxta carnis hujus putretudinem trahe-
bantur, eo quod ea stuprum aliis praebebat, aliis denegabat.
Sie hatte vorzüglichen Antheil an der erſten Vertreibung K. Ru=
dolf's aus Italien, worauf ſie factiſch die Herrin Italiens wurde.
Liutpr. II. c. 2.

32) Luitpr. II. c. 13. Es iſt übrigens wohl kein Zweifel, daß Liut=
prand hiebei übertrieb. Gar manche Beſchuldigung, welche gegen
dieſe Frauen erhoben wurde, kann vor der Critik nicht beſtehen. Hie=
bei iſt die Beilage Nr. VI. über den Stammbaum der Grafen von
Tusculum nachzuſehen.

das Volk von Rom in schmählicher Ruhe, die Macht ihrer Buhlen den heiligen Stuhl in bisher ungekannter Knechtschaft erhielten. Auf solche Weise geschah es, daß in den 60 Jahren [33] von P. Formosus Tode bis zu P. Johann XII, dem Sprößlinge aus Theodorens Geschlechte, von 19 Päpsten, unter welchen Bonifaz IV nur 14 Tage, Romanus 4 Monate, Theodor II 20 Tage, Leo VI 7 Monate und 2 Tage regierten, zwei mit Gewalt entsetzt wurden, Johann X ermordet, Stefan VIII verstümmelt ward; P. Christoph aber, Sergius III, Johann X, Johann XI zum Oberhirtenamte der Christenheit theils durch List, theils durch Gewalt gelangten.

Die unwürdige Art und Weise, wodurch sich Sergius III [34] in dem gräuelvollen Streite um die Leiche des P. Formosus, wie ein Dieb bei nächtlicher Weile, so durch die Gunst Theodora's das Pontificat erschlich, hatte dieser wohllüstigen und ehrgeizigen Frau den Weg gebahnt, sich die Ertheilung des Papstthums vollkommen anzumaßen. Drei Jahre nach Sergius Tode erhob sie ihren Buhlen Johannes, einen Cleriker von Ravenna, der durch sie erst Bischof von Bologna, dann Erzbischof von Ravenna geworden war, auf den römischen Stuhl, auf welchem er sich als Johann X 14 Jahre lang behauptete. So schimpflich er das Pontificat erlangt, war er doch besser als die, durch welche er Papst geworden war; er war ein Mann von Kraft, der das Meiste dazu beigetragen, die Saracenen am Garigliano [35] zu vernichten; er suchte den Frieden Italiens wiederherzustellen, indem er den kühnen [36] Berengar

---

33) Von 896—956.

34) Liutpr. l. c. 8. Vergl. die Berichte der verschiedenen vitae Summor. Pontif. aus dieser Zeit bei Mur. S. R. It. II. 1 et 2. Frodoard, Amalricus Augerius, Guglielmus Biblioth. ꝛc. Ueber Formosus Leiche vgl. Döllinger's Handbuch I. S. 468. Merkwürdig ist, daß Glaber diese Unthat als den Grund ansah, warum die Gebete der Kirche nicht erhört wurden und die nachfolgenden schweren Züchtigungen eintraten. Damals wurde auch die Laterankirche geplündert und beinahe zerstört, von Sergius aber wieder hergestellt.

35) Im J. 916. Vgl. Leo Ost. I. c. 52.

36) Vergl. carmen panegyr. de laudibus Berengarii Aug. — Pagi ad Bar. 915. III. Die Krönung geschah am Ostertage 915. Ueber die

zum römischen Kaiser krönte; er wäre im Stande gewesen,
Rom der Herrschaft vornehmer Buhldirnen zu entreißen; aber
Gott, der die Bosheit der Zeiten zu Ende kommen lassen wollte,
verhängte es anders, und der entschlossene Papst sühnte, 4 Jahre
nachdem Kaiser Berengar durch Meuchelmord gefallen, durch
nicht minder gewaltsamen Tod unter den Händen von Maro-
ziens Buhler, Guido, Bertha's Sohn, die Schuld, die er gemeinsam mit Marozia's Mutter auf sich geladen hatte [37]).
Schon war es auch nicht mehr die Sache des einen oder anderen glücklichen Pontificats, den Leiden der Kirche abzuhelfen.
Wäre es auch P. Johann gelungen, Marozien zu entfernen
und seinen Bruder Petrus mit der Macht ihres Geliebten zu
bekleiden, dem tausendfach eingerissenen Verderben wäre damit
nur sehr wenig gesteuert worden. Die Senatorengeschlechter
umzuschaffen, Ehrsucht und Geiz aus den Herzen der Bischöfe
zu entfernen, Keuschheit und Liebe zur Zucht in Mönchen und
Priestern zu erwecken, die Klöster dem Adel zu entreißen oder
aus dem Schutte wieder aufzubauen und mit Dienern Gottes
zu bevölkern, den Fürsten Liebe zur Gerechtigkeit, dem Adel
Achtung vor fremdem Besitz, beiden gemeinsam Gehorsam gegen
die Kirche einzupflanzen, hätte auch ein reinerer Papst als
Johann X nicht vermocht. Jahrhunderte lang hatten sich
Päpste, Fürsten, Bischöfe und Concilien bemüht, die Grundübel zu heben, die den Frieden der Staaten und das Gedeihen
der Kirche störten, den Verkauf [38]) geistlicher Würden, die

---

Gewissensbisse, welche der Papst wegen seines früheren Lebens fühlte
und wie er deshalb Gesandte zu dem Grabe des heil. Jacob nach
Compostella schickte, vergl. Baron. ad a. 918.

37) Im J. 928. Cf. Liutpr. III. c. 12. Dazu Frodoardi chron.
Johannes Papa quum a quadam potenti femina, cognomine
Marozia principatu privatus sub custodia detineretur, ut qui-
dam vi, ut plures actus angore defungitur.

38) Illis temporibus viguit Simoniaca haeresis in tantum, ut
publice venderentur episcopatus et is, qui plus dabat, episcopatum acciperet. Nec erat aliquis Episcoporum aut ecclesia-
sticorum, qui zelo justitiae ductus cum Imperatore aut rege
ageret, ut hoc nefas prohiberetur. Quia vero nemo erat
Christianorum, per quem hoc malum corrigeretur, misit Deus

Heirathen der Priester und die unnatürlichen Sünden ³⁹), womit sich die germanischen Nationen seit ihrer Berührung mit
den Völkern des Alterthums befleckt zu haben scheinen. Hatte
doch schon auf der sechsten Synode zu Paris Kaiser Ludwig I
die gerechte Besorgniß ausgesprochen, es möchte das Frankenreich unter der Last so schwerer, so tiefeingreifender Verbrechen
demselben Schicksale verfallen, das aus gleichen Gründen die
Macht der Gothen und Vandalen zertrümmert hatte. Aber zu
tief war noch in den Nationen des Abendlandes der Geist der
Zügellosigkeit und der Unmäßigkeit gewurzelt; zu lieb den verderbten Ständen ihre Laster, als daß sie anders als gezwungen eine Reform der Sitten angenommen hätten. So verfielen sie denn nun dem strafenden Verhängnisse, das ihre Laster
selbst ihnen bereiteten ⁴⁰); deshalb handelte es sich aber auch in
diesen Tagen moralischer Zerrüttung auf dem höchsten Stuhle
der Christenheit weniger darum, neue Gestaltungen hervorzu-
rufen, als, den Gang der Ereignisse in Ruhe und Geduld
abwartend, das noch Bestehende vor gänzlichem Einsturze zu
bewahren, und P. Leo VI und Stefan VII, P. Johann's X
Nachfolger ⁴¹), hatten genug gethan, als sie, unbefleckt, wie
sie das Pontificat erlangten, es auch verwalteten, in beschränk-
tem Kreise günstig zu wirken suchten, und, so lange sie lebten,
den Stuhl des Apostelfürsten vor der Gefahr bewahrten, in
welche ihn die Mörder Johann's X durch Erhebung des jungen

flagellum paganorum. Nam superveniens Saraceni innume-
ros homines interfecerunt et multas urbes cremaverunt. Mag.
Belgii chron. und Lupi scholia t. III. p. 422.

39) Lupus schol. t. III. p. 422.

40) Es ist bekannt, von welch unseligen Folgen für das fränkische Reich
die Brüderschlacht bei Fontenay gewesen ist, und wie die Uebermacht
der Normannen erst von diesen Tagen an sich datirt. Dasselbe, was
die Schlacht bei Fontenay für Frankreich und Deutschland war, war
die bei Florentiola zwischen Kaiser Berengar und König Rudolf für
Italien: Tanta quippe tunc interfectorum strages facta est, ut
militum usque hodie (um 960) permagna raritas habeatur.
Liutpr. II. c. 18. Wie schmerzlich aber Berengar und die ordnende
Hand eines Kaisers vermißt wurden, darüber sieh Liutpr. III. c. 1.

41) Von 928—931.

Johannes, des älteren Alberich und der Marozia Sohn, zu stürzen drohten. Als ihnen dieß aber nach dem Tode P. Stefan's VII [42]) wirklich gelang, und unter den unaufhörlichen Schlägen die Auflösung der Kirche näher als je herangerückt zu seyn schien, hatte die Vorsehung, ihren Verheißungen getreu, bereits selbst den Grund einer besseren Gestaltung der Dinge gelegt, und, da Abhülfe auf gewöhnlichem Wege nicht mehr möglich war, von mehreren Seiten zugleich eine durchgreifende Reform des gesammten christlichen Lebens im Stillen bereitet.

In dem Laufe des neunten Jahrhundertes hatten im Frankenreiche vielfache Versuche wirksamer Abhülfe der herrschenden Uebel statt gefunden. Noch im Jahre 888 versammelten sich westfränkische Bischöfe zu Metz, den Zustand der Kirche in Francien in Berathung zu ziehen. Die Synode gab zweien Uebeln Schuld an dem allgemeinen Verderben: erstens den Kriegen der Normannen mit den Franken, wie dieser unter sich; dann der langen Verabsäumung bischöflicher Synoden [43]). Es sey hohe Zeit, alle Verkehrtheit von sich abzulegen, um so, der Hülfe des Herrn versichert, die Heiden besiegen zu können. Es scheint aber bei der Anerkennung der Nothwendigkeit einer Abhülfe geblieben zu seyn; denn erst im Jahre 909 versammelten sich die Bischöfe auf's Neue und zwar zu Trosley [44]),

---

42) Im J. 931.

43) Harzheim conc. Germ. II. p. 580 etc. Episcopi et presbyteri et fideles layci, qui ante nos fuerunt, juxta sacram canonum auctoritatem saepius in Christi nomine convenientes, justitiam Dei statuerunt et idcirco pacem suis diebus habuerunt juxta illud, quod scriptum est, pax multa diligentibus legem tuam Domine et hominibus bonae voluntatis. Nos autem, qui tanto tempore transacto comprovincialem synodum non habuimus et invicem quaerere misericordiam Dei negleximus, videmus in nobis completum esse, quod per Prophetam Dominus dicit: terram vestram in conspectu vestro alieni devorant et erit in vastitate hostili etc. Cf. Mabill. praef. in saec. V. Act. SS. ord. S. Bened. p. XIX.

44) Cf. Mabill. praef. in t. III. annal. O. S. Bened. — Pagi adnott. ad Baron. 912. XVI. Sieh die Verhandlungen dieser höchst merkwürdigen Synode bei Mansi sacrorum conciliorum nova et amplissima collectio T. XVIII. Venetiis. fol. p. 265—308.

dem unaufhaltsamen Verfalle der christlichen Religion nach Kräften zu steuern. Aus den Acten dieser Synode geht der gänzliche Verfall der Klöster im westfränkischen Reiche hervor, die entweder von den Normannen verbrannt oder auf andere Weise zu Grunde gerichtet worden waren. Denn vornehme Layen hatten sich vielfältig zu Aebten aufgeworfen und hausten nun in den Klöstern, sowohl von Mönchen, als Canonikern und Nonnen mit Weib und Kind, mit Rittern, Pferden und Hunden. So verfiel vollends, was sich noch vor den Normannen gerettet hatte; die Mönche verließen ihre Klöster und traten in die Welt zurück; bei Geistlichen wie bei Weltlichen erlosch das christliche Leben. Die zu Trosley versammelten Bischöfe erklärten daher, es müßte, da sie lange Zeit hindurch verhindert worden waren, zu gemeinsamer Berathung zusammenzukommen, vor Allem auf Mittel gedacht werden, dem Sinken der Religion wieder aufzuhelfen; sie forderten einander auf, mit der Reform bei sich selbst anzufangen und besonders das Predigeramt selbst wieder zu übernehmen; sie ermahnten Fürsten, Aebte und Mönche zur Besserung; sie beschloßen Wiedereinrichtung der Klöster nach alter, canonischer Sitte, und bewiesen, wie das Reich der Franken, so lange die Kirche von den Eingriffen der Weltlichen frei, der Clerus in Ordnung gewesen, sich nicht nur erhalten, sondern an Macht und Ausdehnung fortwährend zugenommen habe. Der Verfall der kirchlichen Ordnung habe den einst blühenden Zustand des gemeinen Wesens in das gleiche Verderben gezogen; täglich sinke es noch tiefer.

Von diesem Verfalle der westfränkischen Klöster [45]), welchen die Beschlüsse zu Metz und Trosley nicht aufzuhalten vermochten, konnte beinahe nur das Kloster des hl. Sevinus [46]) in Poitiers ausgenommen werden, wohin sich die Mönche von Glanofolio, einer Stiftung des hl. Maurus, vor der Wuth der

---

45) Es kam so weit, daß Mönche ihre Aebte ermordeten, wenn diese Zucht und Ordnung aufrecht zu erhalten sich bemühten. Cf. Chron. Farf. p. 471.

46) Glaber Rudolphus hist. III. c. 5. Mabill. praef. in saec. V. AA. SS. p. XXV.

Normannen geflüchtet hatten. Als aber auch dieses dem Ver=
derben der Zeit zu huldigen begonnen, fanden Religion und
Zucht ein Asyl in dem Kloster des hl. Martin zu Autun, end=
lich in dem Thale von Balmea, wo der hl. Berno, nachdem
er schon in mehreren Abteien die Zucht wiederherzustellen ge=
sucht hatte, mit seinen Schülern nach der Regel des hl. Bene=
dict, wie diese unter Kaiser Ludwig durch Abt Benedict von
Anian wieder erneut worden war, weilte, bis der fromme Her=
zog Wilhelm von Aquitanien ihm und seinen Mönchen Clugny
überließ. Um eben diese Zeit hatte auch der hl. Odo [47],
Canonicus von St. Martin in Tours, sich von der Welt zurück=
zuziehen begonnen, um sich dem Studium des Evangeliums
wie der Propheten, das die Geistlichen dieser Zeit über dem
herkömmlichen Absingen der Psalmen hintangesetzt hatten, in
der Einsamkeit völlig hinzugeben. Bald aber drangen die Ver=
heißungen Christi und die Verkündung der Strafgerichte Gottes
im alten Testamente so gewaltig in seine Seele, daß er dem
Erlöser sich gänzlich zu weihen, den Aposteln in freiwilliger
Armuth nachzueifern beschloß. Er gab, was er hatte, den
Armen, betete, fastete, las fortwährend in den heiligen Schrif=
ten und beweinte das Verderben der Menschen. Nicht lange
vermochte er solche Abgeschiedenheit vor den Menschen zu
bewahren. Erst waren es die Wallfahrer zum Grabe des hl.
Martin von Tours, des hochverehrten Apostels Galliens, die
sich geistlichen Rath von ihm erholten; dann versammelten sich,
von gleicher Sehnsucht, die Welt zu verlassen, erfüllt, Jünger
um ihn, nach seinem Vorbilde zu leben. Bald aber regte sich
unter diesen das Verlangen, sich vollkommen der regulären
Zucht eines Klosters hinzugeben. Sie machten sich deshalb
auf und durchwanderten ganz Frankreich; nirgends aber konn=
ten sie finden, was sie begehrten. Endlich beschloß Adhegrin,
ehemals des Grafen Fulco treuester Ritter, nun Odo's Jünger

---

[47] Johannis monachi Cluniacensis vita S. Odonis. Ap. Surium
XVIII. Nov. Abt Berno stiftete keine Congregation der ihm unter=
gebenen Klöster, wie Abt Benedict unter Kaiser Ludwig und dann
auch Odo thaten, sondern begnügte sich, sie, so lange er lebte, unter
sich zu gleichen religiösen Zwecken vereint zu haben.

und Gefährte, deshalb nach Rom zu ziehen. Als er aber auf
dem Wege dahin nach Oberburgund zum Kloster Balmea kam
und daselbst gewahrte, welche Zucht und Sitte Abt Berno in
dem Kloster eingeführt, schrieb er freudig an Odo zurück: er
möge nach Balmea kommen; hier habe er gefunden, was sie
gesucht. Sogleich eilte Odo herbei, unterwarf sich dem Abte
und ward von diesem zum Schulmeister des Klosters ernannt.
Adhegrin aber verschloß sich erst mit Bewilligung Abt Berno's
3 Jahre lang in eine Zelle; dann baute er sich eine Einsiedelei, 2 Miglien von Clugny, die er von nun an bis zu seinem
Tode nur an Sonn= und Festtagen verließ, um dann in das
Kloster herabzukommen.

Im Kloster selbst warteten von Seite der Brüder, welche
die Strenge Abt Berno's unwillig ertrugen, Schmähungen und
Verfolgungen jeder Art auf Odo. Er aber unterzog sich Allem
mit Freuden, der Ordnung des Hauses, dem Gebete und Still=
schweigen, dem Fasten, den Kasteiungen und der Schmähsucht
seiner Brüder um Christi Willen; selbst dem, was seiner De=
muth das Härteste schien, als der Abt ihn zum Priester weihen
ließ. Als er so das Vorbild Aller geworden, geschah es, daß
Abt Berno zum Tode erkrankt, die Brüder aufforderte, ihn sei=
ner Würde zu entheben und einen andern Abt zu wählen. Auf
dieß ward Odo zu Abt Berno's Nachfolger erwählt, der bald
darauf, im Jahre 916, in Frieden starb. Als nun die Brüder,
welche Odo schon früher verfolgt hatten, ihn auf's Neue zu
quälen begannen, betrieb dieser den Ausbau von Clugny und
zog mit den älteren Brüdern dahin, den jüngern Balmen über=
lassend. Das Kloster von Clugny erhob aber nun Odo zu
einem solchen Muster kirchlicher Zucht, Frömmigkeit, Ordnung
und Wissenschaft, daß sein Ruf bald durch alle christlichen Län=
der drang und ein sicherer Weg des Heiles von da aus eröff=
net schien. Es wurde Mutter und Pflanzschule zahlreicher
anderer Klöster, die geistliche und weltliche Fürsten dem Refor=
mator der kirchlichen Disciplin zur Wiedererneuung anzuver=
trauen sich beeiferten.

So blühte nun durch Odo's Pflege das Kloster des heil.
Julian zu Tours wieder auf und auch die romanensische Abtei

empfing von ihm neues Leben. Graf Bernard von Perigueur übergab dem Heiligen das Kloster des Erlösers, genannt Sarlatum, König Hugo von Italien das des hl. Petrus zu Pavia, Fürst Alberich von Rom das suppontische und aventinische Kloster. Auch die Klöster Aureliac in Auvergne, Masciac bei Bourges, das des hl. Petrus Vivus zu Sens, selbst Fleury unterwarfen sich Odo's Reform; ihm übergaben auch Bischof Arnald und Graf Raymund das Kloster zu Clermont, das seit dem Normannenzug vom Jahre 865 in Asche lag, zum Wiederaufbau und zur Wiederbelebung. Von Burgund bis Salerno brachte Odo selbst die Reform des Mönchthums, ohne welches die Kirche keinen Halt, Clerus und Layen keine sichere Stütze haben [48]).

Nicht als ob der heil. Odo eine neue Regel gegeben hätte, er hielt fest an der des hl. Benedict, welcher die Kirche schon längst ihre Zustimmung gegeben hatte, und brachte sie nur auf ihre ursprüngliche Strenge und Reinheit zurück. Das hauptsächlichste Mittel, dessen er sich bediente, Reform der Sitten und ein inneres Leben unter verderbten Mönchen hervorzubringen, war Zurückführung des Menschen in sich selbst durch Stillschweigen und Gebet. Man bedurfte in Clugny [49]) kaum mehr der menschlichen Zunge; Zeichen ersetzten die Stelle von Worten. Nur zum Dienste Gottes ward die Sprache gebraucht, da täglich zu sieben verschiedenen Malen dem Herrn des Lebens jene Lobgebete gesungen wurden, deren Darbringung altkirchliches Herkommen jedem Mönche und jedem Priester gebietet. Täglich wurden auch zwei feierliche Messen gelesen; an den Tagen des Herrn pflegten immer fünf, an den übrigen Tagen je 3 Brüder die hl. Communion zu empfangen. Die übrigen genoßen nach der Weise der Eulogien vor der gewöhnlichen Mahlzeit gesegnete Brode. Drei Tage vor Ostern empfingen alle gemeinsam den Leib und das Blut des Heilands. In vorgeschriebenen Stunden verrichteten die Mönche Handarbeiten; damit aber auch diese Gott geheiligt würden, geschahen sie un-

48) Udalrici antiquiores constitutiones Cluniac. I. c. 6.
49) Mabillon ann. ord. S. Bened. lib. XLI. p. 53. XLII. p. 92.

ter Abſingung von Pſalmen. Vor aller Handarbeit ward aber
auf jene beſondere Sorgfalt verwendet, wodurch das Brod zum
hl. Abendmahle bereitet wurde. Unter Pſalmengeſängen wurde
hiezu der Erde der Same anvertraut, die reife Frucht geſam=
melt und unter dem Preiſe der göttlichen Allmacht und Liebe
Korn für Korn ausgeleſen, dieſes ſodann ſorgfältig gewaſchen
und in einem eigenen Sacke von einem der unbeſcholtenſten
Brüder zur Mühle getragen. Dort wuſch dieſer zuerſt die bei=
den Steine, behing ſie von oben bis unten mit Tüchern, kleidete
ſich ſelbſt ganz in Weiß und begann dann mit verhülltem Ge=
ſichte, ſo daß nur die Augen unbedeckt waren, das Korn zu
mahlen. Mit gleicher Sorgfalt wurde dann der Sieb gewa=
ſchen und das Mehl geſeihet. Aus dem Mehle das Brod zu
bereiten, war aber das Geſchäft des oberſten Hüters der Kirche,
zweier Mönche und eines neueingetretenen Bruders, welche mit
nicht minderer Sorgfalt die hl. Arbeit unter ſich theilten, und
rein gewaſchen, in weißen Anzügen in einem geweihten Gefäße
die Hoſtien bucken. So war Clugny recht eigentlich auf die
beſtändige Feier des Opfers der Verſöhnung gegründet, das
der Heiland auf Golgatha vollbracht und durch die Hand des
Prieſters noch täglich am Altare dem Gott der Liebe zur Ver=
gebung der Sünden des Menſchengeſchlechts dargebracht wird.
Täglich wurden in Clugny 18 Arme geſpeiſt; die Mönche ſelbſt
faſteten nach der Regel des hl. Benedict, hielten ſo auch die
täglichen Meditationen und ſorgten für Unterricht und Erzie=
hung der ihnen anvertrauten Knaben. Jeden Tag wurden den
Brüdern Stücke aus dem alten und neuen Teſtamente vorge=
leſen und immer in Einem Jahre der ganze Cyclus vollendet.
Auf dieſe Weiſe bemächtigte ſich der Brüder ein Geiſt der
Demuth und Gottinnigkeit, der ihre Seelen von irdiſchen Be=
gierden reinigte und ſie in die Betrachtung himmliſcher Wahr=
heiten ſich zu verſenken lehrte. Oft bekannten Einzelne ihre
Sünden vor Allen und flehten, obwohl ſelbſt mit jeder chriſt=
lichen Tugend geziert, die Geſammtheit um Buße und Losſpre=
chung an. Es entſtand in Clugny und in den von da aus
reformirten Klöſtern jene königliche Prieſterſchaft von Män=
nern, welche, ohne daß alle die Weihen empfangen hätten,

durch das Gelübbe der Armuth, der Keuschheit und des Gehorsams, sowie durch engelgleichen Wandel ihre Leiber zu Wohnungen des heiligen Geistes umschufen und, während sie selbst
noch auf Erden wandelten, längst schon aufgehört hatten, ihr
anzugehören. Der Ruhm des hl. Odo wetteiferte mit dem des
hl. Benedicts; in den Hunderten, ja Tausenden, die von Clugny
in alle Länder des Abendlands ausgingen [50]), gewann die
Kirche wieder einen Stamm gottbegeisterter Männer voll apostolischen Sinnes, kindlicher Demuth, unerschütterlichen Glaubens und von glühendem Eifer für die Ausbreitung des Evangeliums. Zwei Jahrhunderte hindurch wurde der Orden von
Clugny einer der Grundpfeiler des gesammten christlichen
Lebens; die geistige Wiedergeburt des Abendlandes im zehnten
und eilften Jahrhunderte durch Ascese und Wissenschaft ging
aus ihm hervor, fast jede bedeutende kirchliche Erscheinung bis
zu den Zeiten des hl. Bernard steht in unmittelbarer Verbindung mit ihm [51]).

---

50) Hinc effusa spiritualium virtutum nardo, impleta est tota
mundi domus ex odore unguenti, dum religionis monasticae
fervor, qui illo tempore paene refriguerat, illorum virorum
exemplo studioque recalluit — Cluniacum — non solum ex-
ternorum hospitium, non tantum confugientium asylum, sed ut
sic loquar publicum reipublicae christianae aerarium. Petr.
Vener. ap. Mab. praef. in saec. V. AA. SS. O. S. B. p. XXXV.

51) Der heil. Odo starb am 28. Nov. 944, nachdem er noch von verschiedenen Päpsten mehrmals nach Italien gerufen worden war, den
Hader der Fürsten zu vermitteln, und in Pavia, Rom und Salerno
Klöster reformirt hatte. In ähnlichem Geiste, jedoch nur auf Belgien beschränkt, hatte um dieselbe Zeit der heil. Gerard, Abt von
Brugne, eine Klosterreform unternommen; er vertrieb die Weltgeist-
lichen, welche sich der Abteien bemächtigt und diese mit ihrem ärgerlichen Leben erfüllt hatten, aus denselben, und besetzte diese entweder
mit andern, oder schuf durch Lehre, Beispiel und Zucht verderbte
Mönche zu frommen und tüchtigen um. So reformirte er 18 Klöster. Vita S. Gerardi ap. Surium 3. Oct. Mit noch größerem
Erfolge, aber auch unter ungleich größern Schwierigkeiten setzte
etwas später der heil. Dunstan die Reform des Clerus in England
durch und erwarb sich dadurch um so höheren Ruhm, als England,
so lange es die Einrichtungen Dunstan's bewahrte, Friede und Ord-

Alle diese Blüthen drohten aber zu Nichts zu werden und
noch größeren Gräueln weichen zu müssen, als bei der Fortdauer der Zerrüttung Frankreichs durch Fehden im Innern,
und während die deutschen Völker noch immer mit den Magyaren um den Besitz ihrer Heimath kämpften, 2 Jahre nach
dem gewaltsamen Tode Kaiser Berengar's (926) König Hugo
von Provence den König Rudolf, Berengar's glücklichen Neben-
buhler, aus Italien verjagte und die italienische Königskrone
auf sein Haupt brachte. Sich die Herrschaft zu sichern, übergab Hugo die höchsten kirchlichen Aemter des Reiches seinen
Günstlingen und Verwandten und machte vor Allem die bischöfliche Würde so sehr zur Trägerin seiner ehrgeizigen und habsüchtigen Pläne, daß in den 19 Jahren seiner Herrschaft die
Ordnung der Kirche in Italien tiefere Wunden erhielt, als ihr
die Kriege der heidnischen Völker, der Verfall der Kaisermacht
und die Eingriffe der römischen Großen in die Gerechtsame der
Päpste zu schlagen vermocht hatten. Bisthümer und Abteien
wurden theils von dem Könige nach Willkühr verschenkt, theils
von unwürdigen Priestern und Mönchen erkauft. Je untüch-
tiger Einer nach den Gesetzen der Kirche war, desto leichter
vermochte er vor dem Könige Gefallen zu finden, welcher selbst
einen Aufruhr anstiftete, in dem der erste Prälat des Reiches,
Erzbischof Arderich von Mailand, erschlagen werden sollte,
damit einer der vielen Bastarde Hugo's den Stuhl des heiligen
Ambrosius besteigen könnte. Als Bischof Ratherius von Verona
sich weigerte, statt der geziemenden Einkünfte seines Bisthums
eine kleine Summe aus der Hand des Königs anzunehmen,
schützte ihn vor Hugo's Zorn nicht die Empfehlung des Papstes,
welcher ihn seiner Tugenden wegen dem Capitel von Verona
zum Bischofe vorgeschlagen hatte, nicht sein fleckenloser Wandel,
nicht seine Gelehrsamkeit, um welche ihn sein Zeitalter bewun-
derte; er wanderte von Haft zu Haft und erfreute sich, wie

nung, religiöses und bürgerliches Gedeihen genoß, und Gesittung
und Nationalität der Angelsachsen durch ihn so tiefe Wurzeln schlu-
gen, daß, was sich davon in den Zeiten der normännischen Verfolgung noch erhielt, aus den Einrichtungen des hl. Dunstan's stammte.
Vgl. Lappenberg's Gesch. v. England I. p. 397.

der habsüchtige König es geschworen, Zeitlebens nie des ruhigen Besitzes seiner bischöflichen Würde. Ohne Scheu häufte Manasse, welcher sein Bisthum in der Provence verlassen hatte, um von K. Hugo, seinem Verwandten, einträglichere Pfründen zu erhalten, Bisthümer auf Bisthümer, Pfründen auf Pfründen, dem Könige im Harnisch, dann in der Stola dienend, immer voll Habsucht und weltlicher Lüste. Wie die besseren Prälaten seines Reiches, so verfolgte Hugo ohne Unterschied auch die weltlichen Großen, um ihre Güter zu erlangen, und schonte, als er gewahr wurde, wie das Volk, seiner Unthaten müde, sich nach Veränderung sehne, zuletzt selbst seiner eigenen Verwandten nicht. Sein Hofhalt glich dem eines muhammedanischen Fürsten; er hatte Concubinen nach den verschiedenen Völkern, welche in Italien zusammenströmten. Dennoch bewarb sich der Neffe des griechischen Kaisers Constantin um die Hand einer seiner natürlichen Töchter. Hugo gab sie ihm, betrog aber auch den Schwiegersohn, als dieser mit ihm ein Bündniß zur Vertreibung der Sarazenen aus Frarinetum geschlossen hatte.

Unberechenbares Elend wäre entstanden, würde es dem treulosen und hinterlistigen Könige gelungen seyn, auch die Kaiserkrone auf sein Haupt zu bringen. Schon war er durch die Vermählung mit Marozia, der lasterhaften Wittwe seines Stiefbruders, zu dem heißersehnten Besitze von Rom gelangt; da der Papst, Johann XI, Marozia's Sohn war, schien auch in dieser Beziehung sich nichts mehr seinen Wünschen entgegenzusetzen, als mit einem Male des Königs Uebermuth das ganze Gebäude so klug ersonnener Entwürfe des Ehrgeizes vernichtete. Ein Aufruhr der Römer, welche den jungen Alberich, Marozia's zweiten Sohn, den Hugo geschlagen hatte, zu ihrem Fürsten erkoren, zwang den König, auf das Schmachvollste aus Rom zu entfliehen. Der Papst wurde mit seiner Mutter von Alberich in das Gefängniß geworfen, Rom standhaft gegen die wiederholten Angriffe des wuthentbrannten Königs vertheidigt und damit auch die Freiheit der Kirche erhalten, indem nach P. Johann's XI schnellem Tode, wider alles Vermuthen, von Alberich unabhängig, nach einander 4 Päpste den römi=

schen Stuhl bestiegen, deren Pontificat sich über Hugo's und
Alberich's Lebenszeit hinaus erstreckte und deren Tugenden es
gelang, die Kirche dem Gewühle der Parteien zu entreißen.

Zwei Jahre vor dem Tode Agapit's II, des letzten dieser
Päpste, starb Fürst Alberich (954), indem er seinem Sohne
Octavian die weltliche Herrschaft von Rom und die Anwart-
schaft auf den heiligen Stuhl hinterließ. Sieben Jahre vor
ihm war König Hugo gestorben, nachdem er noch den Abfall
von Burgundern und Italienern, welche er wohl zu Gehülfen
seiner Verbrechen, nicht aber zu treuen Anhängern zu machen
vermocht hatte, erfahren hatte und in wenigen Tagen seiner
Krone und seines Reiches beraubt worden war. Der jüngere
Berengar, der vor Hugo aus Italien geflohen war, war es,
den die Vorsehung bewaffnet hatte, an dem meineidigen Könige
die Verhöhnung aller Gesetze, göttlichen und menschlichen Rechtes zu bestrafen. Als aber auch dieser in die Fußstapfen
Hugo's trat, den jungen König Lothar, Hugo's Sohn, heimlich
mordete, dessen Wittwe, die tugendsame Königin Adelheid,
mißhandelte und verfolgte, Kirchen und Klöster, Arme und
Verlassene bedrückte und sich immer mehr zeigte, wie bei solchem Treiben der Könige alle Bemühungen frommer Päpste,
Bischöfe und Mönche vereinzelt zu Grunde gehen, die Kirche
schutzlos eine stete Beute des übermüthigen Stärkeren werden,
alle Religion, Gesittung, Wissenschaft und Kunst zuletzt unter
dem ehernen Scepter der weltlichen Macht erliegen, und auch
jene Blüthen wieder verschwinden müßten, welche die Vorsehung in dem Schooße Frankreichs so still und lieblich bereitet
hatte: so sandte, als der geeignete Zeitpunkt gekommen war,
die Weisheit göttlicher Anordnungen das Volk auf die Haupt-
bühne des damaligen Treibens, das sie lange gehütet, nun
aber bestimmt hatte, der bleibende Träger der größten und merkwürdigsten Veränderungen im Abendlande zu werden. Seit
Kaiser Arnulfs Römerzuge, der diesem die Krone verschaffte [52),
aber das Leben raubte, war kein deutscher König mehr nach
Italien gekommen, obgleich die Angelegenheiten beider Länder

---

52) Im J. 896.

seitdem das Bedürfniß eines gemeinsamen höchsten Hauptes über so viele kleine, unter einander zerfallene Fürsten immer fühlbarer gemacht hatten. In Deutschland war unterdessen die Herrschaft von den Bayern an die Ostfranken, von diesen an die Sachsen gekommen. Ohne inneren Kriegen ganz entgangen zu seyn, war dieses Land dennoch jenen entsetzlichen Gräueln nicht anheimgefallen, welche Frankreich, England und Italien heimgesucht hatten. Selbst als die Magyaren [53]) ihre Verheerungszüge gegen Deutschland unternahmen und die germanischen Völker der ihnen eigenthümliche Hang, sich gegen einander abzuschließen, beinahe vermocht hätte, das erschütterte gemeinsame Band vollends zu lösen, war gegen beides baldige Abwehr getroffen worden. Erst wurden die einzelnen deutschen Völker von König Conrad I, wenn gleich mühsam zusammengehalten; dann durch König Heinrich I wider Ungarn und Dänen geschützt, dem deutschen Namen Achtung bei den Fremden erworben und durch Nachgiebigkeit gegen die Einen, wie durch Strenge gegen die Andern jener wunderbare Völkerverein des deutschen Reiches neu belebt, welcher bei ganz verschiedenen Gesetzen und Herkommen, Sitten und Bedürfnissen, Ländern und Fürsten, bei vielfachen inneren Kriegen und Zerwürfnissen dennoch Deutschland so lange in unerreichter Größe und Freiheit erhielt, als es, von dem Geiste der Kirche durchdrungen, seine Kraft ihrem Schutze unterordnete. Der Kriege ungeachtet hatte sich, wenn auch der Clerus theilweise verwilderte, die Zucht der Klöster erhalten und aus den Schulen daselbst ergoß sich fortwährend christliches Leben und christliche Wissenschaft über alle Theile des Reiches. Ehe König Heinrich mit den Ungarn stritt, gelobte er, die Simonie auszurot-

---

53) Gens siquidem Hungarorum, quae quibusdam munitissimis clusis remota, nec ad meridianam nec ad orientalem plagam exeundi habuerat facultatem per Arnulfum Imperatorem, ruptis clusis emissa, mortuo Arnulfo Imperatore totam Italiam, totam Germaniam ut sera tempestas vario vastastionis genere depopulata est per annos circiter quinquaginta. Vita S. Guiberti fund. Gemblacens. (962, 25. Maji) in actis SS. Ord. S. Bened. VII. p. 307.

ten [54]), wenn der Sieg seine Fahnen begleiten würde; er erfocht den Sieg und erfüllte sein Gelübde. Diese That war es vor Allem, welche unter König Heinrich und seinem Geschlechte nicht nur das deutsche Episcopat in herkömmlicher Reinheit, Macht und Würde, sondern auch das ganze Reich in der ihm gebührenden Stellung erhielt, so daß die Ausbreitung der katholischen Kirche [55]) durch Frieden, Ordnung und Gerechtigkeit im Innern, nach Außen durch Kriege gegen die nie ruhenden Feinde des Glaubens, wieder das Hauptaugenmerk weltlicher und geistlicher Fürsten, wie der Grund der Größe des sächsischen Königshauses und der Erhebung deutscher Nation über alle Völker des Abendlandes wurde. Der Schrecken der Siege über die allgemein gefürchteten Dänen [56]) ging wie vor König Heinrich, so noch mehr vor seinem Sohne König Otto her und erfüllte das Abendland mit Zagen und Bewunderung. König Otto hatte Lothringen dem deutschen Reiche wiedergegeben, seiner Schwester Söhne auf dem Throne der Franken gegen die unruhigen Großen beschützt [57]), sich selbst fast wunderbar in den Kriegen der fränkischen Herzoge, bei den Empörungen falscher Freunde und naher Anverwandten erhalten, die Marken des Reiches nach Norden und Osten erweitert, heidnische Völker in den Verband der christlichen Kirche eingeführt: er

---

54) Sigebert. Gembl. ad a. 922. Cf. Synod. Altheim. a. 916 c. 28 de symoniaca haeresi vitanda. Pertz leg. II. p. 559.

55) Heinrich der Vogler gründete (Crant. in Metr. l. 5. c. 11.) 2 Bisthümer, Balletsleve im Lüneburgischen, wo er den durch Wunder und Heiligkeit seines Lebens ausgezeichneten Marcus zum Bischofe machte, und Meißen. König Otto I stiftete ein Erzbisthum (Magdeburg) und 6 Bisthümer, welchen der germanisch-slavische Norden und Osten das Christenthum, und damit alle Güter der Civilisation zu verdanken hat. Merkwürdig ist, was Thietmar erwähnt, Otto I habe Bisthümer und Erzbisthümer — und man weiß, auf welch hoher Stufe unter ihm das deutsche Episcopat stand, — nach Visionen, die er hatte, vergeben, quod coelestis gratia Imperatori saepe aperiret, quod sibi in humanis fieri placeret. Dieß erinnert an ein ähnliches Verfahren des letzten deutschen Kaisers in gleichen Angelegenheiten.

56) Liutpr. hist. III. c. 10.

57) Cf. Ottonis Magni constitutiones ap. Pertz leg. II. p. 19—26.

war bereits der größte König seiner Zeit, als der Ruf der
Wittwe Lothar's, der Königin Adelheid, zugleich mit den Kla=
gen der Italiener gegen Berengar und dessen Sohn, Adalbert,
zu ihm drang. Nicht lange zögerte der König, der Unterdrück=
ten sich anzunehmen. Nachdem sein Sohn, Herzog Liudolf,
einen kühnen und glücklichen Einfall in Italien gewagt, brach
Otto selbst dahin auf. Fast ohne Schwertschlag, denn Beren=
gar und Adalbert hielten sich in ihren Burgen eingeschlossen,
befreite Otto die Fürstin und eroberte Pavia, die Hauptstadt
der lombardischen Könige. Als aber P. Agapit die Bitte des
deutschen Königs, nach Rom ziehen zu dürfen, abgeschlagen hatte,
traf Otto nur die nöthigsten Anordnungen zur Sicherung der
Ruhe in Oberitalien, nahm die Königin Adelheid zur Gemah=
lin und begab sich wieder nach Deutschland zurück. So würde,
insbesondere als König Berengar im nächstfolgenden Jahre
unter dem Geleite Herzog Conrad's zu Augsburg erschien
und sich freiwillig dem Könige der Deutschen unterwarf, auch
dieses Ereigniß ohne weitere Folgen für die festere Gestaltung
der kirchlichen Verhältnisse vorübergegangen seyn, wenn nicht
kurze Zeit nachher, als die Kriege Herzog Liudolf's mit seinem
Oheime, dann mit seinem Vater selbst, die Hauptstämme der
Deutschen theilten und der furchtbare Einbruch der Ungarn im
Jahre 955 das ganze Reich in höchste Gefahr brachte, Beren=
gar diese Ereignisse für den günstigsten Anlaß erachtet hätte,
nun, da der König beschäftigt, den alten Gewaltthätigkeiten noch
größere hinzuzufügen. Als gerade damals P. Agapit II starb,
und der Knabe Octavian durch die Bemühungen [58] seines

---

58) Zwar erwähnt Frodoard nur, daß Octavian nach dem Tode seines
   Vaters princeps und dann (postea) Papst geworden sey, die Chro=
   nik von Farfa bezeugt aber ausdrücklich p. 472: Joannes qui patre
   vivente Papa ordinatus est. Dasselbe erzählt auch Amalricus
   Augerius — Albericus quum ipse esset valde potens in urbe
   Romana tractavit cum Romanis et ipsos mediante juramento
   adstrinxit, ut mortuo Agapito Papa ipsum Octavianum, filium
   suum post eum Papam fieri procuraret. Et sic factum est;
   ich kann mich nicht überzeugen, daß dieß letztere eine Erdichtung
   seyn sollte. Alberico Patricio Romano defuncto filius ejus Octa-

Vaters, des Fürsten Alberich [59]), als Johann XII von den
Römern zum Papste erwählt worden war, so beschloß K. Berengar, diese Umstände zu benützen, um den Markgrafen Theobald des Herzogthums Spoleto zu berauben, und es seinem
zweiten Sohne Guido zu geben. Dieß berührte unmittelbar
die Interessen des Papstes, während andererseits der König
der Deutschen dadurch verletzt ward, daß Berengar noch immer
die Anhänger der Königin Adelheid befehdete. Kaum hatte
daher K. Otto in zweitägiger Völkerschlacht auf dem Lechfelde
Deutschland von den Ungarn befreit, so schickte er seinen Sohn
Liudolf gegen Berengar nach Italien. Bald brachte der junge
Fürst den lombardischen König so sehr in's Gedränge, daß
seine Herrschaft verloren schien, als ihn Liudolf's unerwartet
schneller Tod noch einmal in den Besitz des Verlornen setzte.
Anstatt sich aber dadurch warnen zu lassen, ward Berengar

---

vianus, cum esset clericus principatum adeptus est quique postea defuncto Agapito suggerentibusque sibi Romanis Papa
Urbis efficitur. Frodoard ad a. 954.

59) Obwohl Alberich seine Mutter Marozia, die den König Hugo,
den Stiefbruder ihres früheren Gemahls, geheirathet hatte, sammt
seinem Bruder, den unwürdigen P. Johann XI in den Kerker warf
und dann die geistliche Gewalt des rechtmäßigen Gebieters von Rom
mit der weltlichen auf eine Weise ausübte, daß nur der schnelle Tod
P. Johann's XI und die gegen alle menschliche Voraussetzung hierauf erfolgte Wahl von Päpsten (Leo VII, Stefan VIII, Martin II,
Agapit II), welche die Kirche mit Muth und Umsicht regierten, die
Auflösung der hierarchischen Unterordnung verhinderten, so war doch
seine Herrschaft der Kirche viel weniger gefährlich, als die K. Hugo's
gewesen wäre, der wohl schwerlich geduldet haben würde, daß Ein,
von ihm unabhängiger Papst, geschweige denn vier solche neben ihm
die geistliche Gewalt in allen christlichen Ländern frei ausübten. Daß
Alberich ein Freund Abt Odo's war und dessen Wirken begünstigte,
erhellt aus der Lebensgeschichte dieses Heiligen; wie er auch sonst
auf Herstellung der klösterlichen Ordnung bedacht war, geht aus der
fast nirgends beachteten Stelle des Chr. Farf. p. 469 hervor. Vgl.
damit vita S. Udalrici XIV. 49. Andererseits war freilich der
Verkauf des Palliums an den Patr. von Constantinopel eine Sache
von unberechenbarem Schaden und die Verstümmlung P. Stefan's VIII
zeigt den Preis, um welchen sich der hl. Stuhl von Alberich frei erhielt.

durch dieses Ereigniß so sehr verblendet, daß er sich nun gegen
den Papst selbst wandte, welcher, noch ein Knabe und an welt=
liche Herrschaft und weltliches Leben im Geiste der römischen
Großen gewöhnt, gerade damals einen unglücklichen Zug gegen
Benevent und Capua unternommen hatte. Dadurch um so
weniger im Stande, dem Könige Italiens zu widerstehen,
schickte Johann, durch die Macht der Verhältnisse gezwungen,
Gesandte an den König der Deutschen [60]) und forderte ihn
auf, er möge um der Liebe Gottes Willen und im Namen der
hl. Apostel, der Gründer der Kirche von Rom, selbst nach
Italien ziehen, die Kirche von dem unerträglichen Joche der
Tyrannen zu befreien. Lombardische Bischöfe und Große, die
vor Berengar und Adalbert nach Deutschland geflüchtet waren,
unterstützten dieß für das ganze Abendland ereignißvolle Gesuch
des Papstes; die deutschen Fürsten beschloßen einen Römerzug
und der König rückte im Frühlinge des Jahres 960 nach Ita=
lien. Ungehindert drang er durch das Veronesische bis Pavia
vor. Berengar schloß sich in Monte San Leone ein, sein Sohn
und Mitregent, König Adalbert, da er seinen Vater nicht zur
Niederlegung der Krone bewegen konnte [61]), wurde deßhalb
von den Großen verlassen, die nun zu Otto übergingen,
ihn nach Mailand führten und daselbst zum Könige von Ita=
lien krönten [62]). Von da zog dieser, nun zweier Nationen
König, mit einem glänzenden Gefolge gen Rom, von dem Papste
Weihe und Krönung als römischer Kaiser zu empfangen. Ehe
er aber in Rom einzog [63]), schwur er auf Verlangen des Pap=
stes den Eid, durch welchen das Verhältniß des künftigen Kai=
sers zu der Kirche, ihrem Oberhaupte und den Einwohnern
von Rom im Voraus geregelt wurde. „Dir, dem Herrn Papst
Johannes, so lautete er, schwöre ich bei Gott dem Vater, dem
Sohne und dem heiligen Geiste, daß ich, mit der Verheißung

---

60) Baron. 956. II.

61) Anonym. Salernit. c. 143.

62) Landulfus senior. II. c. 16.

63) Calles ann. eccl. Germ. IV. p. 392. Pertz leg. II. p. 29.
Cenni mon. dom. Pontif. I. p. 67. Wahrscheinlich hatte der Kai=
ser diesen Eid das erste Mal schon in Deutschland geschworen.

Gottes in Rom angelangt, die hl. römische Kirche und ihren
Hirten nach Kräften erheben werde. Und nie wirst Du mit
meinem Willen oder mit meiner Zustimmung oder auf meinen
Antrieb Leben oder Glieder oder gar die Würde, die Du hast,
verlieren, und ich werde ohne Deine Zustimmung kein Gericht
halten noch über irgend etwas eine Verordnung machen, was
Dich und die Römer betrifft; und was von dem Gebiete des
hl. Petrus in unsere Gewalt kömmt, werde ich Dir zurückstel-
len. Wem ich immer das italische Reich übergeben werde, den
werde ich schwören lassen, daß er nach seinen Kräften Dein
Helfer sey, das Land des hl. Petrus zu vertheidigen." Nachdem der König dieß geschworen, wurde er von den Römern
auf das Ehrenvollste aufgenommen, empfing von dem Papste
die Weihe und Krönung, von dem Volke den Zuruf als Kaiser
und Augustus [2. Februar 962] 64).

So wurde 162 Jahre nach der Krönung Carl's des Großen, acht und dreißig nach dem Tode des letzten carolingischen
Kaisers, nach so vielen Drangsalen, die diese Zwischenzeit aus-
füllten, das Kaiserthum im Abendlande wieder erneut. Obwohl
aber Kaiser Otto I in seiner berühmten Schenkungsurkunde
sich nach Carolinger Weise noch König der Franken und nicht
den der Deutschen nannte, so war doch bei aller äußeren Aehnlichkeit ein nicht geringer Unterschied zwischen dem durch Papst
Leo III im Jahre 800 und dem von P. Johann XII im Jahre
962 zum Kaiser erhobenen Frankenfürsten. Die Erhebung
Kaiser Carl's des Großen war Werk eines entscheidenden
Augenblicks, in welchem alle Bedenklichkeiten, welche mit einem
so erfolgreichen Schritte verbunden seyn mußten, vor der Tüch-
tigkeit des Wählenden wie des Erwählten verschwanden. Carl's
des Großen und seiner Ahnen Verdienste um die Kirche bürg-
ten genug, daß der neue Kaiser die ihm ertheilte Würde als
das betrachten würde, was sie wirklich war, das ehrenvolle

---

64) Miro ornatu miroque apparatu susceptus unctionem suscepit imperii. Liutpr. VI. c. 1. Vgl. Beilage Nr. III. Auch vita
S. Anfridi in Mabill. act. SS. saec. VI. p. 86.; vita MS. Johannis XII in Beilage Nr. IV.

Amt, die Kirche Gottes zu schützen und zu erheben. Was bei
ihm als oberster Grundsatz seines Lebens angenommen werden
durfte, beschwor er als Kaiser, beschworen seine Nachfolger,
welche fortwährend die freie Wahl der Päpste und des römischen Volkes zu der höchsten weltlichen Würde der Christenheit
erhob, vor ihrer Krönung, und zwar um so bestimmter und
ausdrücklicher, je mehr Bewerber um die hohe Ehre sich einge-
funden hatten. So wurde denn der Eid, welchen König Otto dem
P. Johann XII schwur, dessen Vater und Vorgänger die Ansprüche König Hugo's und K. Otto's auf die Kaiserkrone ver-
eitelt hatten und welcher selbst nur durch besondere Umstände
veranlaßt den deutschen König zu der Kaiserkrone berief, bei
Otto I wie bei allen seinen Nachfolgern in der kaiserlichen
Würde sowohl die Bedingung zur Erlangung dieser Würde,
als auch vor Allem die Grundlage ihres persönlichen Verhält-
nisses zu der Kirche und deren Oberhaupte, sowie Richtschnur
und Gericht, welchem sich der jedesmalige Kaiser vor Gegenwart und Nachwelt selbst unterwarf. Durch die Wiedererneuung des Kaiserthums schien aber endlich das Mittel gefunden zu seyn, wodurch den Uebeln ein Ziel gesetzt werden konnte,
welche die Kirche seit dem Verfalle des Carolingenstammes zu
keinem Gedeihen mehr hatten kommen lassen. Was Ordens-
stifter nicht vermocht, woran die Thatkraft einzelner Päpste
gescheitert war, Herstellung der Kirche in die ihr gebührende
Stellung über alle weltliche Größe, deren Recht nur in ihr
sich gründet, Sicherung der von Gott stammenden Ordnung
der Dinge gegen willkührliche Eingriffe der Mächtigen der
Erde, Freiheit der Einzelnen, da einer dem andern untergeord-
net ward, Friede für Alle schienen auf's Neue wieder zu blühen,
seit es P. Johann gelungen, den mächtigsten Fürsten zum
Schutzherrn der römischen Kirche umzuwandeln, den frömmsten
der Herrscher mit dem höchsten irdischen Glanze zu bekleiden.
Nach den Tagen schweren Leidens versprach die Morgenröthe
einer schönen Zukunft anzubrechen. Der Kaiser stellte nun eine
Urkunde [65] aus, in welcher er die Schenkungen seiner Vorgänger

---

65) Cenni mon. II. dissert. III. Da diese Urkunde für die nachfolgenden Verhältnisse nicht geringen Aufschluß giebt, sey es gestat-

dem römischen Stuhle bestätigte und Anordnungen traf, die
Erneuung früherer Gewaltscenen bei der Papstwahl zu ver-

---

tet, sie hier mitzutheilen: Im Namen des Herrn Gottes, des allmächtigen Vaters, des Sohnes und des hl. Geistes. Ich Otto von
Gottes Gnaden, Kaiser Augustus zugleich mit unserem glorreichen
Sohne, dem König Otto, nach der Anordnung der göttlichen Vorsehung geloben und versprechen durch diese unsere Bestätigungsurkunde (pactum confirmationis) Dir, dem hl. Petrus, dem Fürsten
der Apostel und dem Schlüsselträger des Himmelreiches und durch
Dich, Deinem Stellvertreter, dem Herrn Johann XII, dem höchsten
Oberpriester und allgemeinen Papste, wie ihr von euren Vorgängern
an bis jetzt in Eurer Macht und Eurem Besitz gehabt und darüber
verfügt habt, die römische Stadt mit ihrem Herzogthume, ihren
Vororten und allen Ort- und Landschaften im Gebirge, am Meere,
mit den Küstenstrecken und Häfen, sowie allen Städten, Schlössern,
Flecken und Ortschaften im Gebiete von Tuscien, nämlich Porto,
Civitavecchia, Cervetri, Bieda, Maturianum, Sutri, Nepi, Castel
Galise, Orta, Bomarzo, Ameria, Todi, Perugia mit seinen 3 Inseln,
der größeren, kleineren, Pulvensis, Narni, Otricoli, sammt allen
Grenzmarken und Landschaften, die zu diesen Städten gehören.
Nicht minder das Exarchat Ravenna vollständig mit den Städten,
Märkten, Flecken und Burgen, wie sie Herr Pipin und Herr Carl
frommen Andenkens, die ausgezeichnetsten Kaiser, unsere Vorgänger,
dem hl. Apostel Petrus und Euren Vorgängern schon längst durch
eine Schenkungsurkunde übergaben, nämlich die Stadt Ravenna und
Emilia, Bobio, Cesena, Forlimpopoli, Forli, Faenza, Imola, Bologna,
Ferrara, Comacchio, Adria und Gabellum mit allen ihren Marken,
Landschaften und Inseln, und Allem, was zu Wasser und zu Lande
zu den genannten Städten gehört. Zugleich auch die Pentapolis,
nämlich Rimini, Pesaro, Fano, Sinigaglia, Ancona, Osimo, Umana,
Jesi, Fossombrone, Monte S. Leone, Urbino, das Gebiet von Balno,
Callis, Lucioli und Eugubium mit allen Marken und Landschaften,
die zu diesen Städten gehören. Auf dieselbe Weise das Sabiner-
land, wie es von dem H. Kaiser Carl, unserem Vorgänger, dem hl.
Apostel Petrus durch eine Schenkungsurkunde vollständig geschenkt
wurde. Ferner im longobardischen Antheil von Tuscien das Castel
Felicitas, Orvieto, Balmeo, Viterbo, Orta, Marta, Toscanella,
Soana, Populonium, Rosella mit den Vororten und allen Orten
und Landschaften, Seestädten und Flecken und sämmtlichen Marken.
Dann (die nördlichen Gränzen des Kirchenstaates betreffend) von
Luni mit der Insel Corsica nach Suriauum, Monte Bardo, Ver-

hüten; dieser fügte er noch reiche Geschenke an Gold, Silber
und Edelsteinen hinzu und empfing hierauf von dem Papste

---

celo, Parma, Reggio, Mantua, Monselice, die venetische Provinz
und Istria; nicht minder das Herzogthum Spoleto und Benevent,
mit der Kirche des hl. Christian bei Pavia am Po am vierten Mei-
lensteine. Ebenso auch in der Campagna Sora, Arces, Aquino,
Teano und Capua, das beneventische und neapolitanische Patrimonium und die von Unter- und Obercalabrien; die Stadt Neapel mit
ihren Castellen, Landschaften und den dazu gehörigen Marken und
Inseln, (sicut ad easdem aspicere videntur?!), so wie das Patrimonium von Sicilien, wenn Gott dasselbe unseren Händen übergeben haben wird; auf gleiche Weise die Stadt Gaeta und Fondi
mit allem ihrem Zugehör. Ebenso bieten wir Dir, hl. Apostel Petrus und Deinem Stellvertreter dem Herrn Papst Johann und dessen
Nachfolgern für das Heil unserer, unseres Sohnes und unserer
Aeltern Seelen dar aus unserm eigenen Königreiche die Städte mit
ihren Fischteichen, nämlich Rieti, Amiterno, Furco, Nursia, Balva,
Marsis und Terni mit ihren Pertinentien. Alle diese genannten
Provinzen, Städte, Flecken, Burgen, Ort- und Landschaften und
Patrimonien bestätigen wir zum Heile unserer Seele, unseres Sohnes, unserer Aeltern und Nachfolger und für die bereits geschehene
und fernere Erhaltung des Frankenvolkes, Deiner Kirche, o hl.
Apostel Petrus und durch Dich, deinem Stellvertreter, unserem geistlichen Vater, dem Herrn Johann, dem obersten Priester und allgemeinen Papste und dessen Nachfolgern bis zum Ende der Welt, in
der Weise, daß sie es in ihrem Rechte, ihrer Herrschaft und Gewalt
behalten. Ebenso bekräftigen wir durch diesen Uebertragungsact die
Schenkungen, welche frommen Andenkens der Herr König Pipin
und nachher Herr Carl, die vortrefflichsten Kaiser dem seligen Apostel Petrus freiwillig machten; ebenso Zins, Zahlung und die übrigen Gaben, welche man jährlich in den Palast des Longobardenkönigs
sowohl aus Tuscien als aus dem Herzogthume Spoleto zu bringen
pflegte, so daß dieser Zins jährlich der Kirche des seligen Apostels
Petrus gezahlt werden solle; jedoch unbeschadet in Allem unsere
eigene Herrschaft über dieses Herzogthum und dessen Unterwürfigkeit
unter uns und unsern Sohn; ganz so, wie es in den erwähnten
Schenkungen enthalten ist und zwischen dem Papst Adrian hl. Andenkens und dem Herrn Kaiser Carl die Uebereinkunft getroffen
wurde, als eben dieser Papst eben demselben das Präcept seines
Ansehens über die genannten beiden Herzogthümer in der Weise
bekräftigte, daß der genannte Zins jedes Jahr zum Antheil der

und allen Vornehmen der Stadt am Grabe des hl. Petrus, wie einst P. Formosus und die Römer Kaiser Arnulf geschwo-

Kirche des seligen Apostels Petrus entrichtet werden solle. Uebrigens bekräftigen wir, wie wir bereits gesagt haben, durch diese Urkunde alles Obengenannte so zu Eurem Antheile, daß es in Eurer Gerechtigkeit, Herrschaft und Gewalt verbleibe und Eure Macht darüber weder von uns, noch von unsern Nachfolgern unter irgend einem Grunde oder Vorwande in irgend einer Beziehung geschmälert oder entzogen werde, und zwar über alle obengenannten Provinzen, Städte, Flecken, Burgen, Ortschaften, Inseln, Landschaften und Patrimonien, über die Zahlungen und Zinse, so daß weder wir etwas dagegen thun noch dagegen Handelnden beistimmen wollen; sondern wir bezeugen vielmehr, daß wir dieß Alles als Antheil der Kirche des hl. Petrus und der Päpste, welche dessen heiligsten Stuhl einnehmen, nach Kräften schützen wollen, damit diese es in ihrer Macht zum Gebrauche, Genusse und ihrer Verfügung wirksam behalten können. Es sey jedoch hiebei in Allem unbeschadet unserer, unseres Sohnes und unserer Nachkommen Macht, wie dieß in dem Vertrage, der Beistimmung und der Bekräftigung des Versprechens P. Eugenii und seiner Nachfolger enthalten ist; nämlich daß der ganze Clerus und der Adel des ganzen römischen Volkes aus verschiedenen Gründen und um unvernünftige Härte der Päpste gegen das ihnen unterworfene Volk abzuschneiden, sich durch einen Eid verbände, daß die nächste Papstwahl, soviel ein jeder vermag und weiß, canonisch und rechtmäßig vor sich gehe, und daß derjenige, welcher zu dieser heiligen und apostolischen Regierung erwählt wird, nicht eher als Papst consecrirt werde, bis er nicht in Gegenwart unserer Missi, oder unseres Sohnes, oder der ganzen Gesammtheit (Generalitatis) ein solches Versprechen für aller Zufriedenstellung und künftige Erhaltung ablegte, wie bekannter Weise unser Herr und verehrungswürdiger Vater im Geiste, Leo (IV) freiwillig gethan hat. Außerdem sorgten wir, daß auch noch einige andere Dinge von minderem Belange in diese Urkunde eingerückt würden, nämlich, daß bei der Papstwahl weder ein Freier noch ein Unfreier deßhalb hinzuzukommen wage, um denjenigen Römern, welche nach der Bestimmung der hl. Väter eine alte Gewohnheit hinzuließ, irgend ein Hinderniß in den Weg zu legen. Wer aber gegen diese unsere Bestimmung zu handeln wagt, soll verbannt werden. Eben so wenig wage irgend Einer unserer Missi bei der Wahl irgend einen Grund, sie zu hintertreiben, zu erfinden. Auch dieß gefiel uns durchgehends zu bestimmen, daß, wer einmal unter den besonderen Schutz des

ren, den Eid, seinen Feinden, Berengar und Adalbert, nie Hülfe
leisten zu wollen.

Bald nachher ging der Kaiser nach Oberitalien zurück und
wandte sich nun zuerst gegen Willa, die Gemahlin Berengar's,

Herrn Apostolicus oder von uns selbst aufgenommen wurde, von dem
erlangten Schutze auch rechtlich Gebrauch mache. Wer aber einem
solchen, der diesen erhielt, Gewalt anzuthun wagt, wisse, daß er sein
Leben dadurch verwirke. Das auch bekräftigen wir, daß man in
Allem dem Herrn Apostolicus den rechtlichen Gehorsam erweise und
ebenso dessen Herzogen und Richtern, die Recht zu sprechen haben.
Dieser unserer Bestimmung (institutioni) hielten wir für gut, noch
hinzuzufügen, daß es immer bestimmte Missi des Herrn Apostolicus
und von unserer Seite geben solle, die jährlich uns und unserem
Sohne berichten könnten, auf welche Weise jeder Herzog und Richter dem Volke Recht ertheile. Wir beschließen aber (decernimus),
daß diese Missi alle Klagen über Nachlässigkeit der Herzoge sobald
als möglich zur Kenntniß des Herren Papstes bringen und dann dieser selbst einen von den zweien (Missi) erwähle, damit entweder
durch eben diese Missi der Grund der Klagen (necessitates) abgestellt werde, oder auf den Bericht des einen Missus an uns, diese
durch unsre von uns abgeschickten Missi abgestellt würden. Damit
aber alle Getreuen der hl. Kirche Gottes und die unsrigen dieses
für gültig halten, haben wir diese Bestätigungsurkunde eigenhändig
mit unserem Siegel und den Unterschriften unserer Großen bekräftigt und dem Abdruck unserer Bulle beizusetzen befohlen.

† Siegel des Herrn Otto, des durchlauchtigsten Kaisers und seiner
    Bischöfe, Aebte und Grafen.

Siegel Adalgag's, Erzbischof der Kirche von Hameburg (Ham-
    burg).

Siegel Arbert's, Bischof von Chur.

Siegel Drogo's, Bischof von Osnaburg (Osnabrück).

Siegel Octo's, Bischof von Straßburg.

Siegel Otuvin's, Bischof von Hilunesem (Hildesheim).

Siegel Landwart's, Bischof der Kirche von Mindon (Minden).

Siegel Otger's, Bischof der Kirche von Speyer.

Siegel Gezo's, Bischof der Kirche von Tortona.

Siegel Hucbert's, Bischof der Kirche von Parma.

Siegel Guido's, Bischof der Kirche von Modena.

Siegel Hatto's, Abt des Klosters Fulda.

Siegel Gunthar's, Abt des Klosters Herolfesfel (Hersfeld).

Siegel der Grafen Heberhart, Gunthar, Burgart, Oto, Conrat.

die sich auf einer Insel des See's von Orta eingeschlossen
hatte [66]. Nachdem er den festen Platz erobert und seinen
Sohn Otto zum König Italiens ernannt hatte, brach er gegen
Berengar auf. Noch war der Kaiser in Pavia, als er schon
die Nachricht erhielt, Papst Johann habe seinem Eide zuwider
Adalbert, der sich vor Otto nach Frarinetum geflüchtet hatte,
aufgefordert, zu ihm zu kommen; er wolle ihm gegen den Kaiser Hülfe leisten. Lange schien diesem ein solcher Treubruch
unmöglich. Er schickte deshalb Boten nach Rom, sich nähere
Kunde darüber zu verschaffen, die Römer aber standen nicht
an, diese von der Wahrheit jener Nachricht zu versichern. Die
ernste Frömmigkeit des deutschen Kaisers hatte zu wenig zu
der natürlichen Ausgelassenheit des jungen Johannes gestimmt.
Von seinem Gewissen über so manche vollbrachte Unthat geäng-
stigt, erblickte er nur in der Fortdauer von Adalbert's Herrschaft die Bürgschaft für die seine, die er allein ihrer weltlichen
Bedeutung nach zu schätzen wußte. Selbst ohne Treue traute
er auch Anderen keine Beständigkeit zu und stand deshalb in
Unterhandlungen mit Adalbert, wie mit dem Kaiser von Constantinopel und den Ungarn, die er zu einem gemeinsamen Zuge
gegen Deutschland zu bewegen suchte. Ehe aber die dazu von
ihm ausgesandten Unterhändler Italien verlassen konnten, wurden sie sämmtlich in Capua von Otto's Anhängern gefangen
und der treulose Plan durch die ihnen abgenommenen Papiere
erhärtet [67].

Als der Kaiser die Kunde dieser Dinge vernahm, rief er
entschuldigend aus: Johannes ist noch ein Knabe; er wird sich
ändern, wenn er das Beispiel von Männern sehen wird.

Siegel des Ernust, Thiether, Ricdag, Liupen, Harvig, Arnolf,
Ingilthi, Burgarth, Reting. Im Jahre der Menschwerdung
des Herrn 962. Ind. V. im Monat Februar, am 13. Tage
desselben Monates, im 27. Jahr der Herrschaft des unbe-
siegtesten Herrn Kaisers Otto ist dieser Vertrag (pactio)
glücklich gemacht worden.

66) Cf. vita S. Guillelmi abb. (1031. 1. Jan.) c. 2.
67) Liutprand (d. h. der ungekannte Fortsetzer Liutprand's ist hier
fortwährend Geleitsmann) VI, c. 6. etc.

Dann zog er nach Monte San Leone, den Krieg gegen Berengar bald möglichst zu endigen. Ebendahin schickte der Papst eine Gesandtschaft mit der Bitte, der Kaiser möge das Geschehene vergeben; es habe jedoch Otto selbst seinen Eid gebrochen, indem er Bewohner des Patrimoniums des hl. Petrus sich, anstatt der Kirche von Rom verpflichtete. Rücksichtsvoll antwortete der Kaiser auf das Erste; reinigte sich dann von dem gemachten Vorwurfe, das Patrimonium noch nicht zurückgegeben zu haben, da er ja Berengar noch nicht daraus habe vertreiben können und trug, während er den Papst von der Verhaftung seiner Gesandten unterrichten ließ, besonderen Boten auf, diesen zu versichern, er sey bereit, seine eigene Schuldlosigkeit durch Zweikampf zu erhärten. Johannes empfing die kaiserlichen Gesandten auf fast kränkende Weise und wollte weder Entschuldigung noch den dargebotenen Beweis annehmen; zuletzt aber entschloß er sich, selbst Boten an den Kaiser abzuschicken. Diese waren jedoch noch nicht an den Ort ihrer Bestimmung angelangt, als Adalbert schon in Civitavecchia ankam und hierauf von dem Papste in Rom auf's Ehrenvollste aufgenommen wurde. Als der Kaiser dieß hörte, hielt ihn nur die heiße Jahreszeit ab, sogleich nach Rom zu ziehen, wohin zu kommen ihn die Einwohner nicht nur eingeladen hatten, sondern ihm nun auch Geiseln sandten, seinen Marsch zu beschleunigen, und um dieselbe Zeit der Partei des Papstes das Castel des hl. Paulus an der Straße nach Ostia mit Gewalt abnahmen. Als auf dieß der Kaiser sich Rom näherte, floh der Papst mit König Adalbert aus der Stadt; die Römer öffneten dem Kaiser ihre Thore, empfingen das Heer in der Stadt und schwuren Otto den Eid der Treue [68]. Da mit dem Heere auch eine bedeutende Anzahl von Erzbischöfen und Bischöfen aus allen Theilen des Reichs nach Rom gekommen war, so luden die Bischöfe und der Clerus des römischen Stadtgebietes jene auf den dritten Tag nach des Kai-

---

68) Mit der hinzugesetzten Bekräftigung, nunquam se Papam electuros aut ordinaturos praeter consensum atque electionem Domini Imperatoris Ottonis Caes. Aug. filiique ipsius Regis Ottonis. Liutp.

fers Ankunft zu einem Concil in der St. Peterskirche ein. Es versammelten sich daselbst der römische Clerus, die Cardinäle und Cardinalbischöfe, die übrigen Würdenträger der römischen Kirche, der geringere Clerus, die römischen Großen, die Angesehensten des Volkes nebst den römischen Rittern, die fremden Bischöfe, der Kaiser selbst — nur der Papst nicht, ohne dessen Zustimmung ein Concil zu Rom weder zusammenberufen werden konnte noch daselbst gepflogene Verhandlungen Kraft haben konnten. Erstaunt über die Abwesenheit des Papstes befragte Kaiser Otto die Anwesenden um den Grund derselben; darauf aber schienen die Römer nur gewartet zu haben, um von allen Seiten mit Klagen über Johannes herzufallen, zu dessen Vertheidigung nicht Einer das Wort ergriff. Als nun der Kaiser befahl, es sollten die Ankläger namentlich und Einer nach dem Andern auftreten, so erhob sich zuerst der Cardinalpriester Petrus und betheuerte, er habe den Papst Messe lesen sehen, ohne dabei des Herrn Leib und Blut zu genießen. Der Bischof Johannes von Narni sagte aus, er sey Zeuge gewesen, als der Papst zu ungehöriger Zeit und im Stalle einen Diacon ordinirte; der Cardinaldiacon Benedict und die übrigen Cardinäle betheuerten, P. Johannes habe Bischöfe für Geld und einen zehnjährigen Knaben zum Bischofe von Todi ordinirt. Die Kirchen der hl. Apostel Petrus und Paulus habe er verfallen lassen, es ergieße sich der Regen frei in's Innere. Von den heiligen Gefäßen der Peterskirche habe er einer seiner Buhlerinnen Geschenke, sie selbst zur Herrin vieler Städte gemacht. Man nannte die Frauen, mit denen Johannes in Unzucht gelebt, andere, denen er gewaltsam ihre Keuschheit entrissen; der Palast des Lateran sey ein Tummelplatz der Unzucht geworden; fremde Frauen wagten nicht mehr zu den Gräbern der Apostel zu pilgern, seitdem Johannes ihrer Keuschheit nicht geschont. Seinen geistlichen Vater Benedict habe er der Augen beraubt und dadurch seinen Tod herbeigeführt; auch der Cardinalsubdiacon Johannes sey durch ihn gestorben, da er ihn zu verstümmeln befohlen habe. Es laste die Schuld von Feuersbrünsten auf ihm; den Gesetzen der Kirche zum Trotze sey er in voller Rüstung einhergezogen. Einstimmig versicherten Geistliche und Layen, Johannes habe dem Teufel zugetrunken, im Würfelspiele heidnische Götter um Hülfe angefleht, weder die canonischen Stunden inne gehalten, noch sich mit dem Zeichen des hl. Kreuzes, aller Christen gemeinsamer Waffe, gesegnet. Staunend hörte der Kaiser diese Beschuldigungen an; mußte ihm der Eifer des Clerus, welcher Uebertretung der Kirchengebote auch nicht an seinem Oberhaupte litt, lobenswerth erscheinen, so minderte sich doch das Gewicht dieser Anklagen nicht wenig, wenn er bedachte, wie die freie Wahl des römischen Volkes auf Johannes gefallen, dessen früheres Leben Allen offenkundig war; wenn er sich des Druckes erinnerte, unter welchem Johannes Vater, Fürst Alberich, die Römer vielfach gehalten, die nun von Furcht befreit, des Vaters Schuld dem Sohne zu vergelten strebten. Er bat daher die Versammlung, sie möchten das Heil ihrer Seele bedenken, sich nicht vom Neide zu falschen Aussagen hinreißen lassen. Aber nochmal versicherten Alle einstimmig: die Anklagen seyen wahrhaft; würden sie es nicht seyn, so wollten sie selbst keinen Antheil an der Freude des Paradieses haben. Erst vor 5 Tagen sey der Papst in voller kriegerischer Rüstung dem kaiserlichen Heere am andern Tiberufer begegnet. Unverweilt schritt hierauf die Synode zu einem Beschlusse und fertigte im Namen des Kaisers ein Schreiben an den Papst aus, worin dieser aufgefordert wurde, sich von den Beschuldigungen des Mords, des Eidbruches, des Sacrilegiums und des Incestes zu reinigen. Würde er aus Furcht vor einem Ausbruche des Volksunwillens nicht wagen, nach Rom zu kommen, so möge er die eidliche Versicherung des Kaisers empfangen, daß nur nach dem Ausspruche der Canonen, als des obersten Gesetzbuches der Christenheit, verfahren werden solle. Auf dieß antwortete der Papst mit wenigen Worten: „Johannes, Knecht der Knechte Gottes, allen Bischöfen: Wir hörten sagen, daß ihr einen Anderen zum Papste machen wolltet. Wenn ihr dieß thut, so excommunicire ich euch von dem allmächtigen Gotte aus, so daß ihr weder Jemanden ordiniren, noch Messe lesen dürft." Dieser Drohung des Papstes setzte die Synode ein anderes Schreiben entgegen, welches den Papst im Namen des

Kaisers — denn selbst gegen den Papst aufzutreten wägte das Afterconcilium nicht, — versicherte, es werde die Ercommunication, mit welcher er drohe, auf sein eigen Haupt zurückfallen, zögerte er noch ferner zur Synode zu kommen; das Schicksal Judas, des Verräthers, würde sein Antheil werden. Aber P. Johann war bereits in die Campagna gegangen, wo er sich so verborgen hielt, daß die kaiserlichen Boten das Antwortschreiben uneröffnet zurückbringen mußten. Um so mehr nahm der Kaiser Anstand, einem gewaltsamen Beschlusse gegen den Papst beizutreten. So lange das neurömische Reich bestand, war nur Ein ähnlicher Fall vorgekommen: P. Leo III[69]), von den Römern ähnlicher Gräuel beschuldigt, wie nun P. Johann XII, hatte in eben der Kirche, wo jetzt die Synode versammelt war, den Reinigungseid geschworen[70]) und die Beschuldigungen waren in Nichts zerfallen. So groß die Verbrechen waren, deren P. Johann bezüchtigt wurde, war er selbst noch nicht vernommen worden, während Gültigkeit und Vollmacht der Synode mehr noch als zweifelhaft waren. Nochmal wandte sich[71]) daher der Kaiser an die Versammlung und bat sie, mit umsichtiger Erwägung aller Verhältnisse zu verfahren. Dann aber trat er in seltsamer Verrückung seiner Stellung selbst als Kläger auf, erzählte, wie P. Johannes den ihm geschworenen Eid gebrochen habe, erklärte jedoch, wieder einlenkend, er wolle hierüber dem Concil die Entscheidung über-

---

69) Nos sedem Apostolicam, quae est caput omnium ecclesiarum, judicare non audemus. Nam ab ipsa nos omnes et a Vicario ejus judicamur. Ipsa autem a nemine judicatur, quemadmodum antiquitus mos fuit; sed sicut ipse summus Pontifex consuevit, jubeat et canonice obediemus, riefen damals die fremden Bischöfe aus; jetzt war es der römische Clerus selbst, der diese gegen ihr gemeinsames Oberhaupt aufzuwiegeln suchte. Vergl. Baron. 964. VII.

70) A nemine judicatus neque coactus sed spontanea mea voluntate purifico et purgo me. Cf. sacramentum quod Leo P. juravit ap. Pertz mon. leg. II. p. 15.

71) Vgl. Liutprandi contin. mit der vita Johannis P. XII bei Eckhard. (3. Januar 963).

laſſen. Allein dieß war es, was die Biſchöfe wünſchten. Ohne die Vertheidigung des Papſtes vernommen zu haben, erwieder= ten ſie nun: zu groß ſey das Aergerniß, das P. Johann ge= gegeben, als daß es länger in Ruhe ertragen werden könnte. Würde der Schaden nur auf Einen fallen, ſo könnte man ſchweigen oder zu gewöhnlichen Mitteln ſeine Zuflucht nehmen; jetzt aber handle es ſich um das Heil der geſammten Chriſten= heit, die durch die Verworfenheit ihres Hauptes mit allgemeiner Zerwürfniß bedroht ſey. Zu viele ſeyen bereits durch P. Jo= hannes von der Bahn der Ordnung abwendig gemacht wor= den; „deshalb, fügten ſie hinzu, ſich an den Kaiſer wendend, bitten wir die Größe Deiner Macht, jenes Scheuſal, das keine Tugend von der Bahn der Laſter abbringen konnte, aus der hl. römiſchen Kirche vertreiben und einen Andern an ſeiner Statt wählen zu laſſen, welcher mit dem Beiſpiele eines ge= rechten Wandels uns vorzuſtehen, ſich ſelbſt zu nützen vermag, recht lebe und uns das Vorbild eines rechten Lebens gebe.“ Als der Kaiſer dieß hörte, zögerte er nicht länger, ſeine Bei= ſtimmung zur Wahl eines tauglichen Papſtes zu geben, wor= auf, obwohl Geſetz und Herkommen entgegen, P. Johann XII von der Synode entſetzt und einſtimmig durch dreimaligen Ausruf der Protoſcriniarius der hl. römiſchen Kirche, Leo, ein Mann von unbeſcholtenem Lebenswandel, aber noch Laye [72]), zum römiſchen Biſchofe erwählt wurde, „damit er höchſter und allgemeiner Papſt der römiſchen Kirche ſey.“ Als nun auch der Kaiſer dem Neuerwählten ſeine Zuſtimmung ertheilte, wurde dieſer [73]) in feierlichem Zuge nach der Weiſe rechtmäßiger Päpſte unter Geſängen zum lateranenſiſchen Palaſte geführt und hierauf in der Kirche des hl. Petrus von den Cardinal= biſchöfen Benedict von Porto und Gregorius von Albano ordi= nirt [74]). Die Anweſenden, wohl auch der Kaiſer ſchwuren

72) Sigebert nennt ihn Layen, das Concil von Rom neophytum et curialem, das von Rheims gleichfalls neophytum.

73) Zuerſt ertheilt ihm der Biſchof Sico alle Weihen nach einander, wofür dieſer ſelbſt von dem römiſchen Concil im nächſten Jahre ſei= ner prieſterlichen Würde beraubt wurde.

74) Beide Biſchöfe wurden deshalb von Johann XII dem Concil=

ihm den Eid der Treue; Otto, welcher Friede und Ordnung
hergestellt zu haben glaubte, entließ hierauf den größern Theil
seines Heeres in die Heimath, nur ein geringes Häuflein blieb
mit ihm in Rom zurück.

Als P. Johann XII von diesen Dingen Kunde erhielt,
beschloß er, um jeden Preis wieder in den Besitz des widerrechtlich abgesprochenen Pontificats zu gelangen. Heimliche
Boten kamen von ihm in die Stadt; sie stellten den Römern
vor, wie ungerecht Johannes entsetzt worden, welche Schmach
für sie selbst die Herrschaft der Ausländer und eines von solchen erwählten Papstes sey; die Schätze des hl. Petrus und
der übrigen Kirchen sollten ihrer seyn, würden sie, was jetzt
ein Leichtes sey, den Kaiser überfallen und den römischen Stuhl
von einem Eindringlinge befreien. Es ist ungewiß, welcher
Ueberredungsgrund bei den Römern der eigentlich überwiegende
war; aber schon am 2. Januar d. J. 964 erhob sich ein gewaltiger Aufruhr in der Stadt. Als des Kaisers Schaar herbei-
eilte, den Bruch des Meineides zu bestrafen, und an die Tiber-
brücke kam, fand sie daselbst eine Wagenburg errichtet, den
Weg zur Stadt versperrt. Aber bald gelang es den deutschen
Rittern sich den Weg mit Gewalt zu bahnen; sie rissen die
Wagenburg auseinander und jagten die Römer vor sich her
in die Stadt. Rom wäre mit dem Blute seiner Bewohner
erfüllt worden, hätte nicht der Kaiser die Seinen zurückgerufen
und sich mit Geiseln für die künftige Ruhe begnügt; aber selbst
diese gab er zurück, als Leo sich ihm zu Füßen warf und um
ihre Zurückgabe bat. Als dann dem Kaiser die Nachricht zu-
kam, König Adalbert habe sich, nachdem der Plan des Papstes

---

beschlusse vom J. 964 zufolge abgesetzt. Baron. 964. IX. Pertz
mon. IV. 2. p. 168 führt ein decretum cessionis donationum
Romanae ecclesiae von Seiten dieses Papstes an; je mehr man
jedoch diese Urkunde analysirt, desto mehr überzeugt man sich von
ihrer durchgängigen Unächtheit, für welche sich auch der gel. Herausgeber der mon. entscheidet. Von nicht größerem Werthe scheint
auch das vorausgehende privilegium Leonis P. VIII de investi-
turis zu seyn. Damals handelte es sich noch nicht um Investitur-
angelegenheiten. Das Nähere über das Privilegium Leo's sieh bei
Kunstmann: Unterschobene Decrete Adrian's und Leo's, in Tüb.-
theol. Quartalschr. 1838. 2s Heft. S. 351 seq.

geſcheitert, nach Spoleto gewendet, nicht wiſſend, daß um eben
dieſe Zeit Monte San Leone mit König Berengar ſich in die
Hände des Kaiſers übergeben, ſo überließ Otto den Gegen-
papſt der Treue der Römer, die ihm und Otto über dem
Grabe des hl. Petrus Treue ſchwuren und eidlich gelobten,
ohne des Kaiſers wie des Königs, ſeines Sohnes, Zuſtimmung
keinen Papſt mehr zu wählen, noch zu ordiniren, und zog wider
Adalbert nach Camerino.

Kaum war der Kaiſer abgezogen, ſo unternahm P. Johann einen neuen Verſuch, ſich Rom's zu bemeiſtern [75]. Dießmal ſollen es einem Schriftſteller zufolge römiſche Frauen
geweſen ſeyn, welche, frühere Gefährtinnen der Ausſchweifun-
gen des Papſtes, durch die ihnen zu Gebote ſtehenden Mittel
der Verführung die Römer bewogen hätten, P. Johann plötzlich in die Stadt zu laſſen. Gewiß iſt, daß der Papſt noch
einen bedeutenden Anhang unter dem römiſchen Clerus ſelbſt
zählte, welcher, nachdem Johannes ſo unvermuthet zurückgekehrt war, daß Leo VIII nur mit Mühe und in eiliger Flucht
aus Rom zu entrinnen vermochte, ſich ſogleich um ſeinen rechtmäßigen Oberhirten ſammelte. Dieſer hielt nun ein Concil [76]
in der Kirche des hl. Petrus und vernichtete durch gemeinſamen Beſchluß aller Anweſenden die Verhandlungen der kaiſerlichen Synode; die Wahl wie alle Handlungen Leo's VIII
wurden für nichtig erklärt; er ſelbſt mit allen, die ihn erhoben,
aus der Gemeinſchaft der chriſtlichen Kirche geſtoßen; wer von
ihm ordinirt worden war, der empfangenen Weihen verluſtig
erklärt. Aber ſogleich befleckte Johannes die Gerechtigkeit ſeiner
Sache mit neuen Unthaten. Er ließ dem Cardinaldiaconus
Johann die rechte Hand, dem Scriniarius Azzo zwei Finger
nebſt der Naſe abhauen und die Zunge ausſchneiden. Die
alten Tage ſchamloſen Treibens begannen auf's Neue; aber ſie

---

75) Von nun an ergänzen ſich die Fortſetzer Regino's und Liutprand's
wechſelweiſe.

76) Sigebert von Gembl. ſcheint die Acten dieſes Concils vor ſich gehabt zu haben; mitgetheilt wurden ſie von dem Card. Baronius
Ann. 964. VI—XV.

waren von Dem, der zählt, mißt und bricht, bereits gemessen und gebrochen. Johannes, mit einer Römerin im Ehebruche begriffen, wurde plötzlich vom Schlage gerührt; acht Tage lang lebte er noch, dann starb er, ohne der Seele Heimzehrung empfangen zu haben ⁷⁷).

Diese auffallende Weise, mit welcher die göttliche Vorsehung durch P. Johann's unvermutheten Tod den römischen Stuhl vor neuen Befleckungen bewahrte, wie sie durch dessen Wiedererhebung seine Rechte geschützt hatte, mußte unter den damaligen Verhältnissen die Verwirrung eher vergrößern als vermindern. Mochte man von deutscher Seite in dem Tode P. Johann's nur die verdiente Strafe der von ihm begangenen Verbrechen sehen, so war dieß Ereigniß für die Römer ein deutlicher Beweis der Ungültigkeit der ersten römischen Synode, welche, anstatt im Vertrauen auf die Verheißung des Heilands geduldig zu ertragen, was zu ändern Unrecht war, mit leidenschaftlicher Vermessenheit in die Regierung der Kirche eingegriffen und unter weltlichem Schutze und Einflusse sich gegen das Haupt derselben erhoben hatte. Mehr als je mußte daher die Wahl Leo's VIII als widerrechtlich, vorschnell und der Grundanlage des römischen Stuhles entgegen erscheinen, der nicht auf menschliche Klugheit und Berechnung, sondern auf den Glauben und die Verheißung gegründet wurde, es werde ihm bis an das Ende der Zeiten die Hülfe des Erlösers nicht fehlen.

So geschah es denn nun, daß nach dem Tode P. Johann's XII von den Römern nicht Leo VIII als rechtmäßiger Papst anerkannt, sondern in Uebereinstimmung mit den Beschlüssen des zweiten römischen Concils an die Wahl eines neuen Papstes gedacht wurde. Gesandte des Clerus wie des Volks von Rom verfügten sich in das Lager zu dem Kaiser, diesen über die freie und canonische Wahl eines Anderen, des

---

77) 14. Mai 964. Cont. Reginonis. Nach Andern wurde er von dem Manne jener Frau ertappt und so stark mißhandelt, daß er in Folge deß seinen Geist aufgab. Beide Erzählungen kommen auf das Eine hinaus.

Cardinaldiaconus Benedict zu befragen. Sie trafen Kaiser Otto bei Rieti[78]) mit Leo VIII auf dem Zuge nach Rom begriffen, und trugen ihm das Verlangen der Römer vor, erhielten aber den trockenen Bescheid: da er sein Schwert einmal gezogen, so sey es geschehen, um Leo VIII auf den päpstlichen Thron zu setzen. Diese Antwort, welche mit Hintansetzung der Gründe an die rohe Gewalt appellirte, wurde der Quell unvertilgbaren Hasses der Römer gegen die Deutschen und eines langwierigen Streites, der die Ruhe des Abendlandes oftmals erschütterte und viele heilsame Bemühungen der Päpste und der Kaiser unwirksam machte. Denn kaum hatten die Gesandten die Antwort des Kaisers zurückgebracht, so wählten die Römer, fest entschlossen, den excommunicirten Leo nicht mehr als ihr Haupt anzuerkennen und gänzlich unbekümmert um die Folgen eines solchen Schrittes, den Cardinaldiaconus Benedict wirklich zum Papste und verschloßen dem anrückenden Heere des Kaisers die Thore. Otto's Ingrimm stieg auf's Höchste. Sein Heer schloß die Stadt von allen Seiten ein, plünderte und verwüstete die umliegenden Ortschaften und schnitt so den Römern alle Zufuhr ab. Bald empfanden diese Mangel; mit jedem Tage wurde die Noth drückender, endlich stieg der Schäffel Kleie bis zu dem Preise von 60 Denarien. Nun übergaben die Römer die Stadt, lieferten P. Benedict V aus und empfingen statt seiner Leo VIII, und, nachdem sie diesem und dem Kaiser nochmal Treue geschworen hatten, erhielten sie von Beiden Nachlaß ihrer Vergehungen. Nur Papst Benedict V war davon ausgenommen und einem strengen Gerichte anheim gegeben. Auf des Kaisers Antrieb versammelte Leo VIII ein Concil, vor welches Benedict zur Verantwortung geladen wurde. Als er daselbst noch im päpstlichen Ornate erschienen war, befrug ihn zuerst der Archidiaconus, Cardinal Benedict seines Eidbruches wegen, den er durch seine Erhebung an Leo VIII, wie an dem Kaiser begangen. Statt aller Vertheidigung erwiederte er aber nur: wenn ich sündigte, möget

---

78) Chron. Farf. p. 476. Die vita Joh. bei Ekkhard nennt Turreannam civitatem. II. S. 1639.

ihr euch meiner erbarmen. Er war ein Mann von der demü-
thigsten Gesinnung und tugendhaftem Lebenswandel; selbst Liut=
prand nennt ihn unschuldig [79]). Als der Kaiser sein Flehen
hörte, bat er, wohl die Folgen jenes Concils bedenkend, das
einen Papst ungehört verurtheilt hatte, mit Thränen im Auge
die Versammlung: es möge Benedict kein Unrecht geschehen,
seine Vertheidigung gehört werden, und, wenn er sich nicht zu
vertheidigen vermöchte, Gnade für Recht ergehen. Nun warf
sich Benedict dem Kaiser demüthig zu Füßen und bekannte mit
lauter Stimme, er sey schuldig, nannte sich selbst einen Einge=
drungenen und gab Pallium und Stab an Leo zurück. Dieser
ergriff den Stab, brach ihn und zeigte ihn so dem Volke zum
warnenden Beispiele; Benedict aber befahl er, sich auf die Erde
zu setzen, nahm ihm Stola und Planeta ab und erklärte ihn
der Ehre des Pontificats und Presbyterats für verlustig. Dann
verzieh er ihm und ließ ihm noch die Würde eines Diacons,
hieß ihn aber aus Rom in die Verbannung wandern, die ihm
gebühre. Bald darauf zwang eine Seuche, die unter dem
deutschen Heere ausbrach, den Kaiser zur Rückkehr nach Deutsch=
land [80]); gezwungen zogen mit ihm P. Benedict V und Be=
rengar von Lombardien. Adalbert war nach Constantinopel
geflüchtet. Seinem Vater wurde Bamberg, dem gefangenen
Papste Hamburg zum Aufenthaltsorte angewiesen. Die sehn=
süchtigen Wünsche der Römer, welche mit einem großen Theile
der Deutschen jene Seuche als ein wohlverdientes Strafgericht
für die Absetzung P. Benedicts ansahen, folgten diesem dahin
nach. Als dann Leo VIII noch in demselben Jahre vor den
Richterstuhl Gottes gerufen worden war und die Römer wegen
der Wahl eines Papstes eine ehrenvolle Gesandtschaft an den

---

79) Vgl. Meibom. de Benedicto V. Rom. Pont. Francof. 1609.
fol. Romanorum praepotens Imperator, schrieb Thietmar in Be=
treff Benedicts, valentiorem sibi in Christo Dominum Apostolicum nomine Benedictum, quem nullus absque Deo judicare potuit, injuste ut spero accusatum deponi
consensit, quod utinam non fecisset. Leibn. script. II,
p. 337.
80) 965.

Kaiser abschickten, ließen sie diesen besonders bitten, er möge
Benedict die Rückkehr auf den päpstlichen Thron gestatten.
Schon war von den Bemühungen der Gesandten ein günstiges
Ende zu erwarten, als auch Benedict V im Rufe der Heilig-
keit unvermuthet zu Hamburg starb [81]). Der Kaiser entließ
nun die römischen Gesandten, von den seinen begleitet, in deren
Gegenwart hierauf der Bischof Johann von Narni als Jo-
hann XIII zum Papste gewählt wurde.

Mit diesem schien endlich nach den großen Stürmen,
welche die Wiedererneuung des abendländischen Kaiserthums
begleitet hatten, der Zeitpunct gekommen zu seyn, in welchem
sich Rom unter einem trefflichen Papste von den Wunden erholen könnte, die die Gewaltherrschaft der italienischen Fürsten
und das nachmalige Schisma geschlagen. P. Johann XIII
war nicht nur vollkommen rechtmäßig gewählt worden; es war
auch sein ganzes früheres Leben Bürgschaft einer besseren Aera.
Er hatte alle Kirchenwürden, von der untersten eines Ostia-
rius bis zu der höchsten in Rom selbst bekleidet und gehörte
jenem unverwüstlichen Stamme des römischen Clerus an, der
mitten unter den Stürmen dieser furchtbaren Zeit Tradition
und Sitte in ursprünglicher Reinheit erhielt. Es ist bezeich-
nend für ihn, daß er, sich unter die Ankläger P. Johanns XII
reihend, nur solche Beschuldigungen gegen diesen vortrug, welche
Uebertretungen der Canonen betrafen, ihn aber als Papst als
seinen rechtmäßigen Vorgänger bezeichnete. Seine hauptsächlichste Sorge ging gleich anfangs dahin, den Uebermuth der
römischen Großen zu brechen [82]), welche sich in diesen Zeiten

----

81) Cum jam Romanis poscentibus ab Caesare restitui debuis-
set. Adam. Brem. H. c. 6. Seine Gebeine wurden im J. 999
auf Befehl Kaiser Otto's III nach Rom zurückgebracht. Thietm.
cf. Baron. 999. XV.

82) Johannes XIII — qui statim majores Romanorum elatiore
animo, quam oportebat insequitur. Cont. Regin. Es verdiente,
wenn noch mehrere Urkunden über diese Zeit auffindig gemacht werden könnten, besonders untersucht zu werden, ob nicht in Folge der
Bemühungen P. Johann's XIII ein, wenn auch nur temporäres
Steigen der Plebejer in Rom vor sich ging. Mir war immer merk-

der Verwirrung der Leitung aller Angelegenheiten, wie der Güter der Kirche bemächtigt hatten. Mitten in diesem Bestreben, die ihm anvertraute Würde zu der früheren Unabhängigkeit zurückzuführen, wurde er von dem Grafen Rofredus von Campanien, dem Präfecten Petrus von Rom und dem Volke von Carlone überfallen und in die Engelsburg gesperrt. Aber selbst hier schien der Papst den Verschworenen noch zu gefährlich, sie führten ihn nach Campanien ab, wo er mehr als 10 Monate blieb, bis Johannes, des Crescentius Sohn[83]), den Grafen Rofred getödtet und entweder die Partei des Papstes in Rom die Oberhand gewonnen hatte oder die Nachricht von einem bevorstehenden Römerzuge des Kaisers die Römer zur Nachgiebigkeit bewog. Denn als Kaiser Otto im December des Jahres 966 nach Rom gekommen war, fand er den Papst

---

würdig, daß unter den Anwesenden bei der Synode des J. 963 eines Benedictus cum Bulgamino filio suo ex plebe, dann unter P. Johann XIII der Decurionen (plebeischer Magistrate), aber auch ihrer Vernichtung zu eben dieser Zeit gedacht wird, während die Schenkungsurkunde K. Otto's bei den Vorschriften über die Papstwahl noch ein Ueberwiegen des Adels kund giebt und das Wiedererscheinen des gewiß ganz adelichen Senats nach P. Johann XIII den Rückfall der Macht an den Adel zeigt. Gewiß sind die Stürme in Rom nach dem Tode P. Johanns XIII auch nicht ohne Mitwirkung eines democratischen Elementes gewesen und daß eine solche Veränderung vor sich gegangen, dürfte, wenn das Obige zum Beweise nicht hinreichte, noch aus der Bulle P. Benedict's VII für den Erzbischof Theodorich von Cöln hervorgehen, in welcher es ausdrücklich heißt: Nos cum auctoritate B. Petri Apost. Princ. gratuitoque sacerdotum, clericorum, totiusque Romanae plebis assensu. Harzh. conc. Germ. II. ad a. 975, während sonst nur der römische Senat oder das Volk (populus) oder die militia in solchen Fällen erwähnt wird. Vielleicht steht auch das Steigen der Crescentier, welches in diese Zeit fällt, mit einer solchen democratischen Bewegung in Verbindung?

83) Cf. Contin. Reginonis. Herm. contr. ad a. 969. Centur. Magdeb. III. p. 295. Chron. Farf. p. 644. Baron. ex Auctario ad Anastasium. 966. II. Blondus decad. II. lib. II. Hermann der Contracte nennt jedoch den Mörder des Grafen Rofred Johann, des Crescentius Sohn.

bereits wieder aus der Verbannung dahin zurückgekehrt. Kaiser und Papst feierten nun gemeinsam Weihnachten in der
Stadt; dann ließ der Kaiser den ganzen Magistrat von Rom
als Gottesräuber und Majestätsbeleidiger ergreifen und sprach
nach ihrem Vergehen das Urtheil über sie aus. Die Consuln,
von welchen jährlich noch immer 2 aus dem Adel gewählt wurden, wurden nach Deutschland verbannt; die Dekarchen, die
eigentlichen Magistrate des Volks, fanden ihren Tod durch
Henkershand am Galgen. Dem Präfecten der Stadt, Petrus,
hieben die Römer selbst zur Beschimpfung den Bart ab, hingen
ihn einige Zeit lang mit den Haaren an dem Pferde Constantin's vor dem lateranischen Palaste auf und brachten dann
einen Esel herbei, auf welchen sie ihn verkehrt setzten, statt der
Kleider mit einem befiederten Schlauche um Haupt und Brust,
den Hals mit Schellen geziert, die Hände unter den Schweif
des Thieres gebunden. So wurde er mit Ruthenhieben durch
die Stadt in den Kerker geführt, wo ihn erst des Kaisers Gericht in Empfang nahm. Die Gebeine des Grafen Rofred
und des Vestiarius Stefan befahl der Kaiser auszugraben und
als unwürdig, in geweihter Erde zu ruhen, vor die Stadt zu
werfen. Nach diesen abschreckenden Beispielen kaiserlicher
Strenge ward Ruhe in der Stadt, so lange P. Johann XIII
lebte.

Der Papst begleitete später den Kaiser nach Ravenna, wo
er auf einem Concil die Rückgabe dieser Stadt und der übrigen zu dem Patrimonium des hl. Petrus gehörigen Länder
empfing. Weihnachten desselben Jahres krönte P. Johann den
jüngeren Otto zum Kaiser und Mitregenten seines Vaters;
kurze Zeit aber, nachdem der neue Kaiser seine Vermählung
mit Theophanien, der Schwester des byzantinischen Kaisers
Johannes gefeiert hatte, und er selbst seine Zustimmung zur
Errichtung des Erzstiftes Magdeburg, der Bisthümer Havel-
berg, Brandenburg, Merseburg, Zeiz, Meißen und Posen gegeben und die des Bisthums Prag zur Bekehrung der heidnischen
Böhmen begünstigt, starb der Papst, der wie in Rom Ruhe und
Ordnung, so auch in allen Ländern der Christenheit die Wiedererweckung der Disciplin zu befördern gesucht hatte (972).

Unter seinem Nachfolger P. Benedict VI brach die Wuth der
Römer gegen den päpstlichen Stuhl von Neuem aus. Cencius
(Cenejus), Crescentius, der Theodora Sohn, und vor allen
Bonifacius Franco, des Römers Ferruccio Sohn, werden als
die Anführer jener Rotten genannt, welche den Hauptsitz der
Kirche noch einmal in eine Mördergrube verwandelten. Nach
kurzer Regierung ward P. Benedict — von welchem jener
Männer ist ungewiß — in die Engelsburg geworfen und da=
selbst von Bonifacius Franco erdrosselt, der nun das Pontificat
an sich zu reißen suchte. Noch wurde ihm entgegen der fromme
Donno erwählt; aber, als wäre es bestimmt gewesen, daß
das Pontificat den Umtrieben der Gewalthaber überlassen blei=
ben sollte, schnell raffte der Tod den neuen Papst und um
gleiche Zeit auch den Kaiser Otto I hinweg. Die letzte Stütze
der Kirche schien mit dem Tode des Kaisers gebrochen, von
dem spät noch die Klage erscholl, seit Carl dem Großen habe
kein Kaiser die Krone mit mehr Würde getragen und behaup=
tet, keiner größere Sorgfalt für die Bekehrung der Heiden, für
Herstellung der Ordnung, für Blühen und Gedeihen der Kirche
gehabt: unter ihm sey das goldene Jahrhundert, die Welt
glücklich gewesen, da er nicht seine Ehre, sondern nur den Ge=
winn des Heilands gesucht[84].

In dieser allgemeinen Noth wandte sich Kaiser Otto II,
welchem es zustand, als Beschützer der Kirche Maßregeln zu
ihrer Sicherstellung zu ergreifen, an jenen Orden, aus welchem
sie im Laufe dieses Jahrhundertes verjüngtes Leben empfangen
hatte; er bot dem Abte Majolus von Clugny, der, göttlichen
Geistes voll, in apostolischer Tugend glänzte, die päpstliche
Würde an. Aber der demüthige Mann, zufrieden, in Christo
Allen Alles zu seyn und so hoher Ehre nicht bedürftig, erklärte
sich des Pontificats für unwürdig und schlug es eben so stand=
haft aus, wie das ihm schon früher angetragene Erzstift von
Besançon[85]. Während hiedurch die Verlegenheit stieg, war

84) Chron. Saxo ap. Leibn. access. p. 187.
85) Vita S. Majoli III. c. 8. apud Sur. Cfr. AA. SS. ord. S. Bened. VII. p. 757. n. 45.

in Rom selbst wieder Ruhe geworden. Die Grafen von Tus=
culum, durch das Aufblühen des Hauses der Crescentier unter
P. Johann XIII in den Schatten gestellt, hatten unvermuthet
neue Kraft gesammelt und den Mörder Bonifacius zur Flucht
aus Rom gezwungen, worauf P. Benedict VII, ein Mitglied
ihrer Familie, zum Nachfolger Donno's erwählt wurde. Mit
Kraft und Umsicht nahm sich dieser der Leitung so verwickelter
Angelegenheiten an und schloß auf einem Concil den Bonifa=
cius aus der Gemeinschaft der Gläubigen und der Kirche Jesu
Christi aus. Mit seinen Verbrechen beladen, enteilte dieser nach
Constantinopel, wo ihm die Schätze der St. Peterskirche, die
er geraubt, an diesem Heerde aller Umtriebe gegen die Ruhe
des Abendlandes, günstige Aufnahme verschafften. In Rom
aber traf strenges Gericht die Uebrigen, welche die Kirche mit
habsüchtigen Händen geplündert. Der Papst bediente sich gegen
sie der geistlichen Censuren, durch welche die Uebelthäter zur
Unterwerfung gezwungen wurden; er unterstützte die Wittwen,
theilte den Armen reichliches Almosen aus, stellte das Kloster
vom hl. Kreuz zu Jerusalem in Rom wieder her und besetzte
es mit Mönchen aus der Schule von Clugny[86]). Als die
Saracenen den Metropoliten von Damascus, Sergius, ver=
trieben hatten, nahm ihn P. Benedict in Rom auf und räumte
ihm die Kirchen der hl. hl. Bonifacius und Alexius ein, wo
Sergius[87]) der Gründer einer Schule von heiligen Männern
wurde. Nach dem Vorgange P. Agapits stellte P. Bene=
dict VII[88]) das Erzbisthum Lorch, von welchem zu gleichem
Zwecke die Bekehrung des großen mährischen Reiches ausge=
gangen war, wieder her und übergab es dem Bischofe Pilgrim
von Passau, den er zum Metropoliten sowie zum apostolischen
Vicar in diesen Gegenden ernannte. Den Cardinaldiaconus
Stefan schickte er nach Gallien und ließ den Stuhl von Amiens

---

86) Vergl. des Papstes Grabschrift in der Kirche S. Croce in Geru-
   salemme in Rom, im rechten Seitenschiffe; bereits mitgetheilt von
   Baron. 984. I.
87) Baron. ad a. 975. IX. 977. I.
88) Calles ann. eccl. Germ. ann. 975. XXXVIII.

von seinem unrechtmäßigen Besitzer befreien; er vermehrte die Freiheiten und Güter des Erzklosters von Monte Casino und hielt, als Kaiser Otto II nach Rom gekommen war, daselbst ein Concil [89]), dem eingerissenen Mißbrauche des Kaufes und Verkaufes geistlicher Stellen und Würden nach Kräften zu steuern. Als er dann im Jahre 984 gestorben war, wurde, ehe noch neue Unruhen in Rom ausbrechen konnten, des Kaisers Kanzler, Petrus, Bischof von Pavia, zu seinem Nachfolger erwählt, der aus Demuth gegen den Gründer der römischen Kirche seinen Namen in Johann XIV umwandelte. Schon früher hatte auch Kaiser Otto II sein kurzes thatenvolles Leben geendet [90]).

89) Mansi coll. conc. XIX. p. 77. Calles VIII. 93. Pagi ad Baron. 983. XI. Wahrscheinlich wurde dieß Concil im Jahre 983 gehalten.

90) 7. December 983. Primo quae sunt proterva sectatus largitusque plurima pietatis opera absque temperamento matura fugit consilia, deindeque castigatus a multis imposito sibi laudandae virtutis freno nobiliter in diebus suis conversatus est. Thietm. III. Otto cf. vita I. S. Adalberti II. 8. Otto rempublicam strenue atque utiliter administravit, vir magni ingenii totiusque virtutis, liberalium litterarum scientia clarus adeo, ut in disputando ex arte et proponeret et perhabiliter conclūderet, penes quem regnum Germanie cum Galliarum aliqua parte usque ad diem vite ejus supremum mansit, sed aliquando dubio statu. Richeri Remens. Chr. MS. fol. 38.

Die deutschen Päpste.

Erstes Buch.
Die Zeiten Papst Gregor's V.

Erster Abschnitt.

Von dem Tode K. Otto's II bis zur Wahl und Krönung P. Gregor's V.

7. December 983 — 3. Mai 996.

Kaiser Otto II hatte im Frühlinge des Jahres 981 die Feindseligkeiten gegen die Griechen begonnen, welchen er die letzten Reste ihrer Herrschaft in Unteritalien entreißen wollte. Schon war Tarent erobert und der Kaiser siegreich gegen Sicilien vorgedrungen, als er, durch einen Zuzug von Bayern und Schwaben zu sicher gemacht, plötzlich von den vereinten Schaaren der Griechen und Saracenen bei Rossano überfallen und das deutsche Heer nach hartem Kampfe beinahe vollständig aufgerieben wurde [1]. Nur mit Mühe entrann Otto selbst dem Tode, nur durch höchste Besonnenheit und List schmählicher Gefangenschaft; die Leichen deutscher Fürsten und Herren bedeckten zahlreich die Wahlstatt; viele Andere wurden in die Sclaverei nach Africa geschleppt; Manche, welche der Metzelei glücklich entronnen waren, starben vor Beschwerde, ehe sie die Heimath erreichen konnten [2]. Der Schrecken des deutschen Namens, die Frucht der Siege von mehr als 30 Jahren droh-

---

1) Periculosissimum et etiam infelicissimum Calabriae bellum, adhuc per orbem terrae clade et infamia notissimum, schrieb Wolfherr in vita S. Godehardi c. 7. noch um das Jahr 1040 von diesem Kriege.

2) So Herzog Otto, H. Liudolf's Sohn, zu Lucca.

ten mit dem Einen Tage (13. Juli 982) dahinzuschwinden.
Da beschloß der Kaiser durch neue Kraftanstrengungen die
Schmach der Niederlage zu vertilgen und die Uebermacht
der Deutschen in Italien wiederherzustellen. Er hielt im Juni
des nächstfolgenden Jahres einen Reichstag zu Verona, zu
welchem die Großen der Sachsen, Schwaben, Lothringer,
Bayern, die italienischen Fürsten, geistliche und weltliche Würdenträger der vereinigten zwei Reiche zusammenkamen, Maßregeln zur Erneuung des Krieges zu berathen. Als aber
menschliche Klugheit, Ehre und Leidenschaft den Kaiser und die
Fürsten zu dem Beschlusse trieben, den Krieg zu erneuen, trat
ihnen Allen gerade der Mann unheilverkündend entgegen, welchem sein Zeitalter den Preis der höchsten Einsicht in menschliche und göttliche Dinge zuerkannte, Abt Majolus von Clugny.
Ein armer Mönch, aber vom Geiste Gottes beseelt, hatte dieser
sein Leben ohne Unterlaß in jenen geistigen Kämpfen zugebracht,
durch welche in heißem Gebete, durch Fasten und Wachen dem
Erbfeinde des Menschengeschlechtes die Herrschaft abgerungen
wird; fern von aller Theilnahme an weltlichen Händeln, obwohl von Kaisern und Königen in den verwickeltsten Angelegenheiten um Rath gefragt; rastlos bemüht, entzweite Gemüther zu vereinen und das Reich des Herren, das im Frieden
besteht, auszubreiten. Wie er Gewalt hatte über die Natur,
daß die Gesetze, in welchen sie selbst erstarrt ist, ihm nicht galten, so durchdrang sein erleuchteter Geist die Nähe und Ferne
und spendete Rath und Trost, wo menschlicher Sinn kleinmü-
thig verzagte. Er hatte Blinden das Gesicht wiedergegeben,
Bisse giftiger Schlangen geheilt, vom Blitze Getroffene zum
Leben zurückgebracht, und die Gnade, die dem Demüthigen geworden, so segensreich verwaltet, daß die Chronik von Clugny
von ihm meldet, es gebe kaum einen Heiligen, von welchem
eine größere Anzahl beglaubigter Wunderthaten aufgezeichnet
worden sey. Er war es, der früher den Kaiser mit seiner
Mutter versöhnte [3]), die dieser im jugendlichen Uebermuthe ver-

3) Syri vita S. Majoli Abbatis. III. c. 9. 10. Acta SS. Ord.
S. Bened. t. VII. p. 757. Vet. Chron. Cluniac. in Bibliotheca
Cluniacensi cura M. Marrier et Andr. Quercitani. Paris. 1614. f.

stoßen hatte; er verkündigte jetzt dem Kaiser, den er liebte: zöge er auf's Neue nach Rom, so würde er sein Heimathland nicht wieder erblicken.

In der Blüthe der Kraft und der Macht hörte der Kaiser nicht auf das Wort des Abtes, bedachte nicht die Leiden der Kirche, die mehr als je eines kräftigen Armes bedurfte, sich vor Allem der Simonie [4]) zu erwehren, die die Lüge an die Stelle des Heiles setzend, Priester und Layen in gemeinsames Verderben zog; es dünkte ihm rühmlicher, seine Waffen gegen die Griechen zu wenden, als die heimlichen Feinde im Innern seines Reiches zu bekämpfen. Er ließ daher seinen gleichnamigen Sohn, ein Knäblein von 3 Jahren, von den versammelten Großen in Verona zum Könige wählen und brach dann, ohne einen Streit mit den Venetianern völlig beizulegen nach Rom, von da nach Capua auf. Von hier wandte er sich wieder nach Rom zurück, woselbst er heftig erkrankt, bald gewahren mußte, es sey keine Genesung mehr für ihn zu hoffen. Reumüthig wandte er nun alle Gedanken von Krieg und weltlichen Angelegenheiten ab und bereitete sich mit großer Zerknirschung zum Tode. Aus dem Schatze, den er besaß, machte er 4 Theile; den einen bestimmte er für die Kirchen, den andern für die Armen, den dritten seiner Schwester Mathilde, Aebtissin von Quedlinburg, den vierten seinen Dienern und Rittern, und nachdem er hierauf vor dem Papste und dem Clerus der römischen Kirche das Bekenntniß seiner Sünden öffentlich abgelegt und die Vergebung derselben erhalten hatte, entschlief er im Frieden [5]). Lange noch wurde sein Grab, eine Wanne von

---

4) Dazu hatte den Kaiser vorzüglich der hl. Petrus von Perugia ermahnt: Qualiter sanctam gubernaret ecclesiam, episcopos et presbyteros luxuriantes verbumque Dei adulterantes emendaret, simoniacam labem et haeresin damnaret et populum pie regeret, sceleratos ac noxios juste judicans - legaliter perderet. Imperator — abscessit in Domino melior factus. Vita S. Petri ap. Mab. AA. SS. O. S. B. saec. VI. p. 762. Daß aber Otto II selbst Simonie geübt hatte, erhellt aus Burkh. de cas. mon. S. Galli c. 3.

5) Hac tempestate Otto cum barbaris congressus miserabili for-

Porphyr, an dem östlichen Theile des Vorhofes der S. Peterskirche von deutschen Pilgern andachtsvoll besucht und die Gnade
des Heilands für den früh Verstorbenen von ihnen angefleht [6]).

Schon als die deutschen Fürsten nach Verona zogen, mußte
der Sachsenherzog Bernhard eines Einbruches der Dänen wegen
mitten auf der Reise zur Beschützung der deutschen Gränzen
umkehren. Zwar verzog sich diese Gefahr, als nach dem Tode
des Kaisers auch die übrigen deutschen Fürsten wieder in die
Heimath kamen; aber ihr Abzug wurde nun die Losung zum
Aufstande für die Italiener, während gleichzeitig auch in
Deutschland der Geist des Unfriedens ärger als je zu wüthen
begann.

Kaiser Otto II hatte keine Brüder hinterlassen, welche sei-
nem Sohne hätten Stütze werden können; auch seine Oheime
hatte der Tod längst schon hinweggerafft. So war Herzog
Heinrich von Bayern, der Sohn des gleichnamigen Oheim's
Kaiser Otto's II, der nächste männliche Verwandte des jungen
Königs, aber gerade er hatte sich als offener Feind seines eigenen
Stammhauses gezeigt und war deshalb von einem Fürstengerichte
seines Herzogthums entsetzt[7]) und zu gefänglicher Haft verur-
theilt worden, die er noch bestand, als Kaiser Otto II starb.
Besser verbürgt schien die Treue des Bischofs Theoderich von
Metz zu seyn, der als Neffe der Königin Mathilde am Hofe
Otto's II, zuletzt noch bei dessen Tode [8]) gewesen war; aber

---

tunae succubuit. Nam et exercitum fusum amisit et ipse captus ab hostibus, divina vero gratia reversus fuit. Post cum
ex indigestione Romae laboraret et intestini — — ex melan-
colico humore pateretur, aloen ad pondus dragmarum quatuor sanitatis avidus sumpsit conturbatisque visceribus diarria
jugis prosecuta est, cujus continuus fluxus emorroides tumen-
tes procreavit. Que etiam sanguinem immoderatum effunden-
tes mortem post dies non plures operate sunt. Rich. Rem. f. 41.
Thietm. III. p. 347. Leo Ostens. II. c. 9.

6) Vita S. Gerardi Ep. Tull. ap. Bolland. AA. SS. 23. April.
994. n. 16.

7) Im Jahre 978.

8) Vita Theoderici Epi. Met. apud Leibnitz. script. II.

der entferntere Grad der Verwandtschaft berief ihn nur zu grö=
ßerer Treue, nicht zu unmittelbarer Sorge um die Person des
jungen Königs, welchem Herzog Otto von Kärnthen, ein Sohn
Herzog Konrad's von Franken, der in der Heidenschlacht am
Lechfelde geblieben war, noch näher stand. Die Pflege König
Otto's III wie des gesammten deutsch=italischen Reiches kam
3 Frauen zu, der Kaiserin Wittwe Theophanien, Otto's III
Mutter Adelheiden, Kaiser Otto's I Wittwe, und deren Toch=
ter, der Aebtissin Mechthilde. Aber Mechthilde war damals
noch ohne bedeutenden Einfluß, das Ansehen der frommen und
klugen Adelheid größer in Italien, als in Deutschland; Theo=
phania aber, welche, wenn auch nur augenblicklich ihre Freude
über den Sieg der Griechen, ihrer Landsleute, nicht zu verheh=
len vermocht hatte [9]), war von den Deutschen wenig geliebt;
beide Kaiserinnen zumal in Italien; die Deutschen, an kräftige
Herrscher gewöhnt, wie bei den beständigen inneren Zwistigkei=
ten ihrer bedürfend, verachteten Otto III als Kind, noch mehr
als Sohn einer Fremden: selbst Fürsten nannten ihn nur den
Griechen [10]). Seit der Gefangenschaft Herzog Heinrichs groll=
ten die Bayern, seit der Aufhebung des Bisthums Merseburg unter
Otto II auch die Sachsen dem Kaiserhause, das sie durch diesen
Frevel dem göttlichen Strafgerichte anheimgefallen glaubten [11]).

Unter solchen Umständen war es, daß, ehe noch die Nach=
richt von des Kaisers Tode sich durch ganz Deutschland ver=
breiten konnte, die Erzbischöfe Johann von Ravenna und Willi=
gis von Mainz den königlichen Knaben nach Aachen führten
und ihn daselbst (Weihnachten des J. 983) zum Könige der
Deutschen krönten [12]). Aber zu gleicher Zeit war H. Hein=
rich [13]) seiner Haft in Utrecht entlassen worden, und ehe noch

---

9) Sigebertus ad a. 982.
10) Cf. epl. XXVI. Gerberti ad Ecbertum Trevir.
11) Cf. Calles annales lib. VIII. c. 127.
12) Chronogr. Saxo ad a. 984.
13) Thietmar l. III. ad finem. — a Warino Coloniensi Archiepi=
scopo cujus firmae fidei ab Imperatore (Ottone II) is (Otto III)
commissus fuit. Agnum matri non lupo committi opor=
tuit. Gerb. epl. XXXIV. ad Willigis. Mog. AEp.

die beiden Kaiserinnen den deutschen Boden betreten hatten, wurde ihm auch schon Otto III von dem Erzbischofe von Cöln [14] ausgeliefert. So unerwartet aus dem Kerker zu dem höchsten Ansehen in Deutschland erhoben, da der Erzbischof von Cöln, der Bischof von Utrecht, im Süden die Bayern, im Osten 3 slavische Herzoge, selbst viele sächsische Grafen sich für ihn aussprachen, dachte Herzog Heinrich nur daran, die Krone seines Neffen und Mündels auf sein eigen Haupt zu bringen. Schon war er (Ostern b. J. 984) von seinem Anhange zu Quedlinburg zum Könige der Deutschen ausgerufen worden [15]; den Pflichten der Treue und des Gehorsams entsagend war ihm selbst Theoderich von Metz beigetreten [16]; König Lothar von Frankreich, von H. Heinrich eines Bündnisses wegen beschickt, eilte mit einem Heere an den Rhein, mit Heinrich persönlich die Ergreifung gemeinsamer Maßregeln zu berathen [17]; es wollte selbst Ecbert, Erzbischof von Trier, Heinrich sollte wenigstens des jungen Otto's Throngenosse werden: da hielt erst der Metropolitan von Rheims, Adalbero, in treuer Anhänglichkeit an dem Sprößlinge der Kaiser fest und bot ihm, sollte Alles weichen, Rheims zum Zufluchtsorte an; dann entflammte mit ihm und in seinen Diensten der gelehrte und eifrige Gerbert, Abt von Bobbio, durch die Beredsamkeit seiner Briefe und das Gewicht der gerechten Sache allmälig die Fürsten Deutschlands und Lothringens für den verlassenen Kaisersohn; er bestärkte dessen Freunde, schuf ihm neue und zermalmte die Gegner durch die Gewalt seiner Gründe und die Aufdeckung ihres schamlosen Frevels. Da gedachten der Erzbischof Willigis von Mainz, die Herzoge Conrad von Schwaben, Bernhard von Sachsen, der jüngere Heinrich von Bayern-Kärnthen ihres Eides und

14) Bouquet X. p. 140. c.
15) Thietmar l. IV.
16) Gerberti epl. XXXII. ad Theodericum Ep. im Namen H. Carls von Lothr. Alpertus monachus de diversitate temp. c. 24. ap. Eccard. corpus etc. p. 129. Ueber Gerbert selbst vgl. Beil. N. VI.
17) Richeri Rem. Chron. MS. Vgl. in den Münchner Gel. Anzeigen 1837. n. 146. meine Recens. von Hock's Gerbert mit den Zusätzen aus Richerus.

ihrer Pflichten; andere waren dem Herzoge von Anfang an
offen entgegengetreten, nun wuchs ihre Anzahl immer mehr,
und ehe der Junius zu Ende ging, ward H. Heinrich gezwungen, den jungen König zu Rata seiner Mutter und Großmut-
ter auszuliefern [18]). Beide übergaben ihn nun der Sorgfalt
des Grafen Hoico; Theophania aber übernahm die Regierung
des Reiches, die sie von nun an mit mehr als weiblicher Kraft
und Besonnenheit führte. Herzog Heinrich entsagte seinen ehrgeizigen Plänen und söhnte sich mit der Kaiserin aus, von welcher er das Herzogthum Bayern zurückerhielt und unter die
Zahl ihrer Freunde und Vertrauten aufgenommen wurde. Reumüthig und nach sonst reinem Lebenswandel sank Bischof Theoderich schon am 7. September des J. 984 in das Grab; Verdun, dessen sich König Lothar bereits bemächtigt hatte, ward
auch die Gränze der Eroberungen des französischen Königs,
dessen Entwürfe, den unmündigen König der Deutschen, wenn
nicht des Reiches, doch Lothringens zu berauben, die rastlosen
Bemühungen des Erzbischofs Adalbero und seines Gerberts,
dann der Aufstand der Lothringer erst verzögerten [19]), endlich
sein früher Tod völlig vernichtete [20]).

Von so vielen Feinden in zarter Jugend bedroht und ihren
gemeinsamen Bestrebungen fast nur wie durch ein Wunder entgangen, wurde Otto III, nicht der einzige, aber der vorzüg-
lichste Sprößling seines erlauchten Geschlechtes, der Gegenstand
der zärtlichsten Sorgfalt und Pflege. In seinem siebenten
Lebensjahre ward der Priester Bernward sein Erzieher, ein
frommer und verständiger Mann, in dessen Wahl die Kaiserin
Theophania den Wünschen der sämmtlichen Großen des Reiches
entsprach. Bernward [21]) erwarb sich das Vertrauen der Mutter
wie des Sohnes in gleich hohem Grade; fern von unzeitiger

---

18) Thietmar. Vergl. Palacky Gesch. von Böhmen. I. p. 233.

19) Richerus.

20) Am 2. März 986 im 46. Jahre seines Alters; sein schwachsinniger
Sohn und Nachfolger Ludwig war bei seines Vaters Tode erst 19
Jahre alt. Vgl. Hock's Gerbert S. 72.

21) Tangmari vita S. Bernwardi Ep. (AA. SS. ord. S. Bened.
saec. VI. p. I. 26. Oct. 1023) c. 3.

Nachgiebigkeit gegen den künftigen Beherrscher des Abendlan=
des, lenkte er den Knaben durch Milde und Strenge, flößte ihm
Liebe zu den Wissenschaften ein und gewöhnte ihn gleichzeitig
schon frühe an die Behandlung öffentlicher Angelegenheiten,
während Bernward's eigenes Beispiel dem jungen Könige Fröm=
migkeit und Sitte und Unterwerfung unter die Gebote der
Kirche lehrte, der zu gehorsamen, Fürsten wie Knechten gemein=
sam ziemt²²). Auf solche Weise erlangte der junge Otto die
Achtung der Fürsten schon im zarten Alter beinahe eben so sehr,
wie wenn er in voller Kraft der Jahre gestanden wäre. Schon
im zweiten Jahre nach seines Vaters Tode, als er in Qued=
linburg Ostern feierte, kamen vier Herzoge, ihn zu bedienen.
Sein früherer Gegner, Herzog Heinrich besorgte den Tisch,
H. Conrad von Schwaben des Königs Kammer, H. Heinrich
von Kärnthen den Keller, H. Bernhard von Sachsen den Stall.
Es kam zu selber Zeit der slavische Herzog Miseco nach Qued=
linburg und unterwarf sich dem Könige; auch H. Boleslaw
von Böhmen kam²³) und empfing wie die übrigen reiche Ge=
schenke. Es entstand Friede im Reiche, die Großen wurden
dem Kaiserhause wieder gewonnen und je mehr sie selbst Ein=
fluß auf den jungen König zu erlangen suchten, durch streng
gezogene Schranken schuldiger Ehrerbietung von ihm fern ge=
halten. Es begannen die Züge gegen die Slaven, an welchen
der König bereits im Jahre 986²⁴), und dann noch im J. 991,
992 und 995 persönlichen Antheil nahm, sich als Krieger zu
bilden, die Marken nach deutscher Könige Pflicht zu erweitern
und den Einheimischen wie den Fremden das Aufkeimen eige=
ner Kraft zu beweisen.

Nicht so leicht wie in Deutschland ward Ruhe in Italien.

---

22) Otto — in omni ecclesiastica perfectione feliciter more avito
crescere coepit. Vita S. Godehardi Episc. auctore Wolfero
ejus aequali. c. 7. AA. SS. ord. S. Bened. saec. VI. p. I. 4. Mai
1038. Unter die vorzüglichsten Räthe des jungen Königs ist auch der
fromme und gelehrte Bischof Notker von Lüttich zu zählen. Cf. Anselmi gesta Episc. Leod. c. XXII.

23) Otto kam dann selbst nach Böhmen. Palacky I. S. 233.

24) Annales Hildesh. apud Leibn. II. zu diesen Jahren.

Neun Monate lang hatte P. Johann XIV das römische Pontificat bekleidet, als jener Bonifacius Franco, welcher schon
einmal seine Hände in das Blut eines Papstes getaucht hatte,
auf die Nachricht von Kaiser Otto's Tode von Constantinopel
nach Rom zurückkehrte, wo er unter den Häuptern [25]) der
Stadt auf bereitwillige Theilnehmer seiner verrätherischen Plane
zählen konnte. Papst Johann, durch den Tod des Kaisers seines natürlichen Schutzes beraubt, aller weltlichen Hülfe ent-
behrend, vermochte nicht lange den Feinden der kirchlichen Ordnung zu widerstehen; Bonifacius bemächtigte sich seiner mit
Gewalt und ließ ihn in die Kerker der Engelsburg werfen,
wo Hunger und Elend, wenn nicht auch eine gewaltsame Hand
seinem Leben ein Ende machten [26]). (Im März des J. 985.)
Sieben Monate behauptete sich sodann Bonifacius mit Gewalt
und großer Grausamkeit auf dem widerrechtlich errungenen
Stuhle. Dann tilgte die Vorsehung, des Ungeheuers müde,
durch plötzlichen Tod seinen Namen aus dem Buche der Lebenden. Froh, von ihm befreit zu seyn, zerfleischte das römische
Volk, das sich erst willig, dann gezwungen vor ihm gebeugt
hatte, seinen Leichnam mit Lanzenstichen und warf ihn dann
vor das eherne Pferd Constantin's. Mitleidige Cleriker, die
ihn dort fanden, übten den letzten Dienst der Barmherzigkeit
an ihm aus und übergaben seinen Leichnam der Erde [27]). Nun
bestieg ein Römer den Stuhl des Apostelfürsten, Johannes, des
Priesters Leo Sohn, von der weißen Henne zugenannt. Nur
Weniges ist von ihm auf die Nachwelt gekommen. Unter ihm
gelangte Crescentius [28]) Nomentanus, dessen Geschlecht seit 50
Jahren an allen Unruhen in Rom blutigen Antheil genommen
hatte, zur ausschließlichen Herrschaft in der Stadt. Der Papst,

---

25) Romani capitanei patriciatus sibi tyrannidem vindicavere.
   Romuald. Salern. ap. Mur. S. R. J. VII. p. 164. Hieher gehört,
   was Gerbert von den Römern schrieb: Romanorum mores mundus perhorrescit. (Stefano Diac. R. E. epl. XL.)
26) Herm. Contr. ad a. 984.
27) Ex vet. Codice Vaticano ap. Baron. 985. III. Chron. Farf.
   p. 644.
28) Rom. Salern. p. 166. Curtius de Senatu Rom. p. 193.

welcher auf Kosten des römischen Clerus seine Verwandten zu freigebig begabte, machte sich, ohne an diesen eine Stütze zu gewinnen, bei seinen nächsten Untergebenen verhaßt [29]), zugleich wurden die Eingriffe und Anmaßungen des Crescentius immer drückender, so daß P. Johann, um sich nicht dem traurigen Schicksale seiner Vorgänger preiszugeben, zuletzt keinen anderen Ausweg gewahrte, als aus Rom zu entfliehen, worauf er so lange in Toscana, wahrscheinlich an dem Hofe des Markgrafen Hugo's verweilte, bis Crescentius von seinem längeren Ausbleiben Gefahr für sich selbst befürchtete und den Papst durch seine Verwandte zur Rückkehr nach Rom bewegen ließ [30]).

Da auch in den übrigen Theilen Italiens Unruhen ausgebrochen waren, welche die Herrschaft der Deutschen in diesem Lande zu vernichten und einen Zustand vollkommner Gesetzlosigkeit herbeizuführen drohten, so gedachte die Kaiserin Theophania schon im Jahre 989 [31]) über die Alpen zu ziehen, ihrem Sohne die Krone Italiens zu bewahren. Aber erst im Jahre 990 kam dieser Beschluß zur Ausführung. Obwohl um eben diese Zeit in Dänemark der Umsturz der christlichen Kirche erfolgt war, indem Swenotto, Harold's des Großen von Dänemark Sohn, sich gegen seinen Vater, welcher in fünfzigjähriger Herrschaft sein Volk zum Christenthume gebracht und den Norden mit Kirchen und Predigern des Evangeliums erfüllt hatte, empörte, und von den abtrünnigen Dänen unterstützt, jenen erst der Herrschaft beraubte, dann selbst Ursache seines Todes wurde [32]), so hielt die Kaiserin doch das Reich durch die Anwesenheit des jungen Königs und die Treue der Fürsten genug bewahrt und die Gefahr in Italien für die Ruhe der Kirche

---

29) Chron. Farfense: iste exosos habuit clericos, propter quod et clerici eum odio habuerunt et merito, quia, quae habere poterat, parentibus distribuebat. p. 644.
30) Es ist ungewiß, in welchem Jahre dieß geschah; nach der Art und Weise, wie die römischen Verhältnisse auf dem rheimser Concil zur Sprache kamen, möchte ich diese Umstände als damals schon geschehen annehmen.
31) Nach Sigebert zum J. 989.
32) Adami Brem. hist. eccl. II. c. 18.

und die Ehre ihres Sohnes bei weitem dringender, als daß noch einmal ein Aufschub hätte stattfinden können. Mit der Kaiserin zog auch der Calabrese Johannes nach Italien, welcher aus niederem Stande sich zu ihrem Vertrauten emporgeschwungen hatte[33] und den Theophania nun zum Erzbischofe von Piacenza erhob und so sehr mit Ehren überhäufte, daß er, was nur Patriarchen ziemte, ein silbernes Kreuz vor sich hertragen ließ und seiner unbegränzten Begier Würde an Würde so wenig genügte, daß sein unheilvoller Name noch mehrmals erwähnt werden muß, die Kaiserin aber in den, von Thietmar[34] widersprochenen Ruf eines nicht durchgängig reinen Wandels mit ihm verfiel.

Ein glücklicher Erfolg krönte den Aufenthalt der Kaiserin in Rom. Sie stellte das königliche Ansehen in diesen Gegenden wieder her und unterwarf ihrem Sohne die abgefallenen Länder[35]. Noch mehr wird von ihrer Andacht an dem Grabe Kaiser Otto's II, ihrer Mildthätigkeit gegen Arme und den Spendungen berichtet, die sie dem frommen Adalbert erwiesen, welcher seine Würde als Bischof von Prag niedergelegt hatte und auf der Pilgerfahrt nach Jerusalem gerade damals nach Rom gekommen war. Auf der Heimreise besuchte die Kaiserin ihre Schwiegermutter Adelheid zu Pavia, wo diese Hof hielt. Als die Begleiter Theophanien's das Ansehen und die Würde gewahrten, womit ihr hoher Rang und ein heiliger Wandel die Kaiserin Adelheid umgaben, entbrannten sie vor Aerger und Neid und suchten den Samen der Zwietracht unter die Fürstinnen zu streuen[36]. Bald gelang dieß. Ein heftiger Streit

---

33) Petri Damiani epl. I. c. 21. Eine Bulle von ihm, als Erzbischof von Piacenz ist bei Carlo Morbio storia de municip. jtal. p. 52 abgedruckt, doch muß daselbst die Jahreszahl 999 wohl in 989 umgewandelt werden. Cf. Mur. Annali V. p. 484.

34) Theophania — quod in Graecia rarum est, egregiae conversationis fuit.

35) Theophania — Romam pervenit ibique natalem Domini celebravit et omnem regionem regi subdidit. Ann. Saxo ad a. 989. Vita I. S. Adalberti c. 16. vita II. p. 12.

36) S. Odilonis vita S. Adelheidis.

entbrannte zwischen den Frauen. Zornerglühend rief zuletzt
Theophania aus, indem sie ihre ausgestreckte Hand der Mutter
ihres Gatten vorhielt: Lebe ich noch ein Jahr, so wird Adelheid in der ganzen Welt nicht mehr besitzen, als sie mit der
flachen Hand bedecken kann. Schneller als sie glaubte, wurde
das zornige Wort zur That, aber an ihr selbst erfüllt: nicht
4 Wochen vergingen, nachdem sich die Kaiserinnen getrennt,
und Theophania war bereits eine Leiche. Sie starb zu Nim-
wegen den 15. Juni 991.

Als die Kaiserin Adelheid den Tod ihrer Schwiegertochter
vernahm, machte sie sich sogleich bekümmerten Herzens auf,
ihren Enkel zu trösten und Mutterpflicht an ihm zu erfüllen [37].
Sie wohnte noch in diesem Jahre mit dem Könige und ihrer
Tochter Mechthildis der Kirchweihe von Halberstadt bei, wohin mit den Erzbischöfen Willigis von Mainz, Gisiler von
Magdeburg und Livizo von Bremen 16 Bischöfe und so viele
Fürsten gekommen waren, daß man sich in langer Zeit keiner
so glänzenden Fürstenversammlung erinnerte. Gemeinsam wurden daselbst religiöse Feste gefeiert und weltliche Angelegenheiten in Berathung gezogen. Die Bischöfe und Fürsten entfern-
ten sich dann wieder, die Kaiserin aber blieb bei dem jungen
Könige [38], ohne den Einfluß Bernward's zu schwächen, an
welchen sich Otto nach dem Tode seiner Mutter nur noch mehr
anschloß, ja sogar keine andere Leitung duldete [39].

Während die Angelegenheiten Deutschlands und Italiens
sich auf solche Weise gestalteten, waren auch in Frankreich bedeutende Veränderungen vor sich gegangen, welche bald auf die
übrigen Reiche des Abendlandes lebhaft einzuwirken begannen.

Es war daselbst im Jahre 987 Ludwig V, der letzte frän-

---

37) Regnum — filii — custodia servabat virili demulcens in omnibus pios terrensque superbos. Thietm.

38) — Quoad ipse protervorum consilio juvenum depravatus tri-
stem illam dimisit. Thietm.

39) Tangmari vita S. Bernw. c. 5. nec ab ullo inferius tractari
patiebatur; doch muß dieser Ausspruch, wenn nicht in Betreff Gerbert's, doch gewiß in Bezug auf den hl. Adalbert und den hl. Romuald gemildert werden.

kische König aus dem Geschlechte Carl's des Großen, gestorben, und von dem ganzen Stamme der Carolingen nur noch Carl von Lothringen, König Lothar's Bruder, und ein unebenbürtiger Sohn Lothar's, Arnulf, übrig. Aber Carl von seinem Bruder aus Frankreich vertrieben, hatte sich den Franzosen entfremdet [40]) und durch nicht standesmäßige Ehe die Großen, durch schlechte Gesellschaften und Sitten den Clerus gegen sich aufgebracht. So geschah es, daß Hugo Capet, Graf von Paris und Großherzog der Franken, von den Vornehmen des Landes auf besonderen Betrieb des Metropolitan von Rheims, Adalbero, zu Noyon [41]) zum Könige der Franken gewählt wurde und als solcher Salbung und Krönung empfing, worauf er Weihnachten desselben Jahres seinen Sohn Robert zum König und Mitregenten krönen ließ und dadurch die Carolingen für immer vom fränkischen Throne ausschloß. Vergeblich hatte sie noch Kaiser Otto I darauf zu erhalten gesucht und seine Schwester Gerberg dem Könige Ludwig (Outremer) zur Gemahlin gegeben, die Kinder dieser Ehe gegen die übermächtigen Großen geschützt, ja noch K. Lothar zu dem Throne seines Vaters verholfen. Aber gerade dieser [42]) zerstörte selbst das gute Vernehmen mit dem sächsischen Kaiserhause, als er in dem Streben, Lothringen mit Frankreich zu vereinen, den Kaiser Otto II, welcher Lothringen an den Herzog Carl, des Königs eigenen Bruder, vergeben hatte, überfiel und zu so eiliger Flucht [43]) aus Aachen zwang, daß das französische Heer von des Kaisers Küche Mahlzeit hielt, die königlichen Insignien Otto's ein Raub der Franzosen wurden und Carls des Großen eherner Adler auf dem Giebel des aachner Palastes zum Zeichen des Sieges Frankreich zugekehrt wurde. Diese Unbild zu rächen, drang Kaiser Otto mit einem großen Heere bis

---

40) Richerus Rem. MS. fol. 43. Ueber das ganze nun Folgende vergl. meine Anzeige von Hock's Gerbert (M. gel. Anzeig. Jahrg. 1837. n. 146—152), in welcher alle Notizen Richer's, die sich auf die nun zu erzählenden rheimser Verhältnisse beziehen, ausführlich mitgetheilt sind.

41) Cal. Jun. 987. König Ludwig war am 19. Mai gestorben.

42) Richerus fol. 31. b.

43) Richerus fol. 38. cum uxore Theophanie gravida.

Paris und verbrannte die Vorstädte; aber ein schnell gesammeltes Heer des Königs zwang den Kaiser zum eiligen Rückzuge, der nur mit großem Verluste bewerkstelligt werden konnte. Im folgenden Jahre überließ der König zum nicht geringen Unwillen der Franzosen Lothringen dem Kaiser, der es nun dem Herzog Carl als deutsches Lehen übergab. Als dann 2 Jahre nach dem frühen Tode K. Lothar's auch K. Ludwig gestorben und die Krone Frankreichs auf Hugo Capet übergegangen war, beschloß H. Carl sie um jeden Preis wieder an seinen Stamm zu bringen. Er bemächtigte sich des festen Laon's [44]) und machte es zu seinem Waffenplatze gegen K. Hugo, welcher ihn sogleich daselbst belagerte. Beinahe zur selben Zeit [45]) als ein glücklicher Ausfall der herzoglichen Truppen den König zwang, die Belagerung aufzuheben, starb Carl's größter Gegner, der Metropolitan Adalbero von Rheims (22. Januar d. J. 988), nachdem er noch auf seinem Todbette den Abt Gerbert, wohl den gelehrtesten Mann seiner Zeit, zu seinem Nachfolger bezeichnet hatte [46]). Es hatte sich auch bereits ein bedeutender Anhang zu Gunsten des Abt's von Bobbio ausgesprochen, als wider Vermuthen und von K. Hugo selbst [47]) vorgeschlagen der viel jüngere Arnulf, Herzog Carl's Neffe, den der König dadurch von der Begünstigung seines Oheim's abzuhalten hoffte, von den Bürgern von Rheims zum Erzbischofe gewählt und, nachdem er sich den Königen mit wahrhaft Grausen erregenden Eiden [48]) zur Treue verpflichtet hatte, in das Erzstift eingesetzt wurde. Abt Gerbert schickte sich auf dieß bereits an, nach Italien zurückzukehren, als plötzlich H. Carl, den Abzug des Königs von Laon benützend, verwüstend nach Soissons, dann nach Rheims drang, durch raschen Ueberfall die Stadt einnahm, sie seinem Volke zur Plünderung überließ und mit der Beute auch den Metropolitan sammt einem Theile des

---

44) Richerus.

45) Richer. fol. 42. b.

46) Cf. oratio Gerberti ap. Mansi coll. magna concil. XIX. p. 194.

47) Anzeige von Hock's Gerb. n. 149.

48) Du Chesne t. IV. p. 105.

Clerus nach Laon abführte. Nach wenigen Tagen wurde jedoch der Erzbischof, als er dem Herzoge den Eid der Treue,geleistet, seiner Haft entlassen, worauf er einer Versammlung der Diöcesanbischöfe von Rheims zu Senlis beiwohnte⁴⁹), und mit ihnen den Kirchenbann über die Plünderer von Rheims aussprach. So standen die Angelegenheiten, als im Laufe des Jahres sich immer klarer darstellte, daß der Ueberfall von Rheims nicht ohne geheimes Einverständniß des Erzbischofes geschehen seyn konnte. König Hugo schrieb deshalb eine Synode nach Rheims aus und lud auch den Metropolitan zu wiederholten Malen ein, daselbst zu erscheinen; dieser aber entschuldigte sich mit der Versicherung, er würde von dem Herzoge mit Gewalt in Laon zurückgehalten und vermöge somit nicht zur Synode zu kommen. Nun belagerte K. Hugo den Herzog auf's Neue in Laon, wandte sich aber zugleich an Papst Johann XV und stellte diesem, unterstützt von einem Schreiben der Diöcesanbischöfe von Rheims, vor, wie der Metropolitan eidbrüchig gegen ihn gehandelt, wie er noch immer Stadt und Bürger gegen ihn befestige und in den königlichen Palast geladen, daselbst nicht erscheinen wolle; „der Papst möge durch seinen Ausspruch bestimmen, was mit diesem zweiten Judas geschehen solle, die Form des Gerichtes niedersetzen, das gegen Arnulf gehalten werden müsse, damit dieser bestraft, wenn dieß aber nicht geschehe, das daraus erfolgende Verderben des Landes dann nicht dem Könige noch den Bischöfen zugeschrieben werde." Die Absicht des Königs bei diesem Begehren ward aber von dem Papste um so leichter durchschaut, da die königlichen Boten ihrem Auftrage gemäß, als sie sich binnen 3 Tagen bei dem Papste kein Gehör hatten verschaffen können, ohne Weiteres wieder nach Frankreich zurückgekehrt waren⁵⁰).

49) Historia depositionis Arnulphi ap. Mansi XIX. 95.
50) Regii et nostri legati Romam profecti et epistolas Pontifici porrexerunt et ab eo indigne suscepti sunt. Sed ut credimus quia Crescentio nulla munuscula obtulerunt, per tridunm a palatio seclusi nullo responso accepto redierunt. — Acta conciliabuli Rem.

Nochmals zogen sie, als der Metropolitan neuerdings zur Verantwortung vorgeladen, im richtigen Gefühle seiner Würde
wie seiner Rechte an den Papst appellirt hatte, nach Rom, und
kehrten auf gleiche Weise auch wieder zurück. Die Päpste hatten in den innern Kriegen, durch welche im Verlaufe dieses
Jahrhunderts der Carolingenstamm immer tiefer sank, ihn durch
ihr Ansehen wieder aufzurichten sich bemüht; die Absicht, diesen nun mit einem Male zu vernichten, lag aber bei König
Hugo zu offen da, als daß der Papst den Beschuldigungen
gegen Arnulf hätte vollen Glauben beimessen können. So
lange daher der eigentliche Hergang der Sache noch nicht er-
mittelt war, frommte kluges Schweigen von Seite des römischen Stuhles mehr, als schnelle Entscheidung. Es hatte aber
der junge Metropolitan [51]), schon früh durch ein Concil verdammt, dann wieder losgesprochen und auf den Stuhl von
Rheims erhoben, zwar den Königen Treue geschworen, aber
der Rechte Herzog Carl's auf den Thron der Franken geden-
kend und von Sehnsucht nach der alten Größe seines Hauses
erfüllt, bald in ihnen nur, was sie wirklich waren, die Feinde
seines Stammes erblickt [52]) und sich deshalb erst an die Kaiserin Theophania gewendet [53]) und um eine Zusammenkunft gebeten; dann, von falschen Freunden verleitet, dem Heere seines
Oheims durch den Priester Adalger die Thore von Rheims
öffnen und, um die beschworene Treue wenigstens zum Scheine

---

51) Dissertatio de conciliis in causa Arnulfi Rem. AEp. ante annum 988 habitis apud Mansi conc. XIX. p. 90. — Hugo rex in-
   videbat ei (Arnulfo) volens exterminare progeniem Lotharii
   regis. Aimoinus.

52) Sehr gut bezeichnet Richerus die Lage Arnulf's: Qui cum ex
   multa dignitate procederet insignis, illud tamen infortunii
   (gerens), quod ipse superstes de patrio genere nullum praeter
   Carolum patruum haberet, miserrimum quoque sibi videri, si
   is honore frustraretur, in quo solo spes restituendi genus
   paternum sita foret. — Apud quem (Carolum) collato consilio quaerebat, quonam modo in culmen honoris illum provehere posset, sic tamen ut ipse regis desertor non ap-
   pareret. Rich. fol. 45. b.

53) Acta concil. Rem. c. 31.

zu halten, nicht nur sich selbst einem Gefangenen gleich nach
Laon abführen lassen, sondern auch in die Excommunication
der Verwüster des Erzstiftes, ohne jedoch Jemanden namentlich zu bezeichnen, eingestimmt. Dessen ungeachtet nahm der
Streit durch Vermittlung des Bischofs Adalbero von Laon
wieder eine friedliche Wendung, ja er schien bereits völlig beigelegt; Erzb. Arnulf war sogar bei K. Hugo gewesen und
hatte dessen Verzeihung erlangt, auch mit dem Herzoge schien
eine Ausgleichung nahe zu seyn, als plötzlich sich dieß Alles
als ein Gewebe von Hinterlist erwies, welches von dem Bischof
Adalbero, aus Rachsucht gegen den Herzog, der sich in den
Besitz der bischöflichen Residenz gesetzt hatte, angezettelt worden
war. Nachdem er den Herzog auf das Gewissenloseste getäuscht [54]), ließ er selbst bei Nacht das Heer des Königs in
die Stadt und brachte so die letzten Carolingen mit einem
Male in die Gewalt ihres Todfeindes. Herzog Carl wurde
mit seiner Gemahlin, seinem jüngeren Sohne und 2 Töchtern
in gefängliche Haft nach Orleans geführt; auch Erzb. Arnulf
wurde eingekerkert. Da aber dieses Verfahren heftigen Widerspruch erlitt und dadurch der Plan, der Könige zu scheitern
drohte, so sollte dem Metropolitan zuvor jene Unverletzlichkeit
abgenommen werden, womit ihn seine kirchliche Würde gegen
die Tyrannei der neuen Dynastie zu schützen vermochte. Die
lang schon ausgeschriebene Synode französischer Bischöfe, welche
über Arnulf das Urtheil sprechen sollten, wurde daher sogleich
zusammenberufen und versammelte sich nun unter dem Vorsitze
des Erzb. Siguin von Sens und des Bischofs Arnulf [55]) von
Orleans im Kloster des hl. Basolus bei Rheims (16. Juni d.
J. 991). Gleich nach Eröffnung der Synode bemerkte Siguin,
man müsse bei den Verhandlungen den 31. Canon des Concils
von Toledo zum Grunde legen, in welchem alle Priester aufgefordert würden, wenn ihnen — wie hier — Fürsten das Gericht über Majestätsverbrecher anvertrauen würden, so sollten
sie, als von Christo auserwählte Diener des Heiles, nur dann

---

54) M. Gel. Anzeigen 1837. n. 150.
55) Acta conciliabuli Remensis apud Mansi XIX. p. 107—167.

das Richteramt übernehmen, wenn dem Vorgeforderten eidlich Nachlaſſung der Strafe verſprochen, nicht aber, wenn Beſtrafung ſeiner warten würde. Aber ſchon hier trat die gereizte Stimmung mancher Biſchöfe gegen Arnulf hervor. Nicht nur wurde der Antrag des Erzbiſchofs von Sens nicht weiter berückſichtigt, ſondern es auch für hinreichend gehalten, als der Biſchof Godesmann von Amiens vermittelnd bemerkte, es ſey nicht zu zweifeln, daß die Könige einer Fürbitte für Arnulf Gehör ſchenken würden, und ſomit auch keine Gefahr vorhanden, daß der geiſtliche Stand durch ſie Bluturtheilen ausgeſetzt werde. Hierauf wurde zur Unterſuchung der Anklagepunkte geſchritten. Als nun der Eid verleſen wurde, den Arnulf den Königen geſchworen hatte; der Prieſter Adalgerus von Rheims auftrat, und, indem er den Metropolitan anklagte, ſich ſelbſt als Theilnehmer des Verraths von Rheims bezeichnete; als das Anathem der Biſchöfe über die Plünderer des Erzſtifts, mit welchen Arnulf ungeachtet ſeiner Beiſtimmung hiezu fortwährend Gemeinſchaft gepflogen hatte, vorgeleſen wurde, ſo bemächtigte ſich faſt Aller das bange Gefühl, es möchte dem gefangenen Metropolitan nicht gelingen, ſich der Laſt ſo ſchwerer Beſchuldigungen ſiegreich zu entledigen. Als hierauf Erzbiſchof Siguin im Namen der Synode die Anweſenden aufforderte, vorzutragen, wenn ſie etwas zur Vertheidigung des Angeklagten anzubringen wüßten, ſo verſtummten ſogar Arnulf's natürliche Vertheidiger, die Cleriker von Rheims, ſchwieg auch der beredte Gerbert: nur Johann, der Scholaſtiker von Aurerre, Romulf, Abt zu Sens, und Abbo, Rector des Kloſters Fleuri, erhoben ſich, unbekümmert um den Zorn der Könige, um durch gewandte Vertheidigung der Unterſuchung eine neue Wendung zu geben. Denn geſtützt auf Canonen und kirchliches Herkommen beſtritten ſie feierlich die Competenz der Synode, über den Metropolitan von Rheims zu richten, und verlangten mit Ungeſtümm, Arnulf ſollte nicht früher Rede zu ſtehen gezwungen werden, als nachdem ſeine Wiedereinſetzung in das Erzſtift mit der rechtlichen Berufung erfolgt wäre; die ganze Streitſache müſſe nicht nur dem Papſte vorgelegt, ſondern auch von dieſem in einem Concil von Biſchöfen aller Länder der Chriſtenheit,

nicht blos Frankreichs — deſſen Biſchöfe der Rachſucht der
Könige ausgeſetzt und deßhalb nicht frei wären — unterſucht
und entſchieden werden. Als die Biſchöfe dieſe Forderungen
vernahmen, durch welche die Synode ſelbſt umgeſtoßen wurde,
entbrannte die Gluth der Leidenſchaften auf's Reue. Vor Allem
hatte die Berufung nach Rom die empfindliche Seite der Bi=
ſchöfe getroffen und ſie, in der Engherzigkeit vaterländiſcher
Anſichten befangen, die Wohlthat nicht einſehen laſſen, welche
für ſie ſelbſt in allen ähnlichen Verhältniſſen aus der Entſchei=
dung eines Richters entſpringen müſſe, welcher nicht das In=
tereſſe ſeines Hauſes oder Landes, ſondern das Wohl der ganzen
Chriſtenheit vor Augen hatte. So aber geſchah es denn, daß den
Anwälten des Metropolitans mit Beiſpielen eines ähnlichen —
aber nicht weniger unbilligen Verfahrens — erwiedert und der
bereits erfolgten Abſendung nach Rom, ſowie der wiederholten
Berufung Arnulf's vor die Synode erwähnt wurde, und end=
lich Biſchof Arnulf von Orleans aufſtand, um gegen die Be=
rufung nach Rom durch den heftigſten Ausfall gegen den
päpſtlichen Stuhl ſelbſt zu antworten. Er erwähnte der Laſter
P. Johann's XII, gedachte der Verbrechen des Bonifacius
Franco, und ſchloß endlich mit der Erklärung, welche ihn ſelbſt
aus der Reihe katholiſcher Biſchöfe ſtieß: der römiſche Stuhl,
von mehreren Päpſten und Uſurpatoren mit den Laſtern eines
ausſchweifenden Wandels befleckt, habe dadurch das Recht ver=
loren, die Kirche zu regieren und oberſte Entſcheidung in reli=
giöſen Angelegenheiten zu ertheilen; man müſſe ſich von ihm
nach Deutſchland oder Belgien wenden, wo es tugendhafte
Geiſtliche in Menge gäbe. Nach dieſer Rede, welche die apo=
ſtoliſche Tradition und die göttliche Ordnung der Kirche will=
führlich umſtieß, wurde der gefangene Metropolitan hereinge=
führt und ſeinem Hauptankläger Adalgerus gegenüber geſtellt.
Als nun Arnulf die gegen ihn erhobenen Beſchuldigungen ver=
nahm, erklärte er ſie für falſch; ſelbſt aber unerfahren und
durch den Anblick ſo vieler erbitterter Gegner oder pflichtver=
geſſener Freunde in Verwirrung gebracht, erbat er ſich den
Beiſtand einiger Biſchöfe zu eigener Berathung, und als ihn
nun dieſe im Namen des allmächtigen Gottes aufforderten, der

Wahrheit Zeugniß zu geben, so bekannte er, was er gegen die Könige verbrochen hatte, unter dem Siegel der Beichte und wiederholte dasselbe vor 30 anderen Prälaten unter gleich unverbrüchlichem Gebote des Geheimnisses. Dadurch wurde seine Schuld der Oeffentlichkeit entrückt; die Bischöfe aber schritten nichts desto weniger zu der Absetzung des Metropolitans und zwangen denselben, freiwillig und ungezwungen, wie sie sagten, sich ihrem Beschlusse zu unterwerfen. Erst als sie so weit gegangen waren, fühlten sie selbst das Unrechtmäßige und Unwürdige ihres Verfahrens und bejammerten, als sie sich am folgenden Tage wieder versammelt hatten, daß sie weltlichem Einflusse nachgebend sich gegen die göttliche Ordnung aufgelehnt und dadurch in ähnlichen Fällen sich selbst gleicher Willkühr Preis gegeben hätten. Ehe ihnen aber Scham und Reue einen neuen Entschluß einzugeben vermochten, waren schon die Könige Hugo und Robert in den Versammlungssaal getreten und dankten nun den Bischöfen für die Treue, die sie ihnen durch so lange und reifliche Berathung erwiesen hätten. Dann ward der Erzbischof vorgeführt, der nun selbst erklärte, er habe gefehlt und die Treue verletzt, welche er den Königen urkundlich versprochen; er bat sie, ihm zu vergeben, legte nieder, was er von ihnen empfangen, übergab die übrigen Insignien seiner Würde den Bischöfen und entband, nachdem er die Abdankungsformel selbst verlesen hatte, Clerus und Volk von Rheims der ihm geschworenen Eide. Die Könige befahlen, ihn in den Kerker nach Orleans abzuführen; Bischof Arnulf aber, das Haupt dieser tumultuarischen Synode, erklärte, als man in ihn drang, Gründe für die Verurtheilung des Metropolitans anzugeben, nur allgemein: es habe dieser gegen seinen Eid der Treue gehandelt und dieß selbst bekannt; mehr brauche man nicht zu wissen. Und als der Graf Brochard, mit dieser Erklärung nicht zufrieden, ihn besonders frug, ob der Erzbischof, um ein so hartes Urtheil zu verdienen, den Verrath von Rheims eingestanden habe, so wies er ihn mit barschen Worten zur Ruhe. Nun wurde noch der Priester Adalgerus theils wegen eigenen Verschuldens, theils zur Sühne für den abgesetzten Metropolitan seiner priesterlichen Würde beraubt; endlich Abt Gerbert,

welcher an den Synodalverhandlungen keinen persönlichen An=
theil genommen hatte, seines Sträubens ungeachtet zum Metro=
politan von Rheims gewählt und von den Königen als solcher
bestätigt.

Die Nachricht von den Beschlüssen dieser Synode erregte,
wohin sie drang, nicht geringes Aufsehen und zog den Bischö=
fen, die daran Theil genommen hatten, vielfältigen Tadel zu.
Als dieser zunahm und die Bischöfe auch ernstere Schritte als
blos mißbilligende Sendschreiben, die sie von mehreren Seiten
erhielten, befürchten mußten, so beschloßen sie, auf's Neue zu=
sammenzukommen und eine allgemeine Berathung anzustellen.
Sie wählten dazu den Ort Chela ⁵⁶), wohin auch König Ro=
bert sich verfügte und der Synode präsidirte. Obwohl dahin
die Erzbischöfe Erchembald von Tours, Daibert von Bourges,
und Siguin von Sens gekommen waren, so hatte doch nicht
wieder der letztere die Leitung der Synodalgeschäfte, sondern
der neue Metropolitan von Rheims, Gerbert. Dieß allein
würde schon im Voraus haben vermuthen lassen, daß die Sy=
node von Chela keine Abänderung der rheimser Beschlüsse vor=
zunehmen gedenke; bald aber zeigte sich auch, daß der Geist
des Widerstandes gegen die Ordnung der Kirche und ihr Ober=
haupt, der bereits das rheimser Concil befleckt hatte, seitdem
noch tiefere Wurzeln geschlagen habe. Nachdem die Bischöfe
mehrere Beschlüsse gefaßt hatten, deren nähere Kenntniß nicht
mehr auf uns kam, verpflichteten sie sich noch durch feierliche
Erklärung unter einander, von diesem Tage an „Ein und das=
selbe zu sinnen und zu wollen, Ein Herz und Einen Sinn zu
haben." Diesem Beschlusse wurde ein zweiter und dritter hinzu=
gefügt, welche die Absicht des ersten außer allen Zweifel setzten.
Sollte, so lauteten sie, in irgend einer Kirche sich eine unrecht=
mäßige Herrschaft aufwerfen, welche durch das Schwert des
Anathems vernichtet werden könnte, so müsse dieß von Allen
besonders berathen und nach gemeinsamem Beschlusse ausgeführt
werden; nicht minder sollte auch Lossprechung vom Anathem
nur auf gemeinsamen Beschluß geschehen, und da der Apostel

---

56) So lese ich bei Richer. Vgl. Beilage N. VII.

Höfler, die deutschen Päpste.　　　6

gebiete, einen Häretiker und wer mit der Kirche im Wider-
spruche ist, zu meiden, so sey Alles nichtig und als ungeschehen
zu betrachten, was von dem römischen Papste gegen die Beschlüsse der Väter angeführt werde." Um aber die Absetzung
Arnulf's und die Erhebung Gerbert's noch mehr zu bekräftigen,
wurde die Sanction auch dieser Synode darüber ausgesprochen
und hiebei auf einen Canon verwiesen, der die Beschlüsse einer
Provincialsynode nicht leichtsinnig zu übertreten gebot.

Hatte schon die rheimser Synode manchen Widerstand gefunden, so mußte die Synode von Chela noch viel mehr den
Unwillen aller Kirchlichgesinnten erregen. Noch keine Synode
des Abendlandes hatte das Ansehen des Papstes als obersten
Richters in streitigen Fällen, welche bei der Menge von Canonen, die zu den verschiedensten Zeiten, Orten und Zwecken gemacht worden waren und sich oft nur auf die Entfernung
augenblicklicher Mißstände bezogen, häufig vorkommen mußten,
so sehr angegriffen; hatte die äußere Einheit der Kirche, mit
deren Auflösung auch ihre innere Wahrheit zu Grunde gehen
müßte, so sehr bedroht, als diese Synode. Jetzt lag offen da,
wohin Ausfälle, wie die Bischof Arnulf's von Orleans gegen
Rom, zuletzt führten: zu offenem Widerstande, zur Verbindung
gegen das Haupt der Kirche.

Während aber so die französischen Bischöfe durch die unseligen Folgen leidenschaftlicher Verblendung immer weiter von
der Bahn des Rechten abgeführt wurden, hatten die deutschen
Bischöfe[57] bereits ein glänzendes Beispiel kirchlicher Treue
und des Gehorsams gegeben. In zahlreichen Schreiben war
P. Johann XV durch sie von den Ereignissen in Frankreich
bereits in Kenntniß gesetzt und aufgefordert worden, die Absetzung Arnulf's nicht zu dulden. Wahrscheinlich war es auch eine
Folge ihrer Bemühungen, daß mehrere der französischen Prälaten in sich gingen und bekannten, sie seyen zu weit gegangen,
so daß Gerbert sich gezwungen sah, Aufmunterungsschreiben[58]

57) Münchner gel. Anzeigen. 1837. n. 151.
58) Cf. Gerb. Epl. Wilderodo Argent. Epo. etc. apud Mansi
coll. conc. XIX. p. 155. Siguino AEpo. p. 167 etc.

an Conſtantin, Abt von Maſſai, an Siguin von Sens und an
die Biſchöfe Notcher von Lüttich und Wilderod von Straßburg
zu erlaſſen und das Geſchehene darin zu rechtfertigen. Die
wiederholten Vorſtellungen, welche an den römiſchen Stuhl
ergingen, mußten aber den Papſt zuletzt bewegen, das Schwei=
gen zu brechen, das er bis jetzt in dieſer Angelegenheit beob=
achtet hatte. Er forderte daher die Biſchöfe von ganz Gallien
auf, ſich in Aachen zu verſammeln und dort ein freies Conci=
lium zu halten. Als ſie ſich deſſen weigerten, berief er ſie
nach Rom, und da ſie ſich, unter dem Vorwande der unruhigen
Verhältniſſe in Frankreich und Italien, auch hiezu nicht ver=
ſtanden und der Papſt ſelbſt, von König Hugo eingeladen, nach
Frankreich zu kommen, Rom nicht verlaſſen konnte, ſo ſandte
P. Johann endlich den Abt Leo vom Kloſter der hl. hl. Boni=
facius und Alexius, einen Mann, deſſen ernſter Sinn und hei=
liger Wandel alle Schmähungen Biſchof Arnulf's über Verfall
von Sitte und Bildung in Rom thatſächlich widerlegte, als ſei=
nen Legaten über Deutſchland nach Frankreich, im Vereine mit
den Biſchöfen beider Länder die Sache des abgeſetzten Erz=
biſchofs zu unterſuchen und nach Befund zu entſcheiden. Als
Abt Leo nach Deutſchland gekommen war, wurde er von den
dortigen Biſchöfen nicht nur auf das Freundlichſte und Ehren=
vollſte aufgenommen, ſondern es wurden auch ſogleich von die=
ſen Geſandte an die Könige der Franken geſchickt, welche ihnen
den Grund der Sendung Abt Leo's darthun und ſie bitten ſoll=
ten, Zeit und Ort eines zu haltenden Concils zu beſtimmen.
Beides war ihnen bereits gewährt worden und die Geſandten
hatten ſchon die Rückreiſe angetreten, als die Könige gewarnt
wurden, ſich vor dem Biſchof Adalbero von Laon zu hüten,
welcher mit König Otto in geheimem Einverſtändniſſe begriffen
ſey, um bei Gelegenheit des eben ausgeſchriebenen Concils die
Könige Hugo und Robert mit Gewalt zu vertreiben und die
Krone Frankreichs an den König der Deutſchen zu bringen.
Als der Biſchof von Laon von K. Hugo darüber zur Rede ge=
ſtellt wurde, verſtummte er und wurde ins Gefängniß gewor=
fen, den franzöſiſchen Biſchöfen aber wurde nun verboten, in
Mouſon, welches der König zum Sitze der Synode beſtimmt

6 *

hatte, zu erscheinen. Dieser Verhältnisse ungeachtet begaben sich die deutschen Bischöfe nach Mouson und eröffneten daselbst am 2. Juni 995 das Concil [59]). Der Erzbischof von Trier, Liutolf, die Bischöfe Notcher von Lüttich, Haimo von Verdun, Suger von Münster umgaben den päpstlichen Legaten, der in ihrer Mitte Platz genommen hatte; auf der Seite, welche für die französischen Bischöfe bestimmt war, saß, trotz dem Verbote der Könige, der Metropolitan Gerbert, bereit, seine eigene Vertheidigung zu führen. Außer diesen Prälaten hatten sich noch einige Aebte, der Graf Godfried mit seinen 2 Söhnen und Ragener, Vicedominus von Rheims versammelt. Der Bischof von Verdun eröffnete das Concil in französischer Sprache. Er erwähnte der Bemühungen des Papstes, den Streit um das Hochstift zu schlichten, wie deshalb Abt Leo hieher geschickt worden, und schloß, indem er ein besonderes Schreiben des Papstes an die französischen Bischöfe vorlas. Dann erhob sich der Metropolitan und verlas eine glänzende Rede in zierlichem Latein, durch welche er sich von dem Vorwurfe, gewaltsam in das Erzstift eingedrungen zu seyn, zu reinigen suchte. Nichts desto weniger drangen die Bischöfe, nachdem sie unter sich Rath gehalten hatten, gemeinsam in Gerbert, er möge dem Befehle des Papstes nachkommen und sich, nachdem er die Würde eines mit Unrecht Entsetzten angenommen, vorerst von dem Genusse des hl. Leibes und Blutes und den priesterlichen Functionen enthalten. Als der Metropolitan dieß vernahm, bestritt er die Gültigkeit eines solchen Befehles durch Anführung von Canonen und Bestimmungen der Kirchenväter auf's Aeußerste, bis der Erzbischof von Trier ihn liebend ermahnte, er möge nicht durch Widerstand gegen den Befehl des Papstes ein öffentliches Aergerniß, seinen Feinden dadurch die Waffen in die Hände geben. Nun unterwarf sich Gerbert dem Gebote und gelobte, bis zum 1. Juli sich der Messe zu enthalten. Wahrscheinlich erfolgte auch nun erst die Bekanntmachung des päpstlichen Gebotes an alle Bischöfe, welche an dem rheimser Concil

---

59) Concil. Mosom. apud Mansi XIX. p. 193. Richer endigt seine inhaltsvolle Chronik mit dem Bericht über diese Synode.

Antheil genommen hatten, sich der hl. Messe zu enthalten; die Enderörterung aller dieser Angelegenheiten wurde jedoch einem neuen Concil vorbehalten, welches am achten Tage nach dem Feste des hl. Johannes des Täufers zu Rheims gehalten werden sollte [60].

Von Mouson aus schickten die Bischöfe den Mönch Johannes aus dem Gefolge Abt Leo's an die Könige, sie um ihre Bewilligung zur Versammlung eines Concils nach Rheims für den 1. Juli zu ersuchen. Den Königen fehlte wie früher Muth und Vorwand, die Bitte abzuschlagen; da sich Gerbert gefügt hatte, blieb auch ihnen nur übrig, diesem Beispiele zu folgen. So kam am 1. Juli d. J. 995 die Synode von Rheims zu Stande, auf welcher das Ansehen des päpstlichen Legaten allen Widerstand weltlicher Rücksichten und menschlicher Leidenschaften besiegte. Das Concil beschloß im Namen des Papstes Absetzung Gerbert's und Wiedereinsetzung Arnulf's und vernichtete dadurch selbst die der päpstlichen Autorität entgegengesetzten Beschlüsse der zwei Pseudosynoden. Gerbert legte die Würde nieder, die ihm mit wenig Frucht so vielen Kummer gebracht hatte und verließ tiefgebeugt das schöne Land seiner Heimath [61].

Abt Gerbert hatte bis dahin mitten unter den Stürmen eines wechselvollen Schicksals eine Thätigkeit entfaltet, welche, sobald sie sich mit weltlichen Absichten vermengte, für ihn selbst vielfach gefährlich, davon rein für die Kirche und alle späteren Zeiten höchst ersprießlich wurde. Die wissenschaftlichen Bestrebungen, wie sie unter Carl dem Großen und seinen nächsten Nachfolgern im ganzen Umfange des fränkischen Reiches statt gefunden hatten, waren nach einer Periode des Verfalls, ja beinahe völligen Erlöschens an den Domschulen und in den wiedererneuten Klöstern, vor Allem von den Mönchen von Clugny mit neuem Eifer getrieben worden. So lange aber daselbst die ascetisch-contemplative Richtung jede andere verdrängte und durch das schwerfällige Material des zu Lernenden

---

60) Mansi coll. XIX. p. 196. 197.
61) Poenitentia ductus. Aimoinus ap. Mansi l. c.

beengt der Geiſt ſich mehr auf Erhaltung der überlieferten wiſſenſchaftlichen Erkenntniß als auf eigentliche Förderung deſ- ſelben, auf Erweiterung von Umfang und Inhalt der Wiſſen- ſchaft zugleich hinweuden konnte, mußte ſich auch dieſe ſelbſt auf einen nur ſehr engen Kreis theologiſcher Fragen beſchrän- ken. Auf Erweiterung eben dieſer Schranken nach allen Seiten hin, wo nur der menſchliche Geiſt zu forſchen vermag, mit aller Kraft einer nie raſtenden Seele hingeſtrebt zu haben, iſt Ger- bert's ausſchließliches Verdienſt und die von ihm meiſterhaft gelöſte Aufgabe, deren Grund die Vorſehung erſt einer ſpäte- ren Zeit enthüllte, ihm ſelbſt aber in einer Periode, wo die Kirche, noch von keiner Ketzerei bedroht, wiſſenſchaftlicher Waffen bei der Vorliebe der Zeit für das beſchauliche Leben wenig zu bedürfen ſchien, noch vorenthalten hätte. Es mußte aber eben deshalb nicht nur dem Volke, ſondern auch einſichts- volleren Männern faſt gefährlich, ja einem richtigen Gefühle zufolge unheimlich erſcheinen [62]), als Abt Gerbert, unter dem Metropolitan Adalbero Vorſtand der Schule von Rheims [63]), nicht nur den mathematiſchen Wiſſenſchaften Umfang und Be- deutung gab, wie ſie im Abendlande noch nie gehabt, ſondern auch, wohl von den Schriften der Alten über Mathematik aus- gehend, die Werke der Heiden aus der Nacht der Vergeſſenheit hervorzog und auf ſie das Studium chriſtlicher Wiſſenſchaft ſtützte. In einem Briefe an König Otto ſprach Gerbert ſchon den kühnen Satz aus [64]), es läge in den Zahlen ſolche innere Kraft, daß die Anfänge aller Dinge theils in ihnen enthalten ſeyen, theils aus ihnen hervorgingen, und während er an einer andern Stelle [65]) die Philoſophie, welche er noch aus den Werken Cicero's und anderer Lateiner ſchöpfte, mit der Kunſt, recht zu leben und recht zu ſprechen, innig verbunden erklärte, bezeichnete er ſie durch den Ausſpruch, Demuth, die Bewahrerin

---

62) Dieß mag auch wohl der innere Grund geweſen ſeyn, warum Ger-
    bert in den Verdacht der Zauberei kam.
63) Cf. Mabillon annal. L. c. 71.
64) Epl. 44.
65) Epl. ad Ottonem Caesarem 154.

aller Tugenden begleite unmittelbar 'ben, der nach Weisheit
strebe, als die nicht blos die Wahrheit suchende, heidnische,
sondern auch als die von dieser bereits durchdrungene, christliche Wissenschaft, mit welcher, als auf gegebener Erkenntniß
beruhend, Demuth allein sich paaren kann. Noch ist Gerbert's
Buch über die Geometrie [66]), sowie ein anderes über die höchsten Geheimnisse der Kirche, die hl. Eucharistie, vorhanden, in
einem dritten eröffnete er die seinen Zeiten dunkeln Regeln der
Beredsamkeit [67]). Noch mehr aber als in seinen Schriften,
deren er eine große Anzahl verfaßte, spiegelt sich die Größe seines erfindungsreichen Geistes in den vielfachen Instrumenten,
die er zum Behufe seiner astronomischen Forschungen verfertigte
und welche, obwohl nur mehr der Beschreibung nach vorhanden, ein unvergängliches Denkmal seines wissenschaftlichen Sinnes sind. Unter einem solchen Meister ward die Schule
von Rheims [68]) der Mittelpunkt aller gelehrten Bestrebungen
in ganz Frankreich, ja fast im ganzen Abendlande. Die Mönche
Constantin von Fleuri, Remigius von Trier, Bernard, die
Aebte Gerard von Aurilliac, Ecbert von Tours, Rainer und
Gisilbert [69]) erholten sich von ihm Rath über wissenschaftliche
Angelegenheiten oder leisteten ihm Hülfe, eine Bibliothek classi-
scher Schriftsteller zu sammeln, welche er in Bobbio und Rom,
in Deutschland, Belgien, Frankreich und Spanien zu vermehren gleich emsig bemüht war. Mehr noch als durch dieß Alles
war sein Wirken wohlthätig durch die Bildung jener Männer,
welche, aus seiner Schule hervorgegangen, in dem eilften Jahrhunderte die Zierden des Clerus wie die Stützen der christlichen Kirche in Frankreich geworden sind. So Leutherich, Erzbischof Siguin's Nachfolger auf dem Stuhle von Sens, so

---

66) Vergl. Hock: Gerbert's Werke, in dessen Gerbert S. 166.

67) Gerb. epl. 92. ad Bernard. mon.

68) Cf. Mabill. ann. L. c. 71.

69) Zu ihnen muß auch der oft erwähnte Richerus von Rheims gezählt werden, der seine Chronik Gerberten als Erzbischof von Rheims
widmete.

Adelbold, Bischof von Utrecht, Johann, Bischof von Auxerre[70]), vor Allen Fulbert[71]), später Bischof von Chartres, durch Religion und Wissenschaft gleich ausgezeichnet, ein Feind jeder eigenwilligen, hochmüthigen Geistesrichtung, selbst Lehrer zahlreicher Schüler, durch deren gemeinsames Wirken das kirchliche Leben in Frankreich einen nicht gewöhnlichen Aufschwung nahm.

Um eben die Zeit, als Abt Gerbert Frankreich verließ, hielt König Otto einen Fürstentag zu Magdeburg. Ebendahin begab sich nun der abgesetzte Prälat, dessen Gelehrsamkeit, wie sie seinen Zeiten ein Wunder war, so auch von dem jungen Könige hoch geschätzt ward. Von ihm freundlich aufgenommen, blieb Gerbert auch von nun an um ihn und begleitete ihn später selbst auf seinen Zügen außerhalb der Marken des deutschen Landes[72]).

Zu eben dieser Fürstenversammlung nach Magdeburg war auch Herzog Heinrich von Bayern gekommen. Aber es war nicht mehr jener Mann des Unfriedens, der drei Male das Kaiserhaus in Unruhe gestürzt hatte; seine einzige Sorge war jetzt, die Sünden vergangener Tage durch gute Werke zu tilgen. Leicht wurden daher Mißhelligkeiten, die zwischen ihm und dem Bischofe von Regensburg ausgebrochen waren, gütlich beigelegt. Dann ging der Herzog nach Gandersheim, wo seine Schwester Gerberg Aebtissin war. Hier erkrankte er zum Tode. Sein Ende fühlend, rief er seinen gleichnamigen Sohn, dessen künftige Größe die Königin Mathilde verkündet hatte, an sein Lager und hieß ihn schleunig nach Bayern gehen, um, was zur Nachfolge nothwendig sey, anzuordnen. Nachdem er ihm hierauf noch dringend befohlen, dem Könige, seinem Herrn, zu gehorchen und seines reuigen Vaters zu gedenken, rief er den Herrn des Himmels und der Erde um Erbarmen für seine Seele an und starb (28. August 995). Die Bayern wählten

---

70) Pagi ad Baron. 999. II.

71) Mabillon annal. LI. c. 72.

72) Thietmar. Sieh auch praefatio Gerberti ad Ottonem Imp. bei Hock S. 222 vergl. dazu W. gel. Anz. n. 151.

seinen Sohn zu ihrem Herzoge, worauf K. Otto nicht zögerte, ihm zu verleihen, was sein Vater besessen hatte [73]).

Nachdem nun Deutschland im Innern ruhig und die Gränze gegen die kampfbegierigen Slaven durch die Besatzung in Magdeburg gesichert war, eilte der König nach Cöln, die Geburt des Heilands noch in Deutschland zu feiern. Denn jetzt, in dem sechszehnten Jahre seines Alters, da die Herrschaft in Deutschland vor unberufenen Bewerbern sicher war, war auch der Zeitpunkt gekommen, die Kaiserkrone zu gewinnen, ohne welche die Herrschaft in Italien, die ihm bereits gebührte, nichtig, die Ruhe des Abendlandes gefährdet, die Kirche ihres Beschützers beraubt war. Gesandte des Papstes, der Römer und der Lombarden, welche in diesem Jahre nach Deutschland gekommen waren, hatten den König noch besonders zum Römerzuge eingeladen [74]); Otto selbst hatte den Erzbischof Johann von Piacenza, den Vertrauten seiner Mutter, und den Bischof Bernward von Würzburg nach Constantinopel geschickt [75]), ihm als künftigem Kaiser eine Kaiserstochter zur Braut zu holen, ein Schritt, der um so nothwendiger wurde, da schon früher K. Hugo von Frankreich für seinen Sohn, den König Robert, um die Hand einer griechischen Kaiserstochter geworben hatte und seinem Schreiben damals einfließen ließ, es möchten, käme die Heirath zu Stande, die Deutschen, durch ein Bündniß der Franken mit den Griechen in die Mitte genommen, wohl schwerlich das oströmische Reich, zu welchem auch Unteritalien gehörte, noch weiter beunruhigen [76]).

Von Cöln, wo entweder die letzten Maßregeln für den Römerzug getroffen wurden, oder die niederdeutschen Fürsten sich bereits dazu versammelt hatten, zog der König gegen Süden und überstieg, wahrscheinlich durch neue Nachrichten über

---

73) Thietmar. Annal. Saxo.
74) Vergl. Murat. annal. V. S. 497.
75) Annales Hildesh. ad a. 995.
76) Gerberti epl. 111. Hugonis R. ad Imp. Const. — etenim nobis obstantibus nec Gallus nec Germanus fines lacesset Romani Imperii. Aus so entfernter Zeit datirt sich die Verbindung der Franzosen mit Constantinopel gegen Deutschland.

den gefahrvollen Zustand von Rom, zu dessen Gebieter sich
Crescentius aufgeworfen hatte, zu größerer Eile bestimmt,
mitten im Winter die Alpen[77]). In Pavia feierte er Ostern;
dann zog er nach Ravenna, wo eine Gesandtschaft von römischen Großen und Senatoren den langersehnten König begrüßte.
Ein Schreiben, das sie mitgebracht hatten, drückte die Freude
aus, ihren Herrscher wieder zu sehen, dessen Anblick sie so lange
Zeit entbehren mußten; sie versprachen, in gebührender Treue
seiner zu harren, brachten aber die Trauerbotschaft mit, P. Johann XV sey vor wenigen Tagen (Mitte April 996) einem hitzigen
Fieber erlegen. Der König möge ihnen nun selbst denjenigen
bezeichnen, der zu so schwerem Amte ihm der Würdigste scheine;
den wollten sie dann zum Papste wählen[78].

Die Frage, wer Regierer und Leiter der christlichen Kirche
werden solle, war, wie immer von höchster Wichtigkeit, jetzt doppelt schwierig. P. Johann XV hatte in mißlichen Verhältnissen viel Treffliches geleistet, obwohl blinder Haß den Vorwurf, er sey nach schändlichem Gewinne begierig[79]), ja in
Allem käuflich gewesen, auf ihn zu wälzen suchte; er war Römer
und dennoch von den Römern und ihrem Patricier Crescentius in seinem Wirken so gehemmt worden, daß er von diesem
habsüchtigen und ehrgeizigen Manne erst vertrieben, dann
zurückgerufen, wie ein Gefangener in seinem Palaste be-
wacht wurde, was wohl jenen Vorwurf erzeugte, der in Bezug
auf Crescentius volle Wahrheit findet; er hatte 13 Jahre regiert, die Freiheit der Kirche nach Kräften geschützt, streitende

---

77) Vita B. Meinwerci erzählt, Otto sey schon damals nach Rom
gezogen ad mitigandam saevitiam Crescentii — et tumultu
oborto decenter sedato — — imperialem unctionem accepit.
c. 10.

78) Vita I. S. Adalberti c. 4. n. 21.

79) Aimoinus in vita S. Abbonis; dieser Aimoin gehört jedoch zu
den ungenauesten Historiographen. Den französischen Berichten über
P. Johann XV ist auch außerdem bei der leidenschaftlichen Erbitte-
rung der französischen Bischöfe gegen diesen Papst nur sehr bedingte
Glaubwürdigkeit beizumessen. Ueber Crescentius und sein Geschlecht
vergl. Beilage N. VIII.

Fürsten versöhnt, den erst unlängst (im J. 973) verstorbenen
Bischof Ulrich von Augsburg, ein auserwähltes Rüstzeug der
Vorsehung, unter die Heiligen Gottes versetzt, das in Frankreich drohende Schisma im Keime erdrückt, dennoch aber hatte
er weder vermocht, die Liebe des römischen Clerus zu gewinnen, noch war er im Stande gewesen, tiefeingreifende Mißbräuche in der Kirche auszurotten, oder von den vielfachen
Richtungen, die sich in ihr, sie neubelebend gebildet hatten,
irgend eine mit Umsicht und Kraft zu ergreifen und auf sie sich
stützend, die Kirche ihren Drangsalen zu entreißen; als er es
zuletzt thun wollte und den König der Deutschen deshalb nach
Italien berief, raffte ihn der Tod hinweg.

Was aber Stellung und Wirksamkeit eines Papstes in
dieser Zeit ganz besonders schwierig machte, war nicht allein
die Unenthaltsamkeit des Clerus, welcher das ihm auferlegte
Gebot der Keuschheit schnöde von sich warf und in der Befriedigung fleischlicher Lüste [80]), die Pflichten seines hohen Amtes
vergessend, allgemeines Aergerniß gab; es war noch vielmehr
der Geist des Unfriedens und liebloses Eifers, welcher unter
den drei Ständen der Kirche ausgebrochen war. Es strebten
die Bischöfe, ihre Gewalt auch über die Mönche auszudehnen
und gleiche Herrschaft wie über Priester und Layen, so auch
über jene zu erlangen. Erst war Deutschland [81]), jetzt aber
besonders Frankreich der Tummelplatz dieser Richtung und der
gegen sie gemachten Bestrebungen geworden; in St. Denys [82])
war es darüber bis zum blutigen Aufruhr gekommen und eine
Synode von Bischöfen mit Gewalt auseinander gesprengt worden. Zwar endigte der ärgerliche Auftritt wie billig mit

---

80) Cf. Adriani Valesii adnott. in Adalberonis carmen ap. Bou-
    quet X. p. 83.
81) Gravis persecutio monachis oritur in diebus illis (um das
    J. 945), affirmantibus quibusdam Pontificibus, melius arbitrari,
    paucos vita claros, quam plures negligentes inesse monasteriis
    oportere — — quo factum est, ut plures propriae infirmitatis
    conscii deposito habitu et relictis monasteriis grave onus sa-
    cerdotum devitarent. Widuk. ann. II. p. 650.
82) Mabillon ann. LI, 4—8. Vita S. Abbonis c. 9.

Beſtrafung der Uebelthäter, der Mönche von St. Denys; aber der Krieg dauerte noch lange im Stillen fort, indem die Biſchöfe, welche das Chrisma und die Weihen zu ertheilen hatten, davon Anlaß nahmen, auf die Verwaltung der Klöſter Einfluß zu gewinnen, die Aebte aber, ſich dieſem zu entziehen, von den Päpſten die in dieſer Periode ſo häufig wiederkehrenden Privilegien zu erlangen ſuchten, kraft welcher ſie ſich, wenn ſie biſchöflicher Functionen bedurften, auch an andere als ihre Diöceſanbiſchöfe wenden konnten.

Noch viel größere Feindſeligkeiten brachte, beſonders in England, der Kampf der Mönche mit den Weltgeiſtlichen hervor, die an ein ungebundeneres Leben gewöhnt und im Beſitze weltlicher Habe weder der Strenge kirchlicher Zucht ſich fügen, noch was ſie zu milden Zwecken empfangen, dazu auch ſelbſt verwenden oder andern und Beſſergeſinnten zur Verwendung überlaſſen wollten. Am Gefährlichſten aber war das Drängen und Treiben zwiſchen Geiſtlichen und Layen. Die Größe der geiſtlichen Beſitzthümer hatte die Begierde der kleinen und großen Herren erregt, ſich entweder unmittelbar derſelben zu bemächtigen oder doch ſo viel als möglich Vortheile daraus zu ziehen. „Die Vögte der Kirchen, ſchrieb um dieſe Zeit Abbo, Rector des Kloſters von Fleuri[83]), ein unerſchrockener Vertheidiger canoniſchen Herkommens gegen Eingriffe von Layen wie von Biſchöfen, eignen ſich dem Anſehen der Geſetze und der Canonen entgegen zu, was den Kirchen gehört; ſie thun dem Clerus wie den Mönchen Gewalt an und rauben Kirchen und Klöſtern ihren Nießbrauch; ſie ſtürzen die Bauern in Armuth, vermindern die Beſitzungen der Kirche, anſtatt ſie zu vermehren, und bringen Verderben über die, deren Beſchützer ſie ſeyn ſollten. So wird Alles den Feinden offene Beute; die Vögte aber treten dieſen nicht einmal mit Worten entgegen und rauben, was dieſe noch übrig ließen. Daher kömmt es, daß wir ſo viele zerſtörte Kirchen, eingefallene oder verarmte Klöſter ſehen, die früher durch die Freigebigkeit guter Menſchen in großem Ruhme und großer Blüthe ſtanden; diejenigen aber, welche ſich

---

83) S. Abbonis collectio canonum §. 2. ap. Mabill. annalec. II.

freiwillig zu dem Schutze der Kirchen zudrängen, nehmen ge=
rade unter diesem Vorwande den größten Theil ihrer Besitzun=
gen, Einkünfte und Schenkungen." Bei diesem Streben kam
es den Layen trefflich zu Statten, daß nach einem Gebrauche,
der seines Alters und päpstlicher Bewilligungen wegen fast all=
gemein Rechtskraft erlangt hatte, Bischöfe und andere geistliche
Würdenträger von ihnen theils ernannt, theils in dem Genusse
ihrer Würden und Besitzungen bestätigt wurden. Aus diesem
Rechtsverhältnisse war durch die Gewinnsucht der Layen wie
der Geistlichen allmälig ein Handel mit Aemtern und Pfründen
entstanden, den die Kirche mit dem Namen Simonie gebrand=
markt und als die verheerendste moralische Seuche schon frühe
mit den härtesten Strafen belegt hatte, da kein anderes Uebel
so sehr die Grundlage der göttlichen Ordnung in der Kirche,
das unerschütterliche Vertrauen auf den nie fehlenden Schutz
des hl. Geistes zerstört und so geradezu statt der Gottesmacht
den Mammon mit all den unseligen Leidenschaften und Lastern
in seinem Gefolge zum Endziel und Leiter der Kirche macht.
So sehr hatte aber damals dieß Verderben um sich gegriffen,
daß selbst der Begriff des Sündhaften [84]) eines solchen Trei=
bens beinahe allgemein sich verloren hatte und was von den
ersten Zeiten der christlichen Kirche an fortwährend auf's
Strengste geahndet worden war, nun fast ohne Beschwerniß
der Gewissen geübt ward.

Es besteht aber der Vorzug des sächsischen Kaiserhauses
vor den fürstlichen Geschlechtern jener Zeit gerade darin, sich

---

84) S. Petri Damiani vita S. Romualdi c. 35. per totam illam
monarchiam usque ad Romualdi tempora vulgata consuetu-
dine vix quisquam noverat, Simoniacam haeresim esse pecca-
tum — — est — venenata illa haeresis praesertim in episco-
pali ordine, tam dura et ad convertendum rigida, ut semper
promittens, semper de die in diem producens, atque in futu-
rum procrastinans, facilius possit Judeus ad fidem converti,
quam haereticus latro plene ad poenitentiam revocari. Cf.
Glaber Rodulfus I. c. 6 de praelationibus turpi lucro arre-
ptis, welcher hierin die praktischen Folgen solcher schimpflicher Hand=
lungen schildert.

von so allgemein verbreiteten Uebeln unbefleckt erhalten zu haben und, durch Macht und Ansehen ein Vorbild Aller, es auch
in untadelicher Sitte, in Gehorsam und freiwilliger Unterwerfung unter die höhere Ordnung gewesen zu seyn. Die Könige
von Deutschland versuchten keine solche Scenen der Erniedrigung des kirchlichen Ansehens, wie sie in Frankreich auf der
rheimser Synode statt gefunden hatten; vor ihnen flüchtete kein
Adalbert von seinem Bischofssitze; es erfolgten aber auch über
sie nicht die Strafgerichte, die wenige Jahre nachher über ihre
östlichen und westlichen Nachbaren ergingen, und während die
Vorsehung weder dem staatsklugen König Hugo, noch seinem
Sohne, dem König Robert die Gewalt ertheilte, der verwaisten
Kirche ein Oberhaupt zu geben, ward diese ruhmvolle Aufgabe,
die noch keinem abendländischen Fürsten geworden war, dem
Sprößlinge der sächsischen Kaiser, dem sechszehnjährigen Könige
der Deutschen zu Theil.

Es befand sich damals unter des Königs Caplänen auch
Bruno [85]), ein Sohn Herzog Otto's von Kärnthen und Enkel
der Liutgarde, Kaiser Otto's I Tochter und jenes Konrad's
von Franken Gemahlin, welcher sein Leben im Kampfe mit den
Ungarn auf dem Lechfelde gelassen hatte. Auf diese Weise ein
Mitglied des kaiserlichen Hauses war die Verwandtschaft mit
so vielen Zierden der christlichen Kirche gleichwohl nicht Bruno's größter Schmuck. Vielmehr noch war es sein bescheidner
Sinn, der ihn, als er mit Heribert, dem nachmaligen Erzbischof
von Cöln, wahrscheinlich im Kloster Corvey [86]) gemeinschaftlich
erzogen wurde und beide zu Priestern geweiht werden sollten,
vermocht hatte, dieses Ziel seiner Wünsche als unverdiente
Gnade anfangs auszuschlagen; später war er Caplan des Königs [87]) geworden, den er in dieser Würde auf dem Römer-

---

85) Vita I. S. Adalberti c. 21. n. 4.
86) Vita S. Heriberti auctore Ruperto Tuitiensi. AA. SS. Boll.
16. März. c. 1.
87) Bruno noster, Episcopus Verdensis, fit summus Pontifex etc.
Annales corbeienses in Paullini synt. rer. et antiqq. germ.
Francof. 1698, p. 382. Dieß ist jedoch eine fehlerhafte Verwechs-

züge begleitete. Auf ihn richtete nun König Otto sein Augenmerk: Bruno's Jugend, er zählte erst 24 Jahre[88]), versprach
in langer Regierung durchzuführen, was anderen Päpsten die
Kürze ihres Pontificats nicht gestattet hatte; des Königs Verwandtschaft und Macht verhieß ihm selbst sicheren Schutz vor
den Drangsalen, die seine Vorgänger betroffen und ihre Unternehmungen gehemmt hatten, der Kirche aber die Stütze weltlichen Ansehens, dessen innigste Verbindung mit ihr zu gemeinsamer Bekämpfung der Mißbräuche gerade damals höchstes
Bedürfniß war; sein feuriger Sinn [89]) und unbefleckter Lebenswandel ließen endlich den unbeugsamen Muth erwarten, um
niederzureißen [90]) und aufzubauen, wegzunehmen und hinzuzu-
setzen, wie es die Noth der Kirche erheischte. Ihn bezeichnete
Otto den römischen Gesandten als den Mann seiner Wahl und
befahl dem Erzbischof Willigis von Mainz und dem Bischofe
Adelbold von Utrecht, den künftigen Papst nach Rom zu geleiten.
Ehrfurchtsvoll empfingen ihn daselbst die Einwohner; Clerus
und Volk von Rom erkohren ihn in freier Wahl, in Gegenwart
der kaiserlichen Gesandten zu ihrem Bischofe, worauf er am
3. Mai des Jahres 996 [91]) unter dem Namen Gregorius V,
der erste Papst aus deutschem Stamme, von dem Cardinal-
bischofe Azzo von Ostia und dem von Porto [92]) die Salbung

---

lung P. Gregor's mit einem anderen Bruno. Vgl. Wedekind's No-
    ten S. 107. 111.

88) Döllinger's Lehrbuch der Kirchengeschichte I. S. 475.

89) Bruno — saecularibus litteris egregie eruditus — magnae
    indolis, sed quod minus bonum (cf. darüber Abschnitt 4).
    multum fervidae juventutis. Vita II. S. Adalberti. c. 18.

90) Ecce constitui te hodie super gentes et super regna, ut
    evellas et destruas et disperdas et dissipes et aedifices et
    plantes. Jerem. c. 1.

91) Pagi ad Baron. 996. Mit apodictischer Gewißheit kann dieses
    Datum nicht ermittelt werden.

92) Nur diese beiden werden erwähnt. Der Name des Cardinalbischofs
    Azzo von Ostia ist uns durch eine Bulle erhalten bei Ughelli st.
    sacra III. p. 619; ohne Zweifel assistirte der Krönung auch der
    Cardinalbischof Johann von Albano, welcher das Diplom für die Ca-
    noniker des hl. Ambrosius unterschrieb.

und Krönung empfing. Schnell verbreitete sich die fröhliche
Kunde durch alle Länder der Christenheit[93]: ein Papst sey
erwählt worden, der aus kaiserlichem Blute stammend[94], die
Fülle der Tugend und Weisheit in sich vereine.

---

93) Nuper audivi nuntium, quod me laetificavit super aurum et
topazium: erectum esse apostolicum decus per quendam im-
perialis sanguinis virum, totum virtute et sapientia composi-
tum. Abbonis Floriac. epl. ad Leonem Abb.

94) Werner Graf in Speier und Wormsgau   Kaiser Otto I

Konrad ——————————————— Liutgard † 953
Herzog von Lothringen 944,
abgesetzt 950, bleibt in der
Ungarnschlacht 10. Aug. 955

Otto ——————— Judith
Herzog von Kärnthen
Markgraf v. Verona
† 4. Nov. 1004.

Heinrich	Bruno	Konrad	Wilhelm
Herzog v. Bayern Stammvater der fränkischen Kaiser	P. Gregorius 996 † 18. Febr. 999	Herz. von Kärnthen † 12. Dec. 1011	Bischof v. Straßburg 1028 † 7. Nov. 1047

Conrad als König II
als Kaiser I.

Zweiter Abschnitt.

Von der Wahl und Krönung P. Gregor's V bis zum Tode des hl. Adalbert.

3. Mai 996 — 23. April 997.

Nicht lange mehr verweilte König Otto in Ravenna. Als er sich Rom näherte, wurde er von den Einwohnern, welche seit 13 Jahren den kaiserlichen Schutz entbehrt hatten, mit großem Jubel empfangen[1]) und am Himmelfahrtstage des Jahres 996 in der Kirche des hl. Petrus von seinem Vetter, dem Papste Gregorius, zum römischen Kaiser und Schutzherrn der hl. römischen und apostolischen Kirche gesalbt und gekrönt, von dem römischen Volke zum Patricier der Weltstadt ausgerufen[2]). Diese Handlung, welche langem Unfrieden ein ersehntes Ziel setzte und jeden unrechtmäßigen Anspruch auf die höchste weltliche Gewalt mit Einem Male vernichtete, erhob den König der Deutschen und Italiener hoch über alle Fürsten des Abendlandes, verband alle ihm unterworfenen Völker auf's Engste mit der Kirche und diente ihm selbst zum bleibenden Gedächt-

---

1) Aus dem Ausdrucke des Catal. Summ. Pontif. bei Eccard: Gregorius qui et nepotem suum tertium Ottonem statim Papa factus Imperatorem ordinavit, möchte man schließen, Papst und Kaiser seyen an Einem Tage gekrönt worden; die Aussprüche der übrigen Schriftsteller lassen jedoch diese Annahme nicht zu. Vgl. Muratori annali V. p. 501.

2) 21. Mai. Thietm. Annal. Saxo. Murat. l. c.

niſſe, es ſey, wie die Krone, die er empfangen, ſo alle Gewalt
auf Erden nur eine gegebene, ſein Reich nur ein Vorbild der
künftigen Herrſchaft des Erlöſers. Da aber Papſt und Kaiſer
durch die Einheit des Blutes wie der Geſinnung mit einander
verbunden waren, ſchien das Ziel endlich erreicht, nach welchem
Kaiſer Carl der Große und die beſten ſeiner Nachfolger, dann
nach Wiedererneuung des Kaiſerthums die beiden Ottonen un=
abläſſig, obwohl vergeblich gerungen hatten: die Kirche auf
jene ſichere Grundlage der innigſten Eintracht ihrer Häupter
zu ſtellen, auf welche ſie vor 600 Jahren durch Kaiſer Con=
ſtantin erhoben worden war.

Nachdem auf dieſe Weiſe durch die Krönung des Papſtes
wie des Kaiſers für das bringendſte Bedürfniß der Kirche ge=
ſorgt und die Grundlage einer neuen, glänzenden Epoche gelegt
worden war, verſammelte P. Gregorius, der alten Sitte gemäß
ein Concil in der Kirche des hl. Petrus zu Rom. Es erſchie=
nen hiebei der Papſt und der Kaiſer, die Biſchöfe, Cleriker,
Ritter und Herren des römiſchen Gebietes, die deutſchen und
italieniſchen Erzbiſchöfe und Biſchöfe, Fürſten, Grafen und
Herren und die übrigen geiſtlichen und weltlichen Würdenträ=
ger, welche den Papſt oder den Kaiſer nach Rom begleitet
hatten. Als das Concil mit den üblichen Feierlichkeiten eröff=
net worden war, trat Willegis, Erzbiſchof von Mainz, unter
den anweſenden deutſchen Prälaten durch das Anſehen ſeines
Stiftes wie ſeiner Perſon wohl der erſte, mit einer Klage auf.
Er ſchilderte den verwaisten Zuſtand des biſchöflichen Spren=
gels von Prag, deſſen Hirten er, der Metropolitan, ſchon ein=
mal zu ſeiner Heerde zurückgeführt, der ſie aber auf's Neue
verlaſſen habe, um ferne von ihr, die ernſte Sorge ſo ſehr
bedürfe, ohne biſchöflichen Schmuck in einem römiſchen Kloſter
ſein Leben zu beſchließen. Es galt dieß dem frommen Adal=
bert, welcher, aus vornehmem böhmiſchem Geſchlechte ſtam=
mend, aber in Magdeburg erzogen, kurz vor dem Tode Kaiſer
Otto's I von Clerus und Volke der prager Diöceſe zu ihrem
Biſchofe erwählt, von dem Kaiſer beſtätigt, von dem Erz=
biſchofe von Mainz conſecrirt worden war, aber bald dar=
auf, tiefbetrübt über das moraliſche Verderben ſeiner Lands=

leute [3]), dem weder die Heiligkeit seines Lebenswandels noch sein apostolischer Eifer Schranken zu setzen vermochten, die Ruhe des Klosters der H. H. Alexius und Bonifacius auf dem aventinischen Berge zu Rom der verschmähten Sorge um das Seelenheil Anderer vorgezogen hatte. Unter der Leitung des frommen Abt's Leo und in Abgeschiedenheit von Allem, was die Welt bewegt und reizt, hatte sich hier in seinem Gemüthe die ihm angeborene jungfräuliche Reinheit der Gesinnungen, welche alle Handlungen seines vielbewegten Lebens mit einem überirdischen Hauche umgibt, zur vollen Blüthe ausgebildet. Unwiderstehlich fühlten sich Alle, die nach gleichem Ziele rangen, an ihn gezogen; in ihm selbst war aber durch die Uebungen der Demuth und des freiwilligen Gehorsams die Begierde, nur Gott zu leben, bald zu solcher Reife gediehen, daß, als im J. 993 Erzbischof Willegis von Papst Johann XV seine Rückkehr nach Prag bewirkt hatte, und die Brüder, deren Prior er geworden war, ihn mit dem höchsten Schmerze und mit dem Geleite von 12 der Ihrigen als Glaubensboten nach Böhmen entlassen hatten, er selbst unter dem Toben der Wrsowece, der Erbfeinde seines Hauses, den Tod eines Märtyrers, wiewohl vergeblich, suchte, und den Frieden seiner Seele nur in der baldigen Rückkehr in sein Kloster finden konnte. Auf's Neue verlangte jetzt Erzbischof Willegis, von dem böhmischen Herzoge Boleslaw dazu aufgefordert, Adalbert's Rückkehr nach Prag. „Es ist nicht billig, sprach der Erzbischof zu dem Papste und den versammelten Vätern, daß die Kirche von Prag allein ihres Bischofs beraubt sey und alle anderen Kirchen ihren obersten Hirten haben. Wende, o heiligster Vater! dein Ohr meinen

---

3) Vita I. S. Adalberti §. 22. Vita II. §. 18. Voigt Gesch. von Preußen I. S. 259. Drei Umstände waren es, welche Adalbert bewogen hatten, seiner Heimath den Rücken zu kehren. Die Polygamie, welcher sich die Layen, die Ehen oder vielmehr das Concubinat, welchem sich die Priester ergeben hatten, endlich der Verkauf von Christen an Juden und in die Sklaverei. Da er dieses nicht zu ändern vermochte, wollte er auch nicht durch stillschweigendes Dulden den Schein der Billigung desselben von sich geben. Vgl. Palacky Gesch. v. Böhmen. I. p. 238.

gerechten Bitten zu und gieb Adalbert der Kirche von Prag, der er angetraut wurde, zurück." Der Papst befragte die ver= sammelten Bischöfe um ihre Meinung, und als diese erklärten, ohne dem Kirchenfluche zu verfallen, könne kein Bischof seine Diöcese aufgeben, vermochte auch P. Gregor nicht, wider die= sen Ausspruch und die Bitte des Erzbischofs etwas einzuwen= den und versprach zuletzt, seinen Wunsch zu erfüllen und Adal= bert ziehen zu lassen; aber auch die Gründe ehrend, warum Adalbert sein Bisthum verlassen hatte, und voll zärtlicher Sorg= falt für ihn, um dessen Besitz Rom mit dem Norden geizte, hielt er den Befehl, von Rom abzureisen, zurück und ließ den Erzbischof von Mainz, welcher noch vor dem Kaiser nach Deutschland eilte, lieber sich allein entfernen, als daß er schon so bald in die Abreise des von Allen hochgeehrten Mannes eingewilligt hätte.

Nachdem diese Angelegenheit erledigt war, erhob sich der Bischof Erluin von Cambray und schilderte mit großen Klagen die Verwüstung seines Bisthums durch den Streit um den Stuhl von Rheims [4]. Noch immer habe die Kirche des hl. Remigius keinen Metropolitan, da Gerbert wohl vertrieben, Arnulf aber noch nicht wieder eingesetzt worden sey; der Bischof bat daher, der Papst möge hier einschreiten und ihm selbst die Consecration ertheilen, die er der obwaltenden Verhältnisse we= gen noch immer nicht auf canonische Weise habe erhalten kön= nen. Gerne genehmigte P. Gregor diese Bitte, weihte Erluin zum Bischofe von Cambray und ertheilte ihm einen besonderen Schutzbrief gegen Alle, welche ihn oder sein Bisthum befehden würden; er bedrohte solche mit dem Banne, nannte Gerbert ohne Rücksicht der Person einen Eindringling und nachdem er das Schicksal des Erzstiftes beklagt hatte, das in dem Zwiste der Bewerber der Habgier böser Menschen Preis gegeben wor= den, erklärte er es für eine, seiner apostolischen Würde aufer= legte Pflicht, die Sorge für kirchliche Angelegenheiten durch keine Verschiedenheit des Ortes und des Landes beschränken zu lassen, verbot noch besonders, was in vielen Ländern damals

---

4) Baldrici chronic. Episcop. Atrebat. et Camerac. lib. I. c. 111.

üblich war, sich des Nachlasses eines Bischofs mit Gewalt zu bemächtigen und forderte schließlich Alle auf, die in dem Bisthume Cambray befindlichen religiösen Innungen in dem friedlichen Besitze ihrer Güter zu lassen, und, wenn sie dieser verlustig gegangen wären, ihnen dazu zu verhelfen.

Die Klage des Bischofs von Cambray gab Anlaß, den Nichtvollzug der Beschlüsse des zweiten rheimser Concils zu besprechen. Noch immer hielten die Könige von Frankreich, Hugo und Robert, den Metropolitan Arnulf in dem Kerker von Orleans gefangen und sprachen damit den Bemühungen Papst Johann's XV wie den Beschlüssen jener Synode Hohn. So jung Papst Gregor war, so unerfahren er in der Leitung der höchsten kirchlichen Angelegenheiten seyn mußte, so wenig vermochte ihn Macht und Trotz jener beiden Fürsten zu schrecken oder von der Bahn abweichen zu machen, die ihm kirchliches Herkommen und die Würde seines Amtes vorgezeichnet hatten. Damit es aber nicht scheine, als handle er aus rascher Empfindung und gebe dem Zorne, nicht aber der Milde Gehör, wiederholte P. Gregor noch einmal den Beschluß der rheimser Synode und befahl nun ausdrücklich schleunige Wiedereinsetzung des gefangenen Metropolitans in Amt und Ehre; würde sie aber jetzt noch nicht erfolgen, so sollte auch ganz Frankreich so lange das Interdict treffen, bis die Kirche und der römische Stuhl volle Genugthuung erhalten haben würden[5].

Nachdem somit die besonderen Angelegenheiten der außeritalischen Länder der Christenheit erledigt worden waren, hielten Papst und Kaiser noch ein besonderes Gericht zur Ordnung der vielfach getrübten Verhältnisse von Rom selbst. Von treugebliebenen römischen Großen[6] umgeben, befahl der Kaiser

---

5) Aimoini Floriacensis vita S. Abbonis ap. Bouquet X. p. 334. Daß dieß auf dem römischen Concil geschehen sey, wird zwar nicht ausdrücklich erwähnt; da es aber noch im J. 996 geschah und nirgends füglicher geschehen konnte, als wie hier, trug ich kein Bedenken, diese Notiz hier einzuschalten.

6) Habito cum Romanis placito etc. Annal. Saxo. Da der 25. Mai angegeben wird, an welchem Kaiser Otto ein placitum hielt cum summo Pontifice Gregorio pro diffiniendis rebus ecclesiasticis

den Consul Crescentius vor seinen Richterstuhl zu bringen.
Der Ruf der Unthaten dieses Mannes hatte alle Länder der
Christenheit erfüllt; was sein Geschlecht an dem römischen
Stuhle verbrochen, was er selbst an P. Johann XV verschul=
det, forderte blutige Rache. Die Zeiten Alberich's, ja noch
schlimmere drohten durch ihn zurückzukehren; so lange sein An=
sehen in Rom von Bedeutung war, hatte die Kirche keine Ruhe,
der Papst keine Sicherheit. Aehnliche Verbrechen hatte Kaiser
Otto I vor 31 Jahren mit schimpflichem Tode bestraft; Kaiser
Otto III, mehr zur Milde geneigt, sprach über den Schuldigen
das Verbannungsurtheil aus. Schon sollte Crescentius wegge=
führt werden, als der Papst so inständig in den Kaiser drang,
ihm zu verzeihen, daß Otto ihm auch diese Strafe erließ und
ihm frei von dannen zu gehen gestattete; doch gelobte Crescen=
tius, von nun an Treue und Gehorsam zu halten.

Während dann der Kaiser auf Bitten des Markgrafen
Hugo's eine Schenkung an die Kirche des hl. Zeno zu Verona
und den Klöstern Farfa, Brugnale, dem der hl. hl. Flora und
Lucilla zu Arezzo, so wie dem Bischofe Olderich von Verona
Privilegien bestätigte [7]), bezeichnete auch der Papst, welchem
Güte und Milde Sache des Herzens und nicht bloßer Klugheit
waren, die Anfänge seiner Regierung mit gleichen Handlungen
der Gnade. Außer dem Privilegium, welches er dem Bischofe
Erluin von Cambray hatte ausstellen lassen, ertheilte er eines
auch dem Abte Winizo vom Kloster des Erlösers in Monte
Amiato in der Grafschaft Chiusi [8]), welchen Bischof Ariald

(Italia Sacra IV. p. 1367), so sind alle Gründe vorhanden, das
Placitum des Annalisten für Ein und dasselbe mit dem der It. sacr.
zu halten. Cf. Annal. Hildesh. ad a. 996. In diesem Placitum
ward auch dem Bischofe von Luni verboten, das Kloster Brugnale
mit ungerechten Ansprüchen und Eingriffen zu belästigen. Mabill.
ann. t. IV. p. 91. XX.

7) Mabill. annal. ordinis S. Bened. LI. c. 20. Böhmer Regesta
ad a. 996.

8) Ughelli Ital. sacr. III. p. 916 am 27. Mai. Diese Urkunde ist
auch deshalb bemerkenswerth, weil sie uns einen Theil der vornehm=
sten römischen Prälaten, welche sie unterschrieben, namentlich an=

durch unrechtmäßige Eingriffe in die Freiheiten des Klosters
an den Papst zu appelliren gezwungen hatte, zur Sicherstellung
der klösterlichen Rechte und Besitzungen gegen jedweden Ein-
griff. Sechs Tage darauf stellte er ein ähnliches dem Abte
Warenfried , für die Klöster Stabulo und Malmunda⁹) zu,
ertheilte in einer eigenen Urkunde dem Frauenkloster Willich¹⁰)
das Recht der freien Aebtiſſinnenwahl und befahl den Nonnen
daselbst, nach der Regel des hl. Benedictus zu leben. Eine
ähnliche Bestätigung seiner Privilegien erhielt auch das Kloster
des hl. Vincenz an den Quellen des Vulturnus¹¹). Insbesondere aber erfreute sich der Fürsorge des Papstes das Kloster
von Clugny, welches, nachdem Abt Majolus am 11. Mai des
J. 994 im Herrn entschlafen war, unter Abt Odilo in unge-
schwächter Kraft und Blüthe allen übrigen Klöstern des Abendlandes durch die Frömmigkeit seiner Bewohner, wie durch ihren
rastlosen Eifer, Gutes zu thun, noch immer voranleuchtete.
Der Papst ertheilte dem Kloster ein Diplom, in welchem er
diesem nicht nur alle Besitzungen bestätigte, die es im Laufe
der Zeit durch die Vergabungen frommer Menschen erhalten
hatte, sondern führte auch namentlich alle jene Klöster an,
welche nach und nach der Ordnung von Clugny unterworfen
worden waren und die nun als Prioreien die ehrwürdige Abtei
wie in einem Kranze umgaben; besonders aber wurde noch in
diesem Diplome erwähnt, Kaiser Otto III habe den Papst um

---

führt: so die Cardinalbischöfe Theobald von Velletri, Petrus von
Palestrina, Azzo von Ostia, den Archidiaconus Abbo, den Oblationar
Crescentius, den Priester und Cardinal Crescentius.

9) Mabillon ann. LI. c. 53.

10) Zeitschrift für Archivkunde I. 3. S. 536.

11) Daß auch das Chron. mon. S. Vincentii de Vulturno ein Pri-
vilegium erhielt, erhellt aus den Chron. dieses Klosters ap. Mar.
S. R. It. I. 1. S. 337.: Gregorius Saxonicus ann. I. mens. V.
Otto Imperator coronatur Romae. Iste privilegium Aploae
Sedis contulit Domino Johanni Abbati, qui Coni vocatus est,
de S. Maria in Castanieto ann. 996. ind. IX. Johannes Ro-
manus mens. X. ann. 998. ind. XI. Daßelbe Chron. nennt den
P. Stefan VII (VIII einen Römer) und P. Leo IX Magnus.

Ertheilung desselben gebeten, so daß die Bemühungen der beiden Häupter der Christenheit zur Erhebung von Clugny sich
vereinigten ¹²).

In diesem gemeinsamen Zusammenwirken des Papstes wie
des Kaisers, welches alle Verhältnisse dieser Zeit durchdringt,
haben spätere Zeiten, welche nur in dem feindlichen Streben
der weltlichen Macht gegen die geistliche erhabene Größe, nur
in der Unterbrückung des geistlichen Standes Förderung des
Heils der Menschheit sahen, eine erniedrigende Nachgiebigkeit
des Papstes, ein Ueberwiegen des kaiserlichen Ansehens erblickt ¹³) und daraus Folgerungen gezogen, welche eben so sehr
den Zeugnissen der Geschichte als dem Wesen der Kirche und
dem Geiste der damaligen Zeit widersprechen. Eines Kaisers
Sohn, im Purpur geboren und zu der Kaiserwürde erzogen,
konnte und durfte Otto III das höchste Ziel seines Strebens in
nichts Anderem erblicken, als in der Erhebung und Förderung
der Kirche, von welcher er selbst das andere Haupt ¹⁴) war;
durch die Entscheidung des Königs und die Wahl des römischen Volkes wider alles Vermuthen zum Papste erhoben, waren
für Bruno seit dem Empfange der Consecration und der Veränderung seines Namens zwar jene Bande gelöst, welche ihn
seiner Geburt nach an den deutschen König gefesselt hatten,
aber auch P. Gregorius durfte nicht aufhören, in dem Kaiser
den von Gott gegebenen Herrn aller weltlichen Macht zu ver-
ehren. Diese gegenseitige Unterwerfung der obersten Gewalten
der Christenheit versprach allein derselben den Frieden, so wie
Hebung jener Uebel, welche die Kirche zu zerreißen gedroht
hatten und schon damals aus der ungebührenden Erhebung der
einen Gewalt über die andere hervorgegangen waren, beruhte

---

12) Die Urkunde ist im Bullar, Cluniac. abgedruckt. Cf. Mabillon
ann. IV. p. 95. Acta SS. Ord. S. B. t. VIII, p. 570. Ueber den
Ruhm und die Blüthe von Clugny noch in dieser Zeit cf. vita
S. Guillelmi Abb. c. 9.

13) So fast alle protestantischen Geschichtschreiber über diese Epoche.

14) Weshalb auch der deutsche Kaiser vicarius Christi hieß, so Wippo
im Leben Conrad's des Saliers, jedoch auch K. Eduard von England u. A.

aber ihrem Wesen nach auf den ursprünglichen Verhältnissen
der römischen Kirche zu den christlichen Beherrschern des römischen Reiches und einem die germanischen Reiche an Alter weit
überragenden Herkommen, das sich durch die gegenseitige Stellung des Papstes und des Kaisers in Rom selbst am deutlich-
sten beurkundet. Denn wie den Papst die 7 Bischöfe des Late-
ranpalastes umgaben, so standen dem Kaiser die 7 Richter des
hl. Palastes zunächst; während aber jene in ihrer reingeistlichen
Würde nur der Kirche und dem Papste dienten[15]), waren
diese, zum Clerus von Rom gehörig und keiner anderen Stelle
fähig, Beamte des Kaisers[16]) wie des Papstes zugleich. So
war es die Pflicht der beiden ersten dieser Würdenträger,
des Primicerius und Secundicerius, bei feierlichen Umzügen
vor den Bischöfen und übrigen Prälaten der römischen Kirche
den Papst an der Hand zu führen und an den größeren Festen
die achte Lection vor den Bischöfen zu lesen, wie es ihnen oblag, den Kaiser beständig zu umgeben, die Schlüssel seines
Palastes zu verwahren und daselbst zu verweilen. Wie der
Dritte im Range unter den Sieben, der Arcarius, nicht minder den Einkünften des Kaisers als denen der römischen Kirche
vorstand, so zahlte der Vierte, der Saccellarius den römischen
Bischöfen und Richtern ihre Geldantheile, den Armen die öffentlichen Almosen aus, wie auch er es war, der den Kriegern
ihre Löhnung gab, zugleich die Oberaufsicht über die Klöster hatte und an hohen Festtagen die höheren Würdenträger
bei dem Kaiser einführte. Als Aufseher über Gefangene und
Verarmte, über Wittwen und Waisen, deren besondere Sorge
dem Papste wie dem Kaiser oblag, diente der fünfte dieser
Richter, der Amminiculator, beiden zugleich; ihm waren auch
die Fremdenhäuser übergeben, wie vor ihn Testamentsklagen
gebracht werden mußten, welche bei der zahlreichen Menge der
nach Rom strömenden Pilger, von denen viele daselbst ihr Grab

---

15) Rhein. Museum für Jurisprudenz B. V. S. 129.

16) Sine quibus aliquid magnum non potest constituere imperator; nach der älteren, gewiß richtigeren Lesart, bei Blume. Rheinisches Museum für Jurisprudenz. V. 1833. S. 130.

fanden, der Aufsicht der Kirche, wie der Sorge des Kaisers gleichmäßig bedurften. Noch gehörten hiezu der Protoscriniarius, welcher den Notaren vorstand und der erste Defensor, welcher an der Spitze der römischen Advocaten stand. Keinem von diesen sieben Richtern [17]) stand jedoch die Criminalgerichtsbarkeit zu; am wenigsten wäre es ihnen erlaubt gewesen, ein Todesurtheil zu fällen [18]), da dieß mit ihrer priesterlichen Würde schlechterdings unvereinbar war. Denn rein und heilig, wie das Verhältniß zwischen Papst und Kaiser, die sie unauflöslich mit einander verbinden sollten, sollte auch ihr Amt und ihr Wandel seyn.

Unterdessen hatte Erzbischof Willegis, welchem bei dem Beginne der heißen Jahreszeit K. Otto gefolgt war, auch auf der Reise nicht abgelassen, Adalbert's baldige Rückkehr zu betreiben und den Papst an die Erfüllung seines Versprechens zu erinnern. Als daher Adalbert sah, dieser vermöge nicht länger den Bitten des Erzbischofs zu widerstehen, bat er den Papst, ihm eine Unterredung zu bewilligen, und sprach dann, als ihm diese gewährt worden war, freimüthig zu ihm: „Der Feind des menschlichen Geschlechtes, heiligster Vater! gönnt mir die Ruhe nicht, in der ich weile. Nicht ohne seinen Antrieb geschieht es, daß ich gezwungen werde, dahin zurückzukehren, wo ich anderen Seelen keinen Nutzen zu schaffen vermag, aber nothwendig meiner eigenen unendlichen Schaden bereiten muß. Mäßiget daher die mir auferlegte Last und verleihet mir bei meiner kummervollen Rückkehr wenigstens Einen Trost: wenn meine Heerde die Stimme ihres Hirten vernimmt und ihr folgt, so soll nur der Tod mich von ihr trennen; wenn aber nicht, so wendet Euch mir zu und gestattet, daß ich die verlasse, welche

---

17) Mabillon iter italicum II. p. 570., wie in der damals noch nicht ausgebildeten Verfassung des deutschen Reiches den Kaiser die 7 Churfürsten umgaben.

18) Hiezu waren die Consuln bestimmt, welche besonderen Gerichtsbezirken in Rom vorstanden, nach römischen Gesetzen die Strafen bestimmten, und wohl für minderwichtige Fälle als ihre Stellvertreter die judices pedani ernannten. Vergl. rheinisch. Museum. V. S. 131—137.

die Worte des Lebens verschmähen, und sie dann barbarischen
Nationen verkündige, zu welchen die Botschaft des Heiles noch
nicht gedrungen ist." Als P. Gregor diese Rede vernahm und
die Besorgniß erkannte, welche das treffliche Gemüth des frommen Mannes quälte, ertheilte er ihm mit Freuden die Gewäh-
rung seiner Bitte, wohl nicht ohne seines eigenen großen Vor-
gängers, des hl. Gregor's, hiebei zu gedenken, durch welchen
die Heiden im Westen Europa's in den Schooß der Kirche
eingegangen waren; noch gab es aber an der nördlichen und
östlichen Gränze des Abendlandes der Völker genug, welche, in
der Finsterniß des Heidenthums begriffen, ihres Apostels
harrten [19]).

Als dann Bischof Notker, einer der ausgezeichnetsten deut-
schen Prälaten, welcher an seinem Stuhle zu Lüttich eine wahre
Pflanzschule tüchtiger Bischöfe gegründet hatte [20]), sich zur
Abreise von Rom anschickte, beschloß Adalbert mit ihm nach
Deutschland zu ziehen und verließ [21]) unter den heißen Thränen

---

19) Vita I. S. Adalberti. §. 32.

20) Cf. Anselmi gesta Episcoporum Leodiensium ap. Martene
coll. ampl. IV. p. 865. XXVI.

21) Ehe Bischof Adalbert abreiste, so erzählen pervetusti Bohemorum
annales bei Dubravius (Acta SS. Bolland. 23. März. p. 198. b.) —
hieß ihn der Papst in seiner Gegenwart in bischöflichem Ornate das Opfer
der hl. Messe vollbringen. Adalbert gehorchte und begann die heilige
Handlung. Als er aber, nach der Verwandlung des Weines das übliche
Gebet für die Verstorbenen sprach, verfiel er in Ekstase und stand lange
regungslos da. Der Papst und die übrigen Anwesenden warteten
geduldig, bis Adalbert die hl. Handlung fortsetze, wohl über zwei
Stunden; als sich aber Adalbert noch immer nicht bewegte, glaubte
der Papst, der Bischof sey in tiefen Schlaf verfallen und befahl daher, sein Gewand leise zu berühren und ihn dadurch zu wecken.
Dieß geschah; Adalbert kehrte aus seiner Ekstase zurück und vollendete
die Messe. P. Gregor hieß hierauf den Bischof vor sich treten und
befragte ihn halb unwillig, ob er nicht wisse, daß während der Messe
zu schlafen die Canonen strenge verböten? Demüthig erwiederte
Adalbert: gestern seyen seine Brüder von den Böhmen erschlagen
worden, unbegraben wären ihre Leichen umhergelegen, als ihm wäh-

seiner Klosterbrüder die Stätte des Friedens, in welcher ihm
noch kurz zuvor in einer Vision der Himmel, den er im Busen
trug, zur Herrlichkeit Gottes aufgeschlossen gezeigt worden war;
er zog über die Alpen und begab sich vorerst zum Kaiser, welcher ihn bereits in Rom liebgewonnen hatte.

Da um eben diese Zeit die Kunde von dem römischen
Concil nach Frankreich gekommen war und man daselbst den
Ernst erkannte, mit welchem P. Gregor sich der kirchlichen Angelegenheiten ihres Reiches annahm, hielt es K. Robert, welchem entweder bereits der Tod seines Vaters Hugo die Allein-
herrschaft gegeben, oder das Bewußtseyn eigener Schuld [22])

---

rend der Messe der Heiland dieses gezeigt und den Befehl ertheilt
habe, sie zu bestatten und nach kirchlichem Gebrauche das Todten-
opfer zu verrichten. Diesen Auftrag zu vollziehen sey er in die
Kirche von Liebiz entrückt worden; dort müsse auf dem Altare der
Mutter Gottes noch einer seiner bischöflichen Handschuhe liegen, den
er, in seinen Verrichtungen gestört, daselbst zurückgelassen habe.
Aehnliche Entzückungen waren in keinem Jahrhunderte der katholischen Kirche unerhört; es kam aber dem Papste zu, die Aussage
einer umsichtigen Prüfung zu unterwerfen. P. Gregor schickte deshalb nach Böhmen und ließ Erkundigung einziehen, ob Adalbert's
Brüder wirklich ermordet worden seyen. Die Nachricht aber, welche
die päpstlichen Boten daselbst einholten, bestätigte nicht nur dieß Ereigniß und den Tag, welchen Adalbert bezeichnet hatte, sondern die
Böhmen versicherten auch, ihr Bischof sey den Tag darauf selbst bei
ihnen gewesen und habe vor allem Volke in der Kirche von Liebiz
die Leichen bestattet; ja sie überreichten sogar den Boten zum Beweise
der Wahrheit ihrer Aussage einen bischöflichen Handschuh, welcher
als der von Adalbert vermißte erkannt wurde. Calles erzählt in
seinen Annalen dasselbe aus Dubravius, ohne jedoch das Letztere
hinzuzufügen. So sonderbar übrigens diese Erzählung in den Ohren
Mancher lauten mag, so hat die katholische Kirche dennoch viele
ähnliche und mit unumstößlichen Beweisen versehene aufzuweisen,
denen man den Glauben nicht versagen kann. Bei dieser muß aber
bemerkt werden, daß die Brüder des hl. Bischofs gegen Ende Sep-
tembers auf ihrer Burg zu Libic erschlagen worden (vgl. Palacky
I. p. 245.), Adalbert aber schon vorher sich aus Rom entfernt hatte,
diese Erzählung also aus chronologischen Gründen nicht authentisch ist.
22) Der eigentliche Grund, warum K. Robert von der Bahn seines

Nachgiebigkeit angerathen hatte, für das Klügste, ehe der
Sturm gegen ihn selbst ausbräche, den Weg der Vermittlung
einzuschlagen. Es lebte damals im Frankenreiche Abbo, Rector
des Klosters Fleuri, ein Mann von glühendem Eifer für Aufrechthaltung canonischer Ordnung, von frommem heiligem Wandel und unerschütterlichem Muthe [23]). Er hatte nicht gezagt,
den Erzbischof Arnulf zu vertheidigen, als sich Könige und
Bischöfe gegen ihn verschworen; er widerstand den letztern besonders, als sie auf dem Concil von St. Denys ihre Gewalt
unrechtmäßig erweitern wollten [24]), und hatte selbst eine Sammlung von Canonen veranstaltet, dem gesammten Clerus die
unabweichbare Bahn des kirchlichen Lebens in den Geist zurück-
zurufen; er bedrohte die Layen, wenn sie Bisthümer, Pfarreien
und andere kirchliche Würden an Geistliche verkauften; er
zürnte den Geistlichen, daß sie sich selbst bereden wollten, es
sey nicht Simonie, wenn sie nur nicht die geistliche Weihe,
wohl aber die Kirchengüter erkauften. Als dann um diese
Zeit das Volk sich dem Glauben zuwandte, mit dem Ende des
Jahres Tausend nach Christus werde der Antichrist kommen,
es nahe das Ende der Welt, wenn Mariä Verkündigung auf
den Charfreitag falle, so widerlegte Abbo auch diese Irrthümer
und zeigte ihren Widerspruch mit der hl. Schrift. Diesen Mann
hielt K. Robert für den Tauglichsten, in seinem Namen nach
Rom zu gehen und den getrübten Frieden mit dem hl. Vater
wieder herzustellen.

Vaters (welcher nach Bouquet X p. 535 n. a.) sich etwas weniger
fügsam gegen den römischen Stuhl erwies, als der Card. Baronius
glaubte und, so lange er lebte, Arnulf im Gefängnisse ließ) abwich,
war die Furcht, der römische Stuhl möchte ihn, was auch nachher
geschah, zwingen, seine Ehe mit Berta, der Wittwe Odo's I, Grafen
von Blois und Chartres, (Robert's Gevatterin) aufzulösen, und die
Hoffnung, die Kirche durch Nachgiebigkeit in Betreff Arnulf's zur
Nachsicht gegen ihn selbst zu bewegen. Cf. Helgaldi vita Roberti
R. bei Bouq. X. p. 106. not. und die Beilage im Anhange.

23) Vita S. Abbonis (von Aimoin) 13. Nov. Act. SS. Ord. S. Bened. t. VIII. p. 27. Ueber seine Reise vgl. Beilage N. IX.

24) Mabillon annales LI. 4—8.

Ohne Zögern machte sich Abbo auf den Weg nach Rom.
Der Gedanke, den Papst zu sehen, dessen Thronbesteigung ihn
nach seinem eigenen Ausdrucke mehr als Gold und Topase
erfreut hatte, ließ ihn die Mühe der Reise und über der freu-
digen Aussicht, der Kirche in Frankreich den Frieden wiederzu-
geben, die eigene Beschwerde leicht vergessen. Als er aber
nach Rom kam, fand er daselbst den Papst nicht mehr. Es
hatte Kaiser Otto gegen Anfang Juni, wohl etwas später auch
der Papst Rom verlassen und in den kühleren Thälern von
Spoleto Schutz gegen die heiße Jahreszeit gesucht. Als Abbo
daselbst den Papst traf, empfing ihn dieser mit gleicher Freude,
mit welcher ihm Abbo selbst die Botschaft des Königs über-
brachte, ertheilte ihm den apostolischen Segen und nannte ihn
als treuen Wächter für die Reinheit der Kirche freundlichst
willkommen. Denn es war auch dem jungen Papste nicht unbekannt geblieben, welche Weisheit in göttlichen und menschlichen Dingen sich Abbo erworben, und wie selbst die Freundschaft der Könige ihn nicht von der Bahn des Rechten abzuziehen vermocht habe. „Lange schon habe ich mich gesehnt, rief
daher Gregorius aus, als er Abbo's ansichtig wurde [25]), Dein
Antlitz zu sehen und in freundschaftlichem Gespräche mit Dir
meinen Geist zu erquicken. So angenehm aber, fuhr der Papst
fort, ist mir Deine Absendung, daß ich in den Angelegenheiten,
um welcher willen Du kamst, nach Deinem Rathe handeln,
und, um was Du mich bittest, Dir gerne gewähren werde;
denn ich weiß, Deine Bitten sind nur auf Rechtliches gerichtet, diesem aber zu widerstreben, wäre ja selbst nicht billig.‟
Dann befahl der Papst, Abbo Alles zu reichen, was für seinen
Unterhalt nöthig sey und entließ ihn für diesen Tag. Acht
Tage lang behielt ihn aber der Papst noch um sich, zog ihn
öfter zu Tische, besprach sich mit ihm auf's Reiflichste über die
fränkischen Angelegenheiten, und, nachdem er ihm sodann seine
Aufträge in Betreff der Wiedereinsetzung Arnulf's gegeben und
ihn selbst mit Weihrauch und Planeta beschenkt hatte, entließ
er ihn nach Hause, ertheilte ihm aber zuvor noch ein Privile-

---

25) Bouquet X. 354.

gium für das Kloster Fleuri, durch welches nicht nur den Eingriffen des Bischofs von Orleans in die Gerechtsame desselben
ein Ziel gesetzt ward, da der Bischof künftig ohne eingeladen
zu seyn, das Kloster nicht mehr betreten sollte, sondern
das auch die Erlaubniß enthielt, selbst in dem Falle, daß
ganz Frankreich mit dem bereits drohenden Interdicte belegt werden würde, sollte sich dasselbe doch nicht auf Kloster
Fleuri erstrecken: eine Erlaubniß, welche der Papst durch Beispiele aus der Handlungsweise P. Gregor's des Heiligen, in
canonischem Verfahren ein Muster aller seiner Nachfolger,
belegte. Froh, auch in Bezug auf sein Kloster das Ziel seiner
Wünsche erreicht [26] zu haben, eilte der Abt nach Frankreich
zurück und theilte dem Könige die Aufträge des Papstes mit.
Kurze Zeit darauf vermochte er bereits dem Papste über den
Endabschluß der geführten Unterhandlungen folgenden Brief zu
schreiben [27]: „Dem in Christo immer verehrungswürdigen
Herrn Gregorius, des heiligen römischen und apostolischen
Stuhles Vorstand und deshalb der allgemeinen Kirche Lehrer
entbietet dessen Abbo, Rector der Floriacenser, Gruß in Christo.
Oftmal ereignet es sich, daß die lautere Wahrheit durch den
Ausspruch eines untreuen Dollmetschers getrübt wird. Diesem
vorbeugend hinterbrachte ich, ehrwürdiger Vater! Eure Meinung
treu und einfach, wie Ihr befahlt, und scheute den Zorn des
Königs nicht, wenn ich nur die Treue, die ich Euch versprach,
vollständig hielte. Ich fügte daher nichts hinzu, nahm nichts
davon weg und ließ nichts aus. Von diesem Allem ist die

---

26) Abbo war schon früher einmal in Rom, das er damals digno vi-
duatam pastore fand. (Ep. Abbonis ad L. Fuld. Abb.) Der
Card. Baronius, welcher dieß auf den Gegenpapst Johann XVI bezog, übersah, daß diese Phrase aus dem Munde Abbo's über einen
Usurpator viel zu milde wäre.

27) Bouquet X. p. 435. Dieser Brief widerlegt zugleich schlagend
die Meinung des Jes. Coissart, daß die epistola Sylvestri P. ad
Arnulfum nicht diesem, sondern P. Gregor zuzuschreiben sey, indem,
was Abbo hier von den Aufträgen P. Gregor's an Arnulf erwähnt,
im directesten Gegensatze zu dem Inhalte des erwähnten Briefes ad
Arnulfum steht.

Befreiung Arnulf's aus dem Kerker, ja seine vollständige Freiheit Zeuge; ich habe ihm auch das Pallium mit eben den
Worten übergeben, mit welchen ich es für ihn aus Euren Händen empfing. Zeuge ist auch mein Herr, der vortreffliche König
der Franken, mein geistlicher Sohn in Christo, der Euch zu
gehorchen beschloß, gleich wie dem hl. Petrus, dem Fürsten der
Apostel, dessen Stelle Ihr auf Erden einnehmet. Eines aber
rathe ich Eurer Majestät[28], daß Ihr dem Erzbischof Arnulf
Anweisung gebet, wie er mit seinen Clerikern umzugehen habe,
auf welche Weise er die Söhne seiner Kirche von ihren früheren Verirrungen abzuziehen und die Güter und Besitzungen,
welche seine Kirche verlor, wieder zu erlangen vermöge. Denn,
wie einer der Weltlichen sagt, wenn die Könige rasen, müssen
die Achiver es büßen, so geschah es der Kirche von Rheims,
daß an den Gütern der hl. Maria ausging, was Arnulf und
Gerbert Böses thaten. Da ich nun beide als Freunde verehre
und verehrte, so schwieg ich nicht, wenn ich an ihnen etwas
Tadelnswerthes bemerkte, selbst wenn ihnen meine Aufrichtig-
keit mißfiel. Keine ihrer Thaten verdient aber schärferen
Tadel, als die, daß sie die angesehenste aller gallischen Kirchen
durch ihren Streit in Armuth, Unansehnlichkeit, Niedrigkeit und
Veröbung stürzten. Eilet ihr daher mit Eurem unerschütterlichen Ansehen zu Hülfe und bringt sie in ihren alten Zustand
zurück, in welchem sie Adalbero seligen Andenkens hinterließ.
Uebrigens bitte ich noch Ew. Heiligkeit, Ihr möget Euch dessen
erinnern, was mir Graf Fulco an Euch auftrug: er wolle lieber zerstörte Klöster wiederherstellen, als von Grund auf neue
erbauen. Wie leer und frivol dieß aber ist, beweist das nahe
Kloster des hl. Petrus, Ferrarias genannt, das in alten Zeiten
durch die Freigebigkeit der Könige auf's Reichlichste ausge-
stattet, der römischen Kirche unterworfen wurde, nun aber vom
Grafen Fulco seinen Vasallen zum Lehen übergeben und so
herabgekommen ist, daß kaum so viel übrig blieb, einige wenige
Brüder zu ernähren. Die Beeinträchtigten bitten Euch daher
unter Thränen, Ihr möget Ihnen die Hände des Trostes

<hr>

28) Vestrae Majestati.

reichen, die der Herr, als er Euch zum Haupte All der Unfri=
gen machte, vom Himmel herabstreckte, damit er die Bande der
Gefangenen löse. Endlich möget Ihr auch noch wissen, was
ich selbst erdulde. Ein gewisser Quauz, Neffe des Grafen Wal
von Nantes, verwüstet die Besitzungen unseres Klosters. Da
Graf Wal gegenwärtig in Rom ist, so bitte ich Euch, mit ihm
zu reden, und seinen Neffen mit der Ruthe der Excommunica=
tion zu bedrohen, wenn er nicht Genugthuung leistet. Eurer
Freigebigkeit eingedenk sage ich Euch noch, wie der Diener
dem Herrn, meinen Dank; da ich mich während der Messe
Eurer Geschenke bediene, kann ich Eurer in meinem Gebete
nicht vergessen. Im Uebrigen bin ich stets bereit, Euch zu
gehorchen, dem der Herr das Apostelamt in ewigem Frieden
erhalten möge. Amen.“

Auf diese Weise endigte der Streit um das Erzstift Rheims
im zehnten Jahre nach dem Tode Adalbero's, im zweiten, nach=
dem durch Synodalbeschluß Arnulf's Wiedereinsetzung bestimmt
worden war, durch dessen Befreiung aus der königlichen Haft
und seine wirkliche Wiedereinsetzung in den Metropolitansitz
Beides war die Frucht der eben so klugen, als rechtlichen und
unbeugsamen Bemühungen P. Gregor's, welcher dadurch wie=
der allen Völkern der Christenheit kund that, noch gebe es eine
Macht, bei welcher der Unterdrückte Zuflucht finde gegen seinen
Bedränger, der Schwache gegen den übermüthigen Stärkeren,
das Recht gegen Willkühr; es sey die Botschaft vom Reiche
Christi nicht bloßer Schall; die Herrschaft der Ordnung und
des Friedens, welche daraus hervorgehen sollte, sey, auf den
Felsen gegründet, welchen die Pforten der Hölle nicht zu über=
wältigen vermögen, mehr als ein bloßer Gedanke, sey That
und Wirklichkeit. Mit Abbo aber blieb P. Gregorius fortwäh=
rend in freundschaftlichem Verhältnisse, schrieb selbst an ihn [29]

---

[29] Sieh das Schreiben bei Bouquet X. p. 431. in welchem sich P. Gre=
gor um das Wohl Abbo's und des Erzbischofs von Canterbury, so wie
um das Versprechen des Königs Robert erkundigt, das nicht näher
ausgedrückt ist, aber sich wohl auf die Scheidung von seiner unrecht=
mäßigen Gemahlin Berta beziehen mag. Auch erbittet sich der Papst
von Abbo das beste Missale des Klosters; wahrscheinlich im J. 998.

und empfing von ihm Schreiben, die noch auf unsere Tage
gekommen sind [30]).

Nach zweimonatlicher Reise hatte unterdessen Bischof Adal=
bert den Kaiser in Mainz getroffen, wo er hierauf längere
Zeit um ihn blieb. War der Grund der innigen Verehrung,
welche Kaiser Otto dem Bischofe zollte, schon in Rom gelegt
worden [31]), so ward sie während Adalbert's Aufenthalt zu
Mainz vollends unauslöschlich. Oftmals, bei Tage, wie bei
Nacht, wenn der Lärm des Hofes sich gelegt hatte, wandte
sich der Bischof an den Kaiser und ermahnte ihn mit liebevollen
Worten, „er möge die Würde, die er bekleide, für nichts Gro=
ßes halten; er sey nur Mensch, einst Asche und die Speise der
Würmer. Er möge seinen Stolz in Beschützung der Wittwen,
der Armen und Verlassenen setzen, ihnen Helfer und Vater
seyn; Gott als einen gerechten und strengen Richter fürchten,
als den Erlasser der Schuld und als Quell der Barmherzigkeit
lieben. Er solle bedenken, daß enge der Weg sey, der zum
ewigen Leben führt, daß nur Wenige daselbst eingehen; er
möge sich deshalb in Demuth Rechtschaffenen anschließen, Uebel=
thätern aber im Eifer für Gerechtigkeit widerstehen. So möch=
ten die Schätze, die ewig währen, auch ihm nicht entgehen.“
Diese Ermahnungen, die Adalbert mit dem Beispiele freiwilli=
ger Demuth und Erniedrigung begleitete, gruben sich tief in
das Herz des jungen Fürsten ein und fachten in ihm den
Gedanken an, der die Grundlage seines ganzen Lebens und

30) Einen Brief, in welchem Abbo eine adelliche Dame, mit Namen Hil=
degardis, dem Papste empfiehlt, Bouquet X. p. 436; und einen an=
dern, mit welchem er dem Papste die Geschichte der Translation des
Körpers des hl. Benedict nach Gallien nebst 2 vasculis manzerinis,
in quibus anaglypho opere continentur charitas et ethica
überschickt und ihm einen gewissen Hunbold empfiehlt. Beide Briefe
vielleicht noch aus dem J. 997. Bouquet X. p. 457.
31) Otto — habebat eum sibi familiarem audiens libenter quae=
cumquo sibi diceret. Vita I. c. 32. Wahrscheinlich war K. Otto
auch noch zu Wintersanfang in Mainz, da er laut den Urkunden
(ohne Daten) bei Böhmer S. 41 am 6. Nov. der mainzer Kirche
einen Wald schenkte.

Wirkens geworden ist, die Kirche des Herrn, wie Kaiser Con=
stantin und Carl der Große gethan, durch das Ansehen welt=
licher Macht vor Sinken und Verfall zu schützen und jenen
Zeiten Rückkehr und unvergängliche Dauer zu verschaffen, in
welchen die kaiserliche Macht ihre Größe in fortwährender
Erhebung, in dem Gedeihen der Kirche durch Frieden und
Eintracht aller christlichen Völker fand.

Unter Segenswünschen und Thränen schieden Otto und
Adalbert zu Mainz von einander [32]). Der Kaiser eilte, die
deutschen Gränzen gegen die Slaven zu beschützen; Adalbert
aber ging nach Frankreich, die heiligen Orte daselbst zu besu=
chen. Dann wandte er sich seiner Heimath zu. Als er aber
erfahren, daß die Böhmen seine Brüder erschlagen hatten und
sich weigerten, ihn als ihren Bischof aufzunehmen, dankte er
Gott, aller menschlichen Ehren und Sorgen enthoben zu seyn,
und beschloß, ohne Furcht noch Zaudern, sich zu den heidnischen
Preußen [33]) zu begeben, ihnen die Botschaft von dem Erlöser
zu bringen. Mit wenigen Begleitern schiffte er die Weichsel
hinab; wo er aber, um zu predigen landen wollte, wurde er
von den Heiden mißhandelt, verjagt, endlich von einer mörde=
rischen Schaar, die ein Götzenpriester führte, überfallen. Als
er erkannte, der Augenblick sey gekommen, in welchem er den
Herrn des Lebens durch seinen Tod verherrlichen sollte, breitete
er seine Arme weit aus und empfing so, laut für seine Feinde
betend, aus ihren Händen den Todesstoß, am 23. April des
J. 997 [34]).

Obwohl von einem so frommen Manne ausgegangen,
nahm dieser Versuch, welcher Papst und Kaiser zu den schönsten
Hoffnungen für die Ausbreitung der christlichen Kirche berech=
tigte, ein so jammervolles Ende. Allein mit zu vielen Gräueln

---

32) Im October. Palacky I. S. 244.
33) Vita I. c. 23. Voigt Gesch. v. Preußen I. S. 260. Ueber die
    Adalberten fälschlich zuschreibene Bekehrung des hl. Stefan's, K. v.
    Ungarn, vgl. Mansi nott. ad Pagi. adnott. III. ad Baron. 997.
    VI. Calles annal. X. c. 81.
34) Vita I. c. 50. Vgl. über Adalbert auch Beilage N. X.

war noch der Boden bedeckt, auf welchen der fromme Bischof
den Samen des Christenthums ausstreuen wollte, als daß
ohne ein Opfer, vollbracht in Liebe zu dem Heilande, der
am Kreuze zur Vergebung der Sünden starb, die Bande sich
hätten lösen können, mit welchen der Erbfeind des Men=
schengeschlechtes den Geist jener Völker umstrickt hielt. Erst
Adalbert's und nach ihm noch manch anderer Glaubensboten
glorreiches Blutzeugniß sollte nach dem unerforschlichen Rath=
schlusse Gottes die Pforte werden, durch welche der heidnische
Nordosten Europa's dem Schooße der Kirche vollends zuge=
führt wurde. Erst seit dieser Zeit beginnt es allmälig in diesen
Ländern zu tagen. Der hl. Adalbert selbst soll in Ungarn gepre=
digt und den hl. Stefan, der in seinem Todesjahre den Thron
bestieg, mit einem großen Theile seines Volkes zum Christen=
thum bekehrt haben [35]). Seinem Andenken zu Ehren errichtete
der fromme König eine große Kirche auf der Burg zu Stri=
gon [36]); die nachfolgende Bekehrung der Magyaren ist innig
mit seinem Namen verknüpft. Aber alle slavischen Länder ent=
lang bethätigte sich die Kraft seines Wirkens und der Gnade,
die er bei Gott gefunden. Mit Strenge hielt damals in Polen
Herzog Boleslaw, jenes Miecislaw's Sohn, der die heidnischen
Götzen in Polen zertrümmert, auf christlichem Gesetz und Sitte.
Er löste nun auch mit schwerem Golde den hl. Leichnam aus
den Händen der Ungläubigen, die ihn zerstückelt hatten [37]),
und brachte das theure Pfand nach Gnesen. Hier wurde das
Grab des Heiligen der Zufluchtsort der Bedrängten, der Noth=
leidenden aller Art; durch seine Fürbitte wurden die Gebete
der Frommen erhört; bald trugen in allen christlichen Ländern
Kirchen seinen Namen [38]); noch ein Jahrhundert später glaubte
der hl. Otto, Bischof von Bamberg, auf keine wirksamere Weise
die Bekehrung Pommerns vollenden zu können, als indem er

35) Vita S. Stefani auct. Chartuitio ap. Schwandtnerum script.
   rer. Hung. I. p. 415. fol.
36) Katona hist. critica I. S. 166.
37) Vita I. S. Adalb. n. 45.
38) Vgl. observ. praev. in vitam S. Adalb. Mab. AA. SS.
   saec. V. 2. S. 848. 9.

diese auf die Fürbitte des hl. Adalbert's gründete, in dessen
Verehrung Polen, Preußen und Böhmen sich mit Ungarn,
Deutschen und Italienern [39]) vereinigten. Der Papst aber,
dessen Pontificat zwar durch den ruhmvollen Tod des hl. Mannes verherrlicht, jedoch noch der Früchte desselben beraubt
wurde, war um eben diese Zeit selbst nur mit Mühe gleich
blutigem Ende entronnen.

---

39) Kaiser Otto gründete zu Rom eine Kirche dem hl. Adalbert zu
Ehren. Es verdient, hier bemerkt zu werden, daß in dem Todes-
jahre des hl. Adalbert's Olaf Tryggvesen, König von Norwegen, die
Versuche erneute, das Christenthum in Island einzuführen. Sieh
Münter's Geschichte der Einführung des Christenthums in Däne-
mark. I. S. 534.

Dritter Abschnitt.

Von der Vertreibung P. Gregor's V aus Rom bis zur Hinrichtung des Crescentius.

Mai 997 — Mai 998.

Die Lage P. Gregor's war nach dem Abzuge des Kaisers schwankend und unsicher geworden. Würde die Römer der Geist der Demuth und Gerechtigkeit beseelt haben, durch welchen Hugo, Markgraf des benachbarten Toscana's, zum Muster aller Fürsten Italiens wurde, so wäre es dem Papste ein Leichtes gewesen, die Herstellung der kirchlichen Ordnung in allen Ländern zu befördern; noch tobte aber unter ihnen zu sehr derselbe unruhige Geist, welcher nicht ohne Schuld des ersten Otto's eine den Päpsten wie den Kaisern feindliche Richtung genommen hatte. Obwohl der Kaiser nach altcarolingischer Sitte seine Missi in Rom zurückgelassen hatte, statt seiner daselbst Gerechtigkeit zu üben und die Widerspenstigen in Zaum zu halten, so war ihr Ansehen doch zu sehr von ihrer Person bedingt und die Gränzen ihrer Macht gegen ein aufrührerisch gesinntes Volk zu eng gesteckt. Dazu kam, daß gerade um diese Zeit sich Klagen [1]) über die Untauglichkeit solcher Missi

---

1) Ceterum postquam peccatis nostris exigentibus Romanorum imperium barbarorum patuit gladiis feriendum, Romanas leges penitus ignorantes inliterati ac barbari judices legis peritos in legem cogentes jurare, judices creavere quorum judicio lis ventilata terminaretur. Hi accepta abusiva potestate, dum

vernehmen ließen. „Fremde und in dem römischen Rechte nicht
bewanderte Männer zwängen Gesetzverständige, nach ihrem
Willen zu sprechen, und stellten Richter auf, nach deren Urtheile
die Streitigkeiten geschlichtet werden sollten, welche aber, da sie
keine Löhnung dafür bekämen, die ihnen ertheilte Macht nur
zur Befriedigung ihrer Habsucht gebrauchten und alles Recht
verwirrten." Da nun noch neben dem römischen Rechte für
Leute von longobardischer Abkunft auch die Gesetze dieses Vol=
kes galten, so mußte aus der Unbekanntschaft der Missi mit
dem Herkommen nothwendig eine drückende Verwirrung ent=
stehen, die zuletzt bei dem neuerungssüchtigen Geiste der Römer
die Begierde nach gewaltsamer Veränderung erzeugte. Uebri=
gens begünstigten die Kaiser das römische Recht schon so sehr,
daß jeder neue Richter vor ihnen schwören mußte, das Gesetz
Justinians auf keine Weise umstoßen zu wollen; hatte er diesen
Schwur geleistet, so empfing er aus des Kaisers Hand das
Gesetzbuch, darnach Rom und die Leostadt, ja den ganzen Erd=
kreis zu richten [2]).

Die Römer standen damals unter einem Stadtpräfecten,
welcher, höchst wahrscheinlich, vom Papste ernannt wurde [3])
und der Vorstand des Senates gewesen zu seyn scheint. Sonst
werden noch Consuln und Herzoge erwähnt, von denen die letz=
teren ihren Namen von der mit großem Landbesitze verbundenen
kriegerischen Gewalt erhielten, die ersteren aber richterliche
Pflichten ausübten [4]). Das höchste weltliche Ansehen in Rom,

---

stipendia a republica non accipiunt, avaritiae face succensi
jus omne confundunt etc. Vgl. rheinisches Museum für Juris=
prudenz 1833. I. S. 131 und 133. In keine Zeit passen diese Kla=
gen füglicher als in diese; vgl. auch den dritten Abschnitt, in welchem
sich die Unbehülflichkeit dieser Richter zeigt.

2) Cf. qualiter judex constituendus sit. Rheinisch. Mus. I. c.
S. 125.

3) Gegen Ende des eilften Jahrhunderts, nachdem die Kaiser wieder
Patricier geworden, ward der Präfect ein dem Papste und dem Kai=
ser gemeinschaftlicher Magistrat. Vgl. Geroch. Reicherb. ap.
Mur. ann. VI. p. 51, welcher jedoch die Epochen nicht genug unter=
scheidet.

4) Vgl. Blume als Commentar zu den Fragmenten im rhein. Museum

ja die Stelle des Kaisers, wenn dieser abwesend war, bekleidete der Patricier [5]), von welchem ausdrücklich erwähnt wird, der Kaiser erköhre ihn sich zum Helfer, um die Last seines Amtes, die für Einen zu groß sey, mit ihm zu tragen; als Insignien seiner Würde empfing er aus den Händen des Kaisers Mantel, Ring und Diplom, aber auch die bestimmte Erklärung, es werde ihm diese Würde nur deshalb ertheilt, damit er den Kirchen Gottes und den Armen Recht verschaffe, wofür er dem höchsten Richter Rechenschaft abzulegen verpflichtet sey.

' Unter den Großen Rom's war Crescentius noch immer der Mächtigste; mit den Grafen der Sabina war er nahe verwandt; die einst so mächtigen Grafen von Tusculum aber gelangten, so lange er lebte, zu keinem Ansehen in der Stadt. Durch die Demüthigung, welche er von Kaiser Otto erfahren hatte, nur augenblicklich gebeugt, aber nicht gewarnt noch gebessert, scheint das Andenken an die Großmuth des Papstes, den er als Oberhaupt von Rom, wie als Fremden doppelt haßte, in seinem Herzen bitteren Groll und die Begierde zurückgelassen zu haben, durch einen neuen Versuch, sich zum Gebieter Rom's emporzuschwingen, jene Erniedrigung aus dem Gedächtnisse der Menschen zu tilgen. Noch war seitdem kaum ein Jahr vergangen; mit Ernst und Würde hatte in dieser Zeit der Papst sein schweres Amt verwaltet und gleiche Sorge getragen,

---

S. 134, 135, der die Meinung Bunsen's und Savigny's (auch noch in der Ausg. von 1834 der Rechtsgeschichte S. 381) von besonderen Gerichtssprengeln der Consuln zu Rom, wie es uns scheint, mit überwiegenden Gründen verwirft.

5) Nobis nimis laboriosum esse videtur, concessum nobis a deo ministerium me solum procurare, ist die Anrede des Kaisers an den Patricier; quocirca te nobis adjutorem facimus et hunc honorem concedimus, ut ecclesiis Dei et pauperibus legem facias et ut inde apud Altissimum judicem rationem reddas. Fragm. im rhein. Museum S. 124. Als römischer Patricier kömmt unter K. Otto III ein Ziazo vor, welches wahrscheinlich nur ein Beiname war, welchen Thietmar für den eigentlichen Namen hielt; als praefectus urbis wird Johannes erwähnt, der des Crescentius Sohn war und auf welchen das Schicksal seines Vaters keine weitere Rückwirkung gehabt zu haben scheint.

die Verhältnisse der Kirche gegen Außen und wie im Innern
zu ordnen 6), so daß auf so viele stürmische Tage die Zeit der
Ruhe und des Friedens gekommen, die Hoffnung aller Besseren
ihrer Erfüllung nahe zu seyn schien, als sich unvermuthet Veränderungen zutrugen, welche von kleinen Anfängen ausgehend,
bald die ganze Kirche in neue, noch größere Verwirrung als
früher, stürzten. Das Kloster Farfa, an dem westlichen Saume
der Sabinergebirge gelegen und von den longobardischen Königen wie von den carolingischen Kaisern mit Gütern reich
beschenkt, besaß unter andern auch ein Castel in Tribuccum,
dessen unteren Theil, früheren Verträgen zufolge, um diese Zeit
die Söhne Martin's aus dem Geschlechte des Rico inne hatten; die Burg auf der Anhöhe hielt der Abt von Farfa, so
lange er selbst anwesend war, besetzt. Wenn er aber verreiste,
so gab er sie den Söhnen Martin's zur Verwahrung, die sie
ihm auch, war er zurückgekehrt, wieder zustellten. Da diese
Leute üble Gesellen waren, die Landstraßen unsicher machten
und den Aebten von Farfa dadurch vielen Kummer verursach-
ten, so beschloß endlich Abt Johann diesem Unwesen zu steuern
und sich ihrer gänzlich zu entledigen. Er stand mit dem Grafen
Benedict von Sabina, einem Neffen Papst Johann's XIII,
welchem dieser die Grafschaft Sabina verliehen und Theodo-
randen, die Tochter des Crescentius 7), zur Frau gegeben hatte,
schon seit Langem in gutem Vernehmen; ja der Graf hatte ihm
sogar einstmals ein herrliches Meßgewand von 30 Pfund Gol-
des Schwere, welches er aus der Hinterlassenschaft seines
Oheims, des Papstes, geerbt hatte, zu geben versprochen. Darauf baute nun der Abt den Plan, das ihm lästige Tribuccum

---

6) Chron. Farf. p. 550. Vgl. auch das breve recordationis bei
Georgius ad Baron. ann. 996. XII. not. 2. p. 349. ed. Luc.
t. XVI. ferner die Anführung P. Gregor's V in dem Codex Cencii
Camer., eigentlich des Priesters Albinus. Cod. Vallic. I. 48.
S. 93: Gregorius V locat in fundo Gabiniano territorio Sali-
nensi terras, vineas, silvas inter affines hos etc., cf. Murat.
antiqq. ital. V. p. 833.

7) Genannt vom Marmorpferde, der Vater des Crescentius Nomentanus, vgl. Beilage.

dem Grafen zu überlassen und dafür den kostbaren Ornat, den
er nicht mehr aus dem Sinne bringen konnte, wirklich zu er=
halten. Der Graf hatte es aber mit seinem Versprechen so
ernstlich nicht gemeint, hörte jedoch nun den Vorschlag des
Abtes dem Anscheine nach ganz willig an und empfing von
ihm die Urkunde über die Schenkung des Schlosses; als er
diese aber in Händen hatte, verweigerte er die Auslieferung
des Meßgewandes. Es hatte aber der Abt, welcher die Art
der römischen Großen schon kennen mochte und in weltlichen
Geschäften besser als in geistlichen bewandert war, auch für
diesen Fall vorgesehen und dem Grafen deshalb nur eine solche
Urkunde ausgestellt, welche die Römer von der dritten Art
nannten und die erst durch Auswechselung einer gleichlautenden
volle Rechtskraft erhielt. Da er nun seinerseits dieß nicht that,
so behielt jeder, was er früher besessen hatte; allein das freund=
schaftliche Verhältniß zwischen ihm und dem Grafen war da=
durch gestört worden, und der letztere, dessen Habgier einmal
auf Schloß Tribuccum gerichtet worden war, trachtete nun auf
jede Weise in den Besitz desselben zu kommen. Nachdem er
seinen Plan gefaßt hatte, suchte er zuerst mit den Gesellen in
Tribuccum freundschaftliche Unterhandlungen anzuknüpfen. Dieß
gelang; und Graf Benedict wußte nun die Leute so geschickt
zu täuschen, daß sie, auf seine eidliche Versicherung hin und
mit seinen früheren Unterhandlungen mit Abt Johann unbe=
kannt, eines Tages, 42 an der Zahl, zu ihm nach Castel Orci
kamen. Kaum waren sie aber in dem Bereich des Grafen, so
hatte dieser auch schon seinen Eid vergessen und befahl, die
12 Angesehensten von ihnen in Fesseln zu legen, die Uebrigen
ließ er gegen Erlegung einer Summe Geldes wieder weiter
ziehen; was sie aber an Verschreibungen von Gütern des Klo=
sters Farfa hatten, behielt er zurück, um sie für sich geltend zu
machen, obwohl sie rein persönlich und somit für ihn selbst
nicht gültig waren. Als er aber bereits glaubte, Herr von
Tribuccum zu seyn, leisteten ihm die übrigen, welche nicht nach
Castel Orci gekommen waren, von den Söhnen Arduin's unter=
stützt, unter der Anführung des Senioritus, eines ihrer Ver=
wandten, noch so mannhaften Widerstand, daß er erst nach

einem Jahre, als es ihm gelungen war, den Senioritus zu bestechen, in den langersehnten Besitz des Schlosses kam. Unterdessen war Abt Johann gestorben; sein Nachfolger, Abt Alberich, regierte nur ganz kurze Zeit (997); der Graf aber benützte die dadurch entstandene Verwirrung in der Regierung von Farfa, sich auch der übrigen Güter des Klosters zu bemächtigen; dann griff er die des Klosters des hl. Andreas an, und auch damit nicht zufrieden, bemächtigte er sich der umliegenden Besitzungen der römischen Kirche und dehnte zuletzt seine Herrschaft von Farfa bis Paläftrina und auf dem rechten Tiberufer bis über Cervetri aus [8]).

Dieser glückliche Erfolg der Bemühungen seines Schwagers, sich aus Kirchengut allmälig eine ansehnliche Herrschaft zu bereiten, konnte auf Crescentius nicht anders als aufmunternd wirken, jetzt wo der Kaiser fern und mit dem Kriege gegen die Slaven beschäftigt, Hülfe von den Griechen in Unteritalien zu erlangen nicht blos möglich war, noch einen kühnen aber desto kräftigeren Versuch zu wagen, die Herrschaft Rom's an sich zu reißen. So geschah es denn, daß im Maimonat des Jahres 997 sich plötzlich ein so gewaltiger Aufruhr in Rom erhob, daß der Papst nur in eiliger Flucht und in vollständiger Entblößung [9]) von Allem, sein Leben zu retten vermochte; mit seiner Entfernung fiel die höchste Gewalt ohne weiteres Hinderniß dem Crescentius zu, der den Aufruhr erregt hatte, und nun sich selbst zum Patricier, zum Wiederhersteller ächtrömischer Herrschaft erklärte.

Seine Plane zu vernichten, setzte der flüchtige Papst sogleich den Kaiser von diesen Vorfällen in Kenntniß und bot die Bischöfe Oberitaliens auf, sich mit ihm zu Pavia zu versammeln, um die Angelegenheiten der Kirche zu berathen.

---

8) Cf. Pagi ad Baron. 998. **XIX.**

9) Nudus omnium rerum. Ann. Hildesh. ad ann. 996. Cf. Annalista Saxo. Thietm. IV. p. 83 ed. Wagner. Crescentius — Johannem — substituit et sibi i m p e r i u m   t a l i   praesumtione u s u r p a v i t, immemor juramenti et magnae pietatis ab Ottone Augusto sibi illatae.

124

Es ist aufgezeichnet worden, wie der Papst auf dem Wege dahin, nicht mehr als Flüchtiger, sondern schon wieder mit einem großen Gefolge, in welchem sich auch der Erzbischof Johann von Ravenna befand, nach Reggio kam, wo ihn der Bischof der Stadt, Teuzo, ehrfurchtsvoll empfing und ihn bat, die Kirche, welche er den Heiligen Prosper und Venerius zu Ehren gebaut hatte, einzuweihen. Gerne erfüllte P. Gregor diese Bitte, versetzte bei dieser Gelegenheit die Reliquien der beiden Heiligen in die neue Kirche [10]) und begab sich dann nach Pavia [11]) zum Concil. Vielfache Verwicklungen hatten dasselbe dringend nöthig gemacht; ja es erschien der Aufruhr des Crescentius und die Flucht des Papstes ein geringes Uebel im Vergleich zu dem, das der Kirche von anderen Seiten her drohte.

Noch immer waren die Bemühungen des hl. Abbo, den König von Frankreich in Bezug auf seine eigene Person zum Gehorsam zu bewegen, fruchtlos gewesen. K. Robert verharrte bei der von der Kirche verbotenen Ehe und trat eben deshalb auch nicht den Bischöfen entgegen, welche sich durch ihren Antheil an der Absetzung des Erzbischofs Arnulf die kirchlichen Censuren zugezogen hatten. Auf den Schutz des Königs rechnend, der bei seiner unrechtlichen Handlung ihrer bedurfte, wagten diese es daher, der Einladung, welche der Papst an sie zum Besuche des Concils von Pavia hatte ergehen lassen, zu

---

10) Ughelli It. sacra II. p. 270. Ist das in der Inschrift zu Reggio angegebene Datum richtig, so erfolgte die Einweihung der Kirche IX cal. Febr. (997) und die Vertreibung des Papstes hätte demnach bereits Anfang Januar d. J. statt finden müssen. Da jedoch die Inschrift, aus welcher die obige Nachricht herstammt, nicht aus der Zeit P. Gregor's selbst zu seyn scheint, so kann hier leicht ein Irrthum vorgegangen seyn. Es ist in Zeiten von so mangelhafter Kunde eben so sicher, sich in zweifelhaften Fällen für, als gegen eine solche Angabe zu entscheiden.

11) Bischof von Pavia war damals Guido Curtius; berühmter noch als er war der Bischof Johann von Modena, der sich auf's Lobenswertheste den Bemühungen des Papstes für Klosterzucht anschloß. It. sacr. II. p. 106. I. p. 1088.

trotzen und so den König selbst noch mehr in seinem Ungehor=
same zu bestärken. Selbst aber von der Unrechtlichkeit ihres
Schrittes erfüllt, hatten sie doch weder Muth noch Kraft, dem
Papste offen gegenüber zu treten und verfielen daher auf ein
Mittel, das jeden von ihrer falschen Stellung überzeugen
mußte. Sie sandten nämlich allem canonischen Herkommen
entgegen, anstatt selbst zu erscheinen und durch freiwillige Un=
terwerfung die Strafe von sich abzuwenden, einen Layen nach
Pavia, welcher dem Papste nichtssagende Entschuldigungsgründe
in ihrem Namen vortragen mußte[12]). Das Concil sprach da=
her Suspension von der bischöflichen Würde über die Schuldi=
gen aus, und verlangte, daß sie zu ihrer Rechtfertigung auf
der nächsten römischen Synode erscheinen sollten[13]). Namentlich
aber, und durch einen eigenen Canon, wurde der Bischof Adalbert
von Laon suspendirt, durch dessen Verrath Erzb. Arnulf in die
Hände seiner Feinde gerathen war, und der es ebenfalls verschmäht
hatte, zur Synode zu kommen und sich daselbst zu rechtfertigen.
Gestützt wurde dieser Beschluß auf eine Entscheidung Papst
Julius I, der gemäß selbst die Bischöfe des Morgenlandes,
welche es verschmähten, zu einer römischen Synode zu kommen,
abgesetzt werden, Bischöfe aber, welche ohne Wissen und Willen
des Papstes abgesetzt worden waren, in ihren Würden bleiben
sollten.

Mit derselben Entschlossenheit aber, mit welcher der Papst
die Rechte des römischen Stuhles den aufrührerischen Bischöfen
gegenüber verfolgte, bewahrte er auch die Rechte der gesamm=
ten Kirche gegen den König Robert. Er wurde mit allen
Bischöfen, die zu dieser Ehe ihre Zustimmung gegeben hatten,
von dem Concil zu würdiger Genugthuung aufgefordert und
hiezu die Bestimmung gefügt, daß sie, wenn sie sich nicht unter=
werfen würden, aus der Gemeinschaft der Gläubigen ausge=
schlossen werden sollten.

---

12) Capitula constituta a Gregorio Romano Pont. apud Mansi
XIX. p. 233.

13) Mansi l. c.

Nachdem der Papst auf diese Weise gezeigt hatte, daß, wie die Gesetze Gottes alle Stände gleichmäßig verpflichteten, so auch vor ihm, als dem Stellvertreter Christi auf Erden kein Ansehen der Personen gelte, wandte er sich der Untersuchung anderer Uebel zu, durch welche die Rechte der Kirche verletzt worden waren. Ein Unwürdiger hatte sich des Erzbischofs von Neapel bemächtigt und sich selbst durch Geld und Simonie an dessen Platz gedrängt. Die Synode erkannte, daß, wenn er nicht Genugthuung leiste, er mit dem Fluche der Kirche belastet werden solle. Zugleich ergriff sie diesen Anlaß, um einen Canon des P. Symmachus wieder in das Leben zu rufen und mit dem Fluche zu belegen, sowohl wer die Gaben des heiligen Geistes verkaufe, für die Weihe zum Bischof, Priester oder Diacon Geld gebe, nehme oder den Unterhändler dazu mache, als auch, wer immer, Bischof, Priester, Diacon oder Cleriker, während der Lebzeiten eines Papstes ohne dessen Wissen zur Wahl eines Andern seine Unterschrift ausstellen, einen Eid leisten, oder seine Stimme schon im Voraus zusagen würde. Ein solcher solle zugleich seines Amtes und der Gemeinschaft der Gläubigen beraubt und von Allen verflucht seyn. Wahrscheinlich bezog sich dieser Beschluß auf die Nachricht von neuen Umtrieben des Crescentius, die aber erst nach dem Schlusse des Concils völlig zur Reife gediehen zu seyn scheinen. Ehe aber die Synode gegen diesen einschritt, faßte sie noch einen Beschluß gegen Gisilher, Erzbischof von Magdeburg, der zum großen Unwillen des deutschen Volkes das Bisthum Merseburg erst verlassen, und sich durch unwürdige Mittel des Stuhles von Magdeburg bemächtigt, dann aber sein früheres Bisthum, an dessen Gründung sich das Andenken der Befreiung Deutschlands von den Ungarn knüpfte, mit Absicht zu Grunde gerichtet hatte. Der Papst berief ihn auf den nächsten Weihnachtstag zur Verantwortung nach Rom und bedrohte ihn mit Suspension, würde er Anstand nehmen zu kommen. Nichts aber war so sehr geeignet, die Gerechtigkeit des Papstes in schönes Licht zu stellen, als diese Handlung, wodurch endlich, nach dem allgemeinen Glauben, der gerechte Zorn Gottes gegen das Haus Kaiser Otto's II, der die Frevelthat des Bischofs stillschweigend

geduldet hatte, gesühnt und der nicht ganz zu entschuldigende
Antheil, welchen ein Vorgänger P. Gregor's an dieser Angele=
genheit gehabt, wieder gut gemacht wurde. Jetzt erst, nachdem
die übrigen Angelegenheiten der Christenheit erledigt waren,
traf die Reihe den Crescentius, den schuldbeladenen Sprossen
eines sündhaften Geschlechtes. Nach dem gemeinsamen Beschlusse
aller anwesenden Bischöfe wurde er, „da er die römische Kirche
bedrängt und geplündert, aus dem Schooße der heiligen römi=
schen Kirche und aller Gläubigen ausgeschlossen" [14]. Dann
wurde das Concil beendigt, dessen Acten der Papst und die
anwesenden Erzbischöfe und Bischöfe Johann von Ravenna,
Landulf von Mailand, Wido von Pavia, Blinwarmund von
Hippo, wahrscheinlich aus dem Geschlechte africanischer Vanda=
len, Sigfrid von Parma, Johann von Modena, Adam von
Turin, Andreas von Lodi, Johann von Genua, Constantin
von Albi, Albert von Brescia und Liutfred von Tortona unter=
schrieben. In einem eigenen Briefe meldete diese auch Papst
Gregor seinem Vicare in Deutschland, dem hochverehrten Erz=
bischofe Willegis von Mainz, und forderte ihn auf, mit den
deutschen Bischöfen den Concilbeschlüssen beizutreten. Dieß
geschah auch und zwar von diesen, wie von den Bischöfen der
gallischen und fränkischen Kirchenprovinzen [15].

Allein noch war das Maaß der Sünden des Crescentius
nicht voll. Um eben die Zeit, als P. Gregor das Concilium
von Pavia hielt, kehrte mit Schätzen beladen jener Johannes,
Erzbischof von Piacenza, an der Spitze der Gesandtschaft, die
der Kaiser nach Constantinopel geschickt hatte, von da nach
Rom zurück. Obwohl einst der Vertraute der Kaiserin Theo=
phania, und der den Kaiser wie den Papst aus der Taufe ge=
hoben, trug er, als er die Lage der Dinge in Rom gewahrte,
von Ehrgeiz verblendet, kein Bedenken, mit dem Feinde der
Kirche und des Kaisers, um den hl. Stuhl, den er für

---

14) Vgl. die Beschlüsse des Concils bei Waschersleben.
15) Crescentius — unde ab universis Episcopis Italiae, Germaniae, Franciae et Galliae excommunicatur. Ann Hildesh.
ad ann. 997.

erledigt hielt, zu feilschen. Gegen eine Summe[16]) Geldes war Crescentius seinerseits bereit, den verschmitzten Calabresen als Papst an Gregor's V Stelle aufzunehmen; Johannes schloß den Kauf ab und wurde nun wirklich als der XVIte dieses Namens von den Römern[17]) anerkannt. Sogleich wurden nun die übrigen Gesandten Kaiser Otto's in Fesseln gelegt. Da Johannes[18]), wie man glaubte, im Einverständnisse mit dem griechischen Kaiser handelte, um diesem die Krone des Abendlandes wieder zu verschaffen, war durch diesen einzigen Schritt die Freiheit der Kirche, die ganze Ordnung der Abenlandes seit Jahrhunderten, die Entwicklung des germanischen Elementes im Innersten bedroht.

Aber der Afterpapst war schon durch die Beschlüsse des Concils von Pavia gleichsam im Voraus geächtet und selbst seiner erzbischöflichen Würde beraubt; je ungerechter hiedurch seine Sache, je schändlicher sein Betragen war, desto würdevoller war das Benehmen des in der Verbannung weilenden, rechtmäßigen Papstes.

Nachdem P. Gregor die Nachricht von diesen neuen Unbilden erhalten, erließ er ein Breve an den vortrefflichen Erzbischof Johann von Ravenna[19]). „Er fühle sich, schrieb er in demselben, in Erwägung der allgemeinen Spaltungen[20]), welche zu seinem großen Bedauren in der katholischen Kirche entstanden seyen, gedrungen, dem Erzstifte zu Hülfe zu kommen, und wolle daher der Kirche von Ravenna die von Piacenz,

---

16) Bernardi Guidonis vita Gregorii V: Crescentius consul urbis Placentinum Episcopum cum magna pecunia redeuntem in papatum intrusit. ejusd. vita Johannis XVII (XVI): vivente Papa Gregorio per consulem urbis papatum habuit dando pecuniam. Vgl. Beilage N. XI.

17) Romani Gregorium — foras — ejecerunt et Johannem Graecum elegerunt. Cod. Estens. bei Murat. S. R. J. III. 2. p. 357.

18) Placentinus Episcopus — de quo dictum est, quod Romani decus Imperii astute in Graecos transferre tentasset. Arnulfi hist. Mediol. I. c. 11.

19) Mansi XIX. p. 200.

20) Haereses.

welche P. Johann XV unrechtmäßiger Weise von ihr getrennt
und den Aussprüchen der Canonen entgegen (an den Calabresen
Johannes) vergeben habe, für immer zurückgeben; gleichfalls
solle, den Bitten des Erzbischofs zu willfahren, das Bisthum
Monte Feretro dem Erzstifte Ravenna als suffragan unterworfen werden, Niemand aber, bei Verlust der Gemeinschaft am
Reiche Gottes, es wagen, sich diesem Beschlusse entgegenzusetzen." So sehr aber wußte sich der Papst zu mäßigen, daß
er, obwohl als Mensch wie als Oberhaupt der Kirche gleich
tief gekränkt, bei so directer Veranlassung seinen Gegner in
dieser Bulle weder nannte, noch in irgend einer Anspielung
seiner gedachte, und ruhig die Pflichten seines Amtes auszuüben
fortfuhr. Um eben diese Zeit ereignete es sich, daß der Abt
des Klosters von Mont Majour bei Arles in der Provence
starb. Nach dreitägiger Berathung beschloßen die Mönche,
denen die Abtwahl zustand, einen Zögling ihres Klosters, den
Bischof Ricolf von Frejus, zu ihrem Vorstande zu erwählen[21]).
Da aber dieser die ihm zugedachte Würde als unverträglich
mit den Pflichten seines früher übernommenen Amtes ablehnte,
wandten sich die Mönche an P. Gregor und baten ihn, dem
Bischofe die Dispens zu ertheilen. Ehe sie jedoch auf ihr Begehren Antwort erhalten konnten, bemächtigte sich ein Mönch
vom Kloster des hl. Aegidius mit Hülfe der Grafen von Provence und anderer Fürsten gewaltsam der Abtei, und bedrohte
die Mönche mit Vertreibung aus dem Kloster, wenn sie ihm
ihre Stimmen zur Abtwahl nicht geben wollten. Diese aber
verließen lieber ihre Cellen, als daß sie solche Gewaltthat gut
geheißen hätten, und wandten sich nun mit einer Klagschrift an
den Papst. Sie beriefen sich darin auf die Privilegien von
Mont Majour, auf ihr Recht zur freien Wahl eines Abtes,
schilderten das ihnen widerfahrene Unrecht und schloßen mit der
Bitte, der Papst möchte sie von dem Eingedrungenen befreien.
Hatte der Papst früher mit der Dispensation gezögert, so lange
sie nicht unumgänglich nöthig zu seyn schien, so erfüllte er nun
die Bitte der bedrängten Brüder desto williger. Er entfernte

---

21) Mabillon annales LI. c. 55. Baluz. miscell. IV. p. 432.
Höfler, die deutschen Päpste. 9

ben eingebrungenen Mönch, ertheilte dem Bischof Ricolf die gewünschte Erlaubniß und im nächsten Jahre dem Kloster selbst die Bestätigung seiner Privilegien.

Während Papst Gregor auf solche Weise auch in der Verbannung bewies, daß die ihm widerfahrene Gewalt ihn nicht an Ausübung seiner Pflichten als Leiter der Kirche zu hindern vermöge [22]), fuhr der Gegenpapst zu Rom in der von ihm eingeschlagenen Bahn des Verbrechens fort. Durch Simonie auf den heiligen Stuhl der Gregore erhoben, trug er kein Bedenken, was er selbst geübt, auch anderen zu gestatten. So ertheilte er dem Mönche Hugo [23]), einem Mann von unternehmendem, aber hochfahrendem, weltlichem Sinne, für Geld die Abtei Farfa, unbekümmert, daß gemäß dem erst von Kaiser Otto III bestätigten Herkommen des Klosters der Abt nur gemeinsam von Papst und Kaiser, nicht aber von Einem allein, und wäre er auch rechtmäßiger Papst, ernannt werden konnte. Manche Unthat mag er sonst noch geübt haben, die die Geschichte nicht näher bezeichnet, als Abt Nilus, welcher lange Zeit in der Einsamkeit Gott gedient, dann in der Nähe [24]) von Rom griechische Mönche um sich versammelt hatte und ihnen nach der Regel des hl. Basilius den Weg des Heils zu wandeln wies, zu versuchen beschloß, ob nicht Bitten und Vorstellungen der ärgerlichen Spaltung in der Kirche und den

22) Selbst nach Subiaco, nur 45 Miglien südöstlich von Rom erstreckte sich die Wirksamkeit P. Gregor's während seiner Verbannung. Vgl. Georgius ad Baron. 996. ed. Lucae 1744. t. XVI. pag. 349. not. 2., woraus auch erhellt, daß der Cardinalbischof von Albano (also auch wohl die übrigen Cardinäle) um den Papst waren.

23) Chronic. Farfense p. 492 mit den beigefügten Noten Muratori's. Vgl. auch de destructione monasterii Farfensis in antiqq. ital. VI. p. 283. Hugo wurde nach den dortigen Angaben ungefähr im October 997 Abt von Farfa. Fälschlich legt Baronius dem Gegenpapste auch Eingriffe in die Gerechtsame des Erzbischofs von Tours zur Last, sich, freilich begütigend, auf Glab. Rod. II. 4 stützend, dessen Erzählung um 10 Jahre später zu datiren ist. Vgl. Bouquet X. p. 15. Baron. ann. 996. XXI.

24) Baronii annales. 996. XVI. Vita S. Adalberti I. p. 19.

Unthaten des Johannes vielleicht noch ein friedliches Ende her-
beiführen könnten. Er sandte deshalb ein Schreiben an Johannes, der ihm als Landsmann lieb und theuer war, und
forderte ihn auf, er möge, so lange es noch Zeit sey, reumüthig
den Wechsel menschlicher Dinge bedenken, auf sein sündbeflecktes
Leben sehen, und lieber in freiwilliger Entsagung sein ewiges
Heil durch Buße in einem Kloster, als in allgemeinem Aergerr-
nisse die vergängliche Ehre eines ungerechten Pontificats zu
genießen trachten. Aber alle Warnung war bei Johannes
vergeblich. Wie er freiwillig aus Ehrgeiz und Hochmuth die
Mahnung des Gewissens mit Füßen getreten hatte, als er der
gesammten Christenheit das Aergerniß eines Schisma's bereitete, so ward nun zur Strafe auch sein Auge verblendet,
daß er den Abgrund nicht sah, der sich bereits vor ihm auf-
that, und die Ermahnungen des heiligen Mannes wirkungslos
an ihm vorübergingen.

Allmälig neigte sich so das Jahr 997 zu seinem Ende.
Der Kaiser hatte nach Beendigung des Slavenkriegs auf die
Kunde von den Ereignissen zu Rom einen neuen Heereszug
nach Italien beschlossen und ging [25]), nachdem er seiner Muhme
Mechthilde die Sorge des Reiches anvertraut hatte, mit einem
zahlreichen deutschen Heere mitten im Winter über die Alpen.
Schon am 5. Januar des Jahres 998 war er in Pavia[26]),
wo er sich mit dem Papste besprach, welchen um dieselbe Zeit
auch sein Vater, Herzog Otto von Kärnthen, daselbst heimgesucht hatte[27]). Nachdem das deutsche Heer in Pavia gerastet
hatte, führte es der Kaiser, von dem Papste begleitet, über
Cremona nach Ravenna; nur wenige Tage noch, und das Heer
stand schon schlagfertig im Angesichte Rom's. Diese Stadt,
von Natur aus fest, war damals vollends uneinnehmbar.
Mochten 15 Thore zu ihrer Vertheidigung zu viel erschei-

25) — Otto — ut Romanorum sentinam purgaret, Italiam perrexit. Ann. Hildesh. a. 997.
26) Muratori annali d'Italia V. p. 507. Böhmer's Regesten ad
a. 998. Murat. antiqq. ital. III, p. 741—744.
27) Muratori annali V. p. 506 e 509.

9 *

nen [28]), so warb jeder Angriff durch die große Anzahl von
Mauerthürmen und kleineren Vertheidigungswerken [29]), deren
an 6800 gerechnet wurden, nicht blos erschwert, ja das Erstür=
men fast unmöglich gemacht [30]). Außer 46 Castellen zählte
man im Innern von Rom noch 381 Thürme, welche der Stadt
ein so kriegerisches Ansehen gaben, daß die Schriftsteller dieser
Zeit weniger von der Stadt Rom als von den römischen Bur=
gen sprechen [31]). Solch ungewöhnlichen Vertheidigungsan=
stalten entsprach aber auch der noch nicht völlig hingeschwun=
dene Glanz der alten Kaiserstadt. Zeigten 20 Klöster für Nonnen,
40 für Mönche, 60 für Canoniker [32]) von dem nun geisti=
geren Sinne ihrer Bewohner, so bewiesen die colossalen Reste
zahlreicher Prachtgebäude, von denen so viele seitdem spurlos
verschwunden sind, die ungleich größere Macht der dahinge=
schwundenen Gebieter der Welt, ein doppelter Sporn für die
Deutschen, ihrem Gebieter den Besitz der Stadt zu verschaffen,
die nun den Erdkreis auf's Neue, aber in Frieden beherrschen

---

28) Vgl. Bunsen und Platen's Beschreibung von Rom I. p. XV:
Mittheilungen von Pertz aus dem MS. des Mönches Benedict von
M. Soracte aus dem zehnten Jahrhunderte.

29) Pugnaculi (!) nennt sie Benedict. Zinnen?, es waren aber auch
Thürme auf den Mauern.

30) Der anonym. Einsiedl. zählt nur allein a porta S. Petri cum
ipsa porta usque portam flamineam turres 16, propugnacula
782, posternas 3, necessariae (sic!) 4, fenestrae majores forin-
secus 107, minores 66. A porta flaminea cum ipsa porta usque ad portam pincianam clausam turres 29, propugnacula 644,
necessariae 3 etc. — in Allem 387 turres, 7070 propugnacula,
5 posternae (Ausfallpforten?), 116 necessariae, 2046 fenestrae
majores (große Schießscharten für Wurfgeschoße?), 2145 fenestrae
minores. Cf. Mabill. analect. t. IV. p. 514—516. Beil. N. XII.

31) Arces Romanae. Liutprand u. A.

32) Arnolfi comitis lib. II. de S. Emmerano, in Canisii lect. antiq. ed. Basnage III, 1. p. 137. — exceptis his quae extra
civitatem sunt et aliis ecclesiis sive capellis,
quae in urbe abundant. Die größeren Kirchen, wie St.
Johann im Lateran, St. Peter ꝛc. waren fast sämmtlich Klosterkir-
chen. Vgl. auch vita B. Ramuoldi bei Mabill. AA. SS. ord.
S. Bened. saec. VI. p. 20.

follte. Sie fahen die Kaiferpaläfte auf dem Palatin [33]) und dem Capitol, den ehemaligen Palaft Conftantins im Lateran [34]), welcher, vorher die Refidenz P. Gregor's, nun dem verhaßten Gegenpapft zum Aufenthalte diente; aber noch 14 andere Paläfte [35]) größeren Umfangs wurden um diefe Zeit in Rom gezählt, da das Volk in den prächtigen Ueberreften der altkaiferlichen Fora eben fo viele Paläfte erblickte. Der großen Triumphbogen waren allein 10 vorhanden [36]); noch ftand der größte der römifchen Cirken zwifchen dem Palatin und dem aventinifchen Berge, deffen Trümmer jetzt des Fremden Auge vergeblich fucht. Zwifchen dem Cölius und dem Palatin prangte noch das Septizonium [37]), ein herrlicher Bau, mit fieben Säulenreihen über einander gegürtet, aber an Umfang und Größe noch weit von dem Colifeum übertroffen, das nur wenige Schritte davon entfernt, den von Martyrerblut getränkten Kreis noch faft unverfehrt umfchloß. Nicht waren damals die Thermen des Titus, des Diocletian und Caracalla mit ihren ungeheuren Mauern, ihren bemalten Gängen, die köftliche Statuen bargen, ihren prächtigen Fußböden vom fchönften Mofaik, ihren hohen, gewaltigen Säulen, die einzigen ihrer Art; man zählte noch 7 andere [38]), die, wie fo vieles diefer Art erft die Ungunft fpäterer Jahrhunderte vernichtete. Viele Tempel waren in Kirchen verwandelt [39]), oftmals mitten in Ruinen

33) Chronic. Camerac. c. 114. nennt antiquum palatium quod est in monte Aventino, es ift dieß aber wohl nur eine Verwechslung des aventinifchen mit dem palatinifchen Berge. Bouquet X. p. 197 A. Benzo II. c. 1.

34) Acta Sancti Nili ap. Baron. annal. 996 XVII nennen es Patriarchium.

35) Cf. liber de mirabilibus urbis Romae bei Montfaucon diar. ital. S. 284. Parietina (palatii Romuli) licet semiruta ex magna adhuc parte cernuntur. S. Petri Dam. epl. II, 16.

36) Descriptio regionum urbis (Anonym. Einsiedlensis) ap. Mabill. annal. IV. Beilage N. XII.

37) Montfaucon diarium italicum S. 142. 144.

38) Zufammenzählung aus der descriptio und dem liber de mirabilibus.

39) A Rome il existe encore aujourd'hui plusieurs églises, qui

Kirchen gebaut worden; dieß schützte viele Reste des Alter=
thums vor gänzlicher Zerstörung und verlieh der ewigen Stadt
jenen erschütternden Eindruck von dem Siege des lange ge=
schmähten Kreuzes über heidnische Größe und die Götter des
Wahns.

Ueber der verlorenen Kenntniß der alten Welt hatte sich
die Sage bereits Bahn gebrochen und erfüllte, dem Epheu
gleich, der zwischen den Ruinen rankt, die Reste dahingeschwun=
dener Zeiten mit neuem Leben. Die Meisterwerke der Kunst,
welche Gothen und Byzantiner verschont hatten, hatte die tiefer
gewurzelte Kraft des christlichen Sinnes ihrer früheren Gefähr=
lichkeit beraubt; nicht mehr Wohnungen der Dämonen, seitdem
mit dem Blute der Martyrer ihre verführerische Kraft getilgt
worden war, blieben sie jetzt ruhig auf den Stellen, wo sie in
den Fluthen der Völkerwanderung entweder eine zerstörende
Hand hingeworfen oder ein glückliches Ohngefähr unbeschädigt
gelassen hatte. So lagen auf dem Quirinal 2 Statuen⁴⁰),
angeblich des Saturn und des Bacchus auf der Erde; nicht
weit davon standen noch jene beiden sich bäumenden Pferde⁴¹),
von 2 rüstigen Jünglingen gehalten, von den Neuern als
Werke griechischer Kunst bewundert, in jenen Zeiten nicht ohne
geheimes Grausen betrachtet. Denn von ihnen ging die Sage⁴²),

---

sont d'anciens temples paiens et 39 qui ont été élevées sur les
fondations de temples. (Marangoni.) Il n'est aucun pays de
l'Europe ou l'on ne trouve de pareils exemples. Il font re-
marquer que presque toutes ces transformations eurent lieu
à partir de la fin du cinquième siècle. Beugnot II. p. 266 a.

40) Mirabil. S. 295. n. 25.; eine Marsstatue lag ante privatam
custodiam Mamertini. Mjr. S. 293, 21. Vgl. n. 46.

41) De mirabilibus. S. 289.

42) Lib. Cencii Camerarii in bibl. Vallicell. MS. J. 48. S. 79.
Caballi marmorei ad quid facti fuerunt nudi et quid nuncient
et quid sit, quod ante caballum quaed. femina circumdata
serpentibus sedet habens concam ante se : temporibus Tyberii
Imp. venerunt Romam duo Philosophi juvenes Praxitellis et
Fidiae (sic). Quos Imper. cognoscens tantae sapientiae charos in
palatio suo habuit. Qui dixerunt ei esse se tantae sapientiae
ut quidquid Imp. eis absen' in die vel in nocte consiliaretur,

Kaiser Tiberius habe diese Statuen errichten lassen, 2 Jüng-
lingen zu Ehren, die Phidias und Praxiteles geheißen und, mit
jeglicher Weisheit erfüllt, ihm, was er gedacht, verkündet hatten.
Er habe sie aber nackt abbilden lassen, weil alles menschliche
Wissen vor ihnen nackt und offen war; die Pferde sollten die
Macht weltlicher Größe bedeuten, welche von der himmlischen
Weisheit bezähmt und überwunden wird; eine weibliche Statue
zu den Füßen der Jünglinge, mit Schlangenhaar und einem
Becken vor sich, stellte die Kirche vor, die Niemand zu hören
vermag, er habe denn die Taufe empfangen, die das Becken
bedeutete. An dem Triumphbogen des Kaisers Severus stand
die Reiterstatue[48] Kaiser Constantins; berühmter als sie wurde
das Erzbild Mark Aurels zu Pferde, an welchem unter dem
aufgehobenen Hufe des Pferdes noch die Statue eines orien-
talischen Königs zu sehen war, von dem das Volk erzählte[44]),

ei usque ad unum verbum dicerent. Dixerunt itaque ei:
Dne. Imp. quicquid nobis absen' in die vel in nocte in camera
tua dixeris, dicamus tibi usque ad unum verbum. Quibus
Imp. ait: si facitis quod dixistis, dabo vobis quicquid vultis.
Qui respondentes dixerunt: nullam pecuniam sed nrorum memoriam postulamus. Veniente altero die per ordinem retule-
runt Impri., quicquid pterita nocte consiliatus est. Unde fecit
eis promissam praelibatam memoriam eor. sicut postulave-
runt: equos nudos videlicet qui calcant terram i. potentes principes hujus seculi, qui dominantur hominibus hujus mundi.
Veniet Rex potentmus., qui ascendet super equos i. super potentiam hujus seculi. In hoc seminudi, qui stant juxta equos
et altis brachiis et replicatis digitis nunciant ea, quae futura
erant, et sicut ipsi sunt nudi, ita omnis mundalis scientia nuda
et aperta est mentibus eorum: femina circumdata serpentibus
sedens habens concam ante se; predicatores qui predicabunt
eam, ut quicunque ad eam ire voluerit, non poterit nisi prius
lavetur in conca illa.

43) Beschreibung von Rom III. 1. S. 657.
44) Später unter P. Clemens III wurde die eherne Reiterstatue nach
dem Lateran gebracht, wohin im Mittelalter die schönsten Denkmäler
des Alterthums gebracht wurden. Vgl. Beschreib. v. Rom III. 1.
S. 507. Lib. Cencii p. 80. Mirab. S. 296.

er habe Rom belagert, sey aber durch List von einem tapferen
Römer, dessen Standbild jene Reiterstatue sey, gefangen und
in die Stadt gebracht worden. Von einer marmornen Pferde=
statue [45]) hatte der ältere Crescentius seinen Beinamen; vergol=
dete Pfauen [46]), wahrscheinlich vom Grabmale Adrian's, standen
mit andern Werken des Alterthums an dem Cantar des Para=
dieses der St. Peterskirche [47]); vor dem Thore des hl. Petrus
war der colossale Pinienzapfen aufgerichtet, der früher die
Oeffnung des Pantheon schloß und einem goldenen Berge glich.
Die Menge umherliegender Säulen und Säulentrümmer hat
Niemand gezählt. Wie aber unter den Denkmälern des Alter=
thums an Pracht und Herrlichkeit das Capitol [48]) und das
Mausoleum Augusti selbst noch in ihrem Verfalle alle übrigen
überragten, so erhob sich über alle Gebäude von Rom, ja des
ganzen Erdkreises durch Reichthum und Schönheit, Verehrung,
Glanz und Herrlichkeit die Kirche des Fürsten der Apostel [49]),
das ersehnte Ziel unzähliger Pilger, die aus allen Theilen des
Abendlandes in jedem Jahre hier zusammenströmten. Jahrhun=
derte lang hatte sich die Frömmigkeit der Päpste selbst beraubt,
um dieses Heiligthum zu zieren; die herrlichsten Säulen, die
kostbarsten Fußböden waren aus den Prunkgebäuden des Alter=

---

45) Liutprand VI. Wahrscheinlich standen auch die berühmten vier
Pferde der Marcuskirche zu Venedig an einem öffentlichen Platze zu
Rom. Montf. diar. it. p. 51.

46) Mirabil. S. 291. Beschreibung von Rom II. 1. S. 118. 119.
Vgl. die Angaben bei Montfaucon (passim) über die noch zu seiner
Zeit in Rom herumliegenden Statuen, z. B. de colossorum per ur-
bem reliquiis. Diar. ital. p. 149. 150.

47) Mirab. S. 287. 291.

48) Mirab. S. 288. 291. 292. Auf dem Capitol stand der Palast
Octavian's, zu welchem die fremden Gesandten geführt wurden.
Benzo II. c. 1.

49) Vgl. Bunsens Beschreibung der Peterskirche, im zweiten Bande
der Beschreibung von Rom, und die vitae Paparum bei Anastasius.
Viele Personen wallfahrteten jährlich Einmal nach Rom. Cf. Chr.
Ademari Cabanens. bei Bouq. X. p. 149., auch stieg die Zahl der
Kirchen die dem hl. Petrus gewidmet wurden, in den verschiedenen
Ländern mit jedem Jahre.

thums hieher gebracht worden; prächtige Mosaiken schmückten die Außenseite; Thüren, mit Silberplatten belegt, führten ins Innere, das goldene und silberne Leuchter und Gefäße, marmorne Tafeln und zur Andacht stimmende Wandgemälde zierten; nie erloschen die Lampen am Grabe des Heiligen, den mit Rom die ganze Christenheit als Haupt der Kirche mit glühender Inbrunst verehrte, und in dessen Nähe die irdischen Reste Kaiser Otto's II ruhten.

Südlich von der Kirche des hl. Petrus, außerhalb der Stadt, aber mit ihr einst durch einen Säulengang [50]) verbunden und durch ein eigenes Castel geschützt [51]); prangte die Kirche des hl. Paulus, mit kaum minderer Sorgfalt von Päpsten und Kaisern geschmückt, mit dem heiligen Leichname des Apostels, den die Christenheit [52]) von Anfang an in unzertrennlicher Einigung mit dem hl. Petrus als Gründer und Beschützer der Kirche von Rom verehrte. Seitwärts von beiden hochheiligen Kirchen, auf dem südlichsten Hügel der Stadt, seit undenklichen Zeiten mit den Häuptern der beiden Apostel geziert, deren weitere Reste ihre Kirchen verwahrten, erhob sich das Sion

---

50) Beschreibung von Rom III. 1. p. 444.

51) S. Pauli munitio. Diese Burg schützte Rom gegen Süden, wie die Engelsburg gegen Norden und Westen; wahrscheinlich lag sie auf der Anhöhe zur linken Hand von der Kirche. Man theilte sogar die Stadt in oppidum Petri et Pauli ein. Benzo II. 15.

52) Per Joannem, schrieb der hl. Petrus Damiani ep. II. 16., contemplativa, per Petrum vero activa (praesens) vita signatur. — Unum vero in B. Paulo videtur egregium, quia cum omnes Apostoli distributi terrarum regionibus proprias obtineant cathedras, iste dum nullam specialiter teneat, videtur aliquatenus communiter omnibus praesidere. Plane quia ipse toto terrarum orbe universalem fundavit ecclesiam, dignum est, ut sicut in omnibus fidei semen sparsit, sic etiam in omnibus jus teneat praesidentis. — Liquet ecclesiarum ordinem esse dispositum juxta privilegium Petri, non secundum incomparabilem excellentiam redemtoris. Deshalb ist auch nicht Jerusalem die erste, sondern die fünfte Kirche der Christenheit. St. Paulus aber nimmt auf Bildern den rechten, St. Petrus den linken Platz ein. Epl. II. 1.

des neuen Bundes, die ehrfurchtgebietende Kirche des Erlösers im Lateran, Rom's bischöfliche, des Erdkreises erste Kirche [53]). Hier ruhten schon damals neben den zahlreichen Resten heiliger Martyrer und Apostel die theuersten Pfänder aus frömmeren, besseren Tagen. Die Kirche zu zieren, die der erste der christlichen Kaiser gebaut, hatte die hl. Helena, Constantin's Mutter, was sie in Jerusalem Heiliges gefunden, hieher gebracht; unter 4 Säulen von rothem Porphyr an dem Hauptaltare der Kirche, wo dem Papste allein das hl. Opfer darzubringen gestattet war, ruhte, so wurde gesagt, des Heiligsten Heiligstes, der Tabernakel des alten Bundes, nach dessen Maßstabe der obere Altar errichtet war. Dieser selbst war von Holz und mit Silber bedeckt; ein siebenarmiger Leuchter stand auf ihm. Man glaubte, es sey der des Tempels von Jerusalems. In dieser Kirche allein, wo so viele Gnadenschätze aufgehäuft ruhten, war es, daß bei der Messe die 3malige Friedensbitte unterblieb, weil der Heiland, der Inbegriff des Friedens, als in ihr

---

53) Lateranensis ecclesia, sicut salvatoris est insignita vocabulo, qui nimirum omnium caput est electorum, ita mater et quidem apex et vertex est omnium per orbem ecclesiarum; haec VII cardinales habet episcopos, quibus solis post Apostolicum sacrosanctum illud altare licet accedere ac divini cultus mysteria celebrare. — Haec — culmen ac summitas totius christianae religionis effecta, ut ita dixerim ecclesia est ecclesiarum et sancta sanctorum. Habet autem altrinsecus B. B. Apostolorum Petri et Pauli diversis quidem locis constitutas ecclesias, sed sui compage sacramenti, quia videlicet in quodam meditullio posita, quasi caput membris supereminet, indifferenter unitas. His itaque tanquam expansis divinis misericordiae brachiis summa illa et universalis ecclesia omnem ambitum totius orbis amplectitur, omnes qui salvari appetunt, in maternae pietatis gremio confovet et tuetur. Hac Jesus, summus videlicet pontifex, arce subnixus totam in orbe terrarum ecclesiam suam in sacramenti unitate confoederat, ut unus sacerdos, una merito credatur ecclesia. Epl. S. Petri Dam. II. 1. Cf. Jobannis Diaconi liber de ecclesia lateranensi apud Mabill. Mus. ital. II. p. 563, eine zur Kenntniß Rom's unentbehrliche Schrift.

befindlich, sie selbst die himmlische Kirche vorstellend, gedacht wurden; hier hielten auch die 7 Cardinalbischöfe der römischen Kirche, jede Woche ein anderer, den feierlichen Gottesdienst. Wie aber vor 100 Jahren die Römer selbst dieser Kirche nicht geschont und die alten Weihgeschenke heiliger Päpste und frommer Kaiser zu gottesräuberischen Zwecken verwendet hatten, so rührte auch jetzt alle Herrlichkeit das Gemüth des Calabresen Johannes nicht. Mit unreinem Herzen wandelte er mitten im Heiligthum, das er schändete.

So war die Stadt, die jetzt im Angesichte des deutschen Heeres lag, das wahrscheinlich auf dem linken Tiberufer herangerückt war. Mit einer Bevölkerung versehen, die an die Waffen gewöhnt war, drohte bei noch größerer Schuld der Kampf um die Stadt noch heftiger und verderblicher zu werden, als er unter dem Ahnherrn Kaiser Otto's III geworden war. Aber die Vorsehung hatte es anders beschlossen. Von der Last seiner Verbrechen gedrückt, verließ der Gegenpapst bei der Annäherung des deutschen Heeres die Stadt und suchte sein Heil in eiliger Flucht; Crescentius zog sich in die wohlbefestigte Engelsburg zurück, die Römer öffneten dem anrückenden Heere die Thore und nahmen Papst und Kaiser mit großen Ehren bei sich auf. Schon vor dem 22. Februar des Jahres 998 waren sie bereits wieder in Rom und feierten in Ruhe und angemessener Würde daselbst den Rest der Fasten und das Auferstehungsfest des Erlösers [54]).

Kaum war aber den Deutschen die Kunde von der Flucht des Gegenpapstes zugekommen [55]), so eilte ihm auch schon Birthilo [56]), von des Kaisers Vasallen Einer, mit mehreren Anderen nach. Als sie ihn eingeholt hatten, warfen sie sich von Ingrimm über ihn erfüllt und aus Furcht, er möchte, wie früher Crescentius, der wohlverdienten Strafe entkommen, über ihn her, hieben ihm Nase und Ohren ab, stachen ihm die Augen aus, und führten ihn so verstümmelt nach Rom, wo er in den

54) Thietmar. (IV. p. 83. ed. Wagner.)
55) Chronograph. Magdeb. ad a. 995.
56) Vita Gregorii P. in catalogo Summ. Pontif. ap. Eccard. S. Beilage N. XI.

Kerker geworfen wurde. Davon hörte Abt Nilus; nochmals beschloß er, die Rettung seines Landsmannes zu versuchen, und begab sich daher, obwohl hochbetagt und krank[5]), noch während der Fasten selbst nach Rom. Auf die Nachricht, Abt Nilus habe seine Einsiedelei verlassen und nähere sich Rom, eilten Papst und Kaiser dem ehrwürdigen Manne, der den hl. Adalbert gekannt und in das Kloster auf dem aventinischen Berge gewiesen, dann unter den traurigen Verhältnissen des verflossenen Jahres keine Mühe gescheut hatte, der Kirche wieder Frieden zu geben, entgegen, küßten ihm voll Demuth die Hände und führten ihn in ihrer Mitte in den päpstlichen Palast. Nachdem sie dort angekommen waren, wandte sich der Abt zu ihnen und legte ihnen den Grund seiner Reise vor. „Nicht um irgend eine Ehre für mich zu erbitten, sprach er, kam ich zu Euch: selbst dem Tode nahe, war es nur Eures unvergänglichen Ruhmes willen, daß ich hieherzog. Ueberlaßt mir jenen blinden, unseligen Mann, der, einst der Vertraute einer Kaiserin, Euch aus der hl. Taufe hob, Euch selbst der Erlösung aus der Nacht der Sünden theilhaftig machte, jetzt aber herabgestürzt von dem Gipfel des Glücks, in trauriger Finsterniß der Verzweiflung Preis gegeben ist. Gebt ihn mir, anstatt ihn im Kerker verschmachten zu lassen. Gemeinsam wollen wir den Rest unserer Tage zubringen, unsere Sünden zu betrauern, und Verzeihung bei Dem zu erflehen, der seine Gnade weder dem Reumüthigen noch dem Barmherzigen verweigert." Durch diese Worte bis zu Thränen gerührt, versprach der Kaiser, die Bitte des Abts zu erfüllen, würde er selbst in Rom bleiben und ein Kloster unter seine Aufsicht nehmen wollen, und, als der fromme Mann nicht zu bewegen schien, im Geräusche der Stadt zu leben, vereinigte auch der Papst seine Bitte mit der des Kaisers, und beide drangen nun gemeinsam in ihn, das Kloster des hl. Anastasius zu übernehmen, das, in einer einsamen Gegend Roms gelegen, immer von griechischen Mönchen bewohnt worden war. Dieß war dem Abte genehmer; er gab seine Zusage und Johannes wurde bereits aus dem

---

57) Baronii annal. 996. XVI—XIX.

Kerker herbeigeholt, als die ganze Sache plötzlich eine andere
Wendung nahm. Ungeachtet Johannes in Folge des Concil-
beschlusses abgesetzt und der Größe seines Vergehens gemäß
der priesterlichen Würde beraubt worden war, hatte er sich
dieser dennoch nicht begeben und erschien jetzt, anstatt im Kleide
eines Büßers, in priesterlichem Gewande vor dem Papste. Als
ihn dieser so angethan erblickte, wallte in ihm die Gluth der
Empfindung über die Gräuelthaten des unbußfertigen Mannes
auf, er schritt auf Johannes zu, zerriß ihm das Kleid, das er
geschändet hatte, und befahl, ihn wieder hinwegzubringen. Kaum
war er aber aus dem Angesichte des Papstes gebracht worden,
so ergriffen ihn nun die Römer und führten ihn, wie vor 31
Jahren ihren Stadtpräfecten Petrus, einen Schlauch auf
dem Haupte, auf einem Esel sitzend, unter Spott und Hohn
durch die Stadt, zuletzt in den Kerker zurück. Abt Nilus hatte
sich bei dem Anblick der Entrüstung des Papstes schweigend
entfernt; der Kaiser, der es bemerkte, sandte ihm einen Erzbischof aus seinem Gefolge nach, ihn über das Vorgefallene zu
besänftigen. Unmuthig wandte sich an diesen der Abt und
hieß ihn dem Papste und dem Kaiser sagen: „was nun geschehen, sey eine Beleidigung, nicht seiner, sondern Gottes gewesen, um dessen Liebe willen sie ihm den Calabresen bereits
überlassen hätten. Wie sie dem nicht Barmherzigkeit erwiesen,
den Gott in ihre Hände gegeben, würde der himmlische Vater
auch ihrer nicht schonen." Dann entfernte er sich aus Rom;
Johannes endigte im Kerker sein schmachbedecktes Leben. In
wie ferne aber die Drohung des Abtes an Papst und Kaiser,
die beide in der Blüthe ihrer Jahre starben, in Erfüllung ging,
ziemt menschlichem Verstande kaum zu entscheiden [58]).

---

58) Dem Biographen des hl. Nilus zufolge, welcher dem Papste noch
weit übler will, als dem Kaiser, soll P. Gregor für sein Vergehen,
den Griechen gezüchtigt zu haben, entsetzlich bestraft worden seyn:
die Römer hätten ihn als einen Tyrannen nochmals vertrieben (ut
a quibusdam audivi qui haec dicebant), der Augen beraubt und
so sey er begraben worden. Zum Unglücke aller derjenigen,
welche die Rache Gottes immer gleich auf solche herabrufen möchten,

Um eben diese Zeit bestätigte P. Gregor dem Erzbischof
Alphan von Benevent [59]), welchem er, wahrscheinlich am Oster-
sonntage, die Consecration ertheilt hatte, auf dessen Bitten die
Privilegien seines Erzstiftes, wie sie von P. Johann XV dem
Erzb. Johannes bestätigt worden waren; er ertheilte ihm das
Pallium, bekräftigte ihm die 7 Suffraganbisthümer seines
Sprengels, die Kirche des hl. Michael auf dem Berge Garga-
nus, die zu Sipont, wie alle übrigen Güter seines Erzstiftes,
und erlaubte seinem gleichnamigen Neffen, nach dem Tode des
Oheims das Erzbisthum mit allen dazu gehörigen Rechten und
Würden anzutreten. [60]). Auch der Abtei des hl. Ambrosius
bestätigte P. Gregor um diese Zeit durch ein Diplom ihre
Güter und Privilegien, in welchem er wohl nicht ohne Jubel
in seinem Herzen bei jenen Worten besonders verweilte, mit
denen der Heiland den hl. Petrus zum Haupte seiner Kirche
erklärte und die Verheißung aussprach, daß die Pforten der
Hölle sie nicht überwältigen würden [61]). Der Kaiser aber ent-
setzte den eingedrungenen Abt Hugo von Farfa, und übergab
die Abtei einem anderen Hugo als Pfründe, jedoch so, daß
Herpho, ein Liebling Otto's, in der Abtei selbst bleiben sollte.
Da sich aber nun die Mönche von Farfa, deren Loos sich durch
diese Anordnung nur verschlimmern konnte, auf das Nachdrück-
lichste für den entsetzten Abt verwandten, nahm ihn der Kaiser
wieder in Gnaden auf und verlieh ihm nun selbst die Abtei;
erneute aber das aus alten Zeiten stammende Gebot, daß

---

denen nur sie übel wollen, und zur Schande dieses Biographs, ist
  aber an diesem Berichte auch nicht Ein wahres Wort. Cf. Baron.
  996. XVIII. u. Annal. Saxo nach Thietmar: Gregorius Papa bene
  dispositis Romae omnibus — obiit. Sieh Beilage n. XI.
59) Chronic. monasterii Benevent. S. Sophiae ap. Mur. Antiqq.
  I. p. 255,, mit der jedoch falschen Angabe des Jahres 985, ind. XIII.
60) Ughelli Ital. sacra. ed. Venet. VIII. p. 72.
61) 4 cal. maj. anno II. Cf. Mansi p. 203. In dieser Zeit kam auch
  wohl der Bruder des Abt Thietmar's von Corvey C. de Walbke
  nach Rom, qui multum ibi procuravit et expedivit magnos inter tumultus propter rebellem Crescentium. Ann. Corb. ad
  a. 997, wo wohl nur das Datum der Abreise angegeben ist.

künftig, wer von den Mönchen von Farfa zum Abte gewählt
worden, von dem Kaiser, ohne dafür Bezahlung zu entrichten,
bestätigt, von dem Papste consecrirt werden sollte [62]).

Unterdessen waren die Feiertage vorübergegangen. Der Kai‑
ser befahl die Belagerungsmaschinen bereit zu halten und er‑
theilte sodann in der zweiten Woche nach Ostern dem Mark‑
grafen Ekkihard [63]) den Befehl, die Engelsburg zu bestürmen.
Von allen Ueberresten aus der Heidenzeit war das Grabmal
Adrians durch Lage, Bau und die Sorgfalt, welche man schon
früh darauf verwendet hatte, bei weitem die festeste Burg in
Rom geworden [64]). Es versperrte den Zugang zu der Stadt
von dem rechten Tiberufer her und gestattete denselben nur
über eine Brücke, welche unmittelbar von dem Thore des
Schlosses aus über den Fluß führte. Von Quadern gebaut
und mit Gräben umgeben, trotzte es jedem Angriffe von Außen;
im Innern aber erhob sich Bau über Bau, bis das Ganze in
eine Kirche endete, die ihrer Höhe wegen die Kirche des hl.
Erzengels bis zu den Himmeln hieß. Von dieser Burg aus
hatte Belisar die Gothen, Fürst Alberich den König Hugo
zurückgeschlagen; in ihrem Innern hatte so mancher Papst in
unverdienter Gefangenschaft geschmachtet, hatte mehr als Einer
unter den Händen der römischen Großen sein Leben geendet.
Ihr Besitz mußte entscheiden, wer bleibender Gebieter von
Rom, ob P. Gregor oder Crescentius, ob dieser oder Kaiser
Otto Patricier der Römer, Herr von Italien sey. Unter sol‑

---

62) Praeceptum Domini Ottonis in Chron. Farf. p. 492.

63) Thietmar. (IV. p. 83. ed. Wagner).

64) Liutprand III. c. 12. In ingressu Romanae urbis quaedam
est miri operis miraeque fortitudinis constituta munitio: ante
cujus januam pons est pretiosissimus super Tiberim fabrica‑
tus, qui primus Romam ingredientibus atque egredientibus
est: nec est alia nisi per eum transeundi via, quae nisi consensu
munitionem custodientium fieri non potest. Munitio autem
ipsa — tantae celsitudinis est, ut ecclesia, quae in ejus ver‑
tice videtur in honore summi et coelestis militiae principis
Archangeli Michaelis fabricata dicatur ecclesia S. Angeli
usque ad coelos.

chen Umständen entbrannte der Kampf zwischen den Deutschen
und den Truppen des Crescentius mit äußerster Wuth; Tag
und Nacht ohne Unterlaß währte der Sturm, bis die von den
Deutschen gebauten hölzernen Belagerungsthürme dem Castel
nahe gebracht wurden und der Vortheil der Lage verschwand.
Da entfiel dem Crescentius der Muth. In geheimem Einver=
ständnisse mit Mehreren von des Kaisers Gefolge erschien er
plötzlich im deutschen Lager [65]), warf sich dem Kaiser zu Füßen
und flehte um sein Leben. Aber mit verächtlicher Stimme
befahl nun Kaiser Otto „den Fürsten [66]) der Römer, den neuen
Gesetzgeber, der Päpste und Kaiser nach Willkühr einsetze, zu
seinem erhabenen Throne zurückzubringen, bis er ihm eine wür=
dige Aufnahme bereiten könne.“ Dieß geschah. Crescentius
wurde in das Castel zurückgeführt und feuerte nun, da gewisser
Tod ihn erwartete, die Seinigen zur Ausdauer an. Bald nach=
her erstiegen die Deutschen im Sturme die Burg. Crescentius
scheint den Tod gesucht zu haben, allein vergeblich. Der Fluch
der Kirche erreichte ihn nun, wie früher den Calabresen; er
fiel verwundet in die Hände der Deutschen und wurde dem
Kaiser überantwortet, von diesem aber als doppelter Rebelle zum
schimpflichen Tode verurtheilt. Am 29. April des Jahres [67])
998 fiel das Haupt des Crescentius unter dem Beile des Hen=
kers; mit ihm erlitten 12 seiner Anhänger das gleiche Schick=
sal [68]). Die Leichen wurden zum schreckenden Beispiele, nach
den Einen an den Zinnen der Engelsburg, nach den Andern
an einem Galgen auf dem Monte Mario, Angesichts der Stadt,
an den Füßen [69]) aufgehängt. Stefania, des Crescentius

---

65) Glaber Rodulphi histor. lib. I. c. 4. Auf jenes Einverständniß
   bezieht sich auch wohl der in der vita S. Romualdi erwähnte Treu=
   bruch, der die Bekehrung des Heidenapostels Bruno zur Folge hatte.

66) Romanorum principem, Imperatorum decretorem, datorem=
   que legum atque ordinatorem Pontificum, intrare sinistis ma=
   galia Saxonum. Glab. Rod. bei Bouquet X. p. 7.

67) J. F. Böhmer Regesta Regum etc. Diplom vom 29. April,
   quando Crescentius decollatus suspensus fuit.

68) Thietmar l. c.

69) Cf. vita S. Meinwerci c. 10.

Gemahlin, wurde die Beute des deutschen Kriegsvolkes, unter deffen Mißhandlungen sie ihren Geist aufgab [70]).

Als Graf Benedict im Sabinerlande die Hinrichtung seines Schwagers vernahm, sank ihm der Muth. Eilig ließ er sich mit dem Abte von Farfa wegen der geraubten Klostergüter in Unterhandlungen ein und hoffte so das Uebrige zu retten. Da begab sich inzwischen sein Sohn Crescentius in jugendlichem Unbedacht nach Rom. Kaum hatten Papst und Kaiser dieß erfahren, als sie auch schon befahlen, ihn festzunehmen und, nachdem dieß geschehen, an den Grafen sandten: sein Sohn sey gefangen; wolle er ihn lebend wieder sehen, so möge er Cervetri und was er sonst der römischen Kirche geraubt habe, zurückerstatten. So durch die Noth der Umstände gezwungen, kam Graf Benedict nach Rom und leistete in Gegenwart des Papstes und des Kaisers Verzicht auf Cervetri; dann aber eilte er, obwohl sein Sohn bis zur Uebergabe der Stadt gefangen zurückblieb, aus Rom fort und warf sich, um nur diese nicht zu verlieren, selbst nach Cervetri, es gegen die Deutschen zu vertheidigen. In heftigem Zorne eilte der Kaiser an der Spitze des Heeres dem Wortbrüchigen nach; auch P. Gregor zog gen Cervetri, dem Abte von Farfa, der ihn begleitete, betheurend: werde der Graf die Stadt übergeben, so solle er seinen Sohn zurück erhalten und der ganze Streit beendigt seyn; wenn aber nicht, fuhr er fort, wohl wissend, wie wenig Milde gegen den Schwager des Crescentius fromme, so lasse ich den Sohn im Angesichte des meuterischen Vaters aufknüpfen und stelle Dir Tribuccum zurück. Unbekümmert um sein Kind, wenn er sich nur die Stadt erhalte, ließ sich der Graf wirklich in Cervetri belagern, und erst, als P. Gregor befohlen, den jungen Crescentius zum Tode zu führen, und diesem bereits die Hände auf den Rücken gebunden, die Augen mit einem Tuche verhüllt worden waren, erweichte sich das Herz des habgierigen

---

70) Stefania autem uxor ejus traditur adulteranda Teutonibus. Arnulfi hist. Mediol. I. c. 12.

Vaters; er stellte Cervetri zurück, empfing dafür seinen Sohn und hielt nun, nachdem er sich auch mit Farfa gütlich vertragen hatte, Ruhe, so lange er lebte [71]).

71) Hugonis Farfensis relatio de diminutione recentiori monasterii sui in Chron. Farf. p. 550.

Vierter Abschnitt.

Die Wirksamkeit P. Gregor's V von seiner Wiedereinsetzung bis zu seinem Tode.

Febr. 998—18. Febr. 999.

Unmittelbar nachdem das deutsche Heer in Rom eingezogen
und selbst ehe noch die Ruhe gänzlich wieder hergestellt worden
war, hatten P. Gregor und Kaiser Otto ihre größte Sorge
der lang gehemmten Pflege der Gerechtigkeit zugewendet. Während wir den Verlust so vieler geschichtlicher Denkmäler dieser
Zeit zu bedauern haben und die erhaltenen zu oft nur die Wiß-
begierde reizen, nicht aber sie befriedigen, ist in Bezug auf die
Handhabung der Gerechtigkeit in Rom ein Vorfall auf unsere
Tage gekommen, welcher, obwohl er den Papst nicht unmittelbar
berührte, doch ein zu tiefes Licht auf die Behandlung ähnlicher Verhältnisse wirft, als daß er, da früher so bittere Klagen hierüber
entstanden waren, mit Stillschweigen übergangen werden dürfte.

Ehe noch die Bestürmung der Engelsburg begonnen hatte,
saß der Papst eines Tages mit dem Kaiser in der Basilica des
hl. Petrus, beide, wie es Pflicht und üblich war, bereit, Klagen, die an sie gebracht wurden, zu vernehmen und Abhülfe zu
gewähren. Unter den Leuten, welche sich um sie herdrängten
und gehört zu werden verlangten, befanden sich auch die Priester der Kirche des hl. Eustathius in Platane, die sich, als sie
Zugang zu dem Kaiser gefunden hatten, mit folgenden Worten

10 *

an ihn wandten [1]): „Frömmster Kaiser und aller Auguste höch=
ster Augustus! Wir bitten Deine Milde, uns ein gerichtliches
Verfahren zu gestatten [2]) gegen Hugo, den Abt des Klo=
sters der heil. Maria am Flusse Farfa, der mit uns über
2 Kirchen, die der hl. Maria und des hl. Benedictus, streitet,
die in den Alexandersbädern gebaut sind, sammt den dazu gehö=
rigen Häusern, Crypten, Gärten, bebauten und unbebauten
Ländereien, Tennen, Säulen und dem Oratorium des Erlösers,
gelegen in Rom, in der 9ten Region, in den alexandrinischen
Thermen.“ Als der Kaiser diese Klage gegen seinen Unter=
than, den Abt von Farfa vernahm, entschied er nicht selbst,
sondern hieß die Priester ihre Beschwerde vor die verordneten
Richter bringen, die bereits vor der Basilica des hl. Petrus bei
der Kirche der hl. Maria im Thurme saßen, und von Seite des
Kaisers aus dem kaiserlichen Missus, Herrn Leo [3]), Archidia=
conus des hl. Reichspalastes, von Seite des Papstes aus dem

---

1) Quelle dieser Erzählung ist eine Urkunde aus dem Kloster Farfa.
Cf. Murat. S. R. J. II. 2. Chron. Farf. p. 505 — 508, datirt
vom 9. April 998. Es ist bemerkenswerth, daß von Seite des Kai=
sers nur Einer, von Seite des Papstes 6 Personen da waren. Meh=
rere deutsche Gelehrte haben aus dieser Siebenzahl Folgerungen
gezogen, mit welchen wir um so weniger übereinstimmen können,
als das Gericht selbst während des Processes durch Hinzutretung
mehrerer Personen diese Siebenzahl aufhob. Ferner ist zu bemerken,
daß, wenn auch Leo als Missus das gerichtliche Verfahren leitete,
nicht er, sondern der päpstl. Oblationar die Gerichtsacten zuerst
unterschrieb. In wie fern die oben angeführten Klagen der Römer
über die kaiserlichen Missi und Richter durch dieses Verfahren be=
kräftigt werden, oder nicht, möge der kundige Leser selbst entscheiden.
Wir geben ihm die Verhandlungen nach den Acten und enthalten
uns mit Vorsatz jeder hypothetischen Erläuterungen, da diese, wo sie,
unseres Wissens, über dieses Actenstück geschahen, anstatt die That=
sache zu beleuchten, sie nur verwirrten. Vgl. auch Beilage N. XIII.
2) Ut legem habeamus.
3) Ich emendire im Texte diese Stelle, welche bei Mur. l. c. ganz
verderbt ist, da bei ihm Leo und Arcarius als 2 verschiedene Perso=
nen erscheinen, während später Leo sich Arcarius des römischen Stuh=
les unterschreibt.

Präfecten von Rom, Pfalzgrafen Johannes, und aus den römischen Richtern Gregorius, dem Primicerius der Defensoren,
Leo, dem Arcarius des hl. apostolischen Stuhles, und dem
Adrianus, Petrus und Paulus als bestellten Richtern bestanden.
Da Abt Hugo gerade damals in der Peterskirche anwesend
war, beriefen ihn die Richter vor sich, worauf Herr Leo, welcher dem Gerichte im Namen des Kaisers vorstand und die
Fragen stellte, ihm befahl, auf die Klagen der Priester zu antworten. Ganz gut, erwiederte der Abt; ich weiß aber nicht,
worüber sie klagen. Herr Leo nannte ihm den Beschwerde-
punkt. Nun, dann bitte ich Euch, entgegnete Abt Hugo, mir
Frist zu geben, weil ich in diesem Augenblicke nicht darauf
gefaßt bin, vor Gericht zu sprechen; auch sehe ich hier weder
lombardische Richter, noch habe ich meinen Anwalt bei mir.
Dieß kann nicht geschehen, antwortete Herr Leo, welcher hinter
den Worten des Abts nur eine Ausflucht zu sehen glaubte, um
die ganze Beschwerde zu hintertreiben; ich werde Dir schon
einen Advocaten geben, der für Dich sprechen soll. Was für
einen Advocaten, einen römischen oder einen longobardischen?
fragte der Abt. Einen römischen, antwortete Herr Leo. Gott
bewahre mich davor, erwiederte Hugo, daß unser Kloster je
unter römischem Rechte gestanden wäre; es stand immer nur
unter longobardischem, und deshalb will ich auch keinen römischen Anwalt. Du magst wollen oder nicht wollen, entgegnete
ihm mit steigender Heftigkeit der Archidiaconus, dieser Prozeß
wird nach römischem Rechte entschieden werden, und, als der
Abt nun erklärte, er werde sich diesem Ausspruche nur dann
unterwerfen, wenn er ihn aus dem Munde des Kaisers selbst
empfinge, ergriff ihn Herr Leo bei der Kutte und zwang ihn
so mit Gewalt, sich neben ihn zu setzen, indem er ihm drohend
zurief, er werde heute nicht mehr aus dem Gerichte fortkom-
men, bis er nicht nach römischem Rechte Red und Antwort
gestanden seye. Ich widerstreite dem Gerichte nicht, antwortete begütigend der Abt; wenn Du es aber erlaubst, so will
ich Dir Bürgschaft stellen, wie sie das longobardische Recht
verlangt, um in mein Kloster zu gehen und dann mit meinem
Anwalte und longobardischen Richtern zurückzukommen. Alle

wandten sich nun an den Kaiser, seine Meinung darüber zu
vernehmen, und als dieser die Bitte des Abtes gewährt hatte,
wurde das Gericht auf den drittnächsten Tag verschoben.

Nachdem die Frist abgelaufen war, erschien der Abt auch
wirklich mit seinem Anwalte und seinen Richtern und erklärte
sich bereit, Red' und Antwort zu stehen. Auf dieß eröffnete
Herr Leo und mit ihm Roppertus, „der verehrliche und löb-
liche Diacon und Oblationarius des hl. apostolischen Stuhles,“
der Stadtpräfect, Pfalzgraf Johann und die Spruchrichter [4]),
das Gericht mit der Frage an den Abt, ob er sich nach römischem oder longobardischem Rechte vertheidigen wolle? Statt
des Abtes antwortete nun dessen Anwalt und bestellter Richter [5]), der Longobarde Hubert: wir wollen uns nach longobardischem Rechte vertheidigen, weil es unser Kloster seit mehr
als hundert Jahren so gehalten hat und wir darüber königliche
Diplome besitzen.· Sollte es jedoch, fuhr Hubert fort, dem
Herrn Kaiser anders gefallen, so können wir nichts dagegen
einwenden. Herr Leo befragte die römischen Richter, was sie
davon hielten, und als diese erklärten, die Sache sey ihnen
zweifelhaft und beruhe ganz auf dem Ausspruche des Kaisers,
so stand er auf, ging zu dem Kaiser hin und bat ihn um seine
Entscheidung. Otto hieß ihn zu dem Gerichte zurückkehren,
und den Abt wie dessen Anwalt fragen, ob sie urkundlich, eidlich oder durch Zeugen beweisen könnten, daß das Kloster nach
longobardischem Rechte vertreten worden sey; könnten sie dieses
beweisen, so sey es ferne von ihm, das Kloster in seinem Herkommen beeinträchtigen zu wollen. Herr Leo kehrte darauf
zum Gerichte zurück und that, wie ihm der Kaiser befohlen
hatte; der Abt aber und sein Anwalt wiesen nun eine Bestätigungsurkunde der Klosterprivilegien durch Kaiser Lothar vor,

---

4) Legumlatores judices.

5) Judex dativus. Darüber vgl. v. Savigny R. R. G. 2te Aufl. I.
S. 386. Bunsen macht sie zu Richtern, die der Landesherr?! —
ein in seinem Sinne sehr zweideutiger Ausdruck — gab, während
nach dieser Urkunde sie theils die Parteien, theils der Missus des
Kaisers stellte, welcher, im heutigen Sinne des Wortes, nicht Landesherr war.

in welcher ausdrücklich gesagt war, es sey in Gegenwart des
Kaisers und des Papstes Paschalis entschieden worden, daß das
Kloster Farfa nach longobardischem Rechte vertreten werden und
deshalb dieselben Privilegien genießen solle, wie die Klöster Lureuil,
Lerins und St. Maurice im Frankenreiche; auch solle dem Papste
außer der Consecration des Abtes kein Recht darüber zustehen.

Als die Anwälte der Priester von dieser Urkunde hörten,
bemühten sie sich, die Aechtheit derselben zu bestreiten; der
Archidiaconus entschied aber, sie sollte als rechtskräftig angesehen werden, wenn der Abt durch seinen Anwalt darthun
könne, daß sie weder von ihm selbst noch von einer ihm untergebenen Person fälschlich abgefaßt worden sey. Ohne Zögern
wollte der Abt mit seinen Eidhelfern die Aechtheit der Urkunde,
so wie die Wahrheit seiner Behauptung, daß Kloster Farfa
kraft dieser Urkunde mehr als hundert Jahre lang nach longobardischem Rechte bestanden sey, durch einen Eid bekräftigen;
würde aber die Beweisführung durch Zweikampf oder Zeugen
vorgezogen werden, so erbiete er sich auch dazu. Die Anwälte
der Priester, durch diese Erklärung in die Enge getrieben, verwarfen nun die ganze Beweisführung als ungenügend, brachten
aber eben dadurch den Herrn Leo gegen sich auf. „Ob sie Euch
genügen soll oder nicht, rief dieser nun aus, habe ich zu bestimmen, der ich an des Kaisers Statt hier bin; übrigens bin
ich jetzt, fuhr er fort, zur Gewißheit gekommen, daß Kloster
Farfa immer unter dem Schutze der Könige und unter longobardischem Gesetze stand. Befragt nun den Abt, wie ihr immer
wollt, er muß Euch nach seinem Gesetze und durch seinen Advocaten antworten." Die Priester verlangten auf dieß einen
eigenen Anwalt, den Abt zu belangen, und nachdem sie einen
solchen in der Person Benedicts, des Sohnes des Stefan, von
der Fleischbank unter dem Tempel des Marcellus, erhalten
hatten, sprach dieser die Klage förmlich aus: „ich belange,
sagte er, den Abt Hugo wegen zweier Kirchen, welche mit
ihren Häusern, Crypten und Cellen zu der Kirche des heiligen
Eustathius gehören, und derenwegen von den Vorgängern dieser Priester den Vorgängern des Abts Hugo eine Urkunde der
dritten Art für 3 Personen gegen Zinsentrichtung ausgestellt

wurde. Die in der Urkunde bestimmte Zeit ist nun abgelaufen; dennoch aber streitet der Abt mit uns darüber." Ihm entgegen trat der Anwalt des Klosters, Hubert, auf und sprach: „Jene Kirchen mit ihren Häusern, Cellen und Crypten, derenwegen Du den Abt Hugo belangst, besaß Kloster Farfa 40 Jahre hindurch als Eigenthum"; und als Benedict ihn nun aufforderte, zu erklären, ob das Kloster diese Kirchen besessen habe, ohne Zins dafür zu entrichten, berief sich Hubert zur nicht geringen Verlegenheit seines Widerparts auf das longobardische Gesetz, das nicht verlange, daß er anders rede, als wie er gesprochen habe, und las darauf den Abschnitt vor, der ausdrücklich bestimmte, daß in dem vorliegenden Falle nicht über die Pflicht, Zins zu entrichten, sondern nur über die Eigenthumsfrage zu antworten sey. Auf dieß wurde das Gericht auf den nächsten Tag verschoben.

Als es wieder zusammen kam, wiederholte der Anwalt der Priester seine Klage und Hubert seine Entgegnung, die Priester aber brachten die Beschuldigung vor, der Abt wolle sie in dem Streite hintergehen. Diese Anklage setzte mehr den Herrn Leo, als den Abt in Verlegenheit; er sann hin und her, was er thun solle, um jede Möglichkeit eines Betruges zu vernichten, endlich überwog die Begierde, der Sache auf den Grund zu kommen, alle übrigen Bedenken: er befahl, da keine andern longobardischen Richter da waren, welche nach ihrem Rechte hiebei hätten verfahren können, dem Anwalt von Farfa, er solle auf die 4 Evangelien schwören, nach der Wahrheit richten zu wollen, und dann als Richter den Streit untersuchen und entscheiden. In voller Bestürzung rief auf diese Zumuthung der Abt von Farfa dem Archidiaconus zu: „Herr, warum habt ihr mir das gethan? Ihr habt mir meinen Anwalt genommen, wer soll denn dann für mich antworten?" „Ich werde Dir schon einen anderen Anwalt geben," erwiederte ruhig Herr Leo, und befahl dem Petrus, des Rainers Sohn aus der Grafschaft Rieti, der ohnehin auf Seite des Abts stand, statt Hubert Anwalt von Farfa zu seyn. „Aber dieser weiß ja nicht für mich zu antworten," wandte Abt Hugo ein. „Nun, so erlaube ich Deinem früheren Anwalte, versetzte Herr Leo, dem Petrus

Anweisung zu geben, wie er antworten solle," und befragte
dann die römischen Richter um ihre Ansicht von der Sache.
Diese antworteten: die Klagestellung sey zu Ende, der Richter
Hubert möge nun als Longobarde entscheiden; ihnen stehe als
Römern kein Spruch hier zu. Nun befahl Herr Leo dem Hubert, er solle entscheiden; dieser aber weigerte sich ein Urtheil
zu sprechen, und versicherte, er wolle nur bei dem stehen bleiben, was geschrieben sey, wies aber hiebei auf einen Abschnitt
des longobardischen Gesetzes, dem zufolge heilige und hochverehrte Orte den Besitz einer Sache während 40 Jahren durch
Eid beweisen dürften. Der Anwalt des Klosters müsse daher
mit seinen Eidhelfern schwören, daß Kloster Farfa die frag-
lichen Kirchen mit ihrem Zubehör 40 Jahre lang wie sein
Eigenthum besessen habe. Nochmal befragte Herr Leo die
römischen Richter, was sie davon hielten? sie erklärten aber
einstimmig, daß das Verfahren Huberts mit dem longobardischen Gesetze vollkommen in Einklang stehe. Als nun der
Anwalt des Klosters mit seinen Eidhelfern schwören wollte,
wandten die Priester plötzlich ein, sie wollten Zeugen stellen,
daß sie innerhalb jener 40 Jahre Zins von dem Kloster erhalten hätten; aber Hubert erklärte, das longobardische Gesetz
verlange nicht, daß der Advocat des Herrn Abts in Bezug auf
Zinsentrichtung antworte, sondern nur, daß er den Besitz beweise. „Ich spreche nicht aus, setzte er hinzu, daß der Abt
etwas anderes thun solle; gefällt es aber dem Herrn Leo und
den Richtern, daß die Priester Zeugen stellen sollen, um zu
beweisen, daß ihre Kirche innerhalb 40 Jahren von dem Kloster Zins erhielt, so wird der Abt auch für seine Behauptung
Zeugen stellen und der Streit muß dann durch Zweikampf entschieden werden." Alle stimmten für Stellung von Zeugen.
Herr Leo befahl den Priestern, dieß zu thun, und befragte die
römischen Richter, da die Priester Römer waren, wie viele
Zeugen nach ihrem Gesetze verlangt würden. Diese sagten:
„3 taugliche Zeugen." Die Priester führten daher eben so viele
Männer vor, die Subdiaconen Castorius, Johann den Schuster
und Benedict vom Löwen; Herr Leo aber befragte die Richter,
was mit diesen geschehen solle. Sie befahlen, die Zeugen zu

trennen und jeden besonders zu befragen, so daß keiner die Aussagen des Anderen vernehmen könnte; stimmten sie dessen ungeachtet überein, so sollte ihre Zeugschaft angenommen werden;
wenn aber nicht, so sollten sie als Betrüger angesehen und
weder ihre Aussagen angenommen werden, noch dürfte es
dann zum Zweikampfe kommen. Die Zeugen wurden nun über
die vermeintliche Zinsentrichtung von Seite des Klosters, jeder
einzeln, befragt; da aber ihre Aussagen nicht mit einander
übereinstimmten, wandte sich Herr Leo an die Richter und forderte diese auf, „damit die Menschen nicht etwa sagten, sie ur-
theilten ungerecht, so möchten sie die Zeugen noch einmal vor
Gericht rufen und sie auf's Neue befragen und dann möge
Gott die Wahrheit darthun." Dieß geschah, die Zeugen wider-
sprachen sich aber dießmal noch mehr als früher. Nun rief
Herr Leo den Richtern zu: „Sprechet das Urtheil über sie."
Sie erklärten sie für falsche Zeugen und befahlen, die 3 Männer aus dem Gerichte fortzutreiben; die Priester aber hießen
sie, nachdem somit ihre letzte Einrede als unhaltbar befunden
worden war, die beiden Kirchen sammt Zubehör dem Herrn
Abte zurückzustellen. Noch wandten die Anwälte der Priester
ein, der Anwalt des Herrn Abts müsse mit seinen Eidhelfern
den früheren Besitz beschwören; da aber Hubert, welchen Herr
Leo hierüber befragte, entgegnete, das longobardische Gesetz
verlange dieß nicht, wenn es aber den Richtern gefalle, so müsse
der Anwalt des Herrn Abts den Eid leisten, so riefen alle
Richter einstimmig aus, nicht der Anwalt des Abts müsse den
Reinigungseid ablegen, sondern einer der Priester oder ihr
Anwalt solle schwören, daß, um was sie geklagt, sie mit Recht
geklagt hätten, und dann erst würde der Anwalt des Herrn
Abts mit seinen Eidhelfern schwören. Dazu wollte sich aber
weder einer der Priester, noch ihr Anwalt verstehen, obwohl sie
sich dadurch selbst als Betrüger zu erkennen gaben; sie erhielten
daher den richterlichen Bescheid, die beiden Kirchen sammt Zubehör dem Abte von Farfa abzutreten. Sie thaten dieß, und
übergaben die Urkunde darüber in die Hände des Abts und
Huberts. Während der Abt diese hielt, ergriff der Arcarius
des apostolischen Stuhles, Leo, auf Befehl des Archidiaconus

ein Messer, durchschnitt die Urkunde kreuzweis und ließ sie so im Angesichte aller Anwesenden in den Händen des Abts. Dadurch sollte jede Erneuerung dieser Klage nichtig gemacht werden; jeder aber, der dieß dennoch unternähme, sollte zur Strafe 10 Pfund seines Gold, zur Hälfte dem Könige, zur anderen Hälfte dem Abte entrichten. Ueber das ganze Verfahren ließen die Richter sodann eine Urkunde aufsetzen, „damit die beiden Kirchen für ewige Zeiten dem Kloster verblieben," und unterschrieben diese selbst nach Beendigung des Gerichtes am 9. April d. J. 998 [6]).

Während die weltlichen Verhältnisse [7]) auf diese Weise geschlichtet wurden, welche die schwankende Haltung der damaligen Gesetzgebung hinlänglich beurkundet, wurden die kirchlichen Angelegenheiten mit ungleich größerer Würde behandelt. Ungefähr einen Monat nach der Entscheidung jenes Processes, kurze Zeit nach der Hinrichtung des Crescentius, hielt P. Gregor ein Concil in der Kirche des hl. Petrus [8]). Nachdem sich am bestimmten Tage der Papst mit den Bischöfen und dem Clerus der Stadt und der Umgegend von Rom, die lombardischen, die

---

[6]) Zuerst Roppertus, Oblationarius der hl. römischen Kirche, dann Leo des allerheiligsten Palastes Archidiaconus und Missus, Johann der Präfect, Pfalzgraf und Judex Dativus, Gregorius von Gottes Gnaden Primicerius der Defensoren, Leo durch die Gnade des Herrn Arcarius des hl. apostolischen Stuhles, die Judices Dativi Adrianus, Petrus, Paulus, der Klosteranwalt Hubert, Petrus des Rainer Sohn, Quattafossa, endlich Benedict Scriniarius der hl. römischen Kirche, der die Urkunde abfaßte.

[7]) In eben diese Zeit fällt auch ein anderes Gericht über das Kloster der Mutter Gottes genannt. Apiniaci in Chron. S. Vincent. Vulturn. 997 (998) ind. XI die XXX . . . ap. Mur. S. R. It. I. p. 467.

[8]) Schon Mansi coll. conc. XIX. p. 237. 238, hat bemerkt, daß im J. 998 nicht Ein sondern 2 Concilien in Rom gehalten worden sind. Die von ihm angegebenen Gründe bestimmten auch uns in diese Unterscheidung einzugehen, welche durch die bulla Gregorii P. V. pro Ausoniensi Episc., den Brief des Papstes an Willegis von Mainz und die mit dem ersten römischen Concil (Mai 998) coincidirende Synode von Ravenna (cf. observatio Pagii ap. Mansi p. 222.) sich als unumstößlich beweist.

deutschen und die übrigen fremden Bischöfe und Aebte, endlich
der Kaiser mit den Fürsten und Rittern seines Heeres und der
Stadt Rom versammelt hatten, und das Concil mit den übli=
chen Feierlichkeiten eröffnet worden war, brachte der Bischof
Guadaldus von Auch vor Papst Gregor und dem Kaiser die
Klage vor, der anwesende Bischof Arnulf habe ihm im Vereine
mit dem Markgrafen Raymund unrechtmäßiger Weise seinen
Sprengel entrissen. Als Bischof Arnulf dieß vernahm, stand
er sogleich auf, sich zu vertheidigen: es könne hier, sagte er,
von keinem Unrechte die Rede seyn, das durch ihn dem Gua=
daldus zugefügt worden sey; mit vollkommnem Rechte habe er
selbst von dem Metropolitan der Diöcese von Auch, dem Erz=
bischofe von Narbonne, die Consecration empfangen; Guadald
aber habe sich von dem Metropolitan von Gallien, dem Erz=
bischof Oddo betrügerischer Weise und noch bei Lebzeiten des
Bischofs Fruianus von Auch zum Bischofe dieser Kirche ordi=
niren lassen, und, als dann der letztere sich dieser Unbild wegen
an P. Johann XV gewendet, habe dieser mit den römischen
Bischöfen den Fluch über Guadaldus ausgesprochen, welcher
hierauf den Bischof Fruianus, dessen Bruder und einen seiner
Blutsverwandten habe ermorden lassen. Als Papst Gregor
diese neue Klage vernahm, die keine gewöhnlichen Verbrechen
zu enthüllen drohte, befahl er sogleich durch Litaneien, Psalmen
und Gebete das Licht des hl. Geistes anzurufen und auf kirch=
lichem Wege nach allen Kräften zur Erforschung der Wahrheit
zu schreiten. Nachdem dieß geschehen war, wandte sich der
Papst an den Grafen Ermengaud, des Borellus Sohn, den
angesehensten Markgrafen von Aquitanien, welcher mit seinen
Clerikern und Großen zu dem Concil gekommen war, und
bedrohte ihn und sein Gefolge mit allen Schrecken der Excom=
munication und des apostolischen Bannes, würden sie nicht die
Wahrheit, die sie wüßten, auch aussprechen, und die dem Con=
cil verborgenen Gräuel enthüllen. Einstimmig erklärten diese
nun: Alles, was Bischof Arnulf ausgesagt habe, sey lautere
Wahrheit; Guadaldus habe sich auf die angegebene Weise des
Bisthums Auch bemächtigt, und den rechtmäßigen Vorstand
desselben ermordet. Die Augen aller Anwesenden hatten sich

auf dieß sogleich auf Guadalbus gerichtet, den der Papst jetzt
aufforderte, die Wahrheit zu bekennen. Da Guadalbus erkannte,
das Mittel, von dem er sich Hülfe versprochen, sey gescheitert;
noch zu läugnen, vergeblich, so bekannte er, von der Macht
der Wahrheit getroffen, er habe die Ordination so erlangt, wie
der Graf und die Seinen es ausgesagt, dann in dem Bis=
thume einen Aufruhr angestiftet, und in diesem sey von seinem
Anhange der Bischof Frnianus erschlagen worden.

Nun erst, als der Bestand der Thatsache vollkommen er=
mittelt war, hielt es der Papst für angemessen, nach den Aus=
sprüchen der Canonen gegen Guadalbus zu verfahren; er hob
deßhalb gegen ihn eine Verordnung des Concils von Nicäa
hervor, nach welcher Niemand bei Lebzeiten eines Bischofs sich
dessen Bisthums bemächtigen, noch sich von einem Andern, als
dem Metropolitan der Diöcese ordiniren lassen sollte, wenn
auch Clerus und Volk es anders wollten; wer aber solches
gethan, müsse seinem eigenen Bekenntnisse und canonischer und
apostolischer Vollmacht zufolge abgesetzt werden. Diesem Canon
gemäß sprachen die anwesenden Bischöfe das kirchliche Ver=
dammungsurtheil über Guadalbus aus; P. Gregor verkündete
es mit ihrer Zustimmung und auf Geheiß des Kaisers, und
befahl dem Archidiaconus Benedict und dem Oblationar Robert
die Absetzung des Verurtheilten vorzunehmen. Diese erhoben
sich nun, gingen auf Guadalbus zu, und zogen ihm, nach römi=
scher Sitte in solchen Fällen, zuerst den Ring vom Finger,
durch welchen ihm sein Bisthum angetraut worden war; dann
nahmen sie ihm den Bischofsstab und brachen ihn über seinem
Haupte entzwei, zerrissen ihm Casula und Dalmatica, beraub=
ten ihn so der bischöflichen Würde, und hießen ihn, sich auf
die Erde setzen. Als dieß geschehen war, erhob sich der Papst
und verkündete auf Geheiß des Kaisers, nach dem Urtheile
der versammelten Bischöfe dreier Länder, und unter dem Zurufe
des Grafen Ermengaud, dessen Clerifer und Vasallen, des Se=
nates und der Ritter von Rom, Lombardien und der Länder
jenseits der Alpen, Arnulf als Bischof von Auch, bekräf=
tigte ihn durch apostolischen Ausspruch, setzte ihn förmlich als
Bischof ein, und übergab ihm, im Namen der Apostel und

aus eigener Gewalt, mit dem Ringe und dem Bischofstabe die Macht zu binden und zu lösen." Zugleich übertrug er ihm nach dem Gebote des Kaisers die weltlichen Besitzungen des Bisthums mit Allem, was noch dazu gehören würde, und bestimmte, daß weder ein Einzelner, noch eine gerichtliche Obrigkeit sich unterstehen solle, an dem Bisthume und dem bischöflichen Stuhle freventlich etwas gegen Bischof Arnulf und dessen Nachfolger zu unternehmen, oder die Kirche und das Besitzthum des hl. Petrus und der hl. Maria im Gau von Auch zu berauben, sich deren gewaltsam zu bemächtigen, sie zu plündern, zu entehren, Streit darüber zu erheben oder irgend etwas daraus zu erpressen. Wer aber gegen diese Bestimmungen handeln, gegen das Recht dieser Kirchen und gegen die bischöflichen Verordnungen etwas Sträfliches unternehmen, oder die Canoniker, welche daselbst Gott dienten, zu beunruhigen wagen würde, sollte wissen, daß er, wenn er sich nicht bekehrte, in Kraft des Ansehens der Apostel Petrus und Paulus, der übrigen Apostel und des Papstes selbst aus der Gemeinschaft der Gläubigen ausgeschlossen, und mit dem Verräther Judas den Ketten des ewigen Feuers übergeben sey [9].

Noch an demselben Tage wurde dem Bischof Arnulf von dem Notar und Scriniar des hl. römischen Stuhles, Petrus, im Namen des Papstes ein Diplom ausgefertigt, welches die Beschreibung dieser Verhandlungen sowie die dem Bisthume Auch von dem Papste ertheilten Privilegien enthielt; Benedict, der hl. römischen Kirche Archidiaconus, der Diaconus Johann, genannt homo, Notker, Bischof von Lüttich, der Diacon Benedict, der römische Diacon Johannes, der Abt Petrus, endlich auch der Kaiser selbst und nach ihm der Präfect von Rom, Pfalzgraf Johannes [10], bekräftigten es durch ihre Unterschrift. Die weiteren Verhandlungen des Concils sind nicht auf unsere Tage gekommen.

---

9) Die Urkunde, welche ausdrücklich die römische Synode peracta VII. id. Maj. a. Greg. P. III. erwähnt, steht bei Mansi XIX. p. 227 bis 230.

10) Merkwürdiger Weise der Sohn des hingerichteten Crescentius.

Da um eben diese Zeit Erzbischof Johannes von Ravenna seine Würde niedergelegt hatte[11]), um Gott in der Einsamkeit zu dienen, so ernannte Papst Gregor den abgesetzten Erzbischof von Rheims, Abt Gerbert, dessen Nachfolger auf dem Stuhle von Ravenna. Gerbert hatte sich im Jahre 996 mit dem Kaiser nach Rom begeben, wohl nicht ohne die Hoffnung, durch die Gunst desselben oder das Ansehen König Roberts wieder zum Besitze des verlorenen Erzstiftes zu gelangen. Aber alle seine Hoffnungen scheiterten an dem Ernste, mit welchem Papst Gregor die Wiedereinsetzung seines Gegners betrieb; zu gleicher Zeit mußte er auch gewahr werden, daß sein Schüler und Beschützer K. Robert ihn hinterlistig seinem eigenen Schicksale überließ, als er dadurch sich selbst retten zu können wähnte[12]), und, um die Härte des Schicksals vollends zu erproben, versagte ihm Kaiser Otto bald nach dem ersten Römerzuge die bisher genossene kaiserliche Gunst[13]). Eine langwierige Krankheit[14]), welche Gerbert mit Schmerzen überschüttete, war die Folge dieser wiederholten herben Schläge eines ungünstigen Geschickes. Aber gerade sie diente ihm zum Heile. Mehr als je mußte er nun empfinden, wie unzuverlässig die Stütze auch der mächtigsten Fürsten sey. Als er aber in seinem Innern mit der Welt gebrochen, richtete die Kirche den Gedemüthigten wieder empor. Kaum von der Krankheit völlig genesen, empfing er ein Schreiben, durch welches ihn P. Gregor zu dem erzbischöflichen Stuhle von Ravenna berief[15]). „Da wir, heißt es in diesem, nach dem Wohlwollen des apostolischen Stuhles, Dich, o Bruder[16]), der Kirche von Ravenna vorsetzten, hielten wir es aus Eifer für eine alte Gewohnheit angemessen, Dir die Insignien dieser Kirche nebst dem Gebrauche des Palliums zu verleihen, dessen Du Dich zu gewissen Zeiten und auf gewisse Weise, wie Deine Vorgänger

---

11) Cf. Murat. annali V. p. 510.
12) Anhang zu Richerus. Cf. Gerb. epl. ad Adelaid. Reg. n. 159.
13) Hock S. 124. 216. (Duch. II. 836. adnot. I. p. 125.)
14) Vgl. Hock's Gerbert. S. 215.
15) In mense Aprili. Mansi p. 202.
16) Fraternitatem tuam — praefecimus, ein gewiß nicht ohne Grund gewählter Ausdruck.

es gethan, zu bedienen haſt. Nichts deſto weniger ermahnen wir Dich auch, daß Du, wie Du Dich der Erlangung dieſes Schmuckes und des prieſterlichen Amtes aus unſeren Händen erfreueſt, auch durch die Rechtlichkeit Deiner Sitten und Handlungen das in Chriſto erlangte Prieſterthum zu zieren Dich beſtrebeſt. So wirſt Du, wenn mit der Haltung des Körpers auch die Vorzüge des Geiſtes übereinſtimmen, durch gegenſeitige Ehre hervorragen und, äußerlich geſchmückt, im Innern aufgerichtet, mit dem Propheten zu Gott ſagen können: ich ſchaue Gott immer vor meinem Angeſichte, damit er zu meiner Rechten ſey, ich aber niemals wanke." Damit aber der Erzbiſchof, ſo ſagte die Bulle ferner, die Süßigkeit der in P. Gregor ruhenden Liebe erſchaue, verleihe ihm derſelbe freiwillig [17]) die Stadt Ravenna, und die Grafſchaft Commacchio für den Fall, daß die Kaiſerin Adelheid ſtürbe, zum freien Beſitzthum für ſich und ſeine Nachfolger; zugleich erneute der Papſt das Privilegium für die Kirchen von Monteferetro und Cervio, das er früher dem Erzbiſchof Johann ausgeſtellt hatte, ſowie auch die Verordnungen Kaiſer Otto's I über das Bisthum Reggio, und beſtätigte ihm und ſeiner Kirche den Beſitz von Ceſena und alle übrigen Privilegien, welche in früheren Zeiten der Kirche von Ravenna ausgeſtellt worden waren.

17) **Ex gratuita largitate.** Dieſes Diplom, in welchem nicht einmal interventus Ottonis erwähnt wird, was doch immer geſchah, wo dieſe ſtatt fand, widerlegt ſchlagend die bisher gültige, ſchlechten Chroniſten ſinnlos nachgeſchriebene und in hundert Hand- und Lehrbüchern der Geſchichte wiederholte Anſicht, Kaiſer Otto habe das Erzſtift Ravenna an Gerbert vergeben. Dieſes Diplom, deſſen Aechtheit über allen Zweifel iſt, ſcheint gar nicht gekannt geweſen zu ſeyn. Wie wenig übrigens auch P. Gregor V, welchen man ebenfalls als Creatur K. Otto's oder gar wie Michelet in ſeiner tiradenreichen hist. de France II. p. 151. als créature des empereurs (?!) anſehen möchte, Rechte des römiſchen Stuhles Preis gab, beweiſt dieſe Dispoſition über Theile des römiſchen Exarchats, die unter den früheren Päpſten — auf welche Weiſe iſt unbekannt — zum Witthum der Kaiſerin Adelheid geſchlagen wurden, ein Verfahren, deſſen Wiederholung P. Gregor durch dieſes Diplom klug und würdig zu verhindern wußte.

Während auf diese Weise P. Gregor einerseits durch Strenge auf dem Concil die in die Kirche eingeschlichenen Gebrechen zu heilen bemüht war, gewann seine Milde der Kirche einen Mann wieder, der, einer der Einflußreichsten seiner Zeit, mitten unter seinen Verirrungen und, nach seiner eigenen Ansicht, auf das Unrechtmäßigste behandelt, dennoch ausgesprochen hatte, er wolle lieber den Tod erdulden, als Ursache eines Schisma's in der Kirche seyn. Ohne die aufrichtende Hand des Papstes würde Gerbert, welcher zu den Charakteren gehörte, die, wo Andere genießen, schaffen und wirken wollen, und nur da Ruhe finden, wo ihrer Thätigkeit ein weiter Spielraum eröffnet wird, in der Entfernung von dem ihm angemessenen Kreise zu Grunde gegangen seyn: so aber, nach der bittern Erfahrung von der Unzuverlässigkeit weltlicher Größe und durch körperliches Leiden der Erkenntniß der Eitelkeit des Irdischen näher gebracht, hob ihn jetzt die Kirche wieder, die ihn früher gestürzt hatte und zwang ihn von selbst, die Kraft seines edlen Geistes, welche vorher in weltlichem Treiben sich zu zersplittern drohte, nun ungetheilt ihrem Dienste zuzuwenden. Im Aprilmonat dieses Jahres erhielt Gerbert seine Ernennung zum Erzbischofe; am 1. Mai versammelte er bereits eine Synode seiner Suffraganbischöfe, die kirchlichen Angelegenheiten des Erzstiftes zu ordnen. An dem bestimmten Tage erschienen die Bischöfe Ubert von Forli, Albart von Sarsina, Johannes von Bologna, Raimbald von Imola, Ildeprand von Faenza, Georg von Commacchio, Georg von Cesena, Leo von Ficoda, Teupert von Popilia, Christoph und Quinizo für die Kirche von Parma, die Cardinalpriester der Kirche von Ravenna, Johannes, Vannius, Anastasius, Deusdedit, Paulus und Leo, die Diaconen und der ganze Clerus von Ravenna, endlich der Erzbischof selbst. Nachdem die Synode unter den üblichen Gebeten in der Kirche des Erlösers eröffnet worden war, ergriff der Erzbischof das Wort und sprach [18]): „In der heiligen und ravennatischen Kirche, zu deren Vorstand mich die Fügung Gottes bestimmte, ist schon seit Langem die höchst tadelnswerthe Gewohnheit eingerissen,

---

18) Concil. Ravennat. bei Mansi p. 219—222.

daß die Subbiaconen den Leib des Herrn unter dem Namen
Formata [19]) an Bischöfe zur Zeit ihrer Consecration, und an
die Erzpriester unserer Diöcese jährlich das Chrisma verkaufen,
in welcher Handlung ein Verkauf des Sohnes Gottes und des
hl. Geistes liegt. Es ist deshalb darüber ein Beschluß zu fassen
und durch diesen besonders zu verbieten, daß so etwas weder
an unserem Stuhle, noch in den uns unterworfenen Diöcesen
noch einmal geschehe." Als die Anwesenden dieses hörten, erklärten sie sämmtlich ihre Zustimmung zu einem solchen Beschlusse, und der Erzbischof fuhr daher fort: „Wer also diesem
unserem Beschlusse entgegenzuhandeln wagt, sey verflucht."
„So sey es," riefen die Anwesenden.

Nun nahm der Erzbischof wieder das Wort und sprach:
„Wir befehlen auch, daß alle Erzpriester, die zu unserem Stuhle
gehören, aus Ehrfurcht für denselben jährlich am Feste des
hl. Vitalis unsern Subbiaconen 2 Soldi zahlen, wer aber dieß
zu unterlassen wagt, verfalle in eine Geldstrafe nach dem Er-
messen der Vorstände unserer Kirche." Auch diesem Beschlusse
stimmten alle Anwesenden bei.

Nochmal hub der Erzbischof an: „Obgleich schon von Al-
ters her bestimmt worden ist, daß kein Bischof Cleriker eines
Anderen ohne Empfehlungsbriefe bei sich aufnehmen, noch in
fremder Diöcese eine Kirche, oder einen Nichtdiöcesanen zum
Priester weihen, noch eben dasselbe für den Empfang oder das
Versprechen einer Summe Geldes thun oder irgend Jemanden dazu befördern solle, der nicht durch Rechtschaffenheit des
Lebens dazu befähigt ist, oder den unreifes Alter oder ein Verbrechen vom Priesterstande ausschließt, oder den Unkenntniß der
Wissenschaften davon abhalten sollte, oder den die Gesetze für
ehrlos erklärten, oder wer mit körperlichen Gebrechen behaftet
ist, oder wen ein verwerfliches Geschäft oder unrechtmäßige

---

19) Id intelligendum de eucharistia, quae sub specie integrae
formae, inter ferrum characteratum coctae i. e. majoris ho-
stiae infermentatae, Episcopis recens ordinatis porrigebatur,
ut ex ea in dies plures communicarentur. Mab. praef. in AA.
SS. Ord. S. B. saec. V. p. XXV. Cf. annal. LI. c. 69.

Dienstleistungen, oder die Begierde nach schändlichem Gewinne oder unrechtmäßige Geburt schänden, keinen Neophyten, noch Leute, die in zweifacher Ehe lebten, keine Curialen, Layen, oder wen sonst Canonen und Gesetze davon ausschließen: so halten wir es doch für nothwendig, auch in diesem Concil die Satzungen älterer Väter hierüber zu bekräftigen und fest daran zu halten, daß Niemand fremde Diöcesanen oder Parochianen bei sich aufnehme, sie zu priesterlichen Würden befördere oder sie zurückzuhalten wage, ohne daß sie die canonischen Briefe bei sich trügen, welche das Concil von Nicäa für solche Fälle verlangt; ferner, daß nur diejenigen zu den Weihen zugelassen werden sollen, deren Alter, Leben, Bildung, Sitten, canonische und gesetzliche Erfordernisse sie für würdig erklären. Damit aber diese Bestimmungen in Allem desto eifriger gehalten werden, und Unwürdige nicht erlangen, was den Vorschriften nach nur Würdigen ertheilt werden darf, so wollen wir und unsere Nachfolger dem Kirchenfluche verfallen seyn, wenn wir diesen Beschlüssen entgegenzuhandeln wagen. Welcher Priester aber für Begräbniß etwas Anderes annimmt, als was Freunde und Verwandte des Verstorbenen freiwillig seiner Kirche darreichen wollen, solle demselben Fluche verfallen seyn." Als der Erzbischof geendigt hatte, riefen die Anwesenden zum Zeichen ihrer Zustimmung zu dem Beschlusse, „es geschehe, es geschehe," aus; hierauf wurden sämmtliche Beschlüsse feierlich verlesen, von den anwesenden Bischöfen und Cardinalspriestern unterschrieben, und das Concil dann für beendigt erklärt.

Während so Gerbert, im Geiste P. Gregor's die Art an die Wurzel legend, durch Heranbildung eines frommen und gelehrten Priesterstandes den Bedürfnissen seiner Zeit zu helfen und den Erwartungen des Papstes zu entsprechen suchte, säumte auch dieser selbst nicht, wo er konnte, auf Befolgung der canonischen Vorschriften und auf Wiederbelebung des gesammten kirchlichen Lebens zu dringen. So bestätigte er um eben diese Zeit auf Bitten des Kaisers und des Bischofs Lambert von Constanz die Privilegien des Klosters Petershausen bei Constanz [20].

---

20) Mansi p. 205. Cf. Chron. Petershusianum bei Ussermann I.

Bei diesem Anlaſſe erklärte P. Gregor feierlich, wie bereitwil=
lig er jedem Verlangen zu willfahren gedenke, das ſich auf eine
religiöſe Unternehmung oder auf größere Feſtſtellung heiliger
Orte bezöge. „So oft, ſchrieb er in dem Diplom für Kloſter
Petershauſen, unſere Beiſtimmung und der herkömmliche Schuß
des apoſtoliſchen Anſehens zu irgend einem Nußen oder Gewinn
der hl. Kirche verlangt wird, ziemt es uns, wohlwollend zu
Hülfe zu eilen und einen feſten Vorſaß zu vollſtändiger That
zu bekräftigen, damit aus der Verehrung der hl. Orte Heil
und Gewinn für die Seelen entſtehe und auch uns von dem
Schöpfer aller Dinge Gewinn und Belohnung erſprieße.“ Wie
ernſt es aber dem Papſte um Belebung der Zucht in den Klö=
ſtern zu thun war, erhellt noch mehr aus der Sorge, welche
er für das Kloſter Reichenau verwandte, deſſen Abt Wittigow
nach zwölfjähriger Regierung — ob freiwillig oder gezwungen,
iſt ungewiß — ſeine Würde niedergelegt hatte. Nicht nur
weihte der Papſt ſelbſt Wittigow’s Nachfolger Alawich, aus
dem Geſchlechte der Grafen von Sulz zum Abte, ſondern be=
gabte auch das Kloſter mit beſondern Privilegien. Das Diplom,
welches dieſe enthielt, und das zwar in ſeiner urſprünglichen
Geſtalt nicht mehr vorhanden iſt, jedoch ſeinem Hauptinhalte nach
in die Beſtätigungsurkunde aufgenommen wurde, welche Kaiſer
Otto demſelben Abte ertheilte, bewahrte in dieſer Beziehung
eine merkwürdige Kunde, indem der Kaiſer ſpäter in Deutſch=
land den Abt ermahnte, es möge ihm immer vor Augen ſchwe=
ben, wie gut und väterlich ihn P. Gregor vor allen anderen
Aebten durch Bewilligung mancherlei Freiheiten ausgezeichnet
habe; er möge der Worte eingedenk ſeyn, die der Papſt an ihn,
den Kaiſer, gerichtet, als er für den Abt gebeten: daß wie die
Aebte, ſo gemeiniglich auch die Mönche ſeyen; daß öftmals
Mönche, die das heiligſte Leben geführt und ſich der Andacht
gänzlich ergeben hätten, wenn ſie hoher Ehren und Würden
theilhaftig geworden, aus dem beſſeren in den ſchlimmeren

---

p. 234. Ein anderes Privilegium gab der Papſt dem Kloſter des
hl. Petrus zu Perugia. Vgl. die Bulle P. Sylveſters II It. ſacr. IX.
p. 918. Mabill. Ann. O. S. B. ſaec. V. t. I. p. 70.

Stand verfallen, und unversehens wie durch eine bösartige
Seuche verpestet worden seyen. „Diese Ermahnung unsres Vaters, des P. Gregorius, fügte der fromme Kaiser hinzu, füh-
ren wir Dir aber deshalb an, damit Du Dich der empfangenen
Ehre und Würde halber nicht übernehmest. Denn es steht geschrieben, wenn der Hirt Unrecht thut, so kommen die Schafe in
Schaden. Du mögest deshalb Deinen Jüngern durch Lehre und
Beispiel doppeltes Vorbild seyn, damit diese Dein reines und
sicheres Leben innerlich erwägend, Dir mit gehorsamem Sinne
nachfolgen. Gieb ihnen daher Alles, was ihnen an Speise,
Trank und Kleidung nöthig ist, zeitig und ohne Verhinderung.
Stelle ab den Unfug, die Kleidung zu wechseln, hintanzuziehen
und zu murmeln [21]. Lasse sie in Einem Hause schlafen und zu
rechter Zeit mit einander speisen; besondere Sorge verwende für
die kranken Brüder, denen in jeder Noth Jesu Christi Liebe und
Treue zu entbieten ist. Kein Sparen, kein Mangel soll an den
Brüdern ohne Versehen gemerkt werden. Merke aber, so schließt
diese Ermahnung des Kaisers an den Abt, auf diese Dinge,
damit Du, vor den Richterstuhl des großen Richters gestellt,
von ihm vernehmen mögest: Du frommer und treuer Knecht,
der Du im Kleinen treu gewesen bist, tritt in die Freude Deines Herrn ein.“

Daß aber der Eifer des Papstes für Wiederbelebung des
christlichen Sinnes in allen Ständen der Kirche auf so schöne
Weise auf den jungen Kaiser überging, ist wohl die erfolg-
reichste Seite der Wirksamkeit P. Gregor's V, und berechtigte
bei dem frommen Sinne Otto's III zu nicht geringen Erwartungen. Mehrere Züge sind in dieser Hinsicht auf uns gekommen. Als der Kaiser einst während seines Aufenthaltes zu Rom

---

21) Vgl. Chronik des ehemaligen Klosters Reichenau von O. F. H.
Schönhuth. Freiburg im Br. 1836. 8. §. 17., wo diese Urkunde in
alterthümlicher Uebersetzung mitgetheilt ist. Daß in Kloster Reichenau die Bemühungen des Papstes um Herstellung der Disciplin
anerkannt wurden, beweist der im folgenden Jahrhunderte daselbst
blühende Hermann. Cf. Chron. Herm. Cont. ad a. 997. Gregorius — canonicam disciplinam reparare satagens.

bemerkte ²²), die Mönche des alten Klosters von St. Paul an der Strasse nach Ostia führten einen ärgerlichen Lebenswandel, und brächten sich und der Kirche nur Schande, so beschloß Otto, nach kaiserlicher Machtvollkommenheit hier einzuschreiten, die schlechten Mönche, die sich zu der Regel des hl. Benedicts bekannten, ganz aus dem Kloster zu vertreiben und dasselbe Canonikern einzuräumen. Während er aber mit diesem Gedanken umging, erschien ihm im Traume der hl. Paulus, der zu ihm sprach: „wenn Dich ein wahrer Eifer, Gott zu dienen, zu einem guten Werke entflammt, so habe Acht, daß Du Deinen Vorsatz nicht darauf wendest, wohin Du jetzt sinnst, verderbte Mönche zu verjagen. Denn niemals frommt es, einen Stand der Kirche, wenn auch ein Theil von ihm verderbt ist, zu vertreiben, oder aufzuheben, da jeder über den Wandel Rechenschaft zu geben hat, den er Gott anfangs gelobte; suche vielmehr einen verderbten Stand zu bessern, aber nach der Weise seines inneren Gesetzes und Berufes." Durch diese Worte beschämt, ließ der Kaiser von dem Gedanken ab, St. Paul mit Canonikern zu besetzen; dachte aber ernstlich auf Mittel, dem Verderbniß der Mönche nach dem Geiste ihres Ordens zu begegnen. Bald darauf wurde auch die Disciplin in diesem Kloster durch Mönche von Clugny wiederhergestellt. Als dann Kaiser Otto gleichen Verfall der Zucht auch in dem Kloster zu Classe bei Ravenna wahrnahm und die Ordnung daselbst wiederherstellen wollte, begab er sich, durch jene Erfahrung belehrt, nun selbst zu der Laguneninsel, wo der hl. Romuald in frommer Abgeschiedenheit wohnte, und drang so lange in diesen, bis er die Würde eines Abts von Classe zu übernehmen und die Mönche von ihrem ärgerlichen Lebenswandel zurückzuführen versprach.

---

22) Glaber Rodulph. I. c. 4. Scimus, schrieb der Kaiser um dieselbe Zeit, divino amore sanctas ecclesias construere, fidelium animabus multum proficere; easdem autem desolatas consolari; injuste oppressas eripere et sublevare, augmentum perpetuae coronae indubitanter adquirere. Dieses Ziel aber verlor der Kaiser nie mehr aus dem Auge. (Mur. antiq. VI. 553; diploma Ottonis III pro monachis Ticinensibus. a. 998.)

Als dann im Sommer desselben Jahres die Verhältnisse von
Oberitalien, wo der Erzbischof Arnulf von Mailand seine Be-
fugniß überschreitend, den Titel Papa, Papst, nach griechischer
Sitte angenommen zu haben scheint [23]), eine Synode nothwendig machten und diese unter dem Vorsitze des Erzbischofs von
Ravenna zu Pavia gehalten wurde, so erließ daselbst der Kaiser
eine Verordnung an die Erzbischöfe, Aebte, Markgrafen, Grafen und alle Richter Italiens für immerwährende Zeiten, in
welcher er die Uebereinstimmung der höchsten weltlichen Gewalt
mit den Zwecken der Kirche auf das Unumwundenste aussprach [24]): „Wir erfahren, sagte darin der Kaiser, daß Erz-
schöfe und Aebte mit den Gütern ihrer Kirche Mißbrauch treiben und dieselben urkundlich andern Personen ertheilen, nicht
nach dem Nutzen der Kirche, sondern für Geld, an Verwandte
oder Freunde. Wenn dann ihre Nachfolger aufgefodert werden, Gotteshäuser ausbessern zu lassen, oder ihren Pflichten gemäß für das allgemeine Beste beizusteuern, so bringen sie als
Entschuldigung vor, es seyen die Güter ihrer Kirchen in Anderer Händen, und beweisen wirklich, daß sie, was ihnen auferlegt wird, nicht zu erfüllen vermögen. Da dadurch der Zustand der Kirchen auf ein Nichts gebracht wird, und unsere
kaiserliche Majestät nicht geringen Schaden leidet, wenn unsere

---

23) Nach Arnulfi hist. Mediol. I. c. 13. war der Erzbischof Arnulf von
Mailand vom K. Otto III zur Brautwerbung nach Constantinopel
geschickt worden; wann aber dieß geschehen, ob im Jahre 99½ mit dem
nachmaligen Gegenpapste Johannes, oder später, im letzten Lebensjahre
K. Otto's, was das minder Wahrscheinliche ist, ist noch nicht ermit-
telt. Möglich, daß Arnulf wie sein Gefährte die Begierde nach
Erhebung seiner Person und Würde mit aus Griechenland brachte,
vgl. die Meinung Muratori's, der ich hier folgte. Annali V. p. 511.

24) Const. decretalis bei Mansi p. 235. cf. Mur. p. 511. Mansi
sucht p. 235 mit dieser Constitution eine andere kaiserliche Verordnung zu verbinden, die er angeblich aus dem Chr. Farf. col. 549
anführt. Er irrt sich aber ebenso in dem Citat, das statt 549, 553
heißen muß, wie an dem Kaiser, der die Verordnung erließ, und nicht
Otto III, sondern K. Heinrich I ist. Cf. Chr. Farf. p. 553.
Zeile 15.

Unterthanen die gebührenden Dienste nicht leisten, so beschließen und bekräftigen wir durch kaiserliches Edict, daß alle solche Urkunden, laut deren als Libelle, Emphyteuse oder auf irgend eine andere Weise über Kirchen verfügt wurde, nicht weiter ausgestellt werden dürfen, die ausgestellten aber sollen mit dem Tode des Ausstellers ihre Rechtskraft verlieren und nur derjenige davon Nachtheil haben, welcher sich durch eine solche Urkunde verpflichtete und verband. Auf keinen Fall dürfen sich aber die Nachtheile auch auf denjenigen erstrecken, der dem Aussteller der Urkunde in der Regierung nachfolgt. Im Gegentheile soll dieser volle Gewalt haben, Alles, was durch solche Urkunden entäußert wurde, zu rechtlichem Eigenthum der Kirche zurückzuführen und so zu ordnen, daß er Gott und uns die gebührenden Dienste leisten kann. Denn da Könige und Kaiser Sachen des König = und Kaiserthums nur an Dienstleistende vergeben dürfen, Kirchen von selbst hiebei ausgenommen, wie kann es dann Aebten und Bischöfen erlaubt seyn, Sachen der Kirche auf künftige Zeiten hinaus zu vergeben? Jedes Recht, jedes Gesetz, jede Urkunde oder Gewohnheit, welche zum Nachtheile der Kirche ist, muß als nichtig betrachtet werden; am wenigsten aber darf durch unser Ansehen bekräftigt werden, was gegen den Urheber und Vermehrer unsers Reiches gerichtet ist. In allen solchen Fällen darf daher in einer Urkunde nur das für gesetzlich bindend angesehen werden, was der Kirche Gottes nützt und ihr in keiner Weise schaden kann. Wer aber dieser unserer Bestimmung entgegenzuhandeln wagt, soll als Rebelle behandelt werden, und der Fluch aller Bischöfe, welche dieses Reichsedict unterschrieben, ihm beistimmten oder noch beistimmen werden, laste für ewige Zeiten auf ihm, bis er sich eines Bessern besinnt. Amen [25]."

---

25) Hiemit vergleiche folgende Betrachtung des scharfsinnigen Muratori:
Verum experientia docuit, nullos jam obices immani torrenti resistere potuisse. Italicae (namque) urbes, libertatem consequutae, nihil studiosius urgebant, quam fines protendere suae ditionis et ecclesiis quoque eripere, quae majorum suorum aut regum aut episcoporum liberalitas eis contulerat. Quod

Während auf diese Art die Bemühungen des Papstes für innere Ordnung an dem deutschen Kaiser wie an dem Erzbischofe von Ravenna die kräftigste Stütze und Mitwirkung fanden, hatte in Frankreich der hl. Abbo von Fleury nicht gesäumt, nach den Aufträgen des Papstes für die Herstellung der kirchlichen Ordnung in diesem Theile der Christenheit zu sorgen. Ohne Furcht und Zagen drang er beständig in den französischen König, sich den Beschlüssen des Concils von Pavia zu unterwerfen; aber ebenso hartnäckig verharrte der König bei seiner blutschänderischen Ehe und dem öffentlichen Aergernisse. Als sich nun auch in Deutschland die Verhältnisse mit Erzb. Gisiler verwickelten, aus dem südlichen Frankreich Klagen einliefen und der Kaiser gegen Ende des Jahres 998 nach Rom zurückgekehrt war, so versammelte der unermüdliche Papst, wie er es bereits zu Pavia erklärt hatte, auf Weihnachten ein neues Concil in der Kirche des hl. Petrus zu Rom. Es kamen dazu die Erzbischöfe Gerbert von Ravenna und Gislebard von Capua; die Bischöfe Sigefried von Piacenza, Hubert von Fermo, Petrus von Como, Lambert von Constanz, Hugo von Genf, Hugo von Sedun, Heinrich der Vicar von St. Kilian, Ariald von Chiusi, Bernard von Gaeta, Rainer von Fondi, Adalbert von Pesaro, Adalbert von Brescia, Johannes von Suessa, Hubert von Luscale, Hubert von Rimini, Ingizo von Castellana, Alfred von Flerentino, Stefan von Cervetri, die Cardinalbischöfe Benedict von Lavinia, Johannes von Matura, Johann von Albano, Bibliothecar des hl. apostolischen Stuhles, Tetbald von Velletri, Petrus von Palestrina, Gregor von Ostia, Benedict von Porto, endlich mit dem Kaiser Papst Gregorius. Die

---

etiam animadvertas velim, in Langobardicarum legum corpus inlatum antea non fuerit nobile illud Ottonis edictum, quum tamen res omnino posceret, ut iis adjungeretur. Suspicari autem liceat, id minime factum, quod non pauci proceres regni tum ecclesiastici tum laici invisam legem haberent, quae cupiditatis suae felicem adeo cursum turbaret. Mur. antiqq. ital. VI. p. 207, 208. Daher auch die Begierde der longobardischen Großen, nach K. Otto's frühem Tode einen der Ihrigen (Arduin) zum Könige zu wählen.

erſten Beſchlüſſe des Concils ſprachen das Urtheil über König
Robert und ſeine Anhänger aus. Es verlaſſe, ſo lautete der
erſte Canon [26]), König Robert ſeine Blutsverwandte, Berta,
die er den Geſetzen zuwider geehlicht hat, und vollbringe Buße
7 Jahre lang nach den vorgeſchriebenen geiſtlichen Stufen.
Den Erzbiſchof Erchembald von Tours, der dieſe Ehe einge-
ſegnet hat, erklärte der zweite Canon, nebſt allen Biſchöfen,
welche zu der blutſchänderiſchen Heirath des Königs ihre Zuſtimmung gegeben hatten oder dabei zugegen waren, berauben
wir des Genuſſes der hochheiligen Communion, bis ſie ſelbſt
zu dieſem heiligen apoſtoliſchen Stuhle kommen und Genugthuung leiſten. Hierauf zog das Concil die Wahl des Biſchofs
von Puy in Erwägung, welcher noch bei Lebzeiten ſeines Oheims,
des Biſchofs Wido von Puy, widerrechtlich an deſſen Stelle
erwählt worden war. Im Namen des Concils verkündigte der
Papſt den darüber gefaßten Beſchluß: wir befehlen, ſo ſprach
er, in apoſtoliſcher Kraft, Stefan, welcher ſich Biſchof von
Puy nennt, ſoll der prieſterlichen Würde beraubt ſeyn, weil
er ohne den Willen des Clerus und Volks von Biſchof Wido,
ſeinem Oheim und Vorgänger erwählt, und nach deſſen Tode
nur von 2 Biſchöfen, die nicht zur Kirchenprovinz gehörten,
ordinirt worden iſt. Dagobert aber, den Erzbiſchof von Bourges, und Robenus, den Biſchof von Nivernois, welche den
Stefan, den Neffen des Biſchofs Wido, bei deſſen Lebzeiten
und den Kirchengeſetzen entgegen zum Biſchofe zu wählen ſich
erkühnten, berauben wir für ſo lange der Gemeinſchaft der Gläubigen, bis ſie zu dieſem heiligen und apoſtoliſchen Stuhle kommen und Beſſerung verſprechen. Das Volk und der Clerus von
Puy aber haben Erlaubniß, ſich einen Biſchof zu wählen; jedoch ſollte, ſo ward beſchloſſen, der Erwählte von dem Herrn
Papſte ſelbſt zum Biſchofe geweiht werden, und König Robert
möge es nicht wagen, den Stefan, den Neffen des Biſchofs
Wido von Puy, welcher mit Recht verdammt und abgeſetzt
wurde, auf irgend eine Weiſe zu unterſtützen; ſondern er ſolle
vielmehr, jedoch unbeſchadet der ihm gebührenden Ehrfurcht, den

---

26) Mansi p. 226. 227.

Beschlüssen des Concils gemäß die Wahl des Clerus und Volkes von Puy begünstigen. Nachdem dieß beschlossen worden
war, trat Kaiser Otto selbst als Kläger auf. Erzbischof Gißler von Magdeburg, früher Bischof von Merseburg, hatte schon
vor 18 Jahren mit Bewilligung Kaiser Otto's II und des P.
Benedict VII den erzbischöflichen Stuhl von Magdeburg bestiegen und nun sein früheres Bisthum geflissentlich der Verwüstung Preis gegeben. Ganz Deutschland war nicht nur über
die Art und Weise, wie dieses geschehen, sondern auch über
das Unrechtmäßige dieser Handlung empört gewesen und hatte
das Gelingen eines so sträflichen Unternehmens sich nur durch
die Bestechlichkeit der römischen Richter und die Hintergehung
des Papstes wie des Kaisers durch die List des Bischofs Theodorich von Metz, welcher den Unterhändler machte, erklären
können. Kaiser Otto III wollte diese Schmach, die noch auf
dem Andenken seines Vaters lastete, vertilgen und verlangte
nun selbst Wiederherstellung des Bisthums Merseburg, mit dessen Gründung die steigende Größe seines Hauses verbunden
war, so wie richterliche Untersuchung des von dem Erzbischofe
angewendeten Verfahrens, durch das er 2 Bisthümer unter sich
vereinigt hatte. Als das Concil diese Klage vernommen,
faßte es folgenden Beschluß: das Bisthum Merseburg, welches
nach dem Beschlusse eines allgemeinen Concils von dem apostolischen Stuhle und Kaiser Otto I, guten Andenkens, gegründet,
von Kaiser Otto II ohne einen Concilbeschluß aufgehoben wurde,
solle die ihm gebührende Ehre (als selbstständiges Bisthum)
wieder erhalten. Wenn, hieß es ferner, Gißler, der hl. Kirche
von Magdeburg Bischof, beweisen könne, daß er von dem geringeren Stuhle von Merseburg zu dem höheren zu Magdeburg
nicht aus Ehrsucht überging, so solle seine Absetzung nicht erfolgen, sondern er möge vielmehr, wenn er auf Einladung des
Volkes und Clerus dahin ging, in jener Metropole bleiben.
Habe er dieß aber ohne vorausgegangene Einladung und Wahl
gethan, jedoch nicht aus Ehr- und Habsucht, so solle er zu
dem früheren Stuhle zurückkehren; könne er aber diese Beweg-
gründe nicht von sich abwälzen, so solle er den einen Stuhl
verlieren wie den anderen.

Hiemit endigte das Concil. Die Beschlüsse wurden, wie gewöhnlich, öffentlich verlesen und von den anwesenden Bischöfen, dem Papste an ihrer Spitze unterschrieben. Ehe aber diese Beschlüsse zur Ausführung gebracht werden konnten, ereignete sich in Rom ein Vorfall, welcher für den Papst die Quelle vielfachen, persönlichen Leidens wurde. Zwischen den Klöstern Farfa und S. S. Cosmas und Damian in Micaaurea zu Rom war über die Celle der hl. Maria in Minione schon seit langer Zeit ein Streit [27] ausgebrochen, und bereits von Kaiser Otto I für Farfa, von seinem Sohne und Nachfolger für S. S. Cosmas und Damian entschieden worden, als Abt Hugo von Farfa, wohl durch den glücklichen Ausgang seines Streites mit den Priestern der Kirche des hl. Eustathius ermuthigt, seine Ansprüche auf die Celle in Minione wieder erneute, und seine Klage nun bei Kaiser Otto III anbrachte. Es verhielt sich aber nach dem Berichte des Chronisten von Farfa die Sache also: Zuerst hatte K. Karl der Große die strittige Celle dem Kloster Farfa geschenkt und seine Nachfolger hatten diese Schenkung bekräftiget; später setzte Abt Campo von Farfa einen Probst über die Celle, Namens Venerandus, der nachher mit Bewilligung des Abt's von Farfa von Benedict Campianus, welcher das Kloster der hl. hl. Cosmas und Damian zu Trastevere erbaute, zum Abte desselben erwählt wurde, und diese Würde annahm; jedoch auch die eines Probstes der Celle in Minione beibehielt, und dafür dem Abte von Farfa Zins und die übrigen gebührenden Dienstleistungen entrichtete, so lange er lebte. Sylvester, des Venerandus Nachfolger, hielt sich zu diesen Diensten nicht mehr für verpflichtet; als aber Abt Johann von Farfa unter Kaiser Otto I deshalb Klage gegen ihn erhob, so belehnte der Kaiser den Abt von Farfa mit der Celle, jedoch ohne daß dadurch der Streit beendigt worden wäre, indem der Kaiser vor der vollständigen Erledigung der Sache Rom verlassen mußte. Kaiser Otto II, an welchen nun die Sache gebracht wurde, beraubte den Abt Johann sogar der Abtei, und dieser verlor noch außerdem durch die Untreue eines

---

27) Murat. S. R. J. II. 2. p. 497 — 499.

gewiſſen Prieſters Urſus die unter Abt Campo über die Zelle
ausgeſtellten Urkunden, die Urſus an den Abt Sylveſter von
S. S. Cosmas und Damian verkaufte. Nach dem Muſter
dieſer Urkunden ließ nun Abt Sylveſter in's Geheim ein Di=
plom, angeblich von König Hugo ausgeſtellt, verfertigen, ohne
es jedoch zu brauchen, da er im unangefochtenen Beſitze der Celle
blieb. So ſtanden nach den Berichten von Farfa dieſe Angele=
genheiten, als Abt Hugo ſich an Kaiser Otto III wandte, und
dem Abte Gregorius, Sylveſters Nachfolger, das Beſitzrecht der
Celle auf's Neue ſtreitig machte. Der Kaiser hieß aber den
Abt von Farfa nach dem lateranenſiſchen Palaſte gehen, und
die Klage bei dem Papſte anbringen. Dieß geſchah; der Papſt
ließ darauf den Abt Gregor, ſeinen Unterthan, zu ſich kommen
und unterſuchte nun vor beiden Aebten die Klage. Beide zeigten
die Urkunden vor, auf welche ſie ihre Anſprüche gründeten; da
nun aber, ſo erzählt eine mehr als 10 Monate ſpäter zu Gun=
ſten des Abts von Farfa verfaßte Urkunde [28]), die Diplome
Abt Hugo's älter und gegründeter befunden wurden, brachte
Abt Gregorius eine Urkunde aus der Zeit Kaiser Otto's I her=
vor, nach welcher Abt Johann von Farfa auf die fragliche
Celle Verzicht geleiſtet haben ſollte. Abt Hugo beſtritt aber die
Aechtheit derſelben auf's Heftigſte und erklärte, indem er ſich
auf eine Verordnung K. Otto's I berief, der zufolge, wenn
Jemand eine Urkunde für falſch erklären würde und dieſe Be=
hauptung durch Zweikampf erweiſen wollte, der Streit ſo ent=
ſchieden werden müßte, in ſeinem und ſeines Anwalts Namen,
dieſer Verordnung nachkommen zu wollen. Von der anderen
Seite that Abt Gregor dar, wie dieſe Verordnung, die für
Longobarden gegeben ſey, auf ihn als Römer keine Anwendung
finde, weigerte ſich aber auch, eine Vergleichung der Urkunden
zuzulaſſen, die das römiſche Geſetz verlangte. Als der Streit
zwiſchen den beiden Aebten ſo lange unentſchieden ſchwankte,
ſtand zuletzt Papſt Gregor auf und ergriff, da ihm die An=
ſprüche des Abts von S. S. Cosmas und Damian gegründeter
erſcheinen mochten, den Abt von Farfa bei der Hand, legte

---

28) Mur. S. R. J. p. 499 — 502.

ihm seinen Stab in dieselbe und hieß ihn, wie früher Abt Jo=
hann, auf jene Celle Verzicht leisten. Vergeblich bat Abt Hugo,
er möge nicht gewaltsam mit ihm verfahren; der Papst, welcher
den Streit nicht auf eine andere Weise beendigen zu können
glaubte, drang wiederholt in den Abt, so daß dieser wirklich
Verzicht leistete, und dem Papste 3 Urkunden zustellte, welche
dieser dem Abt Gregorius übergab, sie nach dem Herkommen
einzuschneiden. Kaum war jedoch der Abt von Farfa mit die=
ser für ihn ungünstigen Entscheidung entlassen worden, so be=
gab er sich zu dem Kaiser zurück und beklagte sich über das
Verfahren des Papstes. Otto versprach, die Sache nochmal
zu untersuchen; dieß geschah aber erst 10 Monate später, wo
dann die strittige Celle dem Abte von Farfa zuerkannt wurde,
dessen Anhänger sich nun nicht entblödeten, von dem Papste
auszusprengen, sein Urtheil zu Gunsten des Abts Gregorius sey
durch eine Summe Geldes veranlaßt worden, die er von die=
sem empfangen habe [29].

Nur kurze Zeit später, im Januar des J. 999 ertheilte
der Papst noch dem Abte Martin vom Kloster des hl. Apostels
Andreas, des hl. Erzengels Michael und des seligen Bekenners
Martin zu Andaon in der Nähe von Avignon ein Privilegium [30],

---

29) Dominus Gregorius propter pecuniam, quam aceperat a
   Gregorio Abbate, iratus est contra Hugonem Abbatem, in ei=
   ner nicht officiellen Urkunde zu Gunsten des Abts von Farfa.
   Die eigentlich kaiserliche Entscheidungsurkunde sagt nur: Grego=
   rius autem Papa extra legem cum virtute (virga?) sua fecit Hu=
   gonem Abb. eandem cellam refutare; der Chronist von Farfa erzählt
   die Verfälschung der Urkunde durch Abt Gregorius; erwähnt aber die
   Entscheidung durch P. Gregor gar nicht. Je weniger nun der obige
   Vorwurf mit dem Charakter des Papstes und den Ausdrücken des
   kaiserlichen Diploms übereinstimmt, desto mehr hat ihn das spätere
   Betragen des Abts von Farfa selbst entkräftet, der, als der Papst
   bereits in die Wohnungen der Seligen eingegangen war, sich selbst
   seines Amtes unwürdig erklärte und sein früheres Leben auf das
   bitterste bereute. Cf. Chr. Farf. p. 547. Murat. antiqq. ital. VI.
   p. 283. Uebrigens ist dieser Vorfall ein neuer Beweis des schwan=
   kenden Zustandes der damaligen Gerechtigkeitspflege.
30) Mabillon annal. LI. 91.

durch welches er dem Abte und deſſen Nachfolgern bekräftigte,
daß das Kloſter, aus den 3 Kirchen jener Heiligen und dem
Berggipfel, von dem es den Namen hatte, beſtehend, das
Recht einer freien Abtwahl ſowie die Erlaubniß genießen ſolle,
Männer und Frauen in ſeinen Kirchen beſtatten zu dürfen.
Auch eine Schenkung[31] des Vicegrafen Stefan von Gabalita
und deſſen Gemahlin Ajalmoda zu Ehren des hl. Petrus und
zur Errichtung eines Benedictinerkloſters beſtätigte der Papſt,
und bekräftigte die Privilegien des Kloſters des hl. Petrus zu
Perugia[32]. In denſelben Monat oder in den Anfang des
nächſten fällt auch die Unterwerfung der franzöſiſchen Biſchöfe,
welche an der Ehe des Königs Robert mit Berta von Blois
Antheil genommen hatten[33]; ſie kamen nach Rom und empfingen daſelbſt von dem Papſte die Losſprechung von ihrem
Vergehen. König Robert, welcher die Blutſchande mit Berta
noch immer dem Gehorſame gegen die Kirche vorzog, verfiel der
Ercommunication der Kirche; doch bleibt es ungewiß, ob ſie
über ihn noch von P. Gregor V oder von deſſen Nachfolger
verhängt worden iſt.

Denn mitten in ſeinem Leben voll Thätigkeit, in der un-
abläſſigen Sorge für das Heil der Kirche und der ihm untergebenen Heerde — in 3 Sprachen[34] pflegte der Papſt bei ſeiner
Anweſenheit in Rom zu predigen, und jeden Sonnabend theilte
er an 12 Arme Kleider aus — als die Angelegenheiten der
Kirche die Hand des unerſchrockenen Mannes, der ſie zu ordnen und zu leiten berufen worden war, noch für lange Zeit zu
bedürfen ſchienen und Schönheit[35] des Körpers wie Blüthe

---

31) Das jedoch dem hl. Theofred zu Calmiliac unterworfen ſey. Mab.
ann. Tom. IV. pag. 116.

32) Bekannt aus einem Diplom P. Sylveſters II bei Ughelli IX.
pag. 918., das Datum iſt jedoch nicht angegeben. Ueber die ver-
ſchiedenen Bullen u. Breven P. Gregor's vgl. das Bullarium im
Anhange N. XIV.

33) Dieſe Sache iſt nur bekannt aus dem Briefe P. Leos IX an K.
Heinrich I bei Bouquet X. p. 492.

34) Vgl. ſeine Grabſchrift bei Calles X. 56. Baron. 999. I.

35) Oculis vultuque decorum. Grabſchrift.

der Jugend ihm noch eine lange Reihe von Jahren versprachen, sank P. Gregor V in seinem 27. Lebensjahre am 18. Februar d. J. 999 [36]) so unvermuthet in das Grab, daß spätere Geschichtschreiber den Grund seines Todes in heimlich beigebrachtem Gifte suchten [37]). Es war dieß um dieselbe Zeit, als in Deutschland die Aebtissin Mechthilde von Quedlinburg, Kaiser Otto's II geliebte Schwester und eine der Pflegerinen der Jugend K. Otto's III, welche in der Abwesenheit ihres Neffens die ihr anvertraute Regierung des deutschen Reiches mit frommem Frauensinne und fast männlicher Kraft geführt hatte, eine Beute des Todes wurde [38]). 7. Februar 999. In der Kirche des hl. Petrus zu Quedlinburg ruht der Leichnam Mechthildens; in marmornem Sarge in den Grüften der Kirche des hl. Petrus zu Rom sind die irdischen Ueberreste P. Gregors V bestattet [39]), der, zu den Ersten seiner Zeit gehörig, zu den Besten derselben gerechnet werden darf. Eine einfache Grabschrift ohne Prunk verkündet die Tugenden, die sein Leben zierten; sie rühmt seine kaiserliche Abkunft, seine Schönheit, seinen Eifer und seine Wohlthätigkeit; sie drückt auch die Hoffnung der Gläubigen aus, daß er sitze in der Wohnung der Gerechten, zur Seite jenes heiligen Papstes, dessen Namen er geführt hatte und in dessen Geiste er zu wirken bestrebt gewesen war.

36) Cf. Mansi not. ad Baron. 999 I. glaubt den 4. Februar. Gegründeter ist wohl das Datum der Grabschrift. Cf. Ca'lles X, LVI.

37) Selbst Muratori. Diesem widerspricht aber der Ausdruck Thietmar's: Papa — Gregorius bene dispositis Romae omnibus pridie non. Febr. obiit, ebenso sehr als der, in den Actis S. Nili bei Baron. 996. XVIII. befindlichen Angabe, P. Gregor sey nochmal aus Rom vertrieben, der Augen beraubt worden und so gestorben.

38) Chronogr. Saxo ad a. 999.

39) Platner's Beschreibung von Rom II. 1. S. 218. Gabrielli sacrar. Vatic. basilicae cryptarum mon. S. 117. Der jetzige Sarg scheint diesem nicht der ursprüngliche gewesen zu seyn. S. 116 und 119. Wie verhält es sich aber dann mit der Inschrift?

Fünfter Abschnitt.

Nächste Folgen der Wirksamkeit P. Gregor's V.

Mit dem frühen Tode des Papstes erstickte der Same nicht, welchen dieser während seines kurzen, doch thatenreichen Pontificats ausgestreut hatte. Gleich ehrend für das Andenken des Dahingeschiedenen, wie segenbringend für die Christenheit erfolgte wenige Wochen nach dem Tode P. Gregor's, auf Betrieb Kaiser Otto's III die Erhebung des vielgeprüften Gerberts [1]) auf den römischen Stuhl, welchen dieser als Sylvester II, fortschreitend in den von P. Gregor vorgezeichneten Bahnen, unter theilweise höchst schwierigen Verhältnissen, 4 Jahre lang mit Kraft und Umsicht verwaltete.

Mit ihm wetteifernd in der Sorge um die Kirche, in deren Blüthe er, wie die Besten der Carolinger, das Gedeihen der christlichen Reiche sah, deren Kronen sein Haupt schmückten, wachte Kaiser Otto III, an Jahren beinahe noch ein Knabe, durch richtigen Blick für das, was allein Noth that, durch frommen Sinn, durch Weisheit und Gerechtigkeit nur von Wenigen der früheren Fürsten übertroffen [2]) und keinem der späteren nachstehend, für das Wohl seiner Völker, für Friede und Ordnung. Was in dem Drange der

---

1) Vgl. Mansi ad Baron. 999. I. Hock giebt den 9. Februar an.

2) Mit Recht schrieb Sigonius von ihm: fuit (Otto III) bellica virtute avo inferior; religione vero ac pietate (litterisque) et patre et avo multo superior. De regno ital. VII.

Umstände unter dem Pontificate P. Gregor's in seiner Seele allmälig gereift war, die Begierde nach der engsten, thätigsten Verbindung der geistlichen und der weltlichen Macht, damit blühe und gedeihe, was der Menschheit von Anbeginn als Ziel vorgesetzt ward, das Reich Gottes auf Erden, entflammte den Kaiser zum thätigsten Wirken und trieb ihn nun mit dem Papste zugleich an, den verderblichen [3]) Richtungen seiner Zeit, wo sie immer um irdischen Gewinn den himmlischen schnöde dahingab, mit aller Kraft entgegenzutreten und die Bestrebungen Aller zu dem Einen Ziele zu lenken. In demselben Geiste erließ P. Sylvester gleich im Anfange seiner Regierung ein Schreiben an alle Bischöfe [4]), in welchem er sie auffoderte, der Würde ihres heiligen Amtes, das sie über die Könige der Erde setzt, eingedenk, nur geistlichen Zwecken zu leben und vor Allem die Sünde zu meiden, durch welche Simon die Welt verpestete und dem Geiste Gottes entgegen das Reich der Lüge beförderte; aus diesem Grunde erließ er auch den Aufruf an die gesammte Christenheit, der Stadt des Heiles, Jerusalem [5]), in ihrer Bedrängniß durch die Saracenen zu Hülfe zu eilen, um die Kraft, welche die Fürsten des Abendlandes in unchristlichen Fehden unter sich schmachvoll vergeudeten, zu unvergänglichem Ruhme gegen die gemeinsamen Feinde des christlichen Namens zu kehren. Wie sein Vorfahr versammelte auch er die Bischöfe verschiedener Länder, vernahm die Klagen über eingerissene Mißbräuche und stellte diese, wie er konnte, ab. Mit gleich lobenswerthem Bemühen hob seinerseits der Kaiser, dem Reiche der Deutschen und Italiener die unerschütterlichen Grundlagen und die ewige Dauer des Christenthums zu geben, die Macht und das Ansehen der Bischöfe [6]), die er mit den Grafschaften

---

3) Imperator, mores etiam ecclesiasticos (eorum), quos avaritia Romanorum pravis commercationum usibus vitiabat, ad normam prioris gratiae reformare aestuabat. Chron. Camer.

4) Mabillon annalect. Ueber P. Sylvester vgl. auch das Jneditum im Anhange. Beilage N. XV.

5) Epl. 28. Gerberti. Hock S. 135.

6) Vgl. die darauf bezüglichen Bullen bei Böhmer mit ihren Originalien.

des Reiches und anderen weltlichen Vorzügen bekleidete, damit
der Geist der Kirche auch die weltlichen Verhältniſſe durchdringe.
Durch die Erfahrung aber belehrt, wie ſehr der Papſt zur ſichern
Leitung der geiſtlichen Angelegenheiten der kaiſerlichen Hülfe
bedürfe, ja wie dieſe ihm ſtets gewärtig ſeyn müſſe, und in
dem Gefühle der Erhabenheit ſeiner eigenen Würde, gedachte
er, ſeinen Sitz in der alten Kaiſerſtadt 7) zu nehmen, die noch
einmal und glorreicher als je die Gebieterin der Welt werden
ſollte 8); er umgab ſich daher auch mit größerem Glanze und
ſchied, ſelbſt demüthig 9) und milde, durch ſtrengere Formen
die Fürſten von der kaiſerlichen Majeſtät, die ihn umkleidete,
ab. Es kann nicht geſagt werden, wohin eine ſolche Ordnung
der Dinge, hätte ſie Beſtand gewonnen, geführt haben würde;
doch iſt es eben ſo wahrſcheinlich, daß ſie unter einem minder
frommen Fürſten die Abhängigkeit des Papſtes und die Unter-
drückung der Freiheit der Kirche, wie dieß unter ähnlichen Verhältniſſen im oſtrömiſchen Reiche der Fall war, zur Folge gehabt hätte, als es auch wohl keinem Zweifel unterliegt, daß
bei längerem Leben des Kaiſers, wie P. Gregor's, dem eine
alte Tradition 10) Anordnungen in Bezug auf die Wahl der
römiſchen Kaiſer zuſchreibt, Otto's Plan, welcher nach der damaligen Lage der Dinge eben ſo heilſam für die inneren Angelegenheiten Rom's als für die äußere Geſtaltung des Reiches
erſcheinen mußte, ausgeführt worden wäre.

---

7) Chron. Camerac. Imperator sicut juvenis tam viribus audax
quam genere potens magnum quiddam imo et impossibile co-
gitans virtutem Romani imperii ad potentiam veterum regum
adtollere conabatur etc. Vgl. auch die Rede des Kaiſers an die
aufrühreriſchen Römer vita S. Bernwardi c. 26.

8) Thietmar IV. p. 357. Imperator antiquam Romanorum con-
suetudinem — suis cupiens renovare temporibus etc. Nach
Rom ſollte Aachen die ſchönſte Stadt des Reiches werden. Chron.
Saxo ad a. 1000.

9) Mitissimum et humillimum nennt ihn Tangmar in vita S. Bern
wardi c. 33.

10) Platina vita Gregorii P. V.

12 *

Indem aber der Kaiser solche Dinge bedachte, durch welche
er den Haber zweier Völker zu vertilgen und beiden die Wohl-
thaten eines ungestörten Friedens und gleicher Gerechtigkeit
schenken zu können vermeinte, so versäumte er andererseits auch
nicht, ihnen mit dem Vorbilde jener Tugenden voranzugehen,
welche die Welt haßt und schmäht, weil sie den Sieg über
sie beurkunden. Es war aber, selbst für jene Zeiten eine nicht
gewöhnliche Erscheinung, als sich der Kaiser kurze Zeit nach
dem Tode des Papstes und der Aebtissin Mechtilde, mit dem
Bischofe Franco von Worms in eine Höhle [11]) bei S. Clemente
in Rom zurückzog und daselbst 14 Tage lang in Fasten und
Gebet in völliger Abgeschiedenheit von der Welt verharrte und
dann als Büßender von Rom zu der hochverehrten Kirche des
Erzengels [12]) Michael auf den Berg Garganus wallfahrtete.
Wie sehr aber dieses Beispiel freiwilliger Erniedrigung von dem
Beifalle seiner Zeitgenossen gekrönt wurde, die bei aller äuße-
ren Rohheit und vielen wilden, verzehrenden Lastern den Hort
des lebendigsten Glaubens keusch und rein bewahrten, zeigt der
Triumphzug [13]), welchen der Kaiser feierte, als er auf die
Nachricht, daß auch die treue Pflegerin seiner Jugend, die Kai-
serinmutter Adelhaid [14]), ihm durch den Tod entrissen worden,
und nachdem auch sein liebster Freund, Bischof Franco von
Worms, gestorben war, von dem Patricier Ziazo, dem Obla-
tionarius Robert und mehreren römischen Senatoren begleitet,
Rom verließ, um sich nach Gnesen zum Grabe des heiligen
Adalbert zu begeben. Noch nie war der Kaiser, wenn er aus
Welschland wiederkehrte, so festlich empfangen worden. Zu
Fuß und zu Pferde strömten ihm, als er die Alpen überstiegen
hatte, die Einwohner entgegen; aus Franken, Schwaben und
den Ländern am Rhein kamen Leute, ihn zu sehen; mit ihren
Frauen zogen die Großen von Thüringen und Sachsen dem

---

11) Vita S. Burkhardi init.
12) Leo Ostiens. II. c. 24.
13) Thietmar l. c. Chronogr. Saxo ad a. 1000.
14) Odilo vita S. Adelhaidis. 16. Dec. 999. Cf. AA. SS. Ord. S.
Bened. VII. p. 862.

Kaiser entgegen, seine Schwestern Adelhaid und Sophia bewillkommten ihren Bruder und verkürzten ihm die Länge des
Weges. In Regensburg hatte ihn der Bischof Gebhard, des
hl. Wolfgangs Nachfolger, auf das Ehrenvollste empfangen;
der Erzbischof von Magdeburg, die Bischöfe von Zeiz und
Meißen bewillkommten ihn, als er durch ihre Sprengel seinen
Weg nahm. Ueber alle Beschreibung aber gingen die Ehren,
die dem Kaiser Herzog Boleslaus von Polen erwies, der ihn
selbst von der Gränze des Landes nach Gnesen geleitete. So
sehr hatte der Kaiser, mehr als durch Gewalt und Eroberungen, die er verschmähte — nur gegen die heidnischen Slaven
wurde der Krieg, der nie ruhte, fortgeführt — durch Demuth
und Gehorsam sich Achtung und Liebe, unvergänglichen Ruhm
und die ungezwungene Unterwerfung freier Männer erworben.

Seit diesem Zuge nach Gnesen bewies sich der Kaiser vollends unermüdlich in Erfüllung religiöser Pflichten. Er hatte
die Kirche daselbst zur erzbischöflichen erhoben, den Bruder des
hl. Adalbert, Gaudentius, zum Erzbischofe ernannt und ihm
3 Diöcesanbischöfe unterworfen. Nach Rom zurückgekehrt,
baute er daselbst zu Ehren des hl. Adalbert eine Kirche [15] und
setzte darin den Körper des hl. Bartholomäus zur Verehrung
aus. (Er besuchte den hl. Nilus [16]), welcher sich einst im Un-
muthe von ihm weggewendet hatte, und empfing von ihm Lehren himmlischer Weisheit; er entriß weltlichen Großen die Klöster [17]), deren sie sich widerrechtlich bemächtigt hatten, und stellte
sie ihrer ursprünglichen Bestimmung wieder anheim. Zu nicht
geringem Frommen des Reiches ernannte er den hl. Heribert [18]),
einen Jugendfreund P. Gregors V [19]), von der Würde eines

---

15) AA. SS. Ord. S. Ben. VII. p. 846, 4.
16) Baronii annal. ad a. 1000. XI. Wer hat nicht von den Gemäl-
    den in Grotta Ferrata gehört, die sich hierauf beziehen?!
17) Vgl. die Urkunden in diss. 37. von Muratorii antiqq. Es war
    dieß kein geringer Grund des Hasses, welchen Viele gegen den Kai-
    ser hegten.
18) Vita S. Heriberti ap. Sur.
19) Calles X. 59 — 61.

kaiferlichen Kanzlers, die er schon lange bekleidet hatte, zum
Erzbischofe von Cöln; er zwang die aufrührerischen Tivolesen [20])
faſt mehr durch das Anſehen der heiligen Männer, die ihn umgaben, als durch die Gewalt der Waffen zu unbedingter Unterwerfung, und als dann auch die Römer einen Aufruhr erreg-
ten und ihn und ſein Gefolge mit dem Hungertode bedrohten,
ſtellte er die Ordnung durch eine Anrede wieder her, durch
welche er die tobenden Gemüther beſchwichtigte: wer von ihm
hörte oder ihn kannte, nannte ihn die Bewunderung der Welt.

Als ſo der Zeitpunkt gekommen war, wo ſich den Plänen
des Kaiſers nichts mehr entgegenzuſetzen ſchien und die Hoffnung der Beſſern auf eine feſte Geſtaltung der kirchlichen und
politiſchen Verhältniſſe, welche nach ſo mancher ſchrecklichen Täu-
ſchung, nun bei den gleichmäßigen Beſtrebungen P. Gregors V,
Sylveſters II und des Kaiſers in freudige Erfüllung zu treten
ſchien: ſo zeigten ſich mit einem Male der Hinderniſſe mehr
als je. Unter der Anführung Gregors [21]) von Tusculum er-
regten die Römer noch einmal und grimmiger als vorher einen
Aufruhr gegen Papſt und Kaiſer, und als nun Otto, welcher
nur mit Mühe der äußerſten Gefahr entgangen war, die re-
belliſche Stadt zu züchtigen beſchloß und die deutſchen Fürſten
zur nöthigen Hülfe aufforbern ließ, ſo trugen dieſe ihren Haß
gegen Italien auf den Kaiſer über, den ſie als Kind nicht geliebt hatten und den ſie um das Scepter beneideten, das er
ohne ſie führen zu können bewies; ja es vereitelte nur die Treue,
womit Herzog Heinrich von Bayern, der Ermahnungen ſeines
Vaters eingedenk, an ſeinem Vetter, dem Kaiſer, hing, die
ſchlechtverhehlte Abſicht der Fürſten, dieſem das Schickſal Kaiſer
Karls des Dicken zu bereiten [22]). So häufte die Vorſehung

---

* 20) Vita S. Romualdi c. 23, vita S. Bernwardi c. 25. Mabillon
      AA. SS. VIII. p. 193. not. a. läßt ſich durch Sigonius und Ba-
      ronius zu der Annahme einer doppelten Belagerung von Tivoli ver-
      leiten. Da aber die erſte im J. 996 oder 997 hätte ſtatt finden müſ-
      ſen, ſo ſpringt das Ungereimte dieſer Annahme von ſelbſt in die
      Augen.
  21) Thietmar IV. 357, 358.
  22) Thietm. l. c.

auf das Haupt des Kaisers gegen das Ende seiner Tage — denn schon waren sie gezählt — Schmerz und Kummer; in ihm selbst hatte der Verlust so vieler Theuren die Freude am Leben längst gebrochen [23]). In der klösterlichen Einsamkeit zu Classe, wo er in diesem Jahre (1001) in strenger Abtödtung unter der Leitung des hl. Romuald die Fasten [24]) zugebracht, hatte der Kaiser gelobt, der Welt gänzlich zu entsagen. Nun von den Römern bedrängt und Hülfe aus Deutschland erwartend, wandte sich der Kaiser, der von Begierde brannte, die seinem Ansehen zugefügte Schmach zu rächen, nochmal nach Ravenna. Hier erinnerte ihn Abt Romuald seines Versprechens; Otto verhieß, es nach Besiegung der Römer zu erfüllen. „Wirst Du nach Rom gehen, erwiederte mit prophetischem Geiste der heilige Mann, so wirst Du Ravenna nicht wieder sehen." Der Kaiser schied, wie 21 Jahre früher sein Vater von Abt Majolus, so von Abt Romuald; in Todi hielt er noch mit dem Papste ein Concil und feierte daselbst die Geburt des Erlösers; dann wandte er sich gen Rom. Als er nach Paterno kam, fühlte er sich krank [25]); da das Uebel zunahm, empfing er von den ihn begleitenden Bischöfen die Stärkung der heiligen Sakramente und verschied, das Bekenntniß seiner Sünden wiederholend, zum unendlichen Schmerze der Seinigen am 24. Januar 1002 im 23. Jahre seines Alters [26]). Nicht ganz 16 Monate vergingen, und der große Freund des Hauses der Ottonen, P. Sylvester II, war dem Kaiser in das Grab schon nachgefolgt. Er starb am 12. Mai des Jahres 1003.

Wie aber das Beispiel P. Gregor's V auf den Kaiser segnend eingewirkt hatte, daß er die Verirrungen seiner frühesten

---

23) Thietm. IV. 357. 358.

24) Böhmer S. 46, Vita S. Romualdi c. 30. Murat. ann. VI. p. 3. Mil. 1744. 4.

25) Tangmarus in vita B Bernwardi c. 33. Febris et morbus italicus nennen die annal. Hildesh. seine Krankheit.

26) Adelboldi vita S. Henrici c. 1. non obiit sed ad desiderium suum singulare migravit, und früher: qualis ejus anteacta vita fuisset, in morte ipsius qui affuere videre potuerunt.. Vgl. Beilage N. XVI.

Jugend durch die frommen Werke späterer Jahre wieder gut machte, so krönte auch die rastlosen Bemühungen P. Gregor's um König Robert von Frankreich ein wenn auch später, zuletzt mehr als glücklicher Erfolg. Zwar war dieser ungeachtet der verhängten Excommunication noch bis zum Jahre 1000 nicht zu bewegen gewesen [27]), den Geboten der Kirche Folge zu leisten und die Königin Berta zu verstoßen, aber sein unermüdlicher Dränger, Abbo von Fleury stand nicht eher ab, als bis es geschehen war, und gerade dieser Zwang, welchen P. Gregor dem Könige auferlegt hatte, wurde nun diesem zum großen Heile, indem alle folgenden Handlungen während seiner langen Regierung das Bestreben beurkundeten, durch Uebung christlicher Tugenden, die in so reicher Fülle kaum in vollkommener Abgeschiedenheit von der Welt gefunden werden, seinen Thron zu zieren und die früheren Verirrungen vor Gott und seinem Volke wieder gut zu machen. Er lebte noch bis zum Jahre 1031 und starb dann ein Freund der Armen und Bedrängten, von dem hochmüthigen Adel gehaßt, von den Demüthigen geliebt und beweint, im sechzigsten Jahre seines Alters, im drei und vierzigsten seiner Regierung [28]). Viel früher und nur kurze Zeit, nachdem er die Aussöhnung des Königs mit der Kirche bewerkstelligt, hatte Abbo von Fleury seine irdische Laufbahn durch die Märtyrerkrone beschlossen, 13. November 1004 [29]).

Weniger fügsam als der König war Erzbischof Gisiler von Magdeburg, welchen das letzte Concil unter P. Gregor V zur Verantwortung gezogen hatte. Ungeachtet aller Synodalbeschlüsse und des Drängens eines wegen seiner nach Deutschland geschickten Legaten, wußte er sich durch die Appellation an ein

---

27) Mabill. ann. LI. c. 74.

28) Cf. Helgaldi epitome vitae Roberti R. ap. Bouq. X. p. 107.

29) In quo martyre tantum domicilium collocaverat sapientia ut sui temporis eruditi quamquam innumeri florerent, prae omnibus tamen ejus auctoritas maxime duceretur; ita ut in tota Gallia et Germania atque anglorum gente (nam illic quoque famosissimus habebatur) de quacumque ventilaretur quaestione si quis audisse se diceret ab illo definitionem nihil plus auctoritatis requireretur. Concil. Lemoric. Cf. Bouq. X. p. 539.

Generalconcilium, das zu seinen Lebzeiten nicht mehr gehalten wurde, bis zu seinem Tode in dem bestrittenen Besitze des Erzstiftes zu erhalten ³⁰).

Noch in vielfach anderer Beziehung zeigten sich glückliche Früchte der kräftigen Regierung P. Gregor's. Die Bemühungen heiliger Männer um Wiederherstellung der Kirchenzucht, welche in Anfang und Mitte des zehnten Jahrhundertes nur in enggezogenen Kreisen Anklang gefunden hatten, erhielten jetzt durch die von dem römischen Stuhle ausgehenden gleichmäßigen Bestrebungen einen Mittelpunkt, der ihnen selbst größeren Nachdruck verlieh. Das christliche Leben kam wieder in bestimmtere Form und schloß sich, vorzüglich durch die gleichzeitigen Bestrebungen vieler Bischöfe und Aebte, in den verschiedenen christlichen Ländern, es auf die Bestimmungen früherer Concilien zurückzuführen, einerseits immer mehr von dem gesetzlosen Treiben ab, welches den Grundcharakter des Heidenthums und aller ihm verwandten Richtungen bildet, während es, gerade dadurch an innerer Kraft, an lebendigem Glauben gewinnend, sich andererseits der bloßen Werkthätigkeit enthielt, welche manche Häresien späterer Jahrhunderte auszeichnete. Da die Canonensammlungen, welche zu diesem Zwecke in verschiedenen Ländern der Christenheit verfaßt wurden, weil Gebote die Uebertretungen kennen lehren, das anschaulichste Bild der Vorzüge und Mängel der Zeit gewähren, so mögen hier noch die Bestimmungen folgen, welche ein uns unbekannter Bischof und Zeitgenosse P. Gregor's V, ³¹) auf den Grund früherer Concilienbeschlüsse hin erließ.

Vor Allem, so beginnt er ³²), sich an die Priester wendend, müßt ihr wissen und immer eingedenk seyn, daß wir, denen die Sorge für das Volk Gottes und die Leitung der Seelen übergeben ist, am Tage des jüngsten Gerichtes Rechenschaft abzulegen haben über die, deren Seelen durch unsere

---

30) Calles X. c. 85.
31) Bei Mansi coll. magna conc. XIX. p. 179—194. Vielleicht sind sie von dem Bischof Theodulf von Orleans.
32) §. 1. Das Erordium ist ausgelassen.

Fahrlässigkeit zu Grunde gehen, wie wir auch für diejenigen, welche wir durch unser Beispiel und unsere Lehre Gott gewonnen haben, das ewige Leben zur Belohnung empfangen werden. Uns ist von unserem Herrn gesagt worden: ihr seyd das Salz der Erde. Ist also das Volk der Christen Gottes Speise und sind wir das Salz, so muß das Volk mit Gottes Hülfe durch uns zur Erfüllung von Gottes Willen zusammengehalten werden. Ihr müßt auch wissen, daß Eure Weihen den unseren nachstehen und uns zunächst sind, wie denn im Reiche Christi die Bischöfe an der Stelle der Apostel, die Priester an der Stelle seiner Diener sind. Die Bischöfe nehmen den Rang Aaron's, die Priester den seiner Söhne ein, weshalb Ihr Eurer Weihe und der Salbung, die Ihr bei Empfang der Weihe durch die Hände des Bischofs an Euren Händen empfingt, immer eingedenk seyn müßt, damit Ihr nie einer so heiligen Wohlthat verlustig gehet, noch Eure Hände, welche mit einem so heiligen Balsame gesalbt sind, durch Sünden beflecket, sondern die Reinheit des Herzens und des Körpers bewahret, so dem ganzen Volke ein Vorbild guten Lebenswandels werdet, und denen, welchen Ihr vorstehet, den wahren Weg zum Himmel zeiget. Mit dem größten Eifer leset in den heiligen Büchern und betet eifrig, weil das Leben eines Gerechten durch das Lesen der heiligen Bücher zu Gott angeregt und bereit gemacht, durch Gebet aber geziert wird, nach dem Spruche Davids: in meinem Herzen verberge ich Deine Reden, damit ich nicht gegen Dich sündige. Dieß sind nämlich die Waffen, durch welche der Teufel überwunden wird: häufiges und unausgesetztes Lesen in den heiligen Büchern und unablässiges Gebet. Das sind die Mittel, durch welche wir das Himmelreich erlangen können; durch diese Waffe wird jeder Fehler bedeckt, durch diese Speise werden alle Tugenden genährt und gefördert.

Zu jeder Zeit, wenn ihr aufgehört habt, in den heiligen Büchern zu lesen und zu beten, unternehmet irgend eine nützliche weltliche Arbeit; denn Müssiggang ist der Feind der Seele, und wen der Teufel mit irgend einem guten Werke feiernd findet, den führt er oft freiwillig zu irgend einer Sünde. Durch fortgesetztes Lesen der heiligen Büchern werdet Ihr aber sowohl lernen, wie Ihr selbst zum Himmelreich gelangen könnet, als auch wie Ihr Andere dahinzuführen vermöget. Durch Gebet könnt Ihr sowohl Euch selbst, als anderen Menschen, mit welchen Ihr in wahrer Liebe verbunden seyd, oftmals behülflich seyn, und zwar nicht bloß Lebenden, sondern auch Abgeschiedenen; durch Handarbeit aber werdet ihr in den Stand gesetzt, Euren Körper zu regieren, damit er desto weniger sich zur Sünde neige; zugleich könnt Ihr auch durch die Frucht Eurer Arbeit Armen, die nichts besitzen und denen auch die Kräfte zur Arbeit fehlen, helfen.

Nun folgen besondere Vorschriften [33]), wie die Priester auf Concilien erscheinen, wie sie das Brod für die hl. Eucharistie und was sonst zur Messe nothwendig ist, bereiten sollten; daß Weiber sich dem Altare nicht nähern dürften, an welchem Messe gelesen wird. Kein Priester dürfe diese allein lesen, dem göttlichen Ausspruche zufolge, wo zwei oder drei in meinem Namen versammelt sind, da bin ich mitten unter ihnen. Sie sollten nicht dulden, daß in den Kirchen Getreide oder Heu aufbewahrt würde, da nichts Anderes darin seyn dürfe, als was zum geistlichen Schmucke gehöre: das hl. Buch, die Gefäße für die Eucharistie, das Meßgewand und die übrigen für die Geistlichen nöthigen Anzüge. In den Kirchen sollten nur Geistliche und unbescholtene Layen, welche während ihres Lebens eine solche Ruhestätte gewiß verdient hätten, begraben werden; jedoch sollten einmal bestattete Leichen nicht hinausgeworfen, die Gräber aber in den Kirchen tiefer gegraben, oder doch so mit dem Fußboden ausgeglichen werden, daß man ungehindert darüber hinzugehen vermöge. In die Kirche gehe man nur des Gebetes wegen und aus Liebe zu Gott. Denn wo der Name Gottes häufig angerufen und das hl. Sacrament bei der Feier der Messe dargereicht wird, sind die Engel Gottes auch nicht ferne und es ist deshalb gefährlich, an dem heiligen Orte etwas Ungehöriges zu sagen oder zu thun. Messe darf nur in den Kirchen gelesen werden; keine Frau darf mit einem Priester zusammenwohnen, ausgenommen Mutter, Schwestern und wer

---

33) §. 4. S. 181 bei Mansi l. c.

sonst einer üblen Nachrede nicht unterworfen werden kann. Kein
Priester darf ein Wirthshaus, noch ein Schauspiel, noch ein
fremdes Haus betreten, er werde denn geistlichen Trostes wegen
dahin geholt; noch darf er die Pfarrkinder eines Andern an
sich locken, damit er von ihnen den Zehnten bekomme; noch die
Cleriker eines andern Priesters, noch diesem einen Cleriker abwendig machen. Wer aber Geschenke gebe, um eine fremde
Kirche zu erhalten, verliere entweder seine eigene oder werde
mit langem Gefängnisse bestraft. Wenn dem Pfarrer eines
Ortes ein krankes Kind zur Taufe gebracht werde, so solle
diese sogleich vorgenommen werden. Niemand wage es, die
hl. Gefäße zu weltlichen Dingen zu verwenden. Einem Priester sey es gestattet, Blutsverwandte zu den bischöflichen Kir-
chenschulen zu schicken; die Priester sollten aber selbst in ihren
Häusern Schulen haben und die ihnen anvertrauten Kinder unterrichten, ohne etwas Anderes, als freiwillige Gaben dafür
anzunehmen. Nach diesen disciplinarischen Verfügungen wendet
sich der Verfasser zu besonderen Vorschriften über Führung eines heiligen Lebens. Obgleich, fährt er fort, die hl. Schrift
mit Beispielen und Anweisungen zu guten Werken angefüllt ist
und in ihren Gefilden sich am Leichtesten Waffen finden lassen,
Sünden auszurotten und gute Werke zu fördern, so wollen
wir doch hier die Vorschrift eines heiligen Vaters beifügen, welcher mit wenigen Worten sagt, was zu thun ist, und wie wir
uns zu verhalten haben. Zuerst ist darin geboten, daß Jeder
Gott, seinen Herrn, · liebe von ganzem Herzen, von ganzer
Seele und nach allen seinen Kräften, und seinen Nächsten wie
sich selbst. Dann folgt das Gebot, daß Niemand tödte, Niemand ehebreche, stehle, noch eines Anderen Eigenthum unrechtmäßiger Weise begehre, noch in falschem Zeugnisse betroffen
werde; daß man jeden Anderen ehre, Niemanden thue, was
man selbst nicht wünsche, daß Einem widerfahre, fleischliche
Begierden überwinde und Christi Vorschriften, seinen Körper zu
heiligen, befolge; daß man weltlichen Schmuck nicht begehre,
Fasten liebe, Arme speise, Nackte bekleide, Kranke besuche,
Todte begrabe, allen Hülfsbedürftigen Hülfe gewähre, Trau-
ernde tröste und sie mit Worten ermahne, thatsächlich unter-

stütze und ihnen nichts so sehr einpräge, als die Liebe zu Jesum Christum. In seinem Zorne thue man nichts, was Reue erzeugen könnte, trage auch nicht den Zorn in dem Herzen nach, nähre in sich keine Tücke und gebe Niemanden den Friedenskuß, mit dem man nicht auch im Herzen vollen Frieden hat. Länger als bis Sonnenuntergang daure kein Zorn. Die wahre Liebe zu Gott und dem Nächsten vernachlässige keiner und schwöre niemals, damit er nicht etwa einen falschen Eid leiste; aus dem Herzen wie aus dem Munde gehe immer Wahrheit hervor: Niemand vergelte Böses mit Bösem. Keiner thue Unrecht; hat ihm ein Anderer solches angethan, so trage er es mit Geduld und liebe seinen Feind um Gottes Liebe willen. Wer geschmäht wird, schmähe nicht wieder, sondern antworte mit Segnung. Wird einer vor Gericht verfolgt und verwünscht, so leide er dieß geduldig. Keiner sey übermüthig, keiner der Trunkenheit ergeben, noch gefräßig, träge, unzufrieden, noch ein Verkleinerer Anderer, sondern seine ganze Hoffnung setze er auf Gott und wenn er etwas Gutes that, so schreibe er es Gott und nicht sich selbst zu; wenn er aber Böses thut oder gethan hat, so wisse er, daß es aus ihm selbst stamme. Immer sey jeder des großen Gerichtstages eingedenk, fürchte die Höllenstrafen, begehre mit voller geistiger Sehnsucht das ewige Leben und erinnere sich täglich seines letzten Stündleins; jeder bestrebe sich allzeit Gutes zu thun, und bedenke, daß er immer im Angesichte Gottes sey, und, wenn böse Gedanken in seinem Herzen entstehen, dann bekenne er sie sogleich seinem geistigen Arzte, der Niemand anders, als sein Beichtvater ist. Immer erinnere er sich des bittern Leidens unseres Herrn, und, wie dieser in seiner Demuth und für unser Heil darbte, wie der, der aller Geschöpfe Schöpfer ist, erniedrigt und an das Kreuz geschlagen wurde und wie seine Hände und Füße von den Nägeln, seine Seite durch die Lanze durchbohrt wurden. Mit diesen Gedanken kann er alle bösen Gedanken vertreiben und aus seiner Seele jagen. Seinen Mund muß er vor verkehrten Reden schließen, es sey ihm nicht angenehm, viel Ungerechtes zu reden, noch rede er eitle Worte, die unnützes Gelächter erregen, noch liebe er selbst vieles und unmäßiges Lachen, sondern vernehme

gerne die heilige Schrift, bete fleißig, bekenne Gott täglich wei=
nend und seufzend im Gebete seine früheren Sünden, bitte um
Erlaß derselben und flehe eifrig zu Gott, er möge ihn künftig
behüten, solch ein Uebel wieder zu begehen oder in eine neue
Sünde zu fallen. Niemand folge den Begierden seines Körpers,
noch seinem eigenen Willen, sondern in Allem höre er die Vor=
schriften seines Lehrers, selbst wenn dieß eine Sache wäre, von
der er nicht einsehen könnte, ob Gott sie wolle. Würde sich
aber sein Lehrer, der ihn im Christenthume unterrichtete, ver=
fehlen, so möge er sich jener Worte des Heilandes erinnern:
thuet Alles, was sie euch befehlen, nur was sie selbst thun,
thuet nicht. Niemand werde heilig genannt, ehe er es wirklich
ist, sondern er verdiene zuerst, daß er mit Recht heilig genannt
werden kann. Die Gebote Gottes erfülle man täglich thatsäch=
lich: jeder liebe die Keuschheit, hasse Niemanden, nähre nicht
Neid oder Groll, liebe keine Streitigkeiten, fliehe den Ueber=
muth, ehre das Alter, liebe die Jüngeren mit der Liebe Jesu
Christi und bete für seine Feinde. Mit wem Einer Zwist hat,
mit dem kehre er noch vor Sonnenuntergang zum Frieden zurück
und verzweifle nie an Gottes Barmherzigkeit. Dieß sind die
Vorschriften und Werkzeuge jener geistigen Kunst, welche, wenn
sie von uns Tag und Nacht ohne Unterlaß geübt wird, uns
bei dem Herrn die Vergeltung hervorbringt, die er denen ver=
sprach, welche seine Gebote erfüllen, und von der es heißt,
kein Auge hat es gesehen, kein Ohr gehört und in keines Men=
schen Herz ist es gekommen, was Gott denen bereitete, die
ihn lieben.

Alle Gläubigen, heißt es ferner, sind zu ermahnen, das
Vater unser und den Glauben zu lernen; sie sollen bedenken,
daß in diesen beiden Stücken die Grundlage des ganzen Glau=
bens liegt und wer Beides nicht zu singen vermag und nicht
so glaubt, wie vorgeschrieben ist, und sie nicht oftmals
wiederholt, kann kein Christ seyn. Den christlichen Layen ist
auch zu sagen, daß jeder wenigstens zweimal täglich bete, wenn
er nicht öfter kann, nämlich Morgens und Abends und dann
zu dem Vaterunser und dem Glauben noch hinzusetze: „Du o
Gott, der Du mich gebildet und geschaffen hast, erbarme Dich

meiner. Gott sey mir armen Sünder gnädig. Jeder danke
Gott für den täglichen Lebensunterhalt, sowie daß er ihn nach
Seinem Ebenbilde schuf und ihn von den Thieren trennte. Hat
er dieß gethan und so Gott den Schöpfer allein angebetet, dann
möge er auch die Heiligen Gottes anrufen und flehen, daß sie
ihn bei Gott vertreten, zuerst die hl. Maria, dann alle Heiligen Gottes. Diejenigen, welche in die Kirche gehen können,
sollen dieß in der Kirche thun, Morgens und Abends, an
welchem Orte sie auch sind, da, wie der Psalmist sagt, an jedem die Herrschaft Gottes ist. Der Sonntag ist auf das Hei-
ligste zu feiern und wir befehlen deshalb, daß Niemand an diesem heiligen Tage ein weltlich Werk unternehme, es sey dann,
seine Speise zu bereiten, ausgenommen, wenn er reisen müßte;
dieß kann er aber zu Land und zu Wasser thun, wenn er nur
die Messe und seine Gebete nicht vernachlässigt. Am Sonntage
schuf Gott zuerst das Licht und an diesem Tage sandte Er dem
israelitischen Volke in der Wüste das Himmelsbrod; an diesem
Tage erstand Er selbst von den Todten, nachdem Er zuvor freiwillig für das Heil des Menschengeschlechtes den Tod erlitten
hatte, und an diesem Tage sandte Er den heiligen Geist über
seine Diener: deshalb ist es auch besonders angemessen, daß
jeder Christ diesen Tag mit der höchsten Feier begehe. Es muß
auch jeder Christ, in dessen Kräften es steht, am Sonnabende
zur Kirche kommen, ein Licht mitbringen und daselbst dem
Vespergesang, bei Nacht den nächtlichen Lobgesängen beiwoh-
nen, und am Morgen mit seinen Opfern zur Feier der Messe
kommen; und wenn alle versammelt sind, höre man keinen
Streit, noch Zank, noch ärgerlichen Lärm; sondern jeder begehe die heilige Feier mit Gebet und Almosen, sowohl für sich
als für das ganze Volk auf ernste Weise, kehre dann nach
Hause zurück, labe sich mit Freunden, Nachbaren und Anderen
auf geistige Weise mit Speise und waffne sich gegen Fraß und
Völlerei.

Nachdem so das Gebet und der Wille des Herrn als die
oberste Richtschnur aller Handlungen ausgesprochen worden,
folgen nun noch einzelne nähere Bestimmungen zu vollkommner

Durchbringung aller Verhältnisse des menschlichen Lebens durch den Einen Geist.

Deshalb werden die Pfarrer aufgefordert, ihre Pfarrkinder zu ermahnen, keinem Reisenden Obdach zu verweigern, vor Allem aber, daß sie nicht einen falschen Eid für eine leichte Sache hielten; ein solcher gehöre zu den größten Verbrechen, und wer ihn begehe und nicht Buße thue, sey aus aller Gemeinschaft der Gläubigen so lange ausgeschlossen, bis er Buße geleistet habe. Dasselbe gelte von falschem Zeugnisse. Sieben Jahre der strengsten Buße waren auf diese beiden Verbrechen gesetzt. Die Gläubigen sollen daher erinnert werden, wie es wohl nichts Thörichteres geben könne, als aus Begierde nach Gold und Silber, nach kostbaren Kleidern oder einer anderen weltlichen Sache sich einer so langen Buße auszusetzen. Den Priestern ward besonders vorgeschrieben, sie sollten das Volk mit dem größten Eifer lehren, und zwar, wenn sie in Büchern bewandert seyen, aus Büchern; wenn nicht, so sollten sie ihre Schüler lehren, von dem Bösen abzustehen, das Gute zu thun, den Frieden zu suchen und ihn zu befolgen. Davon könne sich aber kein Priester frei machen; denn jeder habe eine Zunge, und, wer Gutes reden wolle, könne immer Einige zurechtweisen. Sieht ein Priester Jemanden irren, so muß er alle seine Kräfte aufbieten, ihn durch Zureden, Bitten und Gebet zu der Tugend zurückzuführen und er darf einen solchen nicht eher verlassen, bis er ihn nicht zu guten Werken bewog. Die Priester haben ferner ihre Pfarrkinder zu ermahnen, so zu beten, wie sie gelehrt worden sind. Erst müssen sie den Glauben singen und dann wird ihr wahrer Glaube diesem ihrem Fundamente auf's ähnlichste seyn. Nach dem Glauben sollte Jeder dreimal sagen: Gott, der Du mich geschaffen hast, erbarme Dich meiner; und dreimal: Gott sey mir armen Sünder gnädig. Dann singe er das Gebet des Herrn und dann, wenn Ort und Zeit es zulassen, rufe er zuerst die hl. Maria an, dann die hl. Apostel und alle Heiligen Gottes, daß sie ihn bei Gott vertreten. Dann waffne er seine Stirne mit dem Zeichen des hl. Kreuzes, d. i. er bezeichne sich damit und danke dann Gott in seinem Herzen und mit aufgehobenen Händen und zum Himmel

gerichteten Augen dafür, daß Er ihm leichte und schwere Schuld
erließ; fehlt ihm aber hiezu die Zeit, so sage er doch wenigstens
jene dreimalige Anrufung, singe in seinem Herzen das Gebet
des Herrn und bezeichne sich dann mit dem Kreuze. Täglich
müssen wir ein = oder zweimal in unserem Gebete unsere Sün=
den bekennen, nach dem Ausspruche des Propheten: Herr, mein
Vergehen habe ich Dir bekannt und meine Ungerechtigkeit gegen
mich selbst, und Du, o Herr, erläſſeſt mir die Gottloſigkeit mei=
ner Sünde. Nach dieſem Bekenntniſſe müſſen wir mit Seufzern
und Zerknirschung des Herzens zu Gott beten und den 50ten,
24ten oder 25ten Pſalm oder ſonſt einen paſſenden beten und
damit enden. Die Beicht, welche wir dem Prieſter ablegen,
iſt dazu nützlich, daß wir durch ſie heilſame Rathſchläge und
Heilsmittel für diejenigen Vergehen erlangen, von denen wir
ſelbſt ſagen, ſie ſeyen durch unſer eigenes Verſchulden in uns,
damit wir dann durch Beobachtung der Gebote, die uns der
Prieſter aufgiebt, unſere Sünden tilgen. Das Sündenbekennt=
niß aber, das wir Gott allein ablegen, iſt uns deshalb nützlich,
weil Gott, je öfter wir ihm unſere Sünden bekennen, ſie uns
deſto lieber erläßt; je öfter wir ſie aber vergeſſen, deſto mehr
erinnert ſich ihrer Gott. Wir müſſen bedenken, was der Pro=
phet David ſagt und darnach mit allen Kräften handeln: meine
Ungerechtigkeit erkannte ich, und meine Sünde iſt immer vor
mir. In der Beicht haben wir aber jede Sünde zu bekennen,
die wir durch Wort, That oder Gedanken begingen, und der
Beichtvater hat ſorgſam zu fragen, wie die gebeichtete Hand=
lung begangen wurde, ob freiwillig oder unfreiwillig, mit oder
ohne Ueberlegung, und dann lege er für jedes Vergehen nach
der Beſchaffenheit der Handlung die geeignete Buße auf. Er
hat aber den Beichtenden noch beſonders zu belehren, daß er
ihm nichts verheimliche, weder Worte noch Thaten, die er je=
mals gegen Gottes Willen unternommen hat.

Nun läßt der Verfaſſer eine Ermahnung folgen, die Werke
der Barmherzigkeit zu erfüllen. Wer aber, fügt er hinzu, auch
alle dieſe erfüllt, mag bedenken, daß er dennoch nicht in das
ewige Leben eingehen kann, ſolange er ſelbſt in Sünde lebt.
Wer aber durch Verrichtung guter Werke ſeinen Irrthum ver=

läßt, Christo sich anschließt und sich mit der Süßigkeit wahrer
Liebe erfüllt, speist seine eigene Seele. Durch alle geistigen
Werke aber, die der Mensch sich selbst thut, speist, tränkt,
kleidet und besucht er Christum nicht minder, da er von diesem
selbst ein Theil ist. Jeder Freund Gottes erziehe seine Kinder
in Gehorsam gegen ihre Aeltern; die Aeltern aber sollen weder
die Sünden ihrer Kinder unbestraft lassen, noch diese zum Zorne
reizen, und wohl bedenken, daß jede Sünde, welche in diesem
Leben nicht gebüßt wird, im andern bestraft wird. Die Priester
haben auch dem Volke zu sagen, daß dieß die wahre Liebe ist,
wenn einer Gott mehr liebt, als sich selbst, und seinen Nächsten,
wie sich selbst. Nicht in Speis und Trank besteht die Carität,
da das Himmelreich nicht Speis noch Trank ist. Wo diese aber
aus wahrer Liebe zu Gott gereicht werden, ist dieß immer ein recht
gutes Werk und auch für ein solches zu nehmen. Wie die Bauern
sollen auch die Kaufleute den Zehnten ihres Erwerbes entrichten,
damit Handel und Gewinn geheiligt werden. In der Woche vor
Quadragesima hat Jeder seinem Pfarrer zu beichten; wer einen
Feind hat, söhne sich mit ihm aus, um so mit reinem Herzen die
Zeit des hl. Fastens feiern zu können. Alle aber mögen bedenken,
daß auf siebenfache Weise Vergebniß der Sünden erlangt wird,
durch die Taufe, durch Trübsale, durch Almosen, durch Vergebung von Beleidigungen, durch Zurechtweisung Anderer, durch
wahre Liebe zu Gott und den Menschen und durch Buße.
Darnach mögen sie nun handeln. Während der vierzigtägigen
Fasten darf man nur Sonntags vor der 10ten oder 12ten
Stunde Speise zu sich nehmen; denn jene Tage sind die Ta-
geszehnten des Jahres, und es ist kein Zweifel, daß, wer in
dieser Zeit zu fasten im Stande ist, und es nicht thun will, sich
die ewige Strafe zuzieht, da der Herr diese Tage durch Moses, Elias und durch sich selbst in Fasten heiligte. Wenn Fasten mit Almosengeben begleitet werden solle, so ist dieß in jenen Tagen zu üben, und, insbesondere was wir von dem gewöhnlichen Maß von Speis und Trank durch unser Fasten
ersparen, den Armen zu spenden. Fasten muß aber so gehalten
werden, daß nach der Nona erst noch die Messe, nach der
Messe der Vespergesang gehört wird; dann gebe jeder sein

Almosen und nehme Speise zu sich. Kann Jemand nicht zur Kirche kommen, so solle er doch nicht früher, als die Andern essen. In dieser Zeit muß man sich aller Leckereien enthalten und mäßig und keusch leben. Kann sich Jemand auch noch von Käs, Eiern und Fischen enthalten, so ist dieß das höchste Fasten. Wein bis zur Trunkenheit und sündige Vergnügungen sind verboten, Milch und Käse aber nicht. Jeden Sonntag in der Fasten soll man communiciren, so auch die 3 letzten Tage vor Ostern, jeden Tag der hl. Woche aber mit gleicher Andacht feiern. Kein Streit soll während der Fasten erhoben werden; Ehegatten sollen dann sich einander enthalten. Das Volk soll aber für jene Zeit angewiesen werden, sich mit großem Eifer und großer Furcht zum Empfange der hl. Communion durch Fasten, Almosen, Keuschheit und Beichte vorzubereiten, Mönchen und Wittwen von besonderer Heiligkeit sey es erlaubt, täglich den Leib des Herrn zu empfangen. Werden Privatmessen gehalten, so soll durch sie das Volk nicht von der großen Messe abgezogen werden; bevor jedoch nicht diese und die Predigt beendigt sind, darf Niemand Speise zu sich nehmen.“

Es war ein nicht leichter Kampf, welchen der Mensch mit seiner Natur zu bestehen hatte, um ein vollkommner Christ zu werden. Gleichmäßig aber mildert sich bei so großen Anforderungen die strenge Beurtheilung der Gebrechen dieser Zeit und steigt die Verehrung für diejenigen, welche noch Größeres vollbrachten, als von ihnen verlangt wurde.

Die deutschen Päpste.

Zweites Buch.

Die Zeiten Papst Clemens II und Papst Damasus II.

25. December 1046 — 8. August 1048.

Einleitung.

Die Zeit von P. Gregor V bis zu P. Clemens II.

18. Febr. 999 — 25. Dec. 1046.

Nicht weniger ernst, als das zehnte Jahrhundert der christlichen Zeitrechnung begonnen hatte, nahm auch das eilfte seinen
Anfang. Zwar waren es nicht mehr die Vertilgungskriege wuth-
entbrannter Heiden, durch welche die nun viel tiefer begründete
Ordnung der christlichen Reiche in ihrem Innersten bedroht und
erschüttert wurde. Die Städte, bereits mit Mauern umgürtet,
wären nun nicht mehr die leichte Beute plündernder Horden
geworden; Freiheit und Eigenthum des Einzelnen waren gegen
einen Angriff von Außen gesicherter, die moralische Kraft der
abendländischen Völker hatte sich mit erneuter Stärke gegen ihre
früheren Bedränger gewendet, ja die einst entschiedensten Feinde
des christlichen Namens, die Normannen, waren bereits die
eifrigsten Anhänger der katholischen Kirche geworden, und auch
die Magyaren sollte bald dasselbe Schicksal treffen. Mit Muth und
Aufopferung schirmten in allen Theilen des Abendlandes fromme
und gelehrte Bischöfe die kirchliche Ordnung und dienten, mit
Macht und Ansehen ausgerüstet, bereits selbst der großen Mehr-
zahl der Schwachen zum Damme gegen die übermüthigen Angriffe
der Stärkeren. Zahlreiche und streng geregelte Klöster zogen

einen tüchtigen und gebildeten Clerus heran [1]), der die Roh=
heit der Zeit zu mildern bestrebt war, und deren Gesammtbe=
mühungen es allmälig gelang, durch Wissenschaft und Kunst —
die schönen Früchte der aus dem Geräusche der Welt zurückge=
zogenen Mönche — das Leben zu erheitern und dennoch dessen
Endzweck treu zu verfolgen. Auch Layen strebten bereits nach
tieferer Erkenntniß; in dem rühmlichsten Eifer für das Heil der
Völker stand mancher weltliche Fürst den geistlichen Oberhäuptern
nicht nach und ward so durch Ausspendung von Recht und Ge=
rechtigkeit, durch freiwillige Unterwerfung unter das Gebot des
Heilands Allen ein leuchtendes Vorbild. Wie aber in dem Anfange des zehnten Jahrhunderts das
ganze christliche Leben durch die Reform des vielverzweigten
Benedictinerordens einen neuen Aufschwung gewann, so geschah
Aehnliches auch jetzt, obwohl der noch bei Lebzeiten P. Sylve=
ster's II auf die Regel des hl. Benedict hin gestiftete Orden
von Camaldoli, da er, ungleich strenger als der von Clugny,
gänzliche Abgeschiedenheit der sich ihm hingebenden Menschen
und vollkommne Abtödtung des irdischen Leben verlangte, des=
halb auch außer Italien, wo er entstanden war, nur wenig
Wurzel faßte. Der heilige Romuald, Kaiser Otto's III Freund
und geistlicher Vater, war es, welcher nach einem mehr als acht=
zigjährigen Kampfe mit sich selbst, das nicht geringe Werk unter=
nahm, durch Zurückführung des Einzelnen bis auf den Grund seiner
Seele, wohin der Pesthauch der Simonie und der übrigen Haupt=
laster dieser Zeit noch nicht gedrungen, und von wo allein eine
Umkehrung des Herzens noch möglich war, eine völlige Umwand=
lung desselben hervorzubringen und durch Herausreißung aus allen
Lebensverhältnissen, welche einen Rückfall in die alte Schuld mög=
lich machen konnten, den Menschen in der wiedergewonnenen Ge=
rechtigkeit der Gesinnung und des Wandels zu erhalten. Aus meh=
reren Abteien, in welchen sich Vorstände und Untergebene seiner
durchgreifenden Reform widersetzten, vertrieben, oftmals nur durch
ein Wunder dem Tode entronnen, welchen ihm widerspänstige
Mönche oder simonistische Priester zu bereiten suchten, zog der

---

1) Vgl. Mabill. praef. ad saec. V. Ord. S. Bened.

mehr als hundertjährige Mann von Berg zu Thal, mit dem
Feuer eines Jünglings, Buße predigend und durch die Kraft
seines eigenen Beispiels wie durch die Gluth seiner Reden Schüler in Menge um sich versammelnd, welche sich freiwillig den
größten Entbehrungen, den härtesten Kasteiungen und einem
beinahe immerwährenden Stillschweigen unterwarfen, die Sünde
bis auf ihre Wurzel in sich abzutödten. Er belehrte nebst mehreren anderen Deutschen einen Freund [2]) und Liebling Kaiser
Otto's III, der dann mit seinen Gefährten als Verkünder des
christlichen Glaubens nach Kleinrußland zog und dort den
ersehnten Martyrertod fand; er gründete Klöster [3]) (Eremen)
zu Orvieto, Val di Castro, Camaldoli, in Umbrien, der Marc
Aucona und den umliegenden Landschaften in solcher Menge,
daß man von ihm sagte, er habe die ganze Welt in eine Einsiedelei verwandeln [4]) und alle Menschen zu Mönchen machen
wollen. Daher verweilte er auch in keinem Orte längere Zeit,
als nöthig war, um ein Kloster zu gründen und es in geregel-
ten Gang zu bringen; dann überließ er die weitere Sorge dafür einem tauglichen Abte und eilte fort, den unterdeß von
neuem herzugeströmten Schülern neue Wohnungen zu bereiten.
Nur auf dem Berge Sytria blieb er 7 Jahre lang unter seinen
Schülern, leitete ihre geistigen Uebungen und ging ihnen mit
dem Vorbilde der strengsten Enthaltsamkeit voran. Doch mahnte
er sie selbst zur Mäßigung in der Abtödtung des Leibes, wohl
um zu verhindern, daß der Kampf, der immer frisch und neu
bleiben sollte, nicht Gewohnheitssache würde, und während er
selbst oftmals den ganzen Tag nichts aß, litt er nicht, daß Andere gleiche Entbehrung übten: es genüge, sagte er, täglich

---

2) Vita S. Romualdi auct. B. Petro Damiani ap. Mabill. AA
SS. Ord. S. Bened. VIII. p. 246. c. 37—47.
3) Constituit (R.) plures canonicos et clericos, qui laicorum more
saeculariter habitabant, praepositis obedire et communiter in
congregatione vivere docuit etc. Dieß war die eine Seite seiner
Wirksamkeit, von welcher die Stiftung der Einsiedeleien getrennt werden muß. c. 60.
4) Adeo ut putaretur totum mundum in eremum velle convertere
et monachico ordini omnem populi multitudinem sociare. c. 62.

Nahrung zu sich zu nehmen und doch nie satt zu seyn; auch in den Vigilien hieß er Maß halten: „besser sey Ein Psalm mit Zerknirschung des Herzens gesungen, als hundert in Zerstreuung des Geistes. Wem aber diese Gnade der Sammlung nicht gegeben sey, der möge nicht verzweifeln, sondern ausharren in Gebet und Abtödtung, um die Zerstreuung nach Außen zu ersticken und die Gnade im Innern wirken zu lassen." Nicht nur dem Namen, sondern auch der That nach erinnerte aber das gemeinschaftliche Leben der Einsiedler des hl. Romuald zu Sytria [5]) an den Aufenthalt jener heiligen Väter in der thebaischen Wüste; alle Brüder gingen baarfuß einher, ohne Schmuck und Zierde, in Gebet vertieft, mit dem Nothdürftigsten zufrieden. Viele blieben immer in ihren Zellen, wie im Grabe verborgen. Selbst die Hirten, die die Heerden des Klosters hüteten, führten ein Leben voll Gebet, Fasten und Kasteiungen.

Im Jahre 1027 starb der hl Romuald. Das von ihm ausgehende Werk hatte nicht geringen Einfluß auf Besserung der Sitten, auf Wiedererweckung eines geistigen Lebens, führte Hunderte von der Bahn des Lasters zu ewigem Heile, schuf der Kirche den sicheren Schutz des Gebetes vieler reiner, gottgefälliger Seelen und erzeugte in diesen jenen unerschütterlichen Muth, der den Lockungen wie den Drohungen der Welt Trotz bietend, wo die Kirche es verlangte, die größten Opfer darzubringen [6]) lehrte.

Zu gleicher Zeit breitete auch der Orden von Clugny seine segensreichen Wirkungen immer mehr aus. Hier war noch bei Lebzeiten und nach dem Wunsche des hl. Majolus der hl. Odilo, obwohl damals erst seit 3 Jahren Mönch, zum Abte erwählt worden; in Gesinnung und Streben mit beiden vereint, wirkte

---

[5]) Taliter autem in Sytria vivebatur ac si ex similitudine non solum nominis sed etiam operis altera denuo Nitria videretur.

[6]) Noch blüht der Orden, vorzüglich im oberen Tiberthale zu Monte Amiato, Monte Corone ꝛc.; aus ihm gingen im eilften Jahrhunderte die unerschrockensten Gegner der Simonie hervor. Guido von Pomposa, Petrus Damiani, auch Johannes Gualbert mit seinen Schülern ist hieher zu rechnen. Daß der jetzt regierende Papst Gregor XVI diesem Orden angehört, ist bekannt.

bis zum Jahre 1031 der hl. Wilhelm [7]), welchen Abt Majolus aus Italien nach Clugny gebracht hatte, seit dem Jahre 999 Abt des Klosters des hl. Benignus zu Dijon, für Herstellung klösterlicher Zucht. Man zählte an 40 Klöster und Cellen, in welchen Abt Wilhelm die erloschene Zucht wieder entflammte und das religiöse Leben durch wissenschaftliche Bildung [8]) fester begründete. Kaum weniger Klöster leitete der hl. Odilo, dessen tadelloser Wandel schon bei seinen Zeitgenossen so sehr in Achtung stand, daß Päpste und Kaiser, die Könige Frankreichs, Spaniens und Ungarns, Bischöfe und Aebte sich bemühten, seinen Rath zu erholen und ihm ihre Ehrfurcht zu bezeugen. Zeichnete sich der hl. Wilhelm durch die Strenge aus, durch welche er vorzüglich der Bekehrer simonistischer Bischöfe wurde, so errang sich Odilo [9]) Ruhm und Verdienst besonders durch die Milde, mit welcher er verderbte Gemüther zum Bessern zu lenken verstand. „Muß ich verdammt werden, pflegte er zu sagen, so geschehe es lieber um meines Mitleids willen, als wegen meiner Härte und Grausamkeit." Dieser Ausspruch bezeichnet sein ganzes Leben. Obwohl das Kloster von Clugny zu seiner Zeit so reich war, daß er die Kirche auf's Herrlichste umbauen konnte — allgemein hatte sich damals der Menschen die Begierde bemächtigt, neue Kirchen zu bauen, oder verfallene prächtiger wieder herzustellen — so zögerte doch Odilo nicht,

---

7) Cf. vit. S. Guilelmi abb. auctore Glabro Radulfo. AA. SS. O. S. B. VIII. p. 284. etc. Cf. Glabr. Rod. hist. lib. III. 5. Mabill. ann. T. IV. p. 114. 115. das Fragment historiae monasterii novi Pictaviensis bezeichnet mit Recht Clugny als fons, qui per totam pene Europam religionis rivulos sparserat. ap. Bouq. XI. p. 120. B.

8) Vgl. hist. littéraire de la France VII. p. 320. und in demselben Bande: état des lettres en France c. 41—46. Selbst Mathematik und Medicin blühten in den Klöstern Abt Wilhelm's; die Kirche, die er zu Dijon baute, gehörte zu den schönsten des Jahrhunderts.

9) Cf. vita S. Odilonis auct. Jotsaldo, da die von Petrus Dam. verfaßte vita S. Odil. nur ein Auszug von jener ist. (Vgl. Contzen S. 172); und das elogium historicum S. Odilonis in Mabillon's AA. SS. VIII. S. 553. etc.

alle Schätze des Klosters, selbst die Krone, welche Kaiser Hein=
rich I der Kirche geschenkt hatte, ohne Bedenken hinwegzuge=
ben, als eine gräuliche Hungersnoth in Burgund und Frankreich
ausbrach, und die gewöhnlichen Einkünfte des Klosters nicht
hinreichten, die große Anzahl der Armen und Verlassenen zu
speisen. Für die ganze Christenheit aber von unendlichem Se=
gen ward der von ihm ausgehende Gebrauch, welcher nachher
von den Päpsten bestätigt, allmälig von der gesammten Kirche
angenommen wurde, einen bestimmten Tag des Jahres (2. No=
vember) der Gedächtnißfeier der im Herrn Entschlafenen zu
widmen und so durch ein allgemeines Werk der Liebe über die
Gränzen des irdischen Lebens hinaus Lebende und Verstorbene
fester an einander zu ketten [9b]). Mit Recht nannte man ihn daher
den Mann des Mitleids und der Sanftmuth, hießen ihn nicht
bloß die Mönche ihren Vater. Das Erzbisthum von Lyon, das
ihm angetragen worden [9c]), schlug er aus; bereits Stütze seiner
Zeit und Mittelpunct jeder hervorragenden Bestrebung in Re=
ligion und Wissenschaft, bedurfte er keiner höheren Ehren. Als
Abt von Clugny stand er einer Pflanzschule von Aebten und
Bischöfen vor, selbst ein Königsthron [10]) ward mit einem sei=
ner Schüler besetzt. Seine Zeitgenossen haben aufgezeichnet,
wie er einem blinden Knaben das Gesicht gegeben, Wein und
Fische wunderthätig vermehrt, Wahnsinnige und Epileptische
geheilt, Tauben das Gehör, Stummen die Sprache wiederge=
geben [11]). Er selbst in den Tagen zum Mitwirken in der
Kirche erhoben, als das Pontificat P. Gregor's V der Christen=
heit eine bessere Aera versprach, hielt demüthig und unerschüt=
tert in allen nachfolgenden Stürmen aus und lebte noch lange
genug, sich der Wiedergeburt der römischen Kirche aus erneuter,
viel größerer Schmach, als je zuvor, erfreuen zu können. In
ähnlichem Geiste und von dem hl. Odilo aufgefordert, wirkte Abt

---

9b) Chr. Turon. ap. Bouq. X. p. 282. Binterim's Denkwürdigkei=
ten V. 1. S. 493.

9c) Cf. epla Joh. P. XX. ad Odil. Abb. ap. Mansi XIX, p. 418.

10) Der von Polen durch Casimir, den Sohn Mieslaus II.

11) Cf. vita S. Odil. lib. II. c. 1. 3. 5. 8 etc.

Richard von Verdun [12]), ein Verwandter der deutschen Kaiser, dem 21 Klöster ihre Wiederherstellung, Deutsche und Franzosen Aufrechthaltung des Friedens verdankten. Einer seiner Schüler war der hl. Poppo [13]), Abt von Stabulo und mehreren anderen Klöstern, in denen er die Sitten zu verbessern und ein gottinniges Leben zu erwecken bemüht war. Um dieselbe Zeit breiteten Paternus und Garsias den Orden von Clugny in Spanien aus, stiftete der hl. Alferus [14]) die Congregation von La Cava bei Salerno, verfaßte der hl. Burkhard von Worms [15]) seine Canonensammlung, blühte Abt Odilo's Freund, der hl. Fulbert von Chartres, der an der bischöflichen Schule daselbst Männer voll gründlicher Gelehrsamkeit bildete, erholten sich jetzt Religion und Wissenschaft von den schweren Schlägen früherer Zeiten und sproßten, vom Glauben genährt, durch strenge Zucht befestigt, nun in allen christlichen Ländern fröhlich auf.

Soviel aber bereits das Ende des zehnten Jahrhunderts in Bezug auf bessere Gestaltung höherer Lebensverhältnisse vor dem Anfange desselben voraushatte und so zahlreich in dieser Epoche Männer von erhabener Gesinnung und von heilsamem Wirken aufstanden, so viel blieb bei der Masse des Unheils, welches auszurotten die Besseren nicht vermocht, die Schlechteren nicht gewollt hatten, und das sich nun mit jedem Tage tiefer wurzelnd in das eilfte Jahrhundert hinüberzog, bald es im Innersten bedrohte, dem neuen Geschlechte noch zu thun übrig.

Mit aller Macht eines Beherrschers der Deutschen und Italiener hatte der letzte der Ottonen den Gesetzen, welche die Kirche und ihre Besitzungen vor den bald offeneren, bald versteckteren, immer gleich räuberischen Eingriffen der weltlichen

---

12) Cf. vita S. Richardi ap. Mabill. VIII. 455.

13) Vita S. Popponis ap. eund. (auct. Everhelmo) p. 500. Cf. hist. littér. VII. p. 417.

14) Cf. vita S. Alferii auct. Abb. Venusino subaequali ap. Mabill. VIII. p. 638.

15) Cf. vita S. Burkhardi Worm. ep. apud ejusd. coll. can. XX. libr. Colon. 1. fol.

Fürsten, besonders Italiens schützen sollten, kaum eine vorüber=
gehende Geltung zu verschaffen vermocht. Als dann nach Kai=
ser Otto's III Tode von den lombardischen Fürsten ein Ein=
heimischer, Arduin, zum Könige erwählt worden war, so reichte
dieses Ereigniß bei der Verwicklung der damaligen Verhältnisse
hin, die Grundlage aller Ordnung in Oberitalien für Jahr=
hunderte zu erschüttern, da sich der Kampf gegen das deutsche
Kaiserthum [16]), in seinen Fortschritten unerwartet glücklich,
schnell auch gegen die Kirche, auf die jenes gegründet war,
wandte. Der so streng verbotene Verkauf kirchlicher Würden,
in dem sich Layen und Geistliche wechselseitig die Hand boten
und der eben deshalb nie ganz ausgerottet werden konnte, hatte
von Seite der Geistlichen eine neue Gestalt gewonnen, indem
die Uebertretung auch eines anderen, nicht minder streng ein=
geschärften Gebotes hinzukam [17]), durch welches die Kirche
von den ältesten Zeiten her die vollkommne Reinheit des Prie=
sterstandes zu erhalten bemüht war. Nicht nur daß viele Geist=
liche dem Herkommen der Kirche und dem ausdrücklichen Ge=

---

16) Bekanntlich boten die italienischen Fürsten nach dem Tode K. Hein=
 richs dem Grafen Wilhelm V von Aquitanien die Krone ihres Lan=
 des unter der Bedingung an: ut, wie Graf Wilhelm selbst schrieb,
 ex voluntate eorum Episcopos, qui essent Italiae, deponerem
 et alios rursus illorum arbitrio elevarem. Cf. epl. II. ap.
 Bouq. X. Der Aufstand der Italiener gegen die Deutschen nach
 dem Tode K. Otto's III, die Eingriffe in die Kirchengüter, jener
 Antrag an K. Wilhelm, die Kriege der Pavesen gegen K. Conrad,
 der Mailänder unter sich und mit ihren Nachbaren, endlich unter
 sich selbst, stehen in unmittelbarem Zusammenhange.

17) Vgl. darüber die praef. Benedicti P. VIII. ad concil. Ticin.
 ap. Mansi XIX. p. 343. etc., welche ungemeinen Aufschluß über
 den Verfall der Kirchenzucht giebt: ipsi quoque clerici — ex li=
 beris mulieribus filios procreant — ampla praedia, ampla pa=
 trimonia et quaecunque bona possunt, de bonis ecclesiae —
 infamis patris infamibus filiis adquirunt. — Hi sunt (diese
 Bastarde) qui tumultuantur contra ecclesiam; nulli pejores ho=
 stes ecclesiae quam isti. — sic annullatur ecclesia, sic mendi=
 cat p. 344. Die ganze höchst merkwürdige praefatio ist noch viel
 zu wenig benützt.

bote des nicänischen Concils entgegen die vorgeschriebene Keusch=
heit nicht beobachteten, es war auch damals, besonders in Lom=
bardien, wo die diesem Volke eigenthümliche Ungebundenheit
zu größerer Ausartung Anlaß gab, unter den Geistlichen be=
reits zur Gewohnheit geworden, sich mit freien Weibern einzu=
lassen, um den mit ihnen erzeugten Kindern die bürgerliche
Freiheit der Mutter und das Kirchengut des Vaters zu ver=
schaffen. Nur der höchste Ernst P. Benedict's VIII, welcher
zur Steuer des Unheils selbst ein Concil zu Pavia hielt, das
der Kirche ihre Güter wieder verschaffte, und den Bastarden
ihre usurpirten Rechte entzog, vermochte, indem er das Gebot
der Ehelosigkeit der Geistlichen auf das Schärfste wieder er=
neute, für einige Zeit dem Unwesen Schranken zu setzen. Da
aber um eben diese Zeit durch ein allgemeines Aufstehnen der
mächtigen Vasallen gegen ihre Lehnsherren [18] jene großen bür=
gerlichen Bewegungen begannen, die nach vielen Kämpfen zu=
letzt den gänzlichen Sturz des Adels und die damals schon ge=
gründeten Macht der Städte herbeiführten; als die ernsten
Streitigkeiten zwischen K. Conrad und dem Erzbischofe von
Mailand die Ruhe in der Lombardei vollends vernichteten, und
einen grimmigen Haß gegen die Deutschen, wie gegen alle Ord=
nung, die von dem Kaiser herstammte, erzeugten; als endlich
auch die Wachsamkeit der Päpste über Beobachtung der Kir=
chengesetze nachließ und ein schlimmes Beispiel von ihrer Seite
zuletzt selbst zur Uebertretung der Gebote ermunterte, so mußten
diese Uebelstände allmälig eine Höhe erreichen, daß sie selbst
den eifrigsten Gegenbemühungen, als diese wieder Statt fanden,
Trotz zu bieten vermochten.

Jenseits der Alpen, in Deutschland, ward solch verderbli=
chem Treiben durch die Verfassung, welche so viele Großen
unter einem Könige vereinte, sowie durch den rechtlichen Sinn
der Häupter jener fürstlichen Häuser gesteuert, welchen die Vor=
sehung die höchste Gewalt übertragen hatte. Doch gelangte,
als P. Gregor's V Vater die auf ihn gefallene Königswahl

---

18) Vgl. Murat. annali d' Italia 1055. Tom. VI. In Bezug auf die
Päpste sieh Beilage N. XVI.

abgelehnt hatte, K. Heinrich II auch nicht frieblich auf den
Thron der Deutschen, viel weniger auf den Italiens. Die
Kaiserkrone gewann er sich, als er P. Benedict VIII ¹⁹) gegen
die Römer schützte, welche erst von den Grafen von Tusculum,
P. Benedicts Verwandten, aufgeregt worden, dann sich gegen diese
selbst gekehrt hatten. Doch war die Stellung Kaiser Heinrichs
(als solcher I, wie als König II) bereits ganz verschieden von
der seines Vorfahrs zu dem römischen Stuhle. Von Jugend auf
demüthig und fromm, mehr nach der Palme eigener Ueber-
windung als nach hohem weltlichem Ruhme trachtend, war,
seitdem Kaiser Heinrich die Last der Krone getragen, die Ruhe
eines Klosters das Ziel seiner Wünsche ²⁰), sein Streben, mehr
sich auf der hohen Stellung in angemessener Würde zu erhalten,
als den äußeren Glanz derselben noch zu vermehren. Seit dem
Aussterben des älteren Zweiges der Ottonen gestatteten es aber
auch weder die Verhältnisse von Rom, das dem Meere gleich
sich nie ganz beruhigte, noch der Charakter der Päpste, die,
selbst Römer, sich an den deutschen Kaiser nur im äußersten
Nothfall wandten, noch endlich die Persönlichkeit Kaiser Heinrichs, daß die neue Beleuchtung ²¹) des Reiches, womit in
dieser Zeit die kaiserlichen Siegel prangten, mehr als die Wie-
berherstellung des Kaiserthums gegen die Tücken der Lombarden
zum Zwecke, keineswegs aber die weitaussehenden Pläne Kaiser
Ottos III zur Grundlage hatte. Noch weniger war dieß möglich
unter Kaiser Conrad I ²²) (II), dessen Hauptbestreben nun
auf Vergrößerung der äußern Macht des Reiches gerichtet war.
Zwar gerieth damals der Kaiser noch in keine feindliche Stellung zu der Kirche ²³), aber Kaiser Conrads Handlungen in

19) Vgl. Glab. Rod. I. c. 15.
20) Vita S. Richardi Abb. c. 8.
21) Bei Ughelli It. sacra (passim): nova imperii illuminatio. Von
seiner Zeit datirt sich, daß die Päpste über die Tauglichkeit des zu krö-
nenden Kaisers förmliche Untersuchung anstellten. Glab. Rod. 1. c. 5.
22) Prae cunctis Chunradus audax animo et viribus ingens, sed
fide non multum firmus. Glab. Rod.
23) Obwohl, wie aus der obenerwähnten praef. Bened. P. hervorgeht,
schon damals eine Crise nahe war, und nur dadurch verschoben

Betreff der Simonie [24]), deren Ausrottung mehr als alle Meh=
rung des Reiches Bedürfniß des Jahrhunderts war, zeigten
doch bereits, daß die von ihm eingeschlagene Richtung, wenn
auch nicht unersprießlich für das Reich, doch das Heil der
Kirche weniger im Auge hatte, als es nach solchen Vorgän=
gern und unter den damaligen Verhältnissen einem römischen
Kaiser ziemte.

Frankreich drohte nach dem Tode König Robert's die
Beute innerer Kriege zu werden, die schon dieser Fürst nicht
immer zu unterdrücken vermocht hatte. Als dann die Zerrüttung
unheilbar zu werden schien, traten, ehe noch die Art an das
Grundübel gelegt werden konnte, zuerst die Prälaten des Sü=
dens [25]) zusammen und beschränkten durch Errichtung des Got=
tesfriedens die immer wiederkehrenden Fehden, worauf diese
Einrichtung, von Concilien geheiligt, sich immer weiter verbrei=
tete und den gedrückten Ländern eine wenigstens augenblickliche
Erholung verschaffte.

Im Westen Europa's wurde Spanien durch seine Kriege
mit den Saracenen [26]), England durch die Siege der Dä=

---

wurde, daß in Rom das Dreipäpste=Schisma ausbrach. Als dieses
gehoben und seine Folgen getilgt waren, bedurfte es nur zur Zeit
erneuter unrechtmäßiger Eingriffe der Layen in die Gerechtsame der
Kirche eines energischen Papstes und eines auf vermeintliche Präro=
gative pochenden Kaisers, und der Streit mußte ausbrechen, wie er
auch wirklich dieses Jahrhundert noch erschütterte.

24) Nach Wippo hätte er sie nur zu Basel an dem Bischofe verübt,
aber das M. Chron. Belg. zählt auch die Vergebung des Bisthums
Lüttich an Reginard von Verdun als simonistische Handlung auf und
noch mehr geht aus der bekannten Rede K. Heinrichs III an die Bi=
schöfe bei Glab. Rod. V. 5. hervor: nam et pater meus de cujus
animae periculo valde pertimesco, damnabilem avaritiam in
vita nimis exercuit.

25) Glab. Rod. IV. 5. ad a. 1033. Vita S. Richardi p. 491. n.
40. Mansi XIX. p. 549.

26) Quamplurimae sedes Episcoporum desertae et sine nomine
jacent multitudine praedatorum et paucitate defensorum etc.
Cf. Regis Sanctii privilegium ap. Mansi XIX. p. 409. Es fehlte
aber auch in Spanien nicht an Königen und Bischöfen, welche die=
sen Uebeln wieder abzuhelfen suchten. So König Sacho. Mansi l. e.

nen[27]) noch immer einer unmittelbaren Theilnahme an den allgemeinen Angelegenheiten des Jahrhunderts entrückt. Hingegen hatte sich seit dem Beginne dieses Jahrhunderts ein Ereigniß von ungewöhnlicher Bedeutung zugetragen. Die heidnischen Magyaren, noch vor 50 Jahren der Schrecken und das Entsetzen der christlichen Völker des Abendlandes hatten sich durch ihren König Stefan, Geisa's Sohn aus dem Stamme Arpads, zum Christenthum bekehrt. Zuerst kostete es zwar einen hartnäckigen Kampf, bis die rohen Völker ihren Nacken unter das sanfte Joch Christi beugen wollten; als aber der Aufruhr der Heiden gestillt war, erhoben sich aus demselben Orden des hl. Benedicts, dem Deutschland seine Bekehrung verdankt, Pflanzschulen des Christenthums in allen Theilen des Reichs. Der König berief Geistliche aus Böhmen und Deutschland, theilte Ungarn in eilf Diöcesen, bestimmte, daß je 10 Ortschaften eine Kirche bauen, alle den Zehnten entrichten sollten, und vollendete so in wenigen Jahren eine der denkwürdigsten Umwandlungen, die die Geschichte kennt. Schon Papst Sylvester II ertheilte ihm deshalb mit Vorzug vor dem Polenherzoge Boleslaw die Königskrone und das apostolische Vicariat, und erhob damit Ungarn zum vornehmsten Reiche unter den slavischen Ländern die immer mehr und mehr sich dem Christenthum zuwandten. Dieser hohen Stellung zu entsprechen, stiftete hierauf der König, dessen Thätigkeit Ungarn nicht zu begränzen vermochte und dessen Name, sich ruhmvoll an den des hl. Heinrichs anschließend, dem eilften Jahrhunderte vor allen übrigen Glanz und Ruhm verleiht, Hospitäler für ungarische Pilger in Ravenna, Rom, Constantinopel und Jerusalem, und erleichterte damit seinem Volke die Ausübung christlicher Andacht, wie den Verkehr mit andern Völkern.

27) Zu bemerken ist jedoch, wie günstig auf K. Cnut sein Aufenthalt in Rom während der Kaiserkrönung Conrad's I gewirkt. Der Brief, in welchem er dieses selbst erzählt, gehört zu den originellsten Urkunden des ganzen Mittelalters; sieh Gujll. Malm. de gest. reg. II. 11. Mansi XIX. p. 499. Dann die leges ecclesiasticae, durch welche er die Ordnung seines Reiches zu begründen suchte, bei Mansi XIX. p. 555.

Allein was hiebei in der Folge der Zeit sich als erfreuliche Erscheinung bewies, erschien nicht immer so in dem Kampfe, den es mit der Gegenwart zu bestehen hatte. Diese selbst sah mit Schrecken auf Ereignisse hin, die damals eintraten und zu einer frohen Zukunft wenig Hoffnung gaben. Eine gräuliche Hungersnoth stellte sich ein; häufig wiederkehrende Erdbeben [28] und große Feuersbrünste zerstörten hochverehrte Kirchen und viele Städte; Seuchen von bisher unbekannter Schreckniß brachen verwüstend aus; endlich wurde — was mit Recht als ein allgemeines Unglück für die gesammte Christenheit betrachtet wurde — das hl. Grab zu Jerusalem durch die Saracenen zerstört, die durch jüdische Abgesandte hiezu vermocht worden waren. Daburch geschah es, daß, als sich kaum die Furcht vor dem Ende der Welt gelegt hatte, das mit dem Beginne des Jahres 1000 eintreten sollte, auch schon der Glaube entstand [29], ein Glied der Kette sey wirklich gelöst, mit welcher der Fürst der Finsterniß an den Abgrund gekettet ist.

Denn noch mehr als durch alle jene Schrecknisse mußte die Christenheit zu dieser Meinung kommen, als gerade nun die Erscheinungen wirklich eintraten, die der hl. Petrus als Vorboten der letzten Zeiten beschrieb, und die von nun an einen immer größeren Einfluß auf die Gestaltung des Abendlandes gewinnen.

Schon in der ersten Hälfte des zehnten Jahrhunderts hatte Bischof Peter [30] von Padua in seiner Diöcese Anhänger jener

---

28) Das Jahr Tausend selbst war aller Erwartung entgegen ein äußerst fruchtbares Jahr. Glab. Rod. Dafür trat 6 Jahre später eine ungeheure Hungersnoth mit Sterblichkeit ein. Vgl. Sigebertus Gembl. fames et mortalitas tam graviter per totum orbem invaluit, ut sepelientium taedio vivi adhuc spiritum trahentes obruerentur cum mortuis. Ueber das Uebrige vgl. Bouquet X. p. 205. 158. 282. XI. p. 16. 17. fames in universa terra facta est, qualem nemo mortalium se vidisse vel audisse meminit. Ex Chron. Fontanell. Append. Chr. Verdun. ap. Bouq. XI. p. 145.

29) Glab. Rod. II. c. 12. ad finem. Der zu diesem Ausspruche insbesondere durch das nun Folgende verleitet wurde. Vgl. état des lettres en France c. VIII. in der hist. litt. T. VII. p. 6.

30) Petrus ex familia Picacura Patavinus hanc ecclesiam suscepit regendam a. 919, ob. 922. Per duos annos quibus hanc eccle-

alten, von der Kirche gleich anfangs entschieden verworfenen
Lehre gefunden, welche die Erlösung des Menschengeschlechtes
zu vernichten strebten, indem sie die gleichmäßige Gottheit des
Heilandes mit dem Vater und dem hl. Geist läugneten. Man
nannte sie Arianer; höchst wahrscheinlich waren sie Paulicianer,
Anhänger einer manichäischen Secte, welche sich mit einem
vermeintlichen paulinischen Lehrbegriffe brüsteten und gerade damals nach vielen heftigen Kämpfen mit den byzantinischen Kaisern durch die Bulgarei in dem Abendlande festen Fuß zu gewinnen suchten. Mit Muth und Umsicht bekämpfte der wach-
same Bischof die falsche Lehre, aber der Tod übereilte ihn mitten in diesem Geschäfte, und da bei der nachfolgenden Zerrüttung Italiens durch Krieg und Elend aller Art die Strenge
der Aufsicht nachließ, so verstrichen an 50 Jahre, ohne daß
der Verbreitung dieser Quelle von Irrthümern ein Damm gesetzt worden wäre. Als aber dann Bischof Gozelin [31]) zur
Regierung kam, griff dieser die Sache mit solchem Ernste wieder auf, daß in der Diöcese von Padua bald keine Spur mehr
von diesen Leuten zu finden war.

Schon schien die Gefahr völlig beseitigt und ohne weitere
Folgen für die Kirche vorübergegangen zu seyn, als unvermuthet in verschiedenen Theilen des Abendlandes sich Spuren
ähnlicher Verwirrung religiöser Begriffe und eines daraus her-
vorgehenden Auflehnens gegen die Gebote der Kirche zeigten.
Erst war es ein Mann von gemeinem Herkommen, Leutard aus
dem Orte Vertus, welcher den Angriff gegen ihre Autorität auf

---

siam administravit, in eum tanquam in optimum custodem gre-
gis incurrerunt Ariani, qui per id tempus magna ex parte
dioecesim Patavinam infecerant, quibus tamen Petrus tum verbo
tum doctrina strenue resistit. Ughelli It. S. V. p. 429. Ueber
die früheren Verhältnisse dieser in das Abendland eingedrungenen
Arianer vgl. die gediegene Abhandlung in der Tüb. Theol. Quartal-
schrift. 1835. I. Mittheilungen aus der armenischen Kirchengeschichte
von Dr. Fr. Windischmann, und die darnach bearbeitete Beilage
n. XVIII.

31) Gauslinus (964 — 1010) Arianam pestem vehementer afflixit
penitusque delevit. Ugh. V. p. 433.

eine Weise eröffnete, die ungeachtet ihrer Gehaltlosigkeit nach seinem Vorbilde unwillkührlich die meisten und heftigsten Gegner der katholischen Kirche von nun an beibehielten. Da er gefun= den zu haben glaubte, daß sie von den Geboten des Evange= liums, wie er dasselbe auslegte, abgewichen sey und ihre frühere Reinheit verloren habe, so verstieß er plötzlich, um jener ur= sprünglichen Vollkommenheit theilhaftig zu werden, seine ihm rechtlich angetraute Gattin [32]), begab sich sodann in die nächste Kirche und zerschmetterte daselbst das Kreuz mit dem Bilde des Erlösers. Die Anwesenden, welche dieß bemerkten, hielten ihn erst für wahnsinnig; als er sie aber versicherte, was er thue, geschehe auf göttlichen Befehl, schenkten sie ihm, durch seine Dreistigkeit überrascht, Glauben und folgten ihm als einem Gottgesandten nach. Nun legte er seine Lehre weiter aus, verwarf von der hl. Schrift das Eine und behielt das Andere; da er aber unter Anderem den Zehnten zu entrichten verbot, erwarb er sich bei der Menge schnell Ruf und Anhang. Als Bischof Gebuin von Chalons, zu dessen Diöcese Leutard ge= hörte, von dieser neuen Lehre vernahm, berief er ihren Urhe= ber zu sich, befragte ihn vor allem Volke über sein Treiben und zeigte das Irrthümliche eines Verfahrens, welches die Kirche der Willkühr eines Unberufenen unterwarf und das Evangelium zum Profangegenstand der befangensten menschlichen Auslegung herabwürdigte. Dieß genügte, um die verleitete Menge von ihrem Irrthum zurückzubringen; Leutard aber, als er sich von seinem Anhang verlassen sah, eilte von dannen und stürzte sich in einen Brunnen, in welchem er zu Grunde ging [33]).

Eine andere, dem Anscheine nach minder bedeutende, jedoch den Geboten und Verheißungen der Kirche eben so feindliche Richtung that sich um dieselbe Zeit in Ravenna [34]) kund, welche

32) Ob dieses Betragen nicht eine Berührung mit den Manichäern voraussetzt, welche ebenfalls die Ehe für unheilig betrachteten?

33) Glab. Rod. I. c. 11.

34) Glab. Rod. II. c. 12. Hieher gehört auch noch die Secte, der Flodoard als bei den Angeln befindlich gedenkt, quae cuique ad sui sanguinis propinquas accedere permitteret. Cf. Lupi schol.

Stadt nicht lange vorher der Schauplatz eines hochberühmten,
wiſſenſchaftlichen Streites der damaligen zwei größten Kenner
des Alterthums, Otrich und Gerbert, geweſen war. Wie Leutard ſeine eigene Autorität und Auslegung des Evangeliums,
ſo ſetzte Vitgard in Ravenna die Sentenzen heidniſcher Dichter
den Ausſprüchen der Kirche entgegen, und verlangte für das
Machwerk menſchlicher Phantaſie die Geltung, die er ſelbſt der
göttlichen Satzung verweigerte. Auch Vitgard ward von ſeinem
Diöceſanbiſchofe, Petrus, überwieſen, aber nicht ſo ſchnell, wie
Leutarden, verließ ihn ſein Anhang. Gar Viele in Italien theilten ſeine Meinung. Sardinien ward ſogar der Heerd dieſer
neuen Secte, deren Irrthum ſogleich auch eine practiſche Richtung genommen zu haben ſcheint, indem einige von ihnen ſich
nach Spanien wandten, dort ihren Neuerungen Anhang zu ver-
ſchaffen. Wirklich gelang ihnen dieß für einige Zeit. Zuletzt
aber wurden dieſe neuen Apoſtel unkirchlicher Lehre von den
Rechtgläubigen ergriffen und büßten ihr ſträfliches Bemühen
mit dem Tode.

Dieſe 3 Richtungen, von welchen die beiden letztern merkwürdiger Weiſe gerade in das Jahr 1000 fielen, bildeten die
Grundlage einer Reihe ähnlicher Verſuche, die innere Einheit
der Kirche aufzulöſen und an die Stelle geregelter Entwicklung
des menſchlichen Geiſtes, innerhalb der ihm von ſeinem Schöpfer
angewieſenen Gränzen, die Herrſchaft der Willkühr, des todten
Wortes und reinweltliche Beſtrebungen zu ſetzen. So unvermuthet aber und dem Anſcheine nach auch unzuſammenhängend
mit den uns bekannten Ereigniſſen das erſte Auftreten der Arianer (Paulicianer) in Italien geweſen war, eben ſo ſonderbar
würden uns ähnliche Umtriebe erſcheinen, welche ſich im Laufe
des eilften Jahrhunderts in den übrigen Reichen des Abendlandes
ergaben, hätten uns nicht die Vorgänge zu Padua, wie früher
die in dem oſtrömiſchen Reiche den Ausgangspunct gezeigt, von
welchem aus dieſe Lehren im Finſtern fortſchlichen und endlich

---

III. p. 398. und der Häretiker, welchen der hl. Wolfgang, Biſchof
von Regensburg zum Schweigen brachte. Vita S. Wolfg. c. 28.
AA. SS. Ord. S. Bened. VII. p. 802. Venetiis.

die Stärke erlangten, daß sie nicht länger verborgen bleiben
konnten. Zwei und zwanzig Jahre hindurch verschwindet auf's
Neue jede Spur von ihnen; dann aber kommen sie plötzlich in
Orleans zum Vorschein, wo uns nun eine vollständige mani=
chäische Gemeinde entgegentritt, die wohl mehrere Jahrzehnte
früher ein Weib aus Italien daselbst gestiftet hatte [35]).

' Heribert, Cleriker eines angesehenen Mannes, Namens
Arefast, welcher·mit den Herzogen der Normandie verwandt
war, hatte sich des Studiums wegen nach Orleans unter die
Leitung zweier Canonici, Stefanus und Lisojus, begeben, deren
untadelhafter Lebenswandel, wie ihre Gelehrsamkeit ihn gleich
mächtig angezogen hatten. Er blieb bei ihnen und kehrte dann,
mit ihrer Lehre erfüllt, in seine Heimath zurück, woselbst er
seinem Herrn eine glänzende Schilderung der Weisheit, welche
in Orleans gelehrt würde, mitbrachte und auch ihn dafür zu
gewinnen suchte; Arefast aber entging nicht, wie die neue Lehre
Vieles gegen den Glauben der Kirche enthalte, und beschloß
daher, dem Grafen Richard von der Normandie schleunig da=
von Nachricht zu geben und ihn zu bitten, die Sache dem Kö=
nige zu melden, damit dieser Anstalten treffe, die weitere Aus=
breitung der Lehre zu hindern, und ihm selbst in ihrer vollstän=
digen Vernichtung behülflich zu seyn. Als der Herzog die Sache
dem Könige gemeldet hatte, befahl dieser nicht wenig bestürzt,
Arefast solle sogleich mit seinem Cleriker nach Orleans kommen;
er werde ihn auf jede Weise daselbst unterstützen. Arefast reiste

---

35) Cf. Gesta synodi Aurelianensis ex Bouq. X. p. 536. u. hist.
franc. fragm. p. 212. A. Würde man sich die Mühe geben wollen,
die Meinungen über göttliche Dinge, wie sie seit 3 Jahrhunderten
in Deutschland auf Kathedern und in Schriften gelehrt werden, mit
den Lehrsätzen der Ketzer des Mittelalters und der ersten Jahrhun=
derte der christlichen Zeitrechnung (der byzantinischen Epoche) zu ver=
gleichen, man würde staunen, welche Fortschritte die Manichäer in
unserer aufgeklärten Zeit gemacht haben, und wie hohe und berühmte
Namen, wissentlich oder nicht wissentlich, die Schaar jener obenge=
nannten Häretiker verstärken, die die Kirche schon in den ersten
Jahrhunderten mit Abscheu von sich stieß.

nun sogleich ab. Als er aber unter Wegs nach Chartres kam, wollte er den gelehrten und frommen Bischof Fulbert, eine Leuchte dieses Jahrhunderts, über seinen Plan befragen und bat, da der Bischof bereits nach Rom abgereist war, einen der angesehensten Cleriker der dortigen Kirche, Ebrard, um Rath. Dieser hieß ihn nach Orleans gehen, sich dort täglich durch den Genuß der hl. Eucharistie, durch Gebet und das Zeichen des hl. Kreuzes stärken, um so ausgerüstet, sich selbst von der Lehre jener Männer zu überzeugen, sie jedoch wie ein Schüler stillschweigend anzuhören und nichts darauf zu erwiedern. Arefast befolgte diesen Rath auch wirklich so eifrig, daß kurze Zeit, nachdem er sich beiden Männern in die Schule gegeben hatte, diese auch schon daran dachten, ihn mit der eigentlichen Lehre des heiligen Geistes — so nannten sie ihre Wissenschaft — bekannt zu machen, und endlich ohne Scheu aussprachen: Christus sey nicht von der Jungfrau geboren worden, noch habe der Sohn Gottes für die Menschen gelitten, noch sey er in dem hl. Grabe bestattet worden, oder von den Todten auferstanden. Durch die Taufe geschehe keine Vergebung der Sünden, noch durch den consecrirenden Priester eine Verwandlung des Brodes und Weines; die hl. Martyrer und Bekenner anzurufen, diene zu nichts. Dafür solle ihm durch Auflegung der Hände die Gnade des hl. Geistes zu Theil werden; auch Gemeinschaft an der Himmelsspeise solle er empfangen, die, unverwerflichen Nachrichten zufolge, in der Asche eines in allgemeiner Unzucht erzeugten, dann von ihnen gräulich ermordeten Kindes bestand; er solle Engelserscheinungen haben, alle Tiefen der hl. Schrift, die auch sie nicht ganz verwarfen, durchdringen, und nie an irgend etwas Mangel leiden. So weit waren sie bereits mit Arefast gekommen, als König Robert mit seiner Gemahlin Costanza und mehreren Bischöfen in Orleans anlangte und den folgenden Tag auf Anweisung Arefast's das Versammlungshaus der neuen Gemeinde umringen und alle Anwesenden in Banden abführen ließ.

Als sie hierauf vor den König und die Bischöfe gestellt worden waren, nannte sich Arefast dem Könige und betheuerte, rechtswidrig in Fesseln geworfen worden zu seyn. König Robert hieß ihn die

Urſache angeben, warum er zu dieſen Männern gekommen ſey;
als aber Arefaſt verſicherte, der Ruf der Gelehrſamkeit des Li-
ſojus und Stefanus habe ihn verleitet, ſo erklärten die Biſchöfe,
dieſer Grund ſey hinreichend, um vor ihrem Gerichte beſtehen
zu können. Auf dieß forderte Arefaſt ſelbſt ſeine beiden Lehr-
meiſter auf, öffentlich zu bekennen und zu vertheidigen, was ſie
gelehrt hatten. Dieſe aber ſuchten ſich nun hinter Ausflüchte und
künſtliche Wendungen zu verſtecken, bis Arefaſt in Vorwürfe
gegen ſie ausbrach, ſie des Mangels an Muth und Feſtigkeit
beſchuldigte und endlich ſelbſt ihre Lehre enthüllte. Da nun noch
ferner zu läugnen vergeblich war, geſtanden Stefanus und Li-
ſojus, was ſie gelehrt, und führten, beſonders gefragt, warum
ſie nicht an die Menſchwerdung, noch an den Tod des Sohnes
Gottes glaubten, als Grund und Entſchuldigung an, daß ſie ja
nicht dabei zugegen geweſen wären. Der Biſchof von Beauvais
bewies die Lächerlichkeit und Unhaltbarkeit einer ſolchen Meinung,
ohne ſie jedoch bewegen zu können, die Wahrheit der chriſtlichen
Kirche anzuerkennen, deren Lehren ſie ihn denjenigen vortragen
hießen, die irdiſchen Sinnes ſeyen und die die Erfindungen
fleiſchlicher Menſchen, welche man auf Thierhäute geſchrieben
habe, glaubten; ihnen aber, welche ein Geſetz hätten, das von
dem hl. Geiſte in den inneren Menſchen geſchrieben ſey, und
die nichts Anderes wüßten, als was ſie von Gott, dem Schöpfer aller Dinge, ſelbſt gelernt hätten, trage er vergeblich über-
flüſſige und von der Gottheit abführende Dinge vor. Der Biſchof möge dem Geſpräche ein Ende machen; denn ſchon ſähen
ſie ihren König im Himmel herrſchen, der bereit ſey, ſie mit
ſeiner Rechten zu unſterblicher Siegesfeier zu erheben und über-
irdiſche Freuden zu gewähren. Da ſo jeder Verſuch, die Leute
zur Kirche zurückzuführen, von ihnen ſelbſt hartnäckig zurückge-
wieſen wurde, ſo befahl der König, die Prieſter unter ihnen
(es waren ihrer im Ganzen 13 und darunter allein 10 Canonici von der Kirche des hl. Kreuzes zu Orleans) ihrer prieſterlichen Kleider und Würden zu berauben und ſie ſodann vor
die Stadt zum Tode zu führen. Ein ſolcher Ingrimm hatte ſich
aber des Volkes bemächtigt, welches ſie bis dahin als fromme
Männer verehrt hatte, und nun erkannte, welch tiefe Verkehrt-

heit sich unter dieser Maske verborgen; wie lange sie bereits
der falschen Lehre zugethan waren, sie im Stillen verbreitet
hatten und in der 3 Jahre früher der Archidiaconus Theodet
gestorben war, daß der König, um zu verhüten, daß das Volk
sie nicht zerreiße, seine Gemahlin sich an die Kirchenthüre
stellen, und dem Volke den Eingang verwehren hieß. Als aber
dann die Verurtheilten fort geführt wurden, vermochte selbst
die Königin nicht, ihren Unmuth über so schändliche Heuchelei
zu bemeistern, sie erhob ihren Stock und schlug dem Stefanus,
der früher ihr Beichtvater gewesen und nun das Haupt der
antichristlichen Secte geworden war, das eine Auge aus. Ein
Cleriker und eine Nonne bekehrten sich; die übrigen aber sprachen die Hoffnung aus, es müsse in Kurzem sich der Erdkreis
zu ihrer Lehre bekennen, und verlangten selbst zum Holzstoß
geführt zu werden. Als aber die Flammen anfingen, sie ihre
Kraft fühlen zu lassen, kehrte ihnen zu spät die Besinnung zurück; sie bekannten, durch die Tücke des Teufels hintergangen
worden zu seyn, unwahr von Gott gesprochen und gelehrt, dadurch sich zeitliche und ewige Verdammniß bereitet zu haben.
Schnell eilten einige mitleidige Männer hinzu, sie vom Tode
zu retten, aber schon war es nicht mehr möglich: ehe man dem
Feuer Meister werden konnte, waren ihre Leiber zu Asche verbrannt. Dasselbe Schicksal traf die Gebeine Theodets und alle
übrigen Anhänger der Secte, wo sie die Strenge des französischen Königes zu erreichen vermochte. Denn nachdem einmal
die Aufmerksamkeit der weltlichen und geistlichen Regenten rege
gemacht und das Volk mit der Gefahr bekannt wurde, die ihm
drohte, kam man im Kurzen auch an anderen Orten manichäischen Umtrieben auf die Spur. So fand man schon damals in
Aquitanien, namentlich in Toulouse solche Männer, die durch
den äußeren Schein eines enthaltsamen Lebens das Volk zu ihrer
Lehre zu verleiten suchten. Doch auch sie endigten, wie ihre
Genossen zu Orleans, auf dem Scheiterhaufen [36]).

36) Pauco post tempore (nach 1018) per Aquitaniam exorti sunt
    Manichaei, seducentes plebem, negantes baptismum sanctum
    et crucis virtutem et quidquid sanae doctrinae est, abstinen-

Milder, da dießmal die weltliche Macht nichts damit zu thun hatte, und deshalb auch mit günstigerem Erfolge verfuhr man gegen ähnliche Irrgläubige zu Arras [37]) im Jahre 1025. Auch diesen war ihre Lehre aus Italien zugekommen; sie nannten sich Schüler des Gaudulfus, eines Italieners, und behaupteten, von diesem die evangelischen und apostolischen Gebote empfangen zu haben und sie in Wort und That bekennen zu wollen. Sie waren zuerst im Bisthum Lüttich gewesen, wo von dem dortigen Bischofe ihre Lehre untersucht und als untadelhaft befunden worden; doch hatten sie sich, sey es, daß sie dem Resultate dieser Untersuchung selbst nicht trauten, oder um ihre Meinungen weiter auszubreiten, in das Bisthum Cambray begeben, dem Bischof Gerard, ein vortrefflicher Theologe und eifriger Seelenhirt, vorstand. Als dieser von ihren Meinungen hörte und sie deshalb zur Verantwortung zog, so bemühten sie sich, ihm die vermeintliche Uebereinstimmung ihrer Lehre mit den Geboten des Evangeliums und den Bestimmungen der Apostel zu zeigen. Sie bestehe ja, sagten sie, in nichts Anderem, als die Welt zu verlassen, die fleischlichen Begierden zu zähmen, sich den Unterhalt durch Handarbeit zu verdienen, Niemanden

---

tes a cibis quasi monachi et castitatem simulantes, sed inter se ipsos luxuriam omnem exercentes, quippe et nuntii Antichristi multos a fide exorbitare fecerunt. Chron. Ademari laban. ap. Bouq. X. p. 154 Idem ad a. 1028. interea jussu Alduini flammis exustae sunt mulieres maleficae extra urbem p. 163. Um dasselbe Jahr hielt H. Wilhelm ein Concil ap. S. Carrofum ad extinguendas haereses, quae vulgo a manichaeis disseminabantur. Ibi adfuerunt omnes Aquitaniae principes, quibus praecepit pacem firmare et ecclesiam Dei catholicam venerari — It. p. 164. Cf. Mansi conc. XIX. p. 485 — 87. Apud Tolosam inventi sunt Manichaei et ipsi destructi et per diversas Occidentis partes nuntii antichristi exorti per latibula sese occultare curabant et quoscunque poterant viros et mulieres subvertebant. Adem. p. 159. D.

37) Synodus Atrebatensis ap. Bouq. X. 540 etc. ap. Mansi XIX. p. 423—460. Cambray und Arras standen damals unter Einem Bischof, gehörten aber nicht zu Frankreich, sondern zu dem deutschen Reiche. Cf. Chr. Camer. ap. Bouq. XI. p. 124. c. 126.

zu beleidigen, gegen alle, welche der gleiche Eifer für dieselbe
Sache erfüllt, Carität zu üben; dadurch erlangten fie die Ge=
rechtigkeit [38]), die die Taufe unnöthig mache, da ohne fie die
Taufe doch nicht zum Heile führen könne. Diese felbft fey
aber um fo weniger ein Sacrament, als der fchlechte Lebens=
wandel der Priefter den Täuflingen die Möglichkeit des Heiles
raube; ferner, weil doch nachher die Sünden wieder begangen
würden, welche man in der Taufe abgefchworen habe; endlich
weil einem Kinde das Glaubensbekenntniß und Versprechen,
welches ein Anderer bei der Taufe an feiner Statt ablege, zu
nichts gut feyn könne.

Bischof Gerard war auf folche Einwürfe, welche mit mehr
oder minderem Gefchicke je nach der größeren oder geringeren
Verblendung der Wortführer von nun an fo häufig gegen die
Kirche erhoben wurden, wohl gefaßt. Schon ehe er zur Un=
terfuchung gefchritten war, hatte er den Clerikern und Mönchen
von Cambray geboten, fich durch Faften und geiftliche Uebun=
gen die Gnade des Heilands zu erflehen; dann aber erhob er
fich in der ganzen Würde feines Amtes und widerlegte felbft
Satz für Satz die vorgetragenen Irrthümer. Er bewies die
Nothwendigkeit der Taufe zur Erlangung der Vergebung der
Sünden und der ewigen Seligkeit; dann ging er auf das hei=
lige Sacrament des Altares über und betheuerte, wie nach der
Lehre der Kirche hier unter den Geftalten des Brodes und
Weines Fleisch und Blut des Heilandes wahrhaft enthalten
feyen. Er zeigte auf die Heiligkeit der von Menschenhänden
gebauten Kirchen und Altäre hin, im Gegenfatze zu der mani=
chäifchen Lehre einer unfichtbaren Kirche; auf das Alter und
die Bedeutung verfchiedener kirchlicher Gebräuche, die jene an=
fochten; bewies die Nothwendigkeit des Sacraments der Buße,
um die nach der Taufe gefallenen Menschen wieder zu Gott zurück=
zuführen, und die noch über das gegenwärtige Leben hinaus

---

38) Haec est nostrae justificationis summa, ad quam nihil est
quod baptismi usus superaddere possit, cum omnis apostolica
et evangelica institutio hujusmodi fine claudatur. Bouq. p.
541. D.

sich erstreckenden, trostbringenden Wirkungen deſſelben; er zeigte den Grund der Einſetzung des Prieſterstandes und die mit der Ordination verbundene geiſtliche Gewalt, die Unrechtlichkeit der Verwerfung der Ehe als Sacrament, und die Heiligkeit des Gebotes der Eheloſigkeit für die Prieſter; endlich die Verkehrtheit der manichäiſchen Lehre von der Rechtfertigung, die doch ihrem Urſprunge nach nicht in den Kräften der Natur, noch in den Werken des Geſetzes, ſondern in der Erleuchtung der Herzen von oben herab, in einem freiwilligen Geſchenke des göttlichen Willens zum Antriebe von guten Werken beſteht. So licht und kraftvoll, ſo beredt und verſtändig dieſe Entgegnung [39]) gehalten war und ſo viele Rückſicht der Biſchof von Arras gerade darauf genommen hatte, die innige Uebereinſtimmung der Lehre des hl. Paulus, auf welchen die Verblendeten ihre Irrlehre zu gründen ſich vermaßen, mit der der übrigen Apoſtel und Jünger des Herrn zu zeigen, ohne welche die Lehre des Apoſtels der Heiden ſelbſt der Wahrheit entbehren würde, es wäre dennoch höchſt wahrſcheinlich auch dieſer Verſuch an den verſtockten Herzen ſpurlos vorübergegangen, würde ihnen nicht das Schickſal ihrer Genoſſen zu Orleans und Toulouſe vorgeſchwebt haben. So aber krönte ein unblutiger Sieg die friedlichen Bemühungen des Biſchofs. Keiner der Angeklagten weigerte ſich, das Glaubensbekenntniß der katholiſchen Kirche zu unterzeichnen, wie es der Biſchof entworfen und mit dem anweſenden Clerus zuerſt unterſchrieben hatte.

Während aber dieſe Secte, welche die außerkirchlichen Confeſſionen unſerer Tage noch als ihren gemeinſamen Urſprung zu begrüßen pflegen, in Frankreich nur im Geheimen fortſchlich, hatte ſie in Italien während der bürgerlichen Kriege, welche

---

39) Sie gehört unſtreitig zu den vorzüglichſten Schriften des Mittelalters und würde allein hinreichen, das abgeſchmackte Geſchrei über den Verfall der Religion und Wiſſenſchaft in dieſen Zeiten zu widerlegen, ſtünde es nicht im Plane dieſer Schreier, gerade ſolche Schriften für Erzeugniſſe der Finſterniß auszugeben, die von dem Lichte ſtammen, von dem es heißt, die Welt habe es nicht erkannt, in mundum venit et mundus eum non cognovit.

die Wachsamkeit der Bischöfe hemmten, bereits solche Stärke gewonnen, daß ihre Bekenner um eben diese Zeit die Burg Montfort [40]) in der Diöcese von Asti besetzten und von da aus einen lebhaften Krieg mit dem Bischofe, dessen Bruder Mainfred und anderen Bischöfen und Herren unterhielten, die auch wirklich nicht eher die Burg bezwangen, als nachdem auch Erzbischof Heribert von Mailand seine Truppen zur Belagerung abgesandt hatte. Nun widerstand Schloß Montfort nicht länger; mit den manichäischen Bewohnern wurde auch ihr Haupt, die Gräfin von Montfort nach Mailand gebracht, wo, wer seinen Irrthum nicht abschwur, ihn mit dem Feuertode büßen mußte. Seitdem scheint die Secte ihr Unwesen mehr im Verborgenen getrieben zu haben, sie verschwindet für einige Jahrzehnte aus der Geschichte und ihren Platz nehmen Bewegungen anderer Art ein, die, bei ihrer großen Ausdehnung zum Theil noch viel gefährlicher, die ungetheilte Aufmerksamkeit der Kirche erforderten.

Nicht umsonst hatte der umsichtige Bischof von Arras in seiner apologetischen Erörterung des christlichen Lehrbegriffes ganz besonderes Gewicht auf einen Punct gelegt, welcher den Irrgläubigen vorzüglich Stoff zum Angriffe gegen die Wahrheit der katholischen Kirche gab: die Fortdauer der bei der Ordination empfangenen Gaben des hl. Geistes auch bei dem unwürdigen Lebenswandel der Empfänger. Hatte doch diese Lehre der Kirche unter den damaligen Verhältnissen selbst bei den Gläubigen zu Zweifeln Anlaß gegeben.

Der frühe Tod der reformatorisch gesinnten Päpste Gregor's V und Sylvesters II, ehe ihr begonnenes Werk vollendet, noch Anstalten getroffen werden konnten, welche, wie vor Allem häufige Provinzialsynoden, dem Unwesen bleibend gesteuert hätten, eröffnete bei den darauffolgenden Unruhen in den christlichen Ländern der Zügellosigkeit der Geistlichen auf's neue die Pforten. Von allen Seiten häufen sich nun die Klagen theils

40) Glab. Rod. IV. 2. Landulph. Sen. II. c. 27. Mur. ann. ad a. 1028. VI. p. 90. Vgl. Leo, Entwicklung der Verf. der lomb. Städte S. 119 ꝛc. Der Leser wird bemerken, wie sich auch hier gleich ein Auflehnen gegen die Obrigkeit, ein Bauernkrieg an das Sectenwesen knüpfte.

über Simonie, theils über die wilden Ehen der Geistlichen, welche beide Laster so gewaltig um sich griffen, daß bald kein Ansehen der Canonen, kein kirchliches Herkommen vor der zügellosen Frechheit galt, mit welcher Männer voll fleischlicher Lüste sich zu kirchlichen Weihen und Ehren drängten und im Genusse derselben wohllüstig schwelgten.

Aber auch bei dieser Verwilderung von Zucht und Sitte bewies sich dennoch die ungetrübte Kraft jenes Geistes, der über die Priester der Kirche ausgegossen, ihnen blieb, obgleich zu ihrem eigenen Verderben ihr Leben ihn schändete. Wollte die göttliche Vorsehung verhindern, daß die Gläubigen sich nicht der Sacramente ärgerten, die aus den Händen jene Unwürdigen gespendet, dennoch ihre beseligende Kraft nicht verloren, oder waren es Absichten, die wir nicht zu durchschauen vermögen: jedenfalls ist es durch das Zeugniß eines Zeitgenossen, des hl. Petrus Damiani hergestellt, wie Bischof Raimbald von Fiesole [41], mit dem größern Theil seines Clerus der Simonie und dem ausschweifendsten Lebenswandel ergeben, im Namen Jesu Christi Teufel austrieb; welche Kraft den Segnungen des Marinus, eines verheiratheten Priesters innewohnte; wie ein Dritter, welcher sich auch von dem Verderben der Zeit nicht genugsam bewahrt hatte, auf wunderbare Weise die Bisse giftiger Schlangen heilte. Aber die Kraft, die von ihnen ausging und Anderen zum Segen gereichte, gestaltete sich für sie selbst zum Fluche, da sie in ihren Sünden zu Grunde gingen und vor Allem der Bischof sein ärgerliches Leben mit dem grauenvollsten Tode schloß.

Wie aber besonders in Italien sich beinahe kein bischöflicher Stuhl [42] von solchen Uebeln frei erhielt, da theils Clerus und Volk von niedrigen Leidenschaften gleich stark ergriffen waren und daher auch selten jemand anders wählten, als

---

41) S. Petri Damiani lib. gratissimus c. 18, welcher sich hiebei auf die damals noch lebenden Zeugen dieser Begebenheiten beruft.

42) Cf. S. Petri Damiani opp. ed. Lugd. vita S. Rom. c. 35. Glab. Rod. I. c. 6. u. V. 5. Et quoniam non solum in Gallicanis Episcopis haec pessima pullulaverat nequitia (Simonia), verum etiam multo amplius totam occupaverat Italiam: omnia

deſſen Wandel dem ihrigen zuſagte, theils auch die mit den
Bisthümern verbundene Macht und Gewalt Ehrſüchtige doppelt
ermunterte, von jenen Umſtänden durch das leichte Spiel uner⸗
laubter Mittel Gebrauch zu machen, ſo verhielt es ſich auch
ſeit dem Tode P. Benedict's VIII mit dem römiſchen Stuhle,
P. Johann XX hatte wohl keinen höheren Anſpruch auf die
Ehre, Nachfolger des ebengenannten Papſtes zu werden, als
daß er, wie dieſer, aus dem Stamme der Grafen von Tuscu⸗
lum war, welche jetzt mit kaum geringerer Macht in Rom
ſchalteten, als hundert Jahre früher ihr Ahnherr Alberich. So
kam es denn auch, daß Johann XX an Einem Tage Präfect
der Stadt 43), und, mittels einer Summe Geldes, die unter
die Wähler ausgetheilt wurde, auch Papſt ward. Als er dann
nach zehnjährigem Pontificate in ein Kloſter gegangen 44) war,
dort ſeine Tage bußfertig zu beſchließen, folgte ihm wieder ein
Sprößling ſeines Hauſes, Theophylactus als P. Benedict IX
nach. Ohne höheren Beruf zu dem Prieſterſtande und noch viel
weniger zu der höchſten kirchlichen Würde, häufte dieſer Gewalt⸗
that auf Gewaltthat, bis das römiſche Volk, zu ſpät wahrneh⸗
mend, wie wenig noch von der Erblichkeit des Pontificats in
dem Hauſe der Grafen von Tusculum fehle, ihn mit Gewalt
aus Rom vertrieb. Auf dieß wandte ſich P. Benedict wie
vor 5 Jahren in gleichem Falle P. Johann XX an Kaiſer Con⸗
rad I und wurde von dieſem wieder nach Rom zurückgeführt 45).
Als er aber nun gegen Außen durch die Unterſtützung des Kai⸗
ſers, in Rom ſelbſt durch ſeine Brüder Petrus und Gregorius,

quippe ministeria ecclesiastica ita eo tempore habebantur ve-
nalia quasi in foro secularia mercimonia etc.

43) Cf. Beilage n. XIX.

44) Petr. Dam.

45) Im Jahre 1038. Es iſt übrigens eine ganz falſche Vorſtellung,
wenn man ſich dieſen Papſt als eine Zuſammenſetzung von nichts
als Laſtern vorſtellt; daß er auch beſſere Seiten hatte, geht aus den
ſehr zahlreichen Bullen hervor, die ſich von ihm in der Italia sacra,
Gallia christiana etc. finden, obwohl hiedurch nicht geläugnet wer⸗
den ſoll, daß ſein Treiben mehr als weltlich und ſittenlos genannt
werden muß. Vgl. über dieſen Gegenſtand die lange Note bei Mu⸗
ratori S. R. It. III. II. p. 340, und Mittler.

welche Patricier geworden waren, gesichert, seine früheren Aus
schweifungen ungescheut fortsetzte, vertrieben ihn 6 Jahre da=
rauf die Römer auf's Neue, erklärten ihn, so viel sie es ver=
mochten, der päpstlichen Würde für verlustig und wählten, ihm
die Rückkehr völlig abzuschneiden, an seiner Statt den Cardi=
nalbischof von St. Sabina als Sylvester III zum Papste [46]).
Allein schon 3 Monate später mußte dieser, von Papst Bene=
dict excommunicirt, vor der Macht der Grafen von Tusculum
aus dem angemaßten Stuhle entweichen. Doch änderte P. Be=
nedict auch jetzt seinen Lebenswandel nicht; da er aber bei dem
fortdauernden Unwillen des römischen Volkes erkannte, in welch
persönlicher Gefahr er sich befinde, so sann er auf Mittel, ei=
nem neuen Sturme bei Zeiten vorzubeugen. Es befand sich da=
mals unter den Hauptleuten von Rom Gerardus vom Felsen [47]),
ein Verwandter der tusculanischen Grafen und Vater einer
Tochter, für welche der junge und ausschweifende P. Benedict
heftig entglühte und um deren Hand er zuletzt auch bei Gerard
förmlich warb. Sey es aber, daß Gerard ein heimlicher An=
hänger Sylvester's III [48]) war, oder, daß er den ärgerlichen
Zustand von Rom nicht noch vermehren wollte, er sagte dem
Papste die Hand seiner Tochter nur unter der Bedingung zu,
daß er seiner kirchlichen Würde völlig entsage. Benedict begab
sich nun zu einem gewissen Johann Gratian [49]), Erzpriester
der hl. römischen Kirche, der in dem Rufe besonderer Recht=
schaffenheit stand, und befragte ihn um Rath, und als dieser
ihn in den Privatstand zurücktreten hieß, entsagte P. Benedict
seiner Würde und verlangte nun von Gerardus die Erfüllung
seines Versprechens. Allein anstatt ihm seine Tochter zur Frau
zu geben, zeigte sich Gerardus jetzt als eifriger Anhänger Syl=
vester's III und erregte dadurch so sehr den Ingrimm der tus=
culanischen Grafen, daß diese ihren Bruder nochmal auf den
päpstlichen Thron erhoben. Als nun dieser gänzlich der Spiel=

---

46) Desiderii dialog. III.
47) Bonizo ap. Oefele II. p. 801.
48) Mitler S. 8 nach Bonizo.
49) Mitler n. 16.

ball weltlicher Parteien geworden und des unseligen Treibens,
welches die Kirche in ihren Grundlagen erschütterte, kein Ende
abzusehen war, faßte derselbe Erzpriester, dessen Rath P. Benedict früher eingeholt hatte, den Entschluß, auch das Aeußerste
zu versuchen, die Kirche von solchem Gräuel zu befreien. Er
galt für einen Mann von schlichter Gesinnung [50]), der mitten
in dem Verderbniß der Sitten auf fast wunderbare Weise sich
von Jugend an von Befleckung rein erhalten hatte und von den
Römern mehr wie eine überirdische Erscheinung, als wie ein
Sterblicher betrachtet wurde. Diese Verehrung der Römer für
ihn sprach sich besonders in Darbringung milder Gaben aus,
welche, so reichlich sie auch flossen, von ihm nur zur Ausbesse-
rung schadhafter Kirchen und zu anderen milden Werken verwendet wurden. Als nun dieser die heillose Verwirrung gewahrte, in welche die römischen Hauptleute die Kirche gestürzt
hatten, so hielt er es für das Beste, weltlichem Treiben auf
weltliche Weise zu begegnen und verwandte daher das gesam-
melte Geld so geschickt, die Häupter des Volkes für sich zu gewinnen, daß um eben die Zeit, wo Benedict IX nach seiner
Abdankung wieder gegen Sylvester III auftrat, auch er von einer Partei zum Papste erhoben wurde. Dadurch schien zwar
das Uebel eher vermehrt, als vermindert worden zu seyn, indem der römische Stuhl statt von zweien, nun von 3 Päpsten
besetzt war, von denen der eine, Benedict, in dem Lateran,
Sylvester auf dem gegenüberliegenden Hügel zu St. Maria Mag-
giore, Johann endlich, als Papst Gregorius VI in St. Peter
residirte [51]). Allein auch diesem wußte P. Gregor abzuhelfen,
indem er ohne große Schwierigkeit gegen eine neue Summe
Geldes [52]) den P. Benedict zu wiederholter Abdankung bewog;
Sylvester, welcher sich vor den Grafen von Tusculum nicht zu
halten vermochte, wurde auf andere Weise befriedigt [53]), und,

50) Bonizo p. 802.

51) Otto Frisingensis VI. c. 32, wobei jedoch zu bemerken ist, daß
aus der viel gemeineren Erzählung Desider's durchaus nicht hervorgeht, daß die 3 Päpste zu gleicher Zeit residirten.

52) Um 1000 ₰ denar. Papiens. MS. Vallicell. C. 25. p. 118 b.

53) Nach Desiderius war er schon nach 3 Monaten in sein Bisthum

somit Gregorius einziger Papst und das ärgerliche Schisma glücklich gehoben.

Voll fröhlicher Hoffnungen über die nun anbrechende goldene Zukunft schrieb der durch die Strenge seines Lebenswandels nachmals so berühmte Petrus Damiani [54]) an den Papst, und forderte ihn auf, auch die übrigen Bischofssitze zu reinigen. Gregorius aber richtete sein Augenmerk vor Allem auf Rom. Hier war in Folge der langen Verwirrung die Unsicherheit und Unordnung so hoch gestiegen [55]), daß auf den öffentlichen Plätzen der Stadt Räuber ihr Unwesen trieben, die Kirchen nur mit Lebensgefahr besucht werden konnten und selbst an den Gräbern der Apostel blutige Zwiste vorfielen. Die dargebrachten Opfer wurden von den Gewalthabern hinweggenommen und zu Schwelgereien und noch schändlicheren Dingen verbraucht; die Züge der Pilger nach Rom hörten zuletzt gänzlich auf, da man nur mit äußerster Gefahr des Weges zu der entheiligten Stadt kommen konnte, und jene, wenn sie angelangt waren, statt frommer Priester nur verheirathete oder eingedrungene fanden. Papst Gregor suchte der gewaltsamen Störung des Friedens erst durch Ermahnungen, dann durch Drohungen abzuhelfen; als beides nichts half, erließ er kirchliche Censuren und als auch diese verachtet wurden, bewaffnete er die ihm ergebenen Römer, überfiel die Mörder, wo er sie fand, säuberte die St. Peterskirche und erzwang sich so mit Gewalt die Zurückgabe der dem hl. Petrus entrissenen Güter und Ruhe in der Stadt.

So ward die äußere Ordnung wiederhergestellt und der sechste Gregor schien, ein würdiger Nachfolger seiner Namensgenossen, wie diese berufen zu seyn, die Kirche auf ihre alten

---

zurückgekehrt, ohne wieder als Papst zum Vorschein zu kommen: urbe cum dedecore pulsus suum ad episcopatum reversus est, so daß er also nie Rival Gregor's VI gewesen wäre. Dieß giebt jedoch ausdrücklich Bonizo zu erkennen: his ita gestis etc. p. 801.

54) Petri Dam. epl. lib. I. 1. 2.

55) Wilhelm Malmesb. de gestis Reg. Angl. II. c. 13. ap. Saville. Cf. bullae Gregorii P. VI pro mon. S. Quintini ap. Mansi XIX. p. 618. u. 620. Er war es auch, der den frommen und vortrefflichen Halinard bestimmte, die auf ihn gefallene Wahl zum Erzbischofe von Lyon anzunehmen. Vita S. Halinardi c. 5.

Grundlagen zurückzuführen. Aber anders war es im Rathe der göttlichen Vorsehung beschlossen worden. Denn nicht auf Gewalt, noch auf menschliche Klugheit und Berechnung war die Kirche gegründet, sondern auf den unerschütterlichen Glauben an die Verheißung des Heilandes, Sein Geist werde mit ihr seyn bis an's Ende der Tage. Alles, was bis jetzt von einzelnen Männern versucht worden war, den herrschenden Uebeln zu steuern, hatte sich als unzureichend bewiesen; nur für den Augenblick unterdrückt, hatten diese nachher um so stärker sich wieder erhoben. Wie aber hätte auch P. Gregor VI die Simonie auszurotten vermocht, da er selbst gestehen mußte, die Pforte, durch welche er zu dem Pontificat gelangte, sey nicht die richtige gewesen; wie hätte er die Beschlüsse früherer Concilien gegen verheirathete Priester in Kraft zu setzen vermocht, nach wem sich bei Ergreifung kraftvoller Maßregeln umsehen, auf wen sich stützen können, da ihn Hunderte beweibter und simonistischer Priester umgaben, und er selbst nicht ohne Makel war? Wenn aber der Papst der Kirche nicht mehr aufhelfen konnte, wer wäre dann der Mann dazu gewesen?

Wie in den Tagen P Johann's XII, dann nach dem Tode P. Johann's XV, offenbarte sich auch jetzt die Weisheit göttlicher Anordnungen und die Kraft evangelischer Verheißungen, die Jahrhunderte vorher die Mittel zu ihren Zwecken im Stillen bereitet. Die Unterordnung der Kirche in Deutschland unter das Haupt der gesammten Christenheit, wie sie im Vereine mit den Päpsten vor 3 Jahrhunderten der hl. Bonifacius, vom Geiste Gottes erleuchtet, gegründet hatte, rettete, wie schon mehrmals, so auch jetzt Deutschland und Itälien, ja die ganze Christenheit von der Gefahr früher, unheilvoller Zersplitterung, bewahrte künftigen Zeiten die Mittel des Heils und einer früher nie gekannten Cultur und erwarb dem deutschen Volke den unvergänglichen Ruhm, in der verwickeltsten Epoche der christlichen Kirche 5 Päpste in unmittelbarer Aufeinanderfolge gegeben und dadurch den Sieg derselben über die höchste Immoralität und eine mehr als teuflische Verblendung bereitet zu haben.

Erster Abschnitt.

Von der Wahl und Krönung P. Clemens II bis zur Reise des Papstes nach Unteritalien.

Gerade zu der Zeit, als P. Benedict IX durch seine wilden Ausschweifungen das Schisma vorbereitete, starb Kaiser Conrad I, 4. Juni 1039, worauf sein Sohn Heinrich III, bereits seit dem Jahre 1028 zum Könige der Deutschen gesalbt, die Regierung des deutschen Vaterlandes antrat. Schon in den nächsten Jahren erprobte der junge König seine Kraft in siegekrönten Zügen gegen Ungarn und Böhmen; aber die Pflichten eines deutschen Königs nicht blos im Kampfe gegen äußere Feinde erkennend, hatte er sein Augenmerk schnell auch jenen Gebrechen zugewandt, ohne deren gründliche Heilung Friede und Ordnung nicht bestehen konnten. Er sagte sich deshalb von aller Vergebung von Pfründen für Geld feierlich los, belegte fernere Ausübung der Simonie mit den härtesten Strafen und forderte, obwohl er sich dadurch selbst eines nicht geringen Zweiges des Einkommens beraubte, die Geistlichkeit Deutschlands auf, ihrem früheren simonistischen Treiben gegen das Versprechen der Besserung nachsehend, auch von ihrer Seite der Simonie als der Quelle der herrschenden Laster und der deshalb über die Menschen verhängten göttlichen Strafgerichte mit allen Kräften zu widerstehen. Als die Nachricht von der Trefflichkeit des deutschen Königs, der allein es gewagt hatte, dem allgemeinen Verderben seines Jahrhunderts offen die Stirne zu bieten, nach Italien kam, erregte sie in dem römischen Archidiaconus Pe-

truß [1]) die freudige Zuversicht, Heinrich sey von Gott zum
Retter der Kirche berufen. Er besprach sich daher mit dem
Theile der Römer, welche mit ihm der Hoffnung auf eine bessere Zukunft noch nicht entsagt hatten, und eilte dann schnell
über die Alpen zu König Heinrich. Diesen aber forderte er
mit solchem Eifer auf, der gemeinsamen Mutter aller Christen,
der römischen Kirche, mit der ihm gewordenen Macht zu Hülfe
zu eilen, daß der König einen Römerzug beschloß und unbekümmert, daß gerade jetzt die Ungarn sich einen andern König
gaben, als er ihnen vorgesetzt hatte, im September des Jahres
1046 mit einem glänzenden Gefolge von geistlichen und weltlichen Fürsten nach Italien aufbrach. Am 25. October hielt er
bereits eine Synode zu Pavia, zu welcher 39 Bischöfe und Erzbischöfe Deutschlands, Frankreichs, Burgunds und Italiens sich

---

1) Bonizo p. 801. 1. Glab. Rodulphus V. c. 5. Auch von den deutschen Bischöfen hatte eine nicht kleine Anzahl ihre Würden simoni-
stisch erlangt. Der Kaiser ließ sie ihnen gegen das Versprechen, sie
rechtlich und kirchlich zu verwalten, verbot jedoch die Simonie in seinem Reiche völlig und gelobte selbst, sie nie zu üben. In Bezug
auf die Zeit, in welcher dieser Reichstag gehalten und dieser Beschluß
gefaßt wurde, ist zu bemerken, daß Glabers Vorstellung, er sey nach
der Rückkehr des Kaisers aus Italien gehalten worden, womit sich
dann noch die höchst irrige Meinung verband, (Mansi XIX. p. 630)
P. Clemens II habe ihm beigewohnt, durch gar keine weitere Thatsache begründet wird. Hingegen erwähnt Hepidan ad a. 1043 eines
Concils von Constanz, auf welchem der Kaiser selbst als Redner auftrat und das höchst wahrscheinlich Glaber den Stoff zu seiner Rede
K. Heinrichs lieferte. (Cf. auch Herm. contr. ad a. 1043.) Daß das
Concil in Constanz gehalten wurde, mag in diesem die Meinung erzeugt haben, der Kaiser habe sich bei seiner Rückkehr aus Italien in
diese Stadt verfügt. Ich möchte sogar, wenn es erlaubt wäre, jenen
beiden Autoritäten zu widersprechen, diesen Reichstag lieber noch
früher und zwar in das Jahr 1040 versetzen, in welchem Heinrich
in Augsburg, Ulm und Reichenau war, also wohl auch in Constanz. Vgl. Böhmer's Regesten S. 73. Stenzel erzählt diese Begebenheit S. 117 als im Juni 1047 vorgefallen, ohne jedoch den geringsten Grund für diese Meinung anzuführen oder eine abweichen-
de zu prüfen.

verſammelten; auch P. Gregor VI ſcheint hieher beſchieden worden zu ſeyn, er kam aber erſt nach Beendigung der Synode
nach Piacenza und überreichte daſelbſt dem künftigen Kaiſer
ein koſtbares Diadem. König Heinrich empfing ihn mit gezie-
menender Ehrfurcht, jedoch ohne ſeinen Entſchluß zu verändern,
welchen die Weigerung der zu Pavia verſammelten Biſchöfe,
in Abweſenheit des Angeklagten und ohne förmliches Gericht
keinen der ihrigen, geſchweige den Papſt ſelbſt, verdammen zu
wollen, nur für eine gelegenere Zeit verſchieben ließ. Der König
ſetzte daher von dem Papſte begleitet ſeinen Zug nach Rom fort.
Als ſie aber nach Sutri, eine kleine Tagereiſe vor der Stadt
gekommen waren, bat der König, da Weihnachten vor der
Thüre war und er bis zu dem hohen Feſte die Angelegenheiten
der Kirche geordnet zu ſehen wünſchte, um an dem Tage ſelbſt
die Kaiſerkrone zu empfangen, den Papſt, hier an der Schwelle
von Rom mit ſeinem Clerus und den fremden Biſchöfen ein
Concilium zu halten. Mochte der Papſt hoffen, durch einen
ihm günſtigen Beſchluß des Concils vollends noch den letzten
Flecken zu tilgen, der auf dem unrechtmäßigen Erwerb ſeines
Pontificates laſtete, oder glaubte er, ſich in die Nothwendigkeit fügen zu müſſen, er bewilligte die Bitte des Königs und
verſammelte am beſtimmten Tage, unter ſeinem eigenen Vor-
ſitze, den Clerus von Rom, die fremden Patriarchen und Metropolitane, die Erzbiſchöfe, Biſchöfe und Aebte. Auch der König wohnte der Synode bei. In dieſer aber wurde [2]) ſogleich
eine Unterſuchung des Zuſtandes der römiſchen Kirche vorgenommen, worauf erſt Sylveſter III einſtimmig als Eindringling
bezeichnet und zum Verluſte ſeiner biſchöflichen und prieſterlichen
Würde, ſowie zu lebenslänglicher Haft in einem Kloſter verurtheilt wurde. Ueber Benedict wurde kein beſonderer Beſchluß
gefaßt, da er ſich ſelbſt des Pontificats für unwürdig erklärt
hätte und in die Dunkelheit des Privatlebens zurückgetreten
war. Nun ſollte die Reihe der Unterſuchung die Wahl P.
Gregors VI treffen; aber aus Ehrfurcht gegen ihn ſprach die
Synode nur die Bitte aus, er möge ſelbſt die Art und Weiſe

---

[2]) Bonizo p. 802.

vorlegen, wie seine Erhebung auf den päpstlichen Thron sich zugetragen habe. Der Papst willfahrte auch dieser Bitte und erzählte ohne Hehl, wie er ohne sein Zuthun zu vielem Gelde gekommen und dieses zuletzt zur Befreiung der Kirche aus dem Joche der Patricier verwendet habe. Als die Synode dieß vernommen hatte, ergriffen einige von den Bischöfen das Wort und machten mit ehrfurchtsvollen Ausdrücken den Papst aufmerksam, wie auch er von der List des Teufels verblendet, wenn gleich mit reinerer Absicht, dennoch zu Dingen seine Hand gereicht, welche nicht gerechtfertigt werden könnten; was durch Kauf gewonnen, sey nie heilig zu nennen. Da die Bischöfe so sprachen, fiel es dem Papste wie Schuppen von den Augen; Er ergriff das Wort und sprach: Ich rufe Gott zum Zeugnisse für meine Seele, versammelte Väter! daß ich durch das, was ich that, Vergebung meiner Sünden und Gottes Gnade zu erlangen glaubte. Jetzt aber, da ich die Tücken des alten Feindes erkenne, rathet mir auch, was ich thun solle. Die Bischöfe erwiederten: Erwäge die Sache in Deinem eigenen Herzen. Besser ist es für Dich, mit dem heiligen Petrus, um dessenwillen Du dieses gethan hast, arm zu leben und ewig reich zu seyn, als mit Simon Magus, der Dich betrog, jetzt in Reichthümern zu glänzen und ewig verloren zu seyn. Diese Sprache der Wahrheit und Liebe traf das Herz des Papstes; er erhob sich, legte selbst die Insignien seiner Würde nieder und sprach vor allen Anwesenden das Verdammungsurtheil über sich aus: Ich Gregorius, so sprach er, Knecht der Knechte Gottes, urtheile, daß ich wegen der schändlichsten Verkäuflichkeit und der Häreße Simons, welche sich durch die Tücke des alten Feindes in meine Wahl einschlich, aus dem römischen Bisthume zu entfernen bin. Gefällt es euch so? Was Dir gefällt, erwiederten die Bischöfe, bekräftigen wir.

Nachdem so mit einem Male und auf unerwartet glückliche Weise das Schisma nicht nur beseitigt, sondern auch mit seinen Wurzeln ausgerissen war, blieb noch die so wichtige Frage zu lösen übrig, wer denn nun Papst werden solle. Der römische Clerus hatte bereits früher dem nun abgesetzten Papste geschworen, zu seiner Lebzeit keinen neuen zu wählen; zugleich fand sich unter ihnen keiner, der des hohen Amtes würdig gewesen wäre[3]). Man beschloß daher die Wahl auf einen andern Tag zu verschieben, das Concil wurde aufgehoben und der König brach mit allen Bischöfen und dem Heere nach Rom auf, um gemeinsam mit den Einwohnern dieser Stadt die Wahl des neuen Papstes zu betreiben. Am 24. December des Jahres 1046 (dem Tage nach der Ankunft des Königs in Rom) zog Heinrich mit allen Bischöfen in die Kirche des hl. Petrus, wohin ihm der römische Adel mit den fremden Fürsten folgte. Als sie alle versammelt waren, ergriff König Heinrich das Wort und schalt die Römer wegen der schändlichen Wahlen, die sie vorgenommen hatten, gab ihnen aber ihr Wahlrecht[4]) zurück und hieß sie, davon nun Gebrauch zu machen. Einstimmig erklärten die Römer, in des Königs Gegenwart käme ihnen die Wahl nicht zu, da diese ja auch in seiner Abwesenheit durch des Kaisers Patricier ausgeübt werde; sie bekannten, unrecht und freventlich gehandelt zu haben und forderten den König auf, das römische Gemeinwesen durch Gesetze wieder zurecht zu bringen, durch Sittenreinheit zu schmücken und die heilige Kirche mit dem Arme eines Vertheidigers zu lenken, damit sie keinen Nachtheil erleide. Dann hielten sie unter einander Rath und beschloßen mit Zustimmung aller Anwesenden, sich selbst des Patriciates zu begeben und diese Würde auf K. Heinrich

---

3) Victoris P. III. dialog. L. III. Es ist jedoch zu bemerken, daß durch eine besondere Fügung in dem kurzen Zeitraume von 1040 — 1047 fast alle bessern Bischöfe Italiens schnell wegstarben. Cf. Ugh. I. p. 58. 688 etc. etc.

4) Ecce solito more sit in vestra electione, accipite quem vultis de tota praesenti congregatione etc. Benzo S. 393, der hier Geleitsmann wird. Nach ihm antworteten die Römer dem Kaiser, was zur Kenntniß des römischen Patriciats merkwürdig ist, wenn man ihm vollkommen trauen darf: ubi adest praesentia regiae majestatis, non est electionis consensus in arbitrio nostrae voluntatis. Etsi forte aliquotiens absens estis, tamen per officium patricii, qui est vester vicarius, semper apostolicae promotionis interestis. Neque enim patricius est papae patricius, verum ad procuranda reipublicae negotia est imperatoris patricius etc. Benzo S. 393.

und alle seine Nachfolger überzutragen. Ein freudiger Zuruf
des Clerus, welcher Gott dankte, daß er den Fürsten diesen
Entschluß eingegeben habe, bezeugte, wie sicher von diesem
Schritte das Ende der Zwingherrschaft der römischen Großen
erwartet wurde. Diese aber brachten nun ein langes, grünes
Kleid herbei, legten es dem Könige an, steckten ihm einen Ring
an den Finger und setzten ihm ein goldenes Stirnband auf das
Haupt; dann erhob sich die Versammlung, dem neuen Patricier
nach der Weise Carls des Großen ihre Ehrerbietung zu bezeugen; sie beugten die Knie vor ihm und baten ihn, er möge
nun selbst nach eigener Einsicht einen Papst erwählen, der der
Welt durch seine Lehre wieder aufzuhelfen und die Christenheit
von ihren Drangsalen zu befreien vermöchte. Auf dieß befahl
der König, die ganze Versammlung möge sich erheben und den
Beistand des hl. Geistes mit zerknirschtem Herzen anrufen; dann,
als das Gebet beendigt war, trat der König hervor, ergriff
mit seiner Rechten den Bischof Suidger von Bamberg und
führte ihn als den Würdigsten auf den päpstlichen Thron.
Vergeblich widerstrebte 5) der demüthige Mann, welcher so
hohe Ehre sich nicht erwartet hatte; er mußte dem einstimmigen
Zurufe gehorchen und die Huldigung Aller empfangen. Der
nächstfolgende Tag, des Herrn Geburt, wurde zu seiner Ordination und zur Kaiserkrönung Heinrichs III und dessen Gemahlin
Agnese bestimmt.

Als der Morgen angebrochen war, welcher den Christen
die trostvolle Geburt des Heilandes verkündete, wurde der neu-
gewählte Papst in die Kirche des hl. Petrus geführt und nach
der Sitte der römischen Kirche von den dazu verordneten 3
Cardinalbischöfen feierlich gekrönt. Sie nannten ihn nun als
Papst Clemens II; mit Recht 6), denn er war ein Mann von

---

5) Nimium reluctantem, sagt von ihm Herm. contr. ad a. 1046.
Den abgesetzten Papst nahm der Kaiser bei seiner Rückkehr nach
Deutschland mit sich. — An demselben Tage (24. Dec.) starb der
Bischof Eberhard von Constanz, aus dem Geschlechte der Grafen von
Dillingen, in Rom und wurde im Vorhofe der St. Peterskirche be-
graben. Chron. Constant. ap. Urstis. III. p. 741.

6) Benzo l. c. Clemens benignus natus Saxo. Chron. MS. Val-

milder Gesinnung und untadelhaften Wandels. Aus dem Geschlechte der Herren von Moresleven [7]) stammend war er erst
Caplan des Erzbischofs Hermann von Hamburg gewesen, dann
war er Canonicus von St. Stefan in Halberstadt, im Jahre
1040 aber Bischof von Bamberg geworden, an welcher Kirche
er mit solcher Liebe hing, daß er auch als Papst sich nicht davon
lossagen konnte [8]). Während aber in der Kirche des hl. Petrus
die Krönung des Papstes vor sich ging, hatte sich König Heinrich mit seiner Gemahlin zu der Kaiserkrönung gerüstet, welche
die erste Handlung des neuen Papstes seyn sollte. Mit dem
glänzendsten Gefolge geistlicher und weltlicher Fürsten brach der
Gebieter der Deutschen und Italiener von dem kaiserlichen Palaste gen Sct. Peter auf. Als er bei der Engelsburg an das
collinische Thor gekommen war, schwur er den Römern [9]), ihr
gutes Herkommen aufrecht zu erhalten und die Urkunden der
dritten Art und des Libells ohne Hinterhalt und Tücke bekräfti-

---

licell. C. 25. p. 118. Bamberg war durch die Stiftung Kaiser
Heinrichs I zwar das jüngste, aber beinahe das blühendste Bisthum
von Deutschland. Der nachherige Bischof Engelbert von Minden
war daselbst Canonicus gewesen (Chron. Episc. Mind. XVII. ap.
Urst. III.), der hl. Anno, Erzbischof von Cöln, in der Domschule erzogen worden, Liutpold Erzb. von Mainz Propst zu Bamberg gewesen.

7) Sein Vater war Conrad von Moresleve und Hornebuch; seine Mutter Amalrade war die Schwester des Erzbischofs Waltard von Magdeburg; einer seiner Brüder Conrad wurde Canonicus von St.
Moritz in Magdeburg und soll nachher Patriarch von Aquileja geworden seyn, der andere schenkte die Stadt Hornebuch der Kirche
von Halberstadt. Ussermann §. XXII. cf. Hoffmanni ann. Bam-
bergenses ap. Ludcwig. I. ep. II. c. 16., wo sich noch Einiges über
seine früheren Lebensverhältnisse findet, was wir weglassen, da wir
eine Geschichte P. Clemens II und nicht Suidgers von Bamberg
schreiben.

8) Ussermann XXIV.

9) Darüber vergl. Cenni monum. dom. pontif. II. S. 269. XXXIV.
Der Schwur bezog sich auf Bekräftigung veräußerter Ländereien,
welche in den genannten Documenten angeführt waren. Wahrscheinlich ist das collinische Thor Eines mit der porta Crescentii bei
Benzo II. c. 9.

gen zu wollen. Dann ritt er mit den Seinigen durch das
Thor zur Kirche der hl. Maria, genannt Transpadina, in die
Leostadt. Hier warteten seiner die Großen Roms. Der Präfect
der Stadt [10]) und der Pfalzgraf des Laterans nahmen den
König, der Juder Dativus und der Arcarius die Königin in
ihre Mitte und der Zug setzte sich, nun auch bereits von dem
Clerus empfangen, welcher die schöne Antiphone sang: Siehe,
ich sende meinen Engel vor dir her, und im festlichsten Schmucke
Weihrauchgefäße schwang, durch die lange Säulenhalle zu dem
Vorhof der Peterskirche in Bewegung. Als der König an den
Stufen angelangt war, die zu dem prächtigen Vorhofe führten,
stieg er vom Pferde und übergab es den römischen Senatoren,
die ihn hieher geleitet hatten; das Gleiche that die Königin
mit dem übrigen Gefolge. K. Heinrich beschwur hier noch einmal
den Römern Bewahrung ihrer Rechte und schritt dann von
seinen Begleitern umgeben die Stufen hinan. Oben, auf einem
erhöhten Sitze vor den ehernen Thüren der Kirche der hl. Maria genannt im Thurme, dem Throne zunächst, zur Rechten
von den Cardinalbischöfen und Priestern, zur Linken von den
Cardinaldiaconen, etwas tiefer von den Subdiaconen, Acolyten,
dem Primicerius, den Sängern und den übrigen Würdenträgern
der bischöflichen Kirche von Rom umgeben, harrte des Königs
P. Clemens in vollem Ornate zur Feier des Hochamtes. Als
der König die Stufen herangestiegen war, welche einst Carl
der Große unter Küssen erklommen hatte und nun im Angesichte so vieler Tausenden vor der hochheiligen Kirche des Apostelfürsten dessen Nachfolger gegenüber stand, eilte er auf den

---

10) Ordo Romanus continens ritum servatum anno 1046 in benedictione Clementis P. II coronatione Henrici II et Agnetis
ap. Cenni monum. II. p. 261—268, ergänzt durch den ordo Romanus bei Murat. antiqq. I p. 99 etc. Aus diesem feierlichen,
wahrhaft sacramentalen Act läßt sich auch erklären, warum ein frommer Mann, wie Heinrich III unstreitig war, die Krone auf sein
Haupt zu setzen Bedenken trug, ehe er sich nicht durch die Beichte
von den Sünden gereinigt. Eben daraus erklärt sich auch andererseits, was von dem Acte Friedrichs II zu halten ist, als er, bereits
excommunicirt, die Krone mit eigenen Händen auf sein Haupt setzte.

Papst hinzu, warf sich vor ihm nieder und küßte ihm ehrfurchtsvoll die Füße; nach ihm die Königin, dann die geistlichen und
weltlichen Fürsten in ihrem Gefolge. Hierauf zog sich die Königin, von ihren beiden Führern geleitet, etwas zurück, ihrem
Gemahle Raum zu geben; der König aber trat nun vor, kniete
nieder und schwur, indem er mit aufgehobener Rechte das Evan-
gelienbuch berührte, vor der ganzen Versammlung dem Oberhaupte der Kirche den Eid der Treue: „Im Namen unseres
Herrn Jesu Christi, hob der König, zu dem Papst gewendet,
an, verspreche, gelobe, verheiße und schwöre ich, Heinrich,
König der Römer und künftiger römischer Kaiser, bei diesen
Evangelien vor Gott und dem hl. Apostel Petrus und dessen
Stellvertreter, Dir, dem Herrn Papst Clemens, und Deinen
canonisch erwählten Nachfolgern Treue, sowie Beschützer und
Vertheidiger dieser hl. römischen Kirche, Eurer Person und
aller Eurer Nachfolger zu allem Nutzen seyn zu wollen, so viel
ich nur immer dazu mit Gottes Hülfe Kraft erlange, nach meinem ganzen Wissen und Vermögen, ohne Betrug und Hinterlist, so wahr mir Gott helfe und seine hl. Evangelien.“ Hierauf legte der König seinen Mantel ab und übergab ihn einem
Kämmerer des Papstes, ihn zu halten; der Papst aber wandte
sich nun an den König und frug ihn dreimal, ob er mit der
Kirche Frieden halten wolle, und als dieser jedesmal „ich will
es“ geantwortet hatte, küßte er ihm Stirne, Kinn, beide Wan-
gen und den Mund (nach dem Kreuzeszeichen) und sprach:
„Und so gebe ich dir denn nun den Frieden, wie Christus ihn
seinen Jüngern gab.“ Dann frug er den König auf's Neue:
„willst Du ein Sohn der Kirche seyn?“ „Ich will es“ antwortete dieser. „So nehme ich Dich auf als Sohn der Kirche,“
erwiederte der Papst, indem er mit beiden Händen seinen Mantel ausbreitete und den König umfing, der einen Kuß auf die
Brust des Papstes drückte. Hierauf ergriff ihn dieser bei der
rechten Hand und wandte sich, von seinem Kanzler mit der
Linken unterstützt, mit dem Könige, welchen der Archidiaconus
des Papstes zu seiner Rechten führte, durch den Vorhof zu der
silbernen Thüre der Sct. Peterskirche; langsam und in einiger
Entfernung folgte ihnen die Königin mit ihren Führern nach.

Als der König unter die silberne Thüre trat und die Herrlichkeit
der Kirche, das Grab des Apostelfürsten, so viele andere theure
Denkmäler vergangener Zeiten mit dem reichsten Schmucke be=
kleidet, mit einem Male erblickte, sank er auf seine Knie nie=
der, dem Herrn des Lebens den Tribut des Dankes und der
Ehre zu entrichten. Hier trat an die Stelle des Papstes der
Cardinalbischof von Albano zu dem Könige und sprach, als
sich dieser wieder erhoben hatte, das erste Gebet über ihn:
„Gott, in dessen Hand die Herzen der Könige sind, so lautete
es, neige das Ohr Deiner Barmherzigkeit zu unserem demüthi=
gen Flehen und verleihe unserm Fürsten, Deinem Diener Hein=
rich, in Deiner Weisheit die Regierung, damit er aus Deinem
Borne die Rathschläge schöpfe, Dir gefalle und über alle Reiche
erhoben werde, durch Deinen Sohn, Jesum Christum unseren
Herrn.“ Unterdessen war P. Clemens, während die Cleriker
das Responsorium: Petrus, liebst Du mich? sangen, in die
Kirche getreten; er ertheilte, als der Gesang zu Ende war,
den Segen und setzte sich auf seinen Thron zur rechten Seite
der sogenannten rota porphyrea [11]), die in dem Fußboden an=
gebracht war, nieder; ihm gegenüber war ein Thron für den
König errichtet, zu welchem diesen nach Beendigung des Ge=
betes der Cardinalerzpriester und der Cardinalarchidiaconus ge=
leiteten und dann auf beiden Seiten von ihm Platz nahmen,
ihm bei der Prüfung, die nun beginnen sollte, behülflich zu
seyn. Die deutschen Bischöfe und die übrigen Anwesenden
vom geistlichen Stande setzten sich zur Rechten des Königs.
Als dann Stille geworden war, richtete der Papst das Wort
an den König und sprach: „Eine alte Einrichtung der heiligen

---

11) Eine große Porphyrplatte, wie man sie häufig in Basiliken findet.
Vgl. darüber Beschreib. v. Rom II. 1. S. 124. Einem ähnlichen
Examen, wie das nun folgende ist, unterwarfen sich auch die Könige
von Frankreich: so zuerst Philipp I i. J. 1059, wobei er ausdrücklich
gefragt wurde, utrum (fidem catholicam) crederet et defendere
vellet. cf. coronatio Philippi I ap. Bouq. XI. p. 32. Aus die=
ser Verpflichtung zur Vertheidigung des Glaubens entstand dann
von selbst die der Bekämpfung der Ungläubigen, was Bischof Wazo
von Lüttich in seinem berühmten Briefe (ap. Mart. coll. ampl.
IV. p. 899.) zu beachten vergaß.

Väter lehrt und befiehlt, daß jeder, welcher zu einem Amte
erwählt wird, zuvor mit aller Liebe auf's Eifrigste über die hl.
Dreieinigkeit erforscht und über verschiedene Umstände und Ge=
bräuche befragt werde, welche diesem Amte zukommen und die
inne gehalten werden müssen, da der Apostel sagt, man solle
Niemanden schnell die Hände auflegen, sowohl damit derjenige,
welcher zu weihen ist, vorher auch unterrichtet werde, auf
welche Weise er nach Uebernahme seines Amtes in der Kirche
Gottes zu wandeln habe, als auch damit diejenigen entschul=
digt seyen, welche ihm die Hände zur Weihe aufgelegt haben.
Nach eben diesem Ansehen und Befehle befragen wir Dich,
theuerster Sohn, in reiner Liebe, ob Du alle Deine Klugheit,
soviel Deine Natur derselben fähig ist, dem Dienste Gottes
unterwinden willst? Auf dieß antwortete K. Heinrich: Von
ganzem Herzen will ich in dieser Beziehung folgen und damit
übereinstimmen. Auf's Neue frug ihn P. Clemens: „Willst Du
Deine Sitten von allem Bösen entfernen und mit Gottes Hülfe,
soviel Du kannst, zu allem Guten hinwenden?" Ich will es,
erwiederte der König. „Willst du mit Gottes Hülfe Nüchtern=
heit bewahren?" Auch hierauf entgegnete K. Heinrich: Ich will
es. Noch dreimal frug der Papst: Willst Du den göttlichen
Dingen anhangen und Dich, soviel die menschliche Schwäche
vermag, von niedrigen Sorgen frei machen? — Willst Du
Demuth und Geduld in Dir selbst bewahren und andere dazu
hinlenken? — Willst Du Armen, Fremden und allen Nothlei=
denden um des Herrn Namens willen freundlich und mild=
thätig seyn?" Jedesmal erwiederte der König: Ich will es. „Alle
diese und noch viele andere Güter, versetzte P. Clemens, er=
theile Dir der Herr, er bewahre und stärke Dich in allem Guten."
Alle riefen Amen. Der Papst aber fuhr fort: „Glaubst Du
nach Deiner Einsicht und der Fähigkeit Deiner Sinne an die
hl. Dreieinigkeit, den Vater, den Sohn und den hl. Geist,
Einen allmächtigen Gott, ganze Gottheit in 3 Personen, von
gleicher Wesenheit und gleicher Substanz, gleich ewig und gleich
allmächtig, von Einem Willen, Einer Macht und Majestät,
an den Schöpfer aller Geschöpfe, von welchem und in welchem
Alles ist, was im Himmel und auf Erden ist, das Sichtbare

und das Unsichtbare?" Der König antwortete: Mit allem diesem
stimme ich überein und glaube daran. Der Papst fuhr nun
fort: „Glaubst Du an jede einzelne Person der hl. Dreieinigkeit
als wahren, vollständigen und vollkommnen Gott?" Ich glaube,
antwortete der König. Der Papst frug wieder: „Glaubst Du
an den Sohn Gottes, das göttliche Wort, das von Ewigkeit
von dem Vater geboren wurde, mit ihm von gleicher Substanz
und Allmacht, von gleicher Gottheit mit dem Vater ist, das
in der Zeit aus dem heiligen Geiste von der immerwährenden
Jungfrau Maria geboren wurde, mit vernünftiger Seele; zwei-
fach geboren, in Ewigkeit von dem Vater, in der Zeit von
Marien, wahrer Gott und wahrer Mensch, dem beide Naturen eigen sind, der aber in beiden vollkommen ist, nicht adoptiv,
noch phantastisch, sondern einzig und Ein Gott, Sohn Gottes
in beiden Naturen, aber in der Besonderheit Einer Natur,
seiner Gottheit gemäß nicht dem Leiden, noch dem Tode unterworfen, der aber seiner Menschheit nach für uns und unser
Heil in wahrem Fleischesleiden litt, begraben wurde und am
dritten Tage in wahrer Auferstehung des Fleisches auferstand,
am 40sten Tage nach der Auferstehung mit dem Fleische, mit
welchem er auferstand, und mit der Seele in den Himmel auf-
stieg und zur Rechten Gottes des Vaters sitzt, von dannen er
kommen wird, zu richten die Lebendigen und die Todten und
einem jeden nach seinen guten oder bösen Werken vergelten
wird?" Ich glaube an dieß Alles, versetzte der König. „Glaubst
Du, begann der Papst auf's Neue, auch an den hl. Geist als
vollständigen, vollkommnen und wahren Gott, der von dem
Vater und dem Sohne ausgeht, und mit dem Vater und dem
Sohne gleich ist, gleichen Wesens, gleich allmächtig und gleich
ewig?" Ich glaube, erwiederte nochmal der König. „Glaubst
Du, daß die Eine heilige katholische und apostolische Kirche
die wahre sey, in welcher die Eine Taufe und Vergebung aller
Sünden ertheilt wird?" — Ich glaube, versetzte wieder König
Heinrich. „Verfluchst Du auch alle Ketzerei, welche sich gegen
die heilige katholische Kirche erhebt? Ich verfluche sie, antwortete jener. „Glaubst Du auch an eine wahre Auferstehung desselben Fleisches, das Du jetzt hast, und an das ewige Leben?"

Ich glaube daran, erwiederte der König. „Glaubst Du auch,
daß des neuen und des alten Testamentes, des Gesetzes, der
Propheten und der Apostel Einer Urheber der allmächtige Herr
und Gott ist?" Ich glaube es, antwortete wieder der König.
„Nun so möge Dein Glaube," so schloß jetzt P. Clemens die
Prüfung, „vermehrt werden zur wahren und ewigen Glückselig-
keit." Alle Anwesenden riefen Amen. Als nun P. Clemens
hierauf sich erhob und in die Sacristei ging, um den päpstlichen Ornat bis auf die Dalmatica anzulegen, stellte sich der
Cardinalbischof von Porto in die Mitte der porphyrnen Rota
und sprach über den erwählten Kaiser das zweite Gebet: „Gott,
unaussprechlicher Urheber der Welt, Gründer des Menschen-
geschlechts, Regierer des Kaiserthums, Bekräftiger der Herrschaft, der Du aus dem Schooße Deines treuen Freundes, des
Patriarchen Abraham, künftigen Zeiten den König vorhererwählt
hast, bereichere diesen gegenwärtigen König mit seinem Heere
durch die Fürbitte all' Deiner Heiligen mit vollem Segen und
setze ihn fest und dauernd auf den kaiserlichen Thron. Besuche
ihn wie Moses in dem Dornbusche, wie Jesu Nave in der
Schlacht, Gideon auf dem Felde, Samuel im Tempel, und
gieße über ihn Deinen Segen und den Quell Deiner Weisheit
aus, welche der hl. David im Psalter, sein Sohn Salomon
auf Dein Geheiß aus dem Himmel empfing. Sey ihm gegen
die Schaaren seiner Feinde ein Panzer, im Unglücke ein Helm,
im Glücke und unter Deinem Schutze ein nie fehlender Schild.
Gieb, daß ihm die Völker Treue halten, seine Großen den
Frieden bewahren, Wohlthun lieben, sich unrechter Begierden
entschlagen, gerecht reden, die Wahrheit inne halten, und so
unter ewiger Segnung das Volk in Eintracht blühe und alle
in Deinem Frieden jauchzend, siegreich bleiben." Nachdem das
Gebet gesprochen war, verfügte sich der König von dem Cardinalerzpriester und dem Cardinalerzdiaconus geleitet in den
Chor der Capelle des hl. Gregorius, zog daselbst den zur Ordination nöthigen Ornat an und begab sich sodann mit seinen
Führern in die Sacristei, wo ihn der Papst zum Cleriker ordinirte und ihn dann mit dem Krönungsanzuge bekleiden ließ.
Gleich nach Beendigung der Kaiserprüfung hatte sich der

Cardinalbischof von Ostia zu der silbernen Thüre verfügt, wo
die Königin noch immer mit den Richtern und Baronen gewartet hatte, und sprach auch über sie das herkömmliche Gebet:
„Allmächtiger, ewiger Gott, Quell und Ursprung der Güte,
der Du den Samen und die Schwachheit des Geschlechtes nicht
mißbilligend verwarfest, sondern vielmehr gnädig und billigend
erwähltest und das Niedrigste der Welt aussuchend, jegliches
Starke damit zu Nichte zu machen beschlossen hast, und der
Du den Sieg ewigen Ruhmes und Deiner Kraft über den
wüthendsten Feind in die Hand eines jüdischen Weibes legen
wolltest, wir bitten Dich, blicke unseren demüthigen Bitten gemäß auf diese Deine Dienerin Agnese, welche wir in geziemen-
der Ergebenheit zu unserer Königin wählten, mehre die Gaben
Deiner Segnungen über sie, und umgieb sie immer und überall
mit der Rechten Deiner Macht, damit sie, durch das Wort
Deines Schutzes von allen Seiten fest bewahrt, die Ränke des
sichtbaren und unsichtbaren Feindes zu überwältigen vermöge
und zugleich mit Sarah und Rebecca, mit Lia und Rahel,
den seligen und ehrwürdigen Frauen, mit Leibesfrucht gesegnet
und beglückwünscht zu werden verdiene, um den Schmuck des
ganzen Reiches und den Bestand der hl. Kirche Gottes zu leiten und zu schützen, durch Christum unseren Herrn, welcher
sich würdigte, aus dem unbefleckten Leibe der seligen Jungfrau
Maria geboren zu werden, diese Welt zu besuchen und wieder
zu erneuen." Hierauf geleitete sie ein Cardinalpriester und
Cardinaldiaconus zum Altare des hl. Gregorius, wo sie des
Papstes wartete, der nun im feierlichen Zuge, mit Planeta
und Pallium bekleidet, die Mitra auf dem Haupte, vor ihm
die geistlichen Würdenträger, nach ihm der König, mit seinen
Führern aus der Sacristei zurück in die Kirche zog. Auch die
Königin schloß sich dem Zuge an, und als dieser bei dem Altare über dem Grabe des Apostelfürsten hielt, warfen sich der
König und die Königin an dem Grabe nieder und verrichteten
ihr Gebet. Der Primicerius stimmte nun mit der Sängerschule den Eingang des Meßcanon an und sang dann das Kyrie.
Als dieß beendigt war, trat der Papst an den Altar, legte
das öffentliche Sündenbekenntniß ab, gab den Diaconen den

Friedenskuß und verfügte sich, nachdem er noch den Altar ein= geräuchert hatte, auf seinen Thron zurück; der Archidiaconus aber begann sodann die Litanei. Hierauf wurde der König sei= nes Ornates bis auf das Pluviale entkleidet und der Cardinal= bischof von Ostia verrichtete die Salbung, indem er mit eror= cisirtem Oele des Königs rechten Arm und den Rücken zwischen den Schulterblättern bestrich und mit lauter Stimme betete: „Herr, allmächtiger, ewiger Gott, dem alle Macht und Würde gehört, Dich flehen wir in tiefster Andacht und demüthigster Bitte an, daß Du diesem Deinem Diener einen günstigen Er= folg seiner kaiserlichen Würde verleihest, damit ihm, den Deine Anordnung zur Regierung Deiner hl. Kirche bestellte, in der Gegenwart nichts schade, in der Zukunft nichts entgegenstehe, sondern er durch Eingebung des hl. Geistes das ihm unter= gebene Volk unter gleicher Wage der Gerechtigkeit zu regie= ren vermöge, in allen seinen Handlungen Dich immer fürchte und Dir immer zu gefallen strebe. Durch Jesum Christum un= seren Herrn. Amen.“ „Gott,“ fuhr er dann zu dem König gewendet fort, „Gottes Sohn, Jesus Christus, unser Herr, welcher von dem Vater mit dem Oele des Frohlockens vor sei= nen Theilnehmern gesalbt worden ist, möge durch die gegen= wärtige Ausgießung des hl. Chrisma den Segen des Geistes des Trösters über Dein Haupt ausgießen und ihn bis in das Innerste Deines Herzens dringen lassen, damit Du durch die= ses sichtbare und fühlbare Geschenk das unsichtbare empfangen und nach Erlangung des zeitlichen Reiches aus gerechter Er= barmniß ewig mit dem zu herrschen gewürdigt werden mögest, der allein ohne Sünde lebt und regiert in Einheit mit dem hl. Geiste von Ewigkeit zu Ewigkeit. Amen.“

Nachdem der künftige Kaiser gesalbt worden war, erfolgte die Einsegnung der Königin unter dem Gebete: „Gott, welcher Du allein die Unsterblichkeit hast und in unzugänglichem Lichte wohnest, dessen Vorsehung sich in ihrer Anordnung nicht täuscht, der Du gemacht hast, was seyn wird, und das, was nicht ist, berufst, wie das, was ist, der Du in gleichem Maße die Ueber= müthigen vom Fürstensitze verstoßest und die Demüthigen gnädig erhebst, wir bitten Deine Barmherzigkeit flehentlich, daß Du,

wie Du um Israels Heiles willen die Königin Esther aus den
Fesseln ihrer Gefangenschaft befreit, in das Bette des Königs
aufnehmen und zur Genossenschaft des Reiches gelangen ließest,
uns nun auch verleihen mögest, daß diese Deine Dienerin durch
die Segnung unserer Demuth und zum Heile des christlichen
Volkes zur würdigen und erhabenen Verbindung mit unserem
Könige und zur Genossenschaft seines Reiches gnädig gelange.
Möge sie immer keusch in dem königlichen Ehebündniß verblei=
ben und die nächste Palme der Ehre erlangen, wo sie dem
lebendigen und wahren Gotte in Allem und über Alles zu ge=
fallen sich bestrebe und unter Deiner Eingebung, was Dir an=
genehm ist, mit ganzem Herzen vollbringe. Durch unsern
Herrn Jesum Christum. Amen." Und nachdem auch die Sal=
bung geschehen war, betete der Cardinalbischof: „Mit der Sal=
bung der Brust der Königin mit dem Oele steige durch dieses
Amt unserer Demuth die Gnade des hl. Geistes in Fülle herab,
damit Du sie, wie sie durch unsere unwürdigen Hände mit
dem materiellen Oele gesalbt äußerlich erquickt wird, so auch mit
dem unsichtbaren Balsam beträufelt innerlich erquicken mögest,
und sie mit dieser geistigen Salbung auf's Vollkommenste durch=
drungen eben so von ganzem Herzen Unerlaubtes zu vermei=
den und zu verachten lerne und vermöge, und im Stande sey,
was ihrer Seele nützlich ist, zu bedenken, zu wünschen und zu
vollbringen, mit Hülfe unseres Herrn Jesu Christi, der mit
dem Vater und demselben hl. Geiste lebt und regiert, Gott
von Ewigkeit zu Ewigkeit. Amen." Nun erhob sich der Papst
von seinem Throne und schritt mit dem Könige und der Königin
zu dem Altare des hl. Moritz, vor dessen Stufen er stehen
blieb. Der König stellte sich nun vor ihn, die Königin zur
Rechten des Papstes, ringsum 6 Bischöfe des lateranischen Pa=
lastes, der siebente bediente den Papst. Dieser aber steckte,
nachdem die beiden Oblationare die Kronen des Königs und
der Königin von dem Altare des hl. Petrus weggenommen
und auf den des hl. Moritz gelegt hatten, den Krönungsring
an den Finger des künftigen Kaisers und sprach: „Empfange
den Ring, das Siegel des hl. Glaubens, die Begründung des
Reichs, die Vermehrung der Macht, durch den Du wissen

mögeſt, mit ſiegender Gewalt Deine Feinde zu vertreiben, die
Ketzereien zu zerſtören, die Untergebenen zu vereinen und ſie
an die Beſtändigkeit des katholiſchen Glaubens zu knüpfen, durch
Jeſum Chriſtum unſern Herrn. Amen.“ Hierauf betete er: „Gott,
von dem alle Macht und Würde iſt, gieb, daß Dein Diener
ſeine Würde ſegensreich verwalte, in ihr mit Deiner Genehmi=
gung immer bleibe, ſie immer zu behalten und in ihr Dir be=
ſtändig zu gefallen ſtrebe. Durch Jeſum Chriſtum unſern Herrn.
Amen.“ Dann umgürtete P. Clemens den künftigen Kaiſer
mit dem Schwerte, indem er ſprach: „Empfange dieſes Schwert,
das Dir mit dem Segen Gottes übergeben iſt, und mit wel=
chem Du durch die Kraft des hl. Geiſtes Widerſtand zu leiſten
und alle Deine Feinde und alle Widerſacher der hl. Kirche
Gottes zu verjagen, das Dir anvertraute Reich zu beſchützen
und die Feldlager Gottes zu ſchirmen im Stande ſeyn mögeſt,
durch die Hülfe des unbezwingbarſten Siegers, unſers Herrn
Jeſus Chriſtus, der mit dem Vater in Einheit mit dem hl.
Geiſte lebt und regiert von Ewigkeit zu Ewigkeit Amen.“ Und
nachdem er ihn umgürtet hatte, betete er noch beſonders: „Gott,
der Du mit Deiner Vorſicht Himmliſches zugleich und Irdiſches
lenkeſt, ſey gnädig unſerem chriſtlichen Könige, damit die ganze
Kraft ſeiner Feinde durch die Macht des geiſtlichen Schwertes
gebrochen und, wann er kämpft, völlig aufgerieben werde.“
Dann nahm der Archidiaconus die Krone des Kaiſers von
dem Altare des hl. Moritz und reichte ſie dem Papſte; dieſer
aber ſetzte ſie nun unter dem allgemeinen Jubel aller Anweſen=
den auf das Haupt des römiſchen Königs und Patriciers und
krönte ihn ſomit zum Kaiſer, indem er ſprach: „Empfange das
Zeichen des Ruhmes im Namen des Vaters, des Sohnes und
des hl. Geiſtes, damit Du den alten Feind verachteſt, alle Be=
fleckung mit Laſtern verſchmäheſt, Recht und Gerechtigkeit liebeſt,
und ſo erbarmungsvoll lebeſt, daß Du von eben dieſem unſe=
rem Herrn Jeſus Chriſtus in der Gemeinſchaft der Heiligen
die Krone des ewigen Reiches zu erlangen würdig werdeſt, der
mit dem Vater und dem hl. Geiſte lebt und regiert von Ewig=
keit zu Ewigkeit. Amen.“ Als nun der Archidiaconus dem
Papſte auch die Krone für die Kaiſerin gereicht hatte, ſetzte

sie dieser auf das Haupt der nunmehrigen Kaiserin Agnese und sprach, während die 7 Bischöfe des Lateran ihr die Hände auflegten, mit lauter Stimme: „Empfange die Krone königlicher Erhabenheit, welche, wenn auch von unwürdigen, doch von bischöflichen Händen auf Dein Haupt gelegt wird. Wie diese äußerlich mit Gold und Edelsteinen geziert ist, so strebe Du innerlich mit dem Golde der Weisheit und den Edelsteinen der Tugenden geziert zu werden, auf daß Du nach dem Untergange der Welt mit den klugen Jungfrauen dem immerwährenden Bräutigam, unserem Herrn Jesus Christus, würdig und löblich entgegen und mit ihm durch die Thüre des himmlischen Reiches einzugehen würdig werdest, der mit Gott dem Vater in Einheit mit dem hl. Geiste lebt und regiert von Ewigkeit zu Ewigkeit. Amen." Dann wandte sich der Papst wieder zu dem Kaiser, überreichte ihm das Scepter und sprach: „Empfange das Scepter, das Zeichen der königlichen Macht, den geraden Stab des Reiches, den Stab der Tugend, durch den Du Dich selbst wohl lenken, die hl. Kirche und das ganze Dir von Gott anvertraute Christenvolk in königlicher Macht gegen Schlechte vertheidigen, Nichtswürdige zurechtweisen, den Guten den Frieden verleihen und sie leiten mögest, damit sie den rechten Weg einzuhalten im Stande seyen, und auf daß Du selbst von dem zeitlichen Reiche zu dem ewigen gelangest, unterstützt von Dem, dessen Reich und Herrschaft ohne Ende bleibt von Ewigkeit zu Ewigkeit. Amen." Hierauf betete er noch: „Herr Gott, Quell alles Guten und Geber jeglichen Fortschrittes, wir bitten Dich, ertheile Deinem Diener Heinrich, die erlangte Würde wohl zu gebrauchen, und würdige Dich, die Ehre, die Du ihm gegeben hast, zu bekräftigen; ehre ihn vor allen Königen der Erde, bereichere ihn mit Deinem Segen, befestige ihn mit dauerndem Grunde auf den Thron des Reiches, suche ihn heim mit Nachkommenschaft, gieb ihm langes Leben, in seinen Tagen bestehe immer Gerechtigkeit, damit er sich dereinst in Deinem Reiche ewigen Jubels und ewiger Wonne erfreue. Durch unsern Herrn Jesum Christum. Amen."

Nun kehrte der Papst mit den bei der Messe Dienenden zum Altare des hl. Petrus zurück, das Opfer zu vollenden.

Ebendahin geleiteten der Präfect der Stadt und der Primice=
rius der Richter den Kaiser, der Seepräfect und der Secun=
dicerius der Richter die Kaiserin. Als diese nun an ihrem
Platze standen, intonirte der Papst das Gloria in excelsis,
worauf die Sänger antworteten und es zu Ende sangen; der
Papst aber betete sodann: „Gott aller Reiche und insbesondere
des christlichen Kaiserthums Beschützer, gieb Deinem Knechte,
unserem Kaiser, den Triumph Deiner Kraft mit Weisheit zu
gebrauchen, damit er, weil er durch Deine Einrichtung Fürst
geworden ist, durch Deine Verleihung immer mächtig sey.
Durch Jesum Christum unseren Herrn. Amen.“ Nun begann
der Archidiaconus mit den übrigen Prälaten, Diaconen, dem
Primicerius und den Subbiaconen, zwischen dem Kreuze und
dem Altare stehend, die Laudes, bei welchen ihm von der an=
dern Seite die Sängerschule mit den Notaren erwiederte. Drei=
mal stimmte der Archidiaconus mit den Seinigen an: „Erhöre
uns Christus;“ die Sänger antworteten auf das erste Mal:
„Unserem Herrn Clemens, dem von Gott bestellten höchsten
Bischofe und allgemeinen Papste, Leben;“ dann: „Unserem
Herrn, dem von Gott gekrönten, großen und friedlichen Kaiser
Heinrich II Leben und Sieg;“ hierauf: „Unserer Herrin, seiner
Gemahlin, der erhabensten Kaiserin Agnese, Leben,“ jeden
Ausruf selbst dreimal wiederholend, und als der Archidiaco=
nus mit den Seinen nochmal: „Erhöre uns Christus,“ rief,
antwortete nun der Chor dreimal: „Dem Heere der Römer
und Deutschen Sieg.“ Nun riefen jene den Erlöser besonders
an, dann die hl. Maria, die hl. Erzengel Michael, Gabriel,
Rafael, hierauf die hl. hl. Petrus, Paulus, Johannes, Gre=
gorius, Maurus und Mercurius; nach jedem Namen antwor=
tete die gegenüberstehende Seite: „Hilf ihnen;“ zuletzt aber
wurde dieß dreimal wiederholt und dann hinzugesetzt: „Christus
siegt [12], Christus regiert, Christus herrscht.“ Dieß wieder=

---

12) Wie so häufig in diesen Gebeten die deutsche Sprache hinter dem
lateinischen Ausdrucke zurückstehen muß, so auch hier. Im Texte
heißt es: Christus vincit, Christus regnat, Christus imperat,
was nur dann adäquat übersetzt werden könnte, wenn es bei uns

holten die anderen und setzten ihrer Seits hinzu: „Unsere Hoffnung." Der Chor: „Unser Sieg." Jene: „Christus unsere Ehre." Der Chor: „Christus unser Ruhm." Jene: „Christus unsere uneinnehmbare Mauer." Der Chor: „Christus unser Lob." Jene: „Christus unser ruhmgekrönter Sieger." Nun schloß der Chor: „Christo sey Lob, Ehre und Herrschaft von unvergänglichen Ewigkeiten zu Ewigkeiten. Amen." Nun ward die Epistel gelesen, das Graduale und Alleluja gesungen, worauf die Neugekrönten ihre Kronen ablegten; als dann das Evangelium vorgelesen worden war, legte der Kaiser auch das Schwert ab und stieg, von der Kaiserin begleitet, den hohen Thron des Papstes empor, diesem gemeinsam Brod, Wachskerzen und Gold zu überreichen; einzeln aber bot ihm der Kaiser Wein, die Kaiserin Wasser zum Meßopfer dar, worauf beide sich wieder zu ihren Plätzen verfügten. Bei dem Beginn der stillen Messe zog der Kaiser das Pluviale aus, nahm seinen eigenen Mantel wieder an und stieg, nachdem der Friede des Herrn ertheilt worden war, mit seiner Gemahlin zu dem Altare empor, die hl. Eucharistie zu empfangen. Nachdem dieß geschehen war, kehrten beide zu ihren Plätzen zurück.

Als nun die Messe geendet worden war, und der feierliche Ritt nach Sct. Johann im Lateran statt finden sollte, trat der Pfalzgraf zu dem Kaiser, nahm ihm Sandalen und Caligen, welche er zur Krönung angezogen hatte, wieder ab, und zog ihm dafür die kaiserlichen Stiefeln mit den Sporen des hl. Moritz an; die Neugekrönten empfingen ihre Kronen wieder und folgten dann mit allen ihren Begleitern dem Papste an die Stufen zum Vorhofe der Kirche, wo sie ihre Pferde gelassen hatten. Als P. Clemens seinen Zelter besteigen wollte, hielt ihm der Kaiser den Steigbügel und schloß sich, nachdem ihm die Krone auf das Haupt gesetzt worden war, zu Pferde dem Zuge an, eben so die Kaiserin mit ihren Führern, dann die römischen, deutschen und italienischen Fürsten. Von allen Seiten ertönte nun der Jubel des Heeres und Volkes, die ihre

---

ein Zeitwort königen und ein kaisern (rex vel imperator esse regis [imperatoris] munere fungi) gäbe.

gekrönten Herren begrüßten. Wo der Zug an eine Kirche kam, empfing sie der Clerus derselben mit Gesang [13]); alle Häuser waren mit Kränzen geschmückt, von allen Thürmen ertönten die Glocken. Den Jubel zu vermehren und zugleich dem Zuge Bahn zu bereiten, schritten Kämmerer des Kaisers voraus und warfen auf beiden Seiten der Straße Geld unter das Volk. Als sie nun gen St. Johannes im Lateran gekommen waren, stimmte der Prior der Cardinäle von San Lorenzo (fuori le mure) die übliche Litanei an, bei welcher ihm die übrigen antworteten. Nachdem sie beendigt war, legte Kaiser Heinrich seine Krone wieder ab, und stieg, als der Papst an seinem Palaste angekommen war, vom Pferde, ihm zum Absteigen den Stegreif zu halten; hierauf begleitete er ihn noch mit dem Präfecten von Rom bis zu der Kammer des größeren Palastes, wo er sich dann von ihm verabschiedete, ihn der Ruhe zu überlassen und dieser auch selbst zu pflegen. Die Kaiserin aber wurde von dem Primicerius und Secundicerius der Richter zu dem Gemache der Kaiserin Julia geleitet, wo für sie und die geistlichen und weltlichen Großen die Tafel bereitet war. Der Kaiser speiste an der Tafel des Papstes, dem er zur Rechten saß. Während beide aßen, vertheilten ihre Kämmerer allen Beamten des kaiserlichen Palastes die ihnen für diesen Tag zukommende Löhnung. Als die Tafel aufgehoben wurde, stand einer von den Archidiaconen auf und las die Lection; die Sänger sangen das gewöhnliche Tischgebet, worauf sich alle mit der Benediction erhoben. Der Papst kehrte zu seinem Gemache zurück; der Kaiser aber verfügte sich in den Saal, wo seine Gemahlin mit den Baronen speiste, und brachte daselbst den Rest des Tages zu.

---

13) Auch die Juden standen vor ihren Häusern und sangen. Nulla humana lingua potest explicare tantam gloriam tantumque honorem. Benzo. Cf. Herm. contr. ad a. 1046. Benzo erwähnt bei dem Umzuge K. Heinrichs IV noch mehrere Einzelnheiten, welche mir jedoch mehr den Verhältnissen eines Schisma's angemessen scheinen, als denen vom J. 1047, so z. B., daß der Kaiser zwischen dem Papste und dem Erzbischofe von Mailand reite. Cf. I. c. 19. ap. Ludewig reliquiae IX. S. 231.

Die nächstfolgenden Tage verfloßen mit feierlichen Umzü=
gen zu den Hauptkirchen der Stadt. Doch nahm hieran der
Papst nicht Theil. Mit dem glänzendsten Gefolge ritt Kaiser
Heinrich, die Krone auf dem Haupte, mit seiner Gemahlin am
ersten Tage zur hl. Messe in den Lateran; am zweiten Tage
nach der Kirche des hl. Paulus an der Straße nach Ostia,
wo sie mit Lobgesängen empfangen wurden und ihr Gebet am
Grabe des Apostels der Heiden verrichteten. Am dritten Tage
nach der Krönung ging der Zug nach der Kirche des hl. Kreu=
zes zu Jerusalem ¹⁴), so daß St. Paul als die Geburtsstätte
des Heilandes gedacht wurde, von wo der Zug nach Jerusa=
lem zurückgehen sollte. Hier wohnte der Kaiser zuerst dem un=
blutigen Opfer bei, dann aber lag es ihm ob, im Glanze der
höchsten irdischen Macht Gott die Ehre zu geben und mit lau=
ter Stimme vor allem Volke auszurufen: „Erlöser der Welt,
erbarme Dich meiner.‟

Als aber diese Tage vorüber waren, war auch die Zeit
eingetreten, welche der Sorge für die allgemeinen Angelegen=
heiten der Christenheit ausschließlich gewidmet war.

---

14) Quasi rediens ad Bethlehem coronatus vadit ad S. Hierusa=
lem. Benzo I. c. 12. der hier Quelle ist, obwohl wir vieles aus=
ließen, was er erzählt, theils weil er nur analog zu gebrauchen
ist, theils weil seine Glaubwürdigkeit zu verdächtig ist.

Zweiter Abschnitt.
Das Pontificat P. Clemens II.
Vom 28. Dec. 1046 — 9. Oct. 1047.

Schon am Geburtsfeste des Erlösers hatte P. Clemens II
den Mönch Rohingus zum Abte von Fulda consecrirt und ihm
dann zwei Diplome ertheilt, durch welche er, nach der großen
Liebe und Zuneigung, die er für das Kloster Fulda hege und des
der Kirche daraus entsprungenen Ruhmes wegen hegen müsse, die
Güter und Privilegien desselben bekräftigte und ihm das Kloster
des hl. Andreas in Rom zum Geschenke verlieh, damit die Aebte
von Fulda, wenn sie nach Rom reisten, daselbst verweilen
könnten. Auch dem kaiserlichen Kanzler Humfred ertheilte der
Papst in diesen Tagen die Consecration zum Erzbischofe von
Ravenna, sowie dem Propste von Aachen, Theodorich, dem
gleichnamigen Propste von Basel und dem Propste Herard von
Speyer die Weihen als Bischöfe von Constanz, von Verdun
und dem letztgenannten die Ordination als Bischof von Straßburg an der Stelle des jüngst verstorbenen Bischofs Wilhelm,
Papst Gregor's V Bruder. Um diese Zeit geschah es auch,
daß Abt Nortpert von St. Gallen dem Papste in Gegenwart
des Kaisers und der Kaiserin die Lebensbeschreibung der deutschen Nonne Wiboroda vorlegte, welche, nachdem sie Gott
lange in vollkommner Abgeschiedenheit von der Welt und in
freiwilliger Entsagung aller irdischen Genüsse gedient hatte, am
2. Mai d. J. 925 durch die Ungarn den Märtyrertod erlitten
hatte. So sehr erfreute es aber den Papst, daß sich so lange

Zeit hindurch, dennoch genaue Kunde von der stillen Wirksamkeit dieser gottgeweihten Jungfrau erhalten hatte, daß er dem Abte Vorwürfe machte, warum von St. Gallen aus nicht schon früher dem apostolischen Stuhle davon Meldung geschehen sey, und nun kraft der ihm gewordenen Vollmacht und um den Eifer der Gläubigen durch Vermehrung der gekrönten Schaar der Heiligen Gottes noch lebhafter zu entzünden, durch feierlichen Ausspruch die Blutzeugin der Anzahl jener himmlischen Seelen angehörig erklärte, die mit dem Sohne Gottes im Himmel herrschen, und zu allgemeiner Gedächtnißfeier für ewige Zeiten, wie diese seit ihrem Tode in St. Gallen begangen wurde, den 2. Mai in der ganzen christlichen Kirche mit Messe und Psalmengesang festlich zu begehen befahl.

Auf diese Weise kam allmälig der Tag heran, der für die Eröffnung des Conciliums bestimmt war. So viel durch die Abdankung P. Gregor's VI und die canonische Erhebung Clemens II auf den römischen Stuhl im Allgemeinen für den Frieden und die Ordnung der gesammten Kirche gewonnen worden war, so war dieß Alles doch noch unzureichend, so lange nicht durch ausdrückliche Wiedererneuerung und Bekräftigung der früheren kirchlichen Bestimmungen gegen das Grundübel, durch welches die ungewöhnliche Verwirrung in Rom entstanden war, die Simonie, von Seiten der aus allen Theilen der Christenheit nun in Rom versammelten Bischöfe gegen diejenigen mit dem ganzen Ernste der Kirche eingeschritten wurde, welche, dem nun von Rom aus allen Verirrten gewordenen Beispiele der Rückkehr entgegen, in ihrem Irrthum verharrten. Seit den Tagen P. Benedict's VII, d. i. seit 64 Jahren war in Rom keine Synode gehalten worden, um diesem Uebel ein Ziel zu setzen; dieß war auch einerseits der Grund, weshalb die Simonie eine solche Höhe erreichen konnte, daß sie noch zur Zeit des hl. Romuald in der Meinung der Leute aufgehört hatte, Sünde zu seyn; andererseits hatte der Geist des Widerchrist's, der die Kirche damit zu verderben trachtete, an und für sich unschuldige Verhältnisse [1]) zu Mitteln simonistischen Treibens zu machen

---

1) So z. B., daß die Bewerber dem Kaiser Geschenke machten. Cf. vita Burkhardi Worm. Ep. S. 2.

gewußt, so daß selbst wohldenkenden Päpsten und Fürsten die mehr als drohende Gefahr entgangen war und auch streng-gesinnte Geistliche genug gethan zu haben meinten, wenn ihr unkirchliches Verfahren nur nicht gegen den Wortlaut [2]) der gegen die Simonie erlassenen Canonen anstieß.

Mit nicht geringer Spannung wurde daher von allen Sei-ten den Beschlüssen des Concils entgegengesehen, das sich um den 4. Januar unter dem Vorsitze des Papstes in der Kirche des hl. Petrus versammelte. Es kamen dazu mit dem Clerus von Rom die fremden Prälaten, Metropolitane und Patriar-chen, welche schon der Synode von Sutri beigewohnt und un-ter denen sich bereits der Patriarch Poppo von Aquileja [3]), Rembald, Erzbischof von Arles, und Bruno, Bischof von Augs-burg, durch ihren Eifer und ihre Beredsamkeit besonders aus-gezeichnet hatten [4]). Nichts fehlte, dieses Concil zu einem der ausgezeichnetsten zu machen, würde uns nur die Ungunst der Zeit nicht der ausführlichen Darstellung der Verhandlungen be-raubt haben [5]). „Dem alten Herkommen gemäß, so lautete der uns beinahe allein noch erhaltene Canon, belegen auch wir die Ketzerei der Simonie mit dem Kirchenfluche und verbieten sie, auf daß nicht mehr statt finde für Geld Weihe der Kirchen, noch Ertheilung des Clericats oder Archipresbyterats, noch Ver-leihung von Altären, noch Ueberlassung von Kirchen, noch Ver-kauf von Abteien und Probsteien. Wer dagegen spricht, oder den Kauf wirklich betreibt, sey verflucht." Mit dieser allge-

---

2) Dahin gehört, daß manche Geistliche vermieden, die Ertheilung der Ordination zu erkaufen, jedoch für die Ertheilung der Temporalien Geld zu geben, hielten sie für keine Sünde. Eine ähnliche Sache siehe in vita S. Guill. Divonensis c. 7. circa nonas Januar. Mansi XIX. p. 625.

3) Derselbe, welcher vom Chronisten so häufig mit Poppo von Brixen (dem nachmaligen P. Damasus II) verwechselt wurde.

4) Bonizo p. 802. Auch Adalbert von Bremen, auf welchen nach Adam von Bremen zuerst des Kaisers Wahl zum Papst gefallen seyn soll; Hugo, Erzbischof von Chrysopolis, Halinard, Erzbischof von Lyon, waren hiebei zugegen. Vita S. Halinardi c. 7.

5) Mansi XIX. p. 627.

meinen Verordnung nicht zufrieden, fügte das Concil die noch
bestimmtere hinzu[6]): daß, wer von einem simonistischen Bischofe
consecrirt worden sey und zur Zeit der Ordination gewußt
habe, daß sein Bischof mit Simonie befleckt sey, 40 Tage hin=
durch Kirchenbuße thun solle, dann aber dürfe er wieder den
Dienst seines Amtes verrichten. Bei diesem Beschlusse hatte die
mildere Ansicht durch die Entscheidung des Papstes den Sieg
davon getragen, jedoch nicht ohne ernsthafte Entgegnung von
Seite der strenger Gesinnten, welche den ordinirenden simonisti=
schen Bischof, wie den, welcher sich von einem solchen wissent=
lich ordiniren ließ, mit Absetzung, ja mit Verlust der priester=
lichen Würde bestrafen wollten. So angemessen aber für ein
so großes Vergehen diese Strafe seyn mochte, so mußte dennoch
die Rücksicht auf die ungemeine Verbreitung des Uebels zur
Ergreifung der Maßregel rathen, von welcher sich Besserung
der Verderbten erwarten ließ und durch welche der Kirche zu=
gleich die nöthige Anzahl von Geistlichen erhalten wurde. Es
war aber in der That schon ein wichtiger, ein entscheidender
Schritt gethan, daß das simonistische Treiben überhaupt mit
dem Kirchenfluche belegt worden war; eine neue Richtung war
hierdurch eingeschlagen worden, ein förmlicher Bruch mit dem
sündhaften Treiben der Gegenwart geschehen.

Wie wenig aber der Papst bei Ergreifung strengerer Maß=
regeln auf den wirksamen Beistand des höheren Clerus rechnen
konnte, und wie sehr er selbst in seiner noch neuen und unge=
wohnten hohen Stellung mehr auf Entfernung als auf Häufung
der Schwierigkeiten denken mußte, erhellt aus einem Vorgange
auf diesem Concil, der auf's Neue lehrte, wie häufig selbst in
gebieterischen Umständen und von tüchtigen Männern der all=
gemeine Nutzen dem persönlichen Interesse nachgesetzt wird.

. Das Concil war bereits mit den üblichen Feierlichkeiten
eröffnet worden, die Bischöfe hatten ihre Plätze eingenommen,
nur der Kaiser fehlte; schon neigte sich der Tag zu Ende und
noch immer stand der für ihn bestimmte Stuhl zur Rechten
des Papstes und neben dem Patriarchen Poppo von Aquileja

---

6) Mansi XIX. p. 627.

unbeſetzt da, als der Erzbiſchof Guido von Mailand hereintrat
und, des Kaiſers Abweſenheit benützend, ſich auf den für die=
ſen beſtimmten Stuhl zur Rechten des Papſtes ſetzte[7]). Kaum
hatte dieſes der erwählte Erzbiſchof von Ravenna, welcher in
Erwartung des Kaiſers ſeinen Sitz anſtatt zur Rechten, zur
Linken des Papſtes eingenommen hatte, bemerkt, als er auch
ſchon dem Erzbiſchofe von Mailand zurief, dieſer Platz gehöre
nicht der Kirche von Mailand, ſondern der von Ravenna, und
als dieſer ſeine Anſprüche darauf zu bekräftigen ſuchte, erhob
ſich auch der Patriarch von Aquileja und verlangte den Ehren=
platz gegen beide Erzbiſchöfe zu Gunſten ſeiner Kirche. Der
Papſt, in die Mitte der Streitenden geſtellt und als Nicht=
italiener mit dieſen Verhältniſſen unbekannt, hielt ſeinen Aus=
ſpruch über dieſen Streit zurück, und ließ die dreifachen An=
ſprüche durch das Concil unterſuchen. Der Erzbiſchof von Mai=
land berief ſich auf ein Verzeichniß von Biſchöfen, welche die
Verhandlungen einer Synode unter P. Symmachus unterſchrie=
ben hatten, und wobei der mailändiſche Erzbiſchof ſeinen Namen
vor dem des Erzbiſchofs von Ravenna geſetzt hatte. Dagegen
aber behauptete dieſer, es ſey dieß ein einzeln ſtehender Fall,
der deshalb nichts beweiſe, weil ſein Vorfahr dem Erzbiſchofe
von Mailand den Vorrang nur aus Demuth, nicht aber in
Kraft irgend eines Rechtes oder einer Vollmacht eingeräumt habe,
weshalb auch P. Johann I, der Nachfolger P. Symmachus,
etwaigen irrigen Schlüſſen durch ein eigenes Privilegium vor=
zubeugen für gut gefunden habe, das dem Erzbiſchofe von Ra=
venna nur dann die rechte Seite des Papſtes nicht ertheile,
wenn der Kaiſer ſelbſt anweſend ſey. Der Patriarch von
Aquileja ſtützte ſeine Anſprüche auf ein neueres Privilegium
von P. Johann XIX. Als der Papſt dieſe Streitgründe ver=
nommen hatte, befrug er zuerſt die Biſchöfe und den übrigen
Clerus von Rom um ihre Meinung, da ihr Anſehen größer
und ihnen die ſtreitige Angelegenheit auch bekannter war, als
den übrigen. Nachdem nun der Reihe nach zuerſt der Cardinal=

---

7) Vgl. das päpſtliche Diplom: omnibus sanctae ecclesiae fidelibus bei
Mansi XIX. p. 625. Ueber deſſen Aechtheit Giulini memorie III. p. 441.

bischof von Porto und der Kanzler des hl. apostolischen Stuhles, Cardinaldiacon Petrus, von den römischen Bischöfen, und Poppo, Bischof von Brixen, zuerst von den ausländischen sich für die Ansprüche des Erzbischofs von Ravenna erklärt hatten, so stimmten diesen alle Anwesenden bei und P. Clemens befahl, den Concilbeschluß bekräftigend, daß dem Erzbischofe von Ravenna der Sitz immer zu seiner und seiner Nachfolger Rechten angewiesen werden solle, ausgenommen wenn der Kaiser anwesend sey, in welchem Falle er sich zu seiner Linken zu verfügen habe. Zugleich verbot er auch dem Erzbischofe von Mailand und dem Patriarchen von Aquileja bei Strafe des Bannes des hl. Petrus, der Excommunication und des Anathems, damit ja diese Scene nicht noch einmal vorfalle, den nun entschiedenen Streit zu erneuen. Eine eigene Bulle wurde über diesen päpstlichen und Synodalbeschluß ausgefertigt, wo P. Clemens die Gelegenheit ergriff, „allen Söhnen der hl. Kirche" in Bezug auf die in so kurzer Zeit glücklich geschlichteten allgemeinen Angelegenheiten der Kirche in Demuth zu bekennen, „daß diejenigen, welche in den geheiligtsten Schafstall, der von unserem Herrn Jesus Christus dem Apostelfürsten Petrus anvertraut wurde, nicht durch die Thüre eingegangen, sondern sich wie Diebe und Räuber eingeschlichen hatten und nur auf ihren eigenen Vortheil, nicht auf den Nutzen der Heerde bedacht gewesen waren, endlich aus dem apostolischen Stuhle verjagt worden seyen, dürfe nicht seinen eigenen Verdiensten zugeschrieben werden, sondern der göttlichen Barmherzigkeit, welche, was nichts ist, auserwählt, um zu entfernen, was etwas ist."

Kurze Zeit darauf brach der Kaiser mit den deutschen Truppen, die um ihn geblieben waren, von Rom auf und wandte sich, nachdem er einige Burgen widerspenstiger Herren erobert [8]), nach Unteritalien, wo seine Gegenwart durch den verwickelten Zustand der dortigen Angelegenheiten nothwendig geworden war.

Seit dem unglücklichen Tage von Rossano hatten sich die Griechen Calabriens und Apuliens wieder bemächtigt und waren

---

8) Herm. contr. ad a. 1047.

auch weder durch Kaiser Heinrich's I, noch durch Kaiser Con=
rad's Züge, welche mehr den in einer gewissen Unabhängigkeit
lebenden longobardischen Fürsten, als ihnen galten, daraus
vertrieben worden. Viel gefährlicher waren ihnen die beständ=
digen Kriege mit den Saracenen, welche bereits Herren von
Sicilien, wo sie die christliche Religion beinahe vollkommen
ausgerottet hatten, das gleiche Schicksal auch den Bewohnern
des italienischen Continents zu bereiten strebten. Von den Grie=
chen meist schlecht vertheidigt und mit Ungerechtigkeit und Will=
kühr verwaltet, von den Saracenen geplündert und verwüstet,
seufzte so das feste Land unter doppeltem Joche, dem zu er=
wehren die einheimischen Fürsten und Städte weder den Willen
noch die Kraft besaßen. Unter solchen Umständen war daher
auch an keine Ordnung, an kein Blühen der christlichen Reli=
gion zu denken; ungescheut verheiratheten sich die Priester, be=
drückte Fürst Pandulf von Capua Geistliche und Weltliche,
immer mehr sank Religion und Sitte; bald mußte nur mehr
die Frage seyn zwischen Knechtschaft unter den Saracenen oder
dem unaufhaltsamen Verfalle aller höheren Güter des Lebens.
Da geschah es, daß Melus, ein angesehener Bürger von Bari,
welcher von den Griechen aus seiner Heimath vertrieben wor=
den war, normännische Ritter, die eine Pilgerfahrt auf den
hl. Berg Garganus gemacht hatten, für sich gewann und zum
Kriege gegen die Griechen bewog [9]. Unbedeutend an Anzahl,
aber wohlgerüstet und tapfer wie gereizte Löwen, hatten diese
bereits dreimal [10] glänzend über die Griechen gesiegt, als 2
Niederlagen sie wieder der errungenen Vortheile beraubten und
sie beinahe völlig vernichteten. Der Rest der kühnen Abentheurer,

---

9) Vergl. Guillelm. Apul. passim. Leo Ostiens. II. 67. und un=
   sere Anzeige der ystoire de li Normant et la chronique de Ro=
   bert Viscart par Aimé, moine du Mont. Cassin; publiées pour
   la première fois d'après un manuscrit françois inédit du XIII
   siècle — par Champollion — Figeac. Paris 1835. in den Münch=
   ner gel. Anzeig. 1837 n. 214—219. worin eine fortlaufende Verglei=
   chung der Nachrichten Wilhelms von Apulien, Gauffrid Malaterra's,
   Leo's von Ostia mit den neuen Amat's gegeben ist.

10) Amatus I. c. 21—25.

welche einem mächtigen Kaiser eine herrliche Provinz streitig zu
machen gewagt hatten, schloß sich unter einem gemeinsamen
Oberhaupte, Ranulf, an den Fürsten Pandulf von Capua an,
bis sie, von den Fehden unter den longobardischen Fürsten
Nutzen ziehend, erst an dem wohlgelegenen Aversa einen festen
Sitz, dann an Guaymar II, Fürsten von Salerno, Capua,
Amalfi und Sorento eine bleibende Stütze gewannen. Bald
darauf wurden sie durch neuen Zuzug aus der Heimath ver-
stärkt und nun gelang es ihnen, sich nicht nur Melfi's, des
Schlüssels von Apulien zu bemächtigen, sondern auch die Griechen, welche ihnen nochmal mit aller Macht den Besitz des
Landes zu entreißen suchten, noch dreimal auf das Haupt zu
schlagen, nun auch die übrigen apulischen Städte zu erobern und
daselbst unter dem Namen des Comitats unter besonderen Anführern eine von ihren Landsleuten zu Aversa getrennte Herrschaft
zu errichten. Hier war Rainulf Graf, als Kaiser Heinrich II
den Zug nach Unteritalien unternahm; in Apulien waren die
Normannen um diese Zeit von den longobardischen Anführern,
die sie sich, um sich die Einwohner geneigter zu machen, eine
Zeitlang gegeben hatten, wieder zu Hauptleuten aus ihrem
eigenen Volke zurückgekehrt und hatten erst Wilhelm, Tancred's
von Hauteville Sohn und Herrn von Ascoli, dann nach dessen
Tode, Tancred's andern Sohn, Drogo, welcher bei der Theilung
von Apulien Venossa zum Antheile bekommen hatte, zu ihrem Grafen gemacht. So waren die Verhältnisse von Unteritalien be-
schaffen, als sich Kaiser Heinrich von Rom zuerst nach Monte
Casino, der ehrwürdigen Stiftung des hl. Benedict, wandte,
wo seit seines Vaters Zeiten Abt Richerius aus Bayern [11])
die geistlichen und weltlichen Angelegenheiten des Klosters mit
Kraft und Umsicht verwaltete. Nachdem der Kaiser daselbst
sein Gebet verrichtet und nach der Weise seiner Vorfahren dem
Kloster reiche Geschenke gemacht hatte, begab er sich nach

11) Beinahe zur selben Zeit waren Monte Cassino, der erzbischöfliche
Stuhl von Mainz (Aribo) und die Bisthümer Hildesheim (durch
Gotthard), Fiesole (durch Jacob), Lüttich (durch Theoduin) von bay-
rischen Prälaten regiert.

Capua [12]), wo der mächtige Fürst Guaymar, welchen die Freundschaft mit den Normannen damals über alle italienischen Fürsten erhoben, Graf Rainulf von Aversa und Graf Drogo von Apulien ihn auf das Ehrfurchtsvollste empfingen und als ihrem Gebieter mit Geschenken huldigten. Dafür belehnte der Kaiser die normännischen Grafen mit den Ländern, die sie erobert hatten; den Fürsten von Salerno aber bewog er, die Stadt Capua ihrem früheren Herrn, dem Fürsten Pandulf, welchem sie, seiner Unthaten wegen, Kaiser Conrad abgenommen hatte, wieder zurück zu geben. Wahrscheinlich war auch P. Clemens in Capua zu dem Kaiser gestoßen, von wo aus sich beide nach Benevent [13]) begeben wollten. Da aber die Einwohner dieser Stadt, welche kurz zuvor der Mutter der Kaiserin auf ihrer Rückkehr vom hl. Berge Garganus eine Unbild zugefügt hatten, des Kaisers Ahndung fürchteten und dem deutschen Heere die Thore verschloßen, so bekräftigte der Kaiser den Normannen den Besitz der Landschaft Benevent, Papst Clemens aber schloß durch feierliche Sentenz die Beneventaner, weil sie den Gottesfrieden gebrochen und in Widerspenstigkeit verharrt hatten, aus der Gemeinschaft der Gläubigen aus.

Gewaltige Regengüsse zwangen den Kaiser, weiteren Unternehmungen in Unteritalien zu entsagen, worauf er bereits im Monate März sich von dem Papste trennte und über Camerino und Spoleto nach Oberitalien zog. An P. Clemens aber wandte sich nun Fürst Guaymar von Salerno und bat ihn, den bisherigen Bischof von Pästum, Johannes, welchen

---

12) Leo Ostiensis III, 80. Benzo I, 13.

13) Borgia nelle memorie storiche della città di Benevento übergeht diese Sache ganz. Das chronic. S. Sofiae schreibt die Excommunication dem P. Leo IX zu, dessen Name freilich in der Geschichte von Benevent sich zu tief eingrub, als daß er nicht das Andenken an P. Clemens hätte verdrängen sollen. Daß Leo von Ostia nachher fälschlich angiebt, P. Clemens sey mit K. Heinrich nach Deutschland gegangen, ist kein Grund, seine Angabe über die Anwesenheit des Papstes zu Benevent II. c. 81. für unwahr zu halten. Ich zweifle übrigens nicht, daß es bei Leo Ost. statt secum Clementem adducens, Gregorium (VI) adducens heißen muß.

17 *

die übereinstimmende Wahl des Clerus und Volkes von Sa=
lerno zu ihrem Erzbischofe erhoben hatte, als solchen zu be=
stätigen. Auf dieß befahl der Papst, sorgfältig zu untersuchen,
ob nicht etwa bei der Wahl ehrsüchtige oder simonistische Um=
triebe von Seiten des Bischofs statt gefunden hätten und als
dieser Verdacht sich als ungegründet bewiesen und P. Clemens,
der sich selbst nach Salerno ¹⁴) begeben, sich von der allgemei=
nen Liebe und Verehrung, welche sich Bischof Johannes erwor=
ben hatte, persönlich überzeugte, so bewilligte er ihm nicht nur
seine Versetzung von dem minderen Stuhle von Pästum auf
den höheren von Salerno, sondern übergab ihm nun auch selbst
das erzbischöfliche Pallium und forderte ihn auf, sich, wenn er
dasselbe trage, zu erinnern, daß er der Hirt von Lämmern
sey, welche er eben so sehr vor Verirrung als vor Wölfen zu
bewahren habe. Er möge das Kreuz darauf betrachten, das
deshalb rückwärts angebracht sey, damit es ihn ermahne, es
müsse die Welt ihm und er der Welt gekreuzigt seyn. Dann
ließ der Papst ein eigenes Diplom ausfertigen und bestätigte
in diesem dem Erzbischofe das Hochstift mit allen seinen Pfarreien,
so wie das Recht, die Bischöfe von Pästum, Consa, Nola,
Amalfi, Acerra, Acherosia und Cosenza zu ordiniren und zu
consecriren, doch müßten sich seine Nachfolger um Consecration
und Pallium wieder besonders an den apostolischen Stuhl wen=
den; dafür solle jedoch dieser in das dem Erzbischofe bewilligte
Recht, die Bischöfe seiner Diöcese zu ernennen, nicht eingreifen.

Unter den vielfachen Bekümmernissen, mit welchen bei der
Rückkehr des Papstes nach Rom und der bereits erfolgten Ent=
fernung des Kaisers und der deutschen Prälaten die Stellung
P. Clemens auf fremdem, unsicheren Boden verbunden war,
war ihm die Ankunft Abt Odilos von Clugny in Rom wie der
Aufgang eines lieblichen Gestirnes. Der greise Abt, welcher
seit der Uebernahme seines Amtes neun Päpste, von welchen ihm
der größere Theil in Liebe und Freundschaft bekannt war,

14) Salerni manentes sagt P. Clemens ausdrücklich von sich in der
Bulle ad Johannem Salernit. Archiep. Ughelli It. sacra VII.
p. 379.

werden und vergehen sah und nun auch den zehnten überleben
sollte, glaubte das Ende seiner irdischen Laufbahn zu fühlen und
begab sich daher nach Rom, an den Gräbern der hl. hl. Apostel
den Tod zu erwarten[15]. Aber anders hatte es die Vorsehung
bestimmt. Vier Monate lang hielt ihn eine schwere Krankheit
in Rom zurück, in der er von P. Clemens, welcher ihn oft be=
suchte und ihn wie einen Bruder und Genossen seiner hohen
Würde hielt, die Beweise der größten Liebe und Verehrung
empfing. Auch viele Mönche und Priester kamen herbei, den
hl. Mann zu sehen und Worte des Trostes von ihm zu ver=
nehmen; namentlich schloß sich der fromme und beredte Bi=
schof Lorenz von Amalfi an ihn an, dessen heiliger Wandel
um so mehr zu rühmen ist, je weniger er darin Gefährten fand.
Als dann das Uebel wieder besser wurde und Abt Odilo er=
kannte, sein Ende sey noch nicht gekommen, so empfing er den
Segen des Papstes, und begab sich unter dem Schutze der hl.
Stifter der römischen Kirche nach Clugny zurück[16]. P. Cle=
mens aber schrieb, den heiligen Mann auch in der Entfernung
zu ehren, an die Bischöfe und Großen des Frankenlandes und
empfahl Clugny ihrem Schutze. Doch erhielt auch ein anderes
französisches Kloster beinahe die gleiche Vergünstigung[17], indem
ungefähr um dieselbe Zeit der Papst das Kloster zu Ven=
dôme auf Bitten des Bischofs Theodorich von Chartres in den
besondern Schutz des apostolischen Stuhles nahm und es von
jeder Macht und Gewalt der Bischöfe von Chartres befreite.
Schon früher und wohl unmittelbar nach seiner Rückkehr aus
Unteritalien hatte der Papst dem Abte Adelhelm vom Kloster
Mönchsberg bei Bamberg ein ausgedehntes Privilegium ertheilt,
durch welches er dem Abte und seinen Nachfolgern alle Güter,
welche das Kloster bereits besaß und noch besitzen würde, bekräf=
tigte und jede Schmälerung und Beeinträchtigung derselben mit
kirchlichen Strafen belegte[18]. Wenige Tage später, 24. April, er=

---

15) Jotsaldi vita S. Odilonis c. 14.
16) Elogium S. Odilonis in AA. SS. Ord. S. Bened. VIII. p. 660.
17) Mabill. ann. T. IV. app. n. 82.   In Bezug auf das Kloster
   zu Vendôme cf. App. ad Mab. ann. T. IV. n. 12. S. 691.
18) Ap. Ludewig script. rer. Bamberg.

theilte er auch dem hochstrebenden Erzbischofe Adalbert[19]) von
Hamburg ein Privilegium[20]), welches den Grund zu der später so bedeutenden Macht des Erzbischofs und der weiteren
Ausbildung der kirchlichen Verhältnisse in dem nördlichen Europa wesentlich legte. Der Papst bekräftigte darin alle gegenwärtigen und künftigen Güter der hamburgischen Kirche, deren
Vereinigung mit der von Bremen er bestätigte. Alle Bischöfe
in den Ländern der Dänen und Schweden, dann von der Süd-
elbe bis zur Peene und Eyder, und welche Behufs der Ausbreitung der christlichen Religion in jenen Theilen noch zu
consecriren seyen, sollten Adalbert unterworfen seyn. Weder der
Erzbischof von Cöln noch sonst einer solle in seiner Diöcese
Macht ausüben, die Bischöfe von Halberstadt, Hildesheim,
Paderborn, Minden und Verden seyen besonders angewiesen,
ihn in seinen geistlichen Unternehmungen zu unterstützen; er
selbst dürfe wie seine Vorfahren das Pallium gebrauchen, sein
Pferd mit einer herabhängenden Decke bekleiden, das Kreuz
vor sich hertragen lassen. Diese Vorrechte und Ehren dienten
bei dem unternehmenden Erzbischofe, welcher, mit dem Papste
verwandt[21]), mit ihm zugleich seine kirchliche Laufbahn zu Hamburg begonnen hatte, zu nicht geringem Antriebe, an der Bekehrung der ihm besonders übertragenen Völker zu arbeiten und
jenes Patriarchat des Nordens zu stiften, dessen wohlthätige
Wirkungen nur Adalbert selbst, als er über seine Macht und sein
Ansehen seine kirchlichen Pflichten vergaß, zu hemmen vermochte.

Nach der Abreise Abt Odilo's, und als die italienischen
Angelegenheiten die Sorge des Papstes gänzlich auf sich zogen,
trat die geistige Oede, welche der Pesthauch der Simonie

---

19) Nach Adam. Brem. hist. eccl. sollte Adalbert als Nachfolger P.
  Gregor's bezeichnet zu Gunsten Suidger's auf das Papstthum ver-
  zichtet haben. Die Sache ist aber sonderbar ausgedrückt und sieht
  auch Adalbert nicht besonders ähnlich.
20) Nic. Staphorst historia diplomatica Hamburgensis I. 1. p. 399.
  Die Aechtheit des Diploms ist daselbst angegriffen, die dort angeführten Gründe beweisen jedoch schlechterdings nichts gegen dieselbe. Vgl. auch d. G. Liljegren diplom. Suec. Holmiae. I. p. 35.
21) Vgl. Staphorst S. 397.

geschaffen hatte, wieder recht fühlbar hervor. Von dem ganzen hohen und niederen Clerus von Rom, an welchem der Papst in der schwierigen Leitung der Kirche vor Allem eine Stütze haben sollte, hat uns die Geschichte auch nicht den Namen eines einzigen tüchtigen Mannes [22] aufbewahrt und durch ihr Schweigen hinreichend gezeigt, wie P. Clemens II mit dem redlichsten Willen begabt, aber ohne menschlichen Rath und Beistand einsam auf dem Throne saß, der mit der höchsten Ehre auch die höchste Verantwortung verbindet. Nicht besser als mit dem Clerus von Rom stand es mit wenigen Ausnahmen, wie zu Salerno und Amalfi, mit dem bei weitem größeren Theile der italienischen Bisthümer und ihren Häuptern selbst. Nur in den Klöstern, welche die Regel des hl. Romuald oder die Zucht von Clugny angenommen und sie, wie so manche bereits umgeschaffene, nicht nach dem Tode eines wohlgesinnten Abtes wieder abgeworfen hatten, hatte sich ein kleiner Kern von Männern voll strengreligiöser Gesinnung und darauf beruhenden heiligen Wandels erhalten [23]; aber von allen diesen fühlte wohl keiner mehr Beruf, in die Welt zurückzutreten, deren Schlechtigkeit und den daraus drohenden Gefahren zu entrinnen, sie ja in die Abgeschiedenheit gegangen waren.

---

22) Höchstens etwa den Kanzler des röm. Stuhles Card. Diac. Petrus ausgenommen. Erst im Jahr 1044 hatte das Cardinalcollegium sein ausgezeichnetstes Mitglied, den Cardinalbischof Gregor, durch den Tod verloren. Er war im Rufe der Heiligkeit gestorben. Ugh. It. sac. I. p. 58. Im Jahre 1046 (31. März) war auch der Abt Guido von Pomposa, ein wahrer Hammer der Simonisten, welcher den Markgrafen Bonifacius wegen seiner Simonie zur Kirchenbuße zwang und selbst geißelte, gestorben. Cf. Mabill. AA. SS. VIII. S. 452. Florentini S. 43. Im Jan. 1045 war Erzbischof Heribert von Mailand gestorben (Leo's Entwicklung xc. S. 121.), worauf Unruhen daselbst ausgebrochen waren. Eine der merkwürdigsten, bisher ganz übergangenen Thatsachen in dieser Zeit ist die vielfache Besetzung italienischer Bisthümer durch Deutsche, was einen günstigen Einfluß nicht verfehlen konnte. Sieh Beilage N. XVII.

23) So hatte z. B. die Stadt Gubbio das Glück nach einander 3 Bischöfe aus dem Eremitenkloster von Fons Avellana zu bekommen. Ughelli It. sacra I. p. 635. Dieses Kloster war von einem Deutschen, dem Bischofe Ludolph von Gubbio i. J. 1019 gestiftet worden.

Als Kaiser Heinrich II nach seiner Trennung von P. Clemens durch Umbrien gekommen war, hatte er besonders Gelegenheit gehabt, sich von diesem mehr als heillosen, ja verzweifelten Zustande der Kirche zu überzeugen. Er sah das Bisthum Fano in den Händen eines so unwürdigen Mannes, daß selbst Genossen seiner Schlechtigkeit ihn nicht mehr zu ertragen vermochten und deshalb excommunicirten; der Bischof von Osimo häufte Laster auf Laster, viele andere Bischöfe und Aebte gingen ihren Untergebenen mit gleich unwürdigem Beispiele voraus. Der Kaiser hatte sich deshalb wiederholt an den Vorstand des Eremitenklosters vom hl. Kreuz in Avellana, Petrus Damiani, einen Schüler des von ihm hochverehrten Abts Guido von Pomposa, gewendet, welcher die Reformation der Klöster nach dem Vorbilde des hl. Romualds fortsetzend [24]), in dem allgemeinen Verderbniß eben so sehr durch die Heiligkeit seines Lebens hervorragte, als er durch Gelehrsamkeit und Eifer, durch Strenge gegen sich und Andere, und durch entschiedenes Aufgeben aller menschlichen Rücksichten, wo es die Sache Gottes, die Förderung der Kirche, die Aufrechthaltung des Glaubens galt, die Stütze der Kirche in jenen Gegenden bereits geworden war; dringend forderte ihn daher Kaiser Heinrich auf, sich zu Papst Clemens zu verfügen, ihm die Lage der Dinge zu berichten und Mittel zur Abhülfe vorzuschlagen. Schon hatte Petrus auf das unablässige Drängen des Kaisers hin, sich auf den Weg nach Rom begeben [25]), als ihn das Eintreffen kaiserlicher Briefe an den Papst bewog, wieder umzukehren und seinen Auftrag an diesen schriftlich zu bestellen. Mit dem ihm eigenen Freimuthe schilderte er nun dem Papste in einem noch vorhandenen Schreiben die Betrübniß, welche ihm die Verwilderung des Clerus in der Romagna bereite. Was nützt es uns, fuhr er fort, daß der apostolische Stuhl von der Finsterniß

---

24) Vgl. Mabillon annales LVIII. n. 14. 15. t. IV. p. 400. 401.

25) Es ist durchaus unbegründet, was Mabillon von einer Berufung Petri Damiani nach Rom noch vor dem röm. Concil unter P. Clemens II berichtet, annales lib. LIX. n. 2. Der Brief dieses Heiligen, I, 3, der hier in unserer Erzählung aufgenommen ist und kaiserlicher Briefe an den Papst erwähnt, sagt gerade das Gegentheil.

zum Lichte zurückkehrte, wenn wir noch in der alten Finsterniß schmachten müssen? Muß nicht unsere freudige Hoffnung aus ihrem hohen und kühnen Schwunge sich von Euch weg zu Trauer und Betrübniß kehren? Wir hofften aber, Du seyest es, welcher Israel erlösen würde. Dich gab der allmächtige Gott an Seiner Statt, man möchte sagen zur Rahrung, mit Dir waffnete er die Seite seiner Kirche gegen alle Angriffe ihrer Feinde. Suche daher, heiligster Herr! die Gerechtigkeit, welche man jetzt verworfen hat und mit Füßen tritt, wieder aufzurichten und übe die Strenge der Kirchenzucht so nachdrücklich aus, daß der Hochmuth der Ungerechten zusammenstürze und der Demüthigen Hoffnung auf den Sieg des Guten immer stärker werde.

Wohl erfuhr der redliche und eifrige Mann später an sich selbst, wie schwierig auch bei dem redlichsten Willen gerade von den höchsten Würden aus weitverzweigten Uebeln die gewünschte Abwendung zu geben ist und wie es oft in dem Plane der Vorsehung zu liegen scheint, daß alle menschliche Weisheit und der besonnenste Eifer nichts dagegen vermag, bis das Uebel den Grad erreichte, den ihm die Vorsehung in ihrer Weisheit bestimmte, um es dann von der höchsten Höhe mit einem Male in den Staub zu stürzen.

P. Clemens hatte nicht sobald die Kunde von dem unseligen Zustande der Kirche in Umbrien und den nächsten Landschaften erhalten, als er sich selbst dahin aufmachte, um mit der ganzen Kraft seines Ansehens und seiner Person Abhülfe zu bringen. Er beschützte das Kloster in Brückenthal [26] bei Perugia durch ein Diplom gegen gewaltthätige Eingriffe in seine Rechte und zog dann weiter, Pesaro zu. Als er aber in das Kloster des

---

26) Dieses wird in einem Diplom P. Leo's IX erwähnt. Antiqq. it. VI. p. 333. Des Papstes Reise nach Deutschland ist eine Fabel, die auf der Angabe Leo's von Ostia beruht, daß P. Clemens jenseits der Alpen gestorben seyn soll. Da Muratori von dem Letztern das Gegentheil bewies, (annali VI. p. 148), so ist fast unbegreiflich, wie er dennoch an der ersten Meinung noch halten konnte, die bei einer genauern Zusammenstellung der von P. Clemens bekannten Handlungen von selbst in Nichts zerfällt.

hl. Thomas zu Apofella kam, befiel ihn, ehe er noch den Zweck seiner Reise zu erreichen vermochte, eine heftige Krankheit. Da gedachte er der letzten Dinge des Menschen und vermachte am 24. September dem Kloster ein dem hl. Petrus geweihtes Grundstück [27]), daß die Mönche dafür für seine Seele beten möchten. Wenige Tage darauf, am 1. October, als die Krankheit noch immer nicht nachließ, — sie saß so tief in seinem Herzen, als sein Wille rein und seine Kraft unzureichend war — ertheilte er noch dem Kloster Theres, das er selbst vor 4 Jahren gegründet [28]), eine Bestätigung seiner Privilegien und der geliebten Kirche von Bamberg ein Diplom, welches nebst der Bekräftigung der Rechte und Güter des Bisthums das Bekenntniß seiner eigenen Stellung enthält. „Die Anordnung der Zeiten," so beginnt diese Urkunde P. Clemens II [29]), „kömmt von dem Fürsten der Himmel, welcher, ehe die Zeiten gemacht wurden, im Voraus wußte, wie sie anzuordnen waren. Daher geschieht es, daß erfüllt werden muß, was von seinem ewigen Auge vorhergesehen werden konnte. Der Wink eines so erhabenen Wesens traute uns seine freundlichste Tochter, Bamberg, zur rechtmäßigen Braut an und beschenkte uns, so viel wir vermochten, vor den Königen der Erde mit seiner Gnade. Gewiß hatte niemals ein Gatte für seine Gemahlin reinere Treue und glühendere Liebe, als wir für Dich und es kam uns nicht Einmal in den Sinn, Dich zu verlassen und einer anderen anzuhängen. Aber, ich weiß nicht, durch welchen göttlichen Rathschluß es kam, daß ich Deiner und aller Kirchen Mutter verbunden und Dir dadurch zwar nicht ganz, aber doch etwas entzogen wurde. Denn siehe! als das Haupt der Welt, der römische Stuhl, an der Krankheit der Häresie darniederlag und die Anwesenheit unsers theuersten Sohnes, des Herrn Kaisers und Augustus Heinrich, darüber wachte und auf Vertilgung der Krankheit drang, so wollte er, nachdem jene drei, welche von dem Kaufe der päpstlichen Würde denselben

27) Murat. annali VI. p. 148.
28) Ussermann episcopatus Bamberg. Suidgerus XXV.
29) Ap. Mansi XIX. p. 622. Vgl. Beilage N. XX.

Namen erhalten hatten, vertrieben worden waren, daß, unge=
achtet unseres heftigen Widerstrebens, unter der Menge heili=
ger Väter, welche versammelt waren, nach göttlichem Rath=
schlusse gerade unsere so unwürdige und so geringe Person
gewählt werde und die Stelle des erhabensten Fürsten der
Apostel einnehme. So von Deiner lieblichen Seite gerissen,
o süßeste Braut! vermag ich nicht, Dir den Schmerz, der
mich ergreift, die Trauer, die mich verzehrt, zu schildern, da
sie alles Maß übersteigt, und obgleich die Mutter mehr Ehre,
Schmuck und Macht besitzt, als die Tochter, sich ihr jedes Knie
der Irdischen beugt, nach ihrem Urtheile die Thore des Him=
mels geöffnet und geschlossen werden und selbst die Pforten der
Hölle nichts gegen sie vermögen, so hat doch nie sich die Be=
gierde nach solcher Herrschaft in unser Herz eingeschlichen, noch
dasselbe sich willig unterworfen. Es war uns genug, ein thä=
tiges Leben gut, ein beschauliches nach Kräften zu führen, ins=
besondere da vollkommene Liebe weder Aussehen noch Vermögen
des Geliebten berücksichtigt. Wir rufen daher das Auge Gottes
zum Zeugniß, daß wir keine künstliche Vertheidigung zu führen
gedenken, jenes Auge, das die Geheimnisse des Herzens durch=
schaut und durch keine Nacht verhüllt wird. Eine so weite
Entfernung, so viele Hindernisse haben Dich, mein Augapfel!
von uns getrennt, und ich sollte nun Dich, meine Freundin,
meine Schwester, meine Taube! nicht mit eifriger Sorge an=
blicken, nicht von allen Seiten einen Schirm um Dich ziehen?
Da uns denn nun von Gott und nicht durch unsere Verdienste
die apostolische Gewalt gegeben wurde, welche dem Himmel
und der Erde gebeut, so halten wir es auch für würdig und
angemessen, daß durch unsere Erhebung auch Du erhoben wer=
dest, und Dir daher noch größere Sorgfalt erwachse, von wo=
her uns unsere Macht vermehrt wurde." Der Papst belegte
daher alle, welche die Rechte des Bamberger Bisthums kränken
würden, mit den härtesten Kirchenstrafen und übergab es zum
Schutze gegen irdische Feinde der unmittelbaren Sorge des Kaisers.
Neun Tage später war P. Clemens II bereits eine Leiche [30].

---

[30] Er starb am St. Dionysiustage, 9. Oktober 1047. Daß P. Cle=

Er wurde in dem Kloster des hl. Thomas zu Aposella, wo er
gestorben war, begraben; später brachte P. Leo IX seine Ge=
beine nach Bamberg, wo sie in dem nun erzbischöflichen Dome
ruhen.

mens II von Theophylactus von Tusculum (Benedict IX) ver=
giftet worden sey, sagen zwar Lupus Protospata und Romu-
aldus Salern.; da dieß aber im Monat Juni geschehen seyn sollte,
so zeigt sich diese Nachricht von selbst als falsch: mense Junii
dictus Papa (!) Benedictus per poculum veneno occidit Papam
Clementem. Lup. Prot. Wäre P. Clemens in Rom und nicht im
Kloster des hl. Thomas bei Pesaro und noch dazu im M. October
gestorben, so könnte man so etwas glauben. Der eigentliche Grund
dieser Vergiftungsgeschichten, welche auch bei dem Tode von P. Damasus II wieder erneut wurden, liegt in dem Gesetze Kaiser Heinrich's II gegen Vergiftungen, welche, was zugegeben werden muß,
damals nichts weniger als selten waren. Mur. ann. VI. p. 150.

Dritter Abschnitt.

P. Damasus II.

Als die Nachricht von dem Tode P. Clemens II nach Rom kam, fertigten die Römer sogleich eine Gesandtschaft an den Kaiser und Patricier, Heinrich II, ab, ihm den Tod des Papstes zu melden und sich von ihm die Bestimmung eines neuen zu erholen. Kaum konnten jedoch diese Gesandten die Grenze von Deutschland erreicht haben, als Theophylactus von Tusculum [1]) (Benedict IX), welchen der Kaiser wegen seiner freiwilligen Abdankung als nunmehr unschädlich bei seinen Anverwandten zurückgelassen hatte, von diesen unterstützt, aufs Neue hervorbrach, sich am 8. November, dem Tage der 4 gekrönten Heiligen, nochmal des Papstthums bemächtigte und dasselbe nach gewohnter Weise mit dem Gräuel der Simonie und der Unzucht erfüllte. Am Weihnachtstage des Jahres 1047 [2]) trafen die römischen Gesandten in dem kaiserlichen Hoflager zu Poletha in Sachsen ein und meldeten dem Kaiser die ihnen aufgetragene, an diesem Tage in Erinnerung der Begebenheiten des vergangenen Jahres doppelt schmerzvolle Nachricht. Noch lebte damals Johannes Gratianus; jedoch nur ein deutscher

---

1) MS. Bibl. Vallicell. C. 25. p. 118.

2) Lambertus Aschaff. ad a. 1048. Es ist deshalb gewiß unrichtig, was die gesta Ep. Leod. erzählen, daß die Wahl des neuen Papstes schon auf Weihnachten geschah. Vgl. not. 6.

Prälat, der Bischof Wafo von Lüttich [3]), welcher in der irr-
thümlichen Voraussetzung, P. Gregor VI sey zur Abdankung
gezwungen worden, in dem schnellen Tode P. Clemens II ein
wohlverdientes Gottesgericht erblickte, sprach, wiewohl vergeblich und zu spät zu seinen Gunsten. Die römischen Gesandten
aber baten den Kaiser, ihnen bei dem fortwährenden Mangel
an würdigen Priestern, den Erzbischof Halynard von Lyon [4]),
welcher sich auf seinen Pilgerfahrten nach Rom vollkommene
Kenntniß der italienischen Sprache und durch Demuth und Leut-
seligkeit die Zuneigung der Römer wie des Kaisers selbst erworben hatte, zum Papste zu geben. Als aber Halynard von
ihrer Absicht erfuhr, suchte er, ein wahrer Schüler des hl.
Wilhelm's, wie er früher das Erzbisthum nur auf ausdrücklichen Befehl des Papstes angenommen hatte, sich um so mehr
der höchsten Würde der Christenheit zu entziehen und vermied
daher absichtlich, bei dem Hoflager des Kaisers zu erscheinen.
So zog sich die Ernennung des neuen Papstes weit in das andere Jahr hinüber [5]). Der Kaiser war von Poletha nach Ulm
gegangen, woselbst er [6]) am 25. Januar des Jahres 1048 auf

---

3) Anselmi gesta Leod. Epp. apud Martene IV. p. 902 etc. Re-
cogitet Serenitas Vestra, schrieb der Bischof unter Anderm an den
Kaiser, ne forte summi Pontificis sedes depositi, a quibus non
oportuit, ipsi divinitus sit, reservata. Der Ausgang zeigte,
wie so oft, daß die Vorsehung es anders bestimmt hatte. Mit
Unrecht schiebt Stenzel, Gesch. d. fränk. Kaiser I. S. 119., dem
Bischofe Poppo die Absicht unter, den Kaiser, um sich selbst gegen
Wafo's Gutachten sicher zu stellen, auf eine feine Weise zu berücken
gesucht zu haben. Hätte Stenzel die Stelle bei Anselm, den er Alexander nennt (Martene p. 903.), zweimal gelesen, so würde er gefunden haben, daß nicht Poppo (Damasus II) dieß versuchte, sondern
Wafo's Bote (legato wie es ausdrücklich heißt, incertus illae, nicht
hic, was sich in dieser Stelle auf Poppo bezöge.

4) Vita S. Halynardi ap. Mab. AA. SS. IX. p. 37. c. 7.

5) Nach Herm. Contr. ad a. 1048 bis in den Juli, dieß ist aber von
dem Anfange des Pontificats des P. Damasus II zu verstehen.

6) Sinnacher, Beiträge zur Geschichte der bischöfl. Kirche Säben und
Brixen in Tyrol. Brixen 1822 II. S. 299 rc., woraus hervorgeht,
daß der Kaiser anstatt Poppo bereits Weihn. 1047 zum Papst designirt

Bitten „seines getreuen und geliebten Poppo's," welchen, einen Bayer [7]) von Geburt und von sonst unbekannter Herkunft, er selbst im Anfange seiner Regierung zu dem bischöflichen Stuhle von Brixen befördert und seitdem mit mehreren Schenkungen und Diplomen für seine Kirche beehrt hatte, einen Gnadenbrief für dessen Bisthum unterzeichnete. Als nun — wohl um diese Zeit — auch die Nachricht von dem Wiederausbruche der Unruhen in Rom in Deutschland eingetroffen war, und die Lage der Dinge einen kräftigen Papst erforderte, so mochte der Kaiser, welcher erst in diesem Diplome die getreue Dienstleistung des Bischofs von Brixen gerühmt hatte, des Ansehens gedenken, das dieser auf dem römischen Concil unter P. Clemens behauptet hatte, und bezeichnete daher ihn den römischen Gesandten als den Mann seiner Wahl [8]). Um aber Rom selbst von dem Eindringlinge zu befreien und den Papst vor den Angriffen der Grafen von Tusculum sicher zu stellen, trug er dem mächtigen Markgrafen Bonifacius von Toscana auf [9]), Poppo mit einem Heere nach Rom zu geleiten und den Theophylactus mit seinem Anhange daraus zu vertreiben. Dadurch zog sich die Sache bis in den Hochsommer 1048. Erst am Feste des heiligen Alerius, 17. Juli [10]), verließ Theophylactus vor dem anrückenden Heere den widerrechtlich errungenen Thron, worauf Poppo von den Römern ehrenvoll [11] empfangen und noch an demselben Tage zum Papste erwählt und als Damasus II — schon der erste Papst dieses Namens hatte mit einem Eindringlinge, Urscinus [12]),

---

    zu haben, noch Ende Januar nicht daran dachte, den Bischof von Brixen auf den römischen Stuhl zu befördern.

7) Sinnacher II. S. 288 ꝛc. Das oben citirte MS. nennt ihn natione Noricus, qui alio vocabulo Bagvarius dicitur (sed. d. XXIII.) Benzo nennt ihn litterarum scientia dives, VII, 1. Bonizo V. p. 803. omni superbia plenum. Der letztere betrachtet ihn auch als invasor sedis apostolicae. Das Ungegründete dieser Behauptung ist längst erwiesen. Vgl. Sinnacher S. 303.

8) Lambert sagt: Assignavit. Herm. contr. ab imperatore electus.

9) Bonizo l. l. Herm. contr. ad a. 1048.

10) Cf. Cod. Vallic. l. c.

11) Cf. Chron. MS. a Papebrocio laudatum ap. Pag. 1047. n. VIII.

12) Cf. vita S. Damasi ap. Anastas. in S. R. It. III, 1. p. 114.

einen harten Kampf zu bestehen — zum römischen Bischofe und
Papste gekrönt wurde. Aber nur 23 Tage lang bekleidete er
die hohe Würde. Sey es, daß er durch die Mühe der Reise
angegriffen, bereits in Rom[13]) den Stoff einer Krankheit in
sich fühlte und sich deshalb in das besser gelegene Palästrina
bringen ließ, oder daß er in Verfolgung der Grafen von Tusculum dahin gekommen war, er endigte daselbst bereits am 8. August Pontificat und Leben, ohne daß von seiner kurzen Amts-
führung eine andere Kunde auf uns gekommen wäre, als die
eines frommen Geschenkes, womit er die Kirche von Brixen
bedachte. Sein Leichnam wurde in der Kirche des hl. Lorenzo
an der Straße von Rom nach Tivoli — am 10. August feiert
die Kirche das Gedächtniß dieses heiligen Märtyrers — bestattet. Von seinem Grabe ist jede Spur verschwunden[14]). Mit

---

13) Aestas Romae humanis corporibus valde contraria. Paul.
Bernried. vita S. Gregorii VII. c. 33.

Roma vorax hominum domat ardua colla virorum:
Roma ferax febrium necis est uberrima frugum.

Petr. Dam. epl. I. 9. p. 25. Dieß erklärt hinlänglich den Tod des
deutschen Papstes, der in der ungesundesten Jahreszeit nach Rom kam.

14) Der Verf. gab sich im Frühjahre 1836 selbst alle Mühe, eine Spur
des Grabes in St. Lorenzo zu entdecken. Es ist wahrscheinlich, daß
bei späteren Umbauungen der Kirche die Leiche des Papstes
unter das jetzige, wunderschöne Mosaikpaviment der Kirche gebracht
wurde, wie man unter einem solchen, zu Grotta ferrata, das Grab
Theophylact's fand, welcher, jedoch wohl schwerlich schon um diese
Zeit, da er auch noch das Pontificat P. Leo IX beunruhigt zu haben scheint, sich auf Anrathen des Abts Bartholomäus in jenes Kloster zurückzog und dort sein Leben als Mönch beschloß. Das Geschenk, welches P. Damasus der Kirche von Brixen machte, bestand
in dem Haupte der hl. Jungfrau und Märtyrin Agnes, welches
wohl bis dahin in der Kirche dieser Heiligen vor der jetzigen Porta
Pia in Rom aufbewahrt worden war. Mit dieser Reliquie zeigte
man auch am Feste der hl. Agnese ein Altartuch, welches P. Damasus wohl nicht von Rom aus nach Brixen geschickt hatte, sondern
das wahrscheinlich „zu den vielen anderen Sachen gehörte, deren
Poppo als nunmehriger Papst nicht mehr bedurfte" und die er deshalb dem Stifte überließ. Vgl. das alte Brixner'sche Verzeichniß
der Bischöfe bei Sinnacher II. S. 288 und S. 304. Wenn das

Recht wird es ihm aber zum großen Ruhme angerechnet, daß er, obwohl von unbekannter Herkunft und keines der ersten Bisthümer Vorstand, dennoch seiner Tugenden wegen würdig gehalten wurde, unter den verwickeltsten Umständen den Stuhl des Apostelfürsten einzunehmen [15]). Da er so schnell die Beute des Todes geworden, verbreitete sich in Deutschland das Gerücht, der Papst sey an Gift gestorben [16]); nunmehr wollte kein deutscher Bischof den verwaisten Thron besteigen [17]). Grauenvoll war auch der zweite Versuch, der Kirche Rom's wieder aufzuhelfen, gescheitert, hoffnungsloser als nun, war ihre Lage noch nie gewesen.

Kloster des Erlösers zu Charrour wirklich auf päpstlichen Befehl im Juni 1048 eingeweiht wurde (cf. Chron. S. Maxentii ad a. 1047 u. die Note c bei Bouq. XI. p. 218.), so ist dieß wohl nur auf Befehl P. Damasus II geschehen. Was Order. Vit. ad a. 1047 von Damasus erzählt, er habe den Bischof Bruno von Toul zum Cardinal gemacht, hat schon Pagi als ungegründet erwiesen.

15) Cf. Bruner annales Bojorum II. p. 908.

16) Der Pseudocardinal Benno nahm auch diese Lüge in sein berüchtigtes Buch auf.

17) Bernardi Guid. vita S. Leonis P. IX. MS. Vatic.

Anhang.

———————

18*

Beilage Nr. I.

(S. 3. n. 1.)

A.

Siehe die angehängte Tafel.

B.

In Bezug auf Carl den Großen mögen folgende kleine Chroniken aus Münchner Handschriften nachgesehen werden.

Codex MS. bib. S. Emmerani Monachii G. XXV. in 4 memb. saec. VIII.

Anno:

651 Aidam Episcopus obiit.
658 Finan moritur.
664 Colman obiit.
670 Ecfrid regnare coepit.
735 Beda Presbyter obiit.
742 Carolus Rex Francorum.
744 Initium monasterii Fuldensis.
754 Bonifacius mart.

764 Hyems dura.
768 Pippinus.

772 Carlomannus.

Cod. Emm. E LXXIX in 4 memb. saec. IX.

Anno a nativitate Domini.

*748 Pippinus Grifonem de Bajouuaria expulit et Tasiloni ducatum dedit.
750 Pippinus rex factus est.
*753 Stephanus.

754 Bonifacius martyrizatur.
*763 Hyems magna erat.

*768 Pippinus Rex obiit et Carolus et Carlomannus Reges facti sunt.
*772 Carolus in Saxonia conquisivit Eresburc et Irminsul et Tassilo Carentanos. Adrianus Papa factus est.
*774 Carolus Papiam cepit.
Sanctus Hruodpertus

E LXXIX.

775 Depositio Desiderii Regis Longobardorum.
779 Conversio Saxonum.
776 Sturmi Abbas et Pres-
byter obiit.

788 Depositio Desilonis ducis.

792 Carolus fuit in Avarorum..

794 IV idus Aug. obiit Fa-
strada.
795 Carlus sedebat apud..

Cod. E LXXIX.
translatus est. (Mab.
Hrodperto.)

*783 Hunni ad Enisam vene-
runt, sed ibi nocuerunt
nihil.
784 Hiltigars Regina et
Arpeo Episcopus obie-
runt et Atto Episcopus
factus est. (Mab. Hilti-
gart. Arper.)
785 Pugna Bajouvariorum
cum Hrodperto ad Pau-
zana. Virgilius Epi-
scopus et Oportunus
Abbas obierunt.
786 Hartrat malum con-
silium fecit: et signum
in vestimentis homi-
num. Arn Episcopus
ordinatus est.
787 Domnus Carolus Rex
Romae fuit et inde ad
Leh obsidem Tassilo-
nis filium Theodonem
tulit.
788 Tassilo captus est:
et Hunni ad Furgali et
in Bajouuaria: et Ca-
rolus primo in Baiou-
varia.
791 Carolus primo in
Hunniam.
*792 Synodus contra Felicem
in Reganesburc: et malum
consilium contra Carolum.
793 Carolus perfossa-
tum Albmonem.
*794 Synodus ad Franchono-
vadam.

*796 Adrianus Papa obiit.

E·LXXIX.

Cod. E LXXIX.

Hunni se reddiderunt. Leo Papa factus est.

798 Arn Episcopus factus est.

799 Leo Papa fuit in Francia.

*799 Leo Papa martyrizatur.

800 Liutgardis Regina obiit.

801 Carolus Imperator factus est.

801 Carolus Augustus appellatus est.

*802 Cadaloc et Gotehramnus seu ceteri multi interfecti fuerunt ad castellum Guntionis.

802 Ratger electus est Abbas.*

803 Carolus ad Salzburc monasterium fuit.

*804 Saxones ab ultra Albium expulsi. Alhuinus obiit.

804 Iterum Leo in Francia.

805 Leo Papa ad Carisiaco noster domnus habuit. Cabuarus venit ad dominum Carolum: et Abraham Cagonus baptizatus super Fiskaha.

*806 Carolus regnum divisit inter filios suos in Theodonis villa.

*810 Pippinus obiit VIII id. Julii. Magna mortalitas animalium fuit.

*811 Carolus junior obiit II non. Decemb.

*812 Bernhardus a domno Carolo Rex factus est.

813 Domnus Carolus Imperator Hludovico filio suo coronam imperii imposuit.

*814 Domnus Carolus Imperator obiit V. cal. Febr. aetatis suae anno LXXI et domnus Illudovicus imperare coepit.

814 Carlus Imperator obiit.

*816 Leo Papa obiit. Stephanus Papa factus est et in mense Octobri in Remis

816 Bangolfus Abba obiit.* (Fuldensis).

E LXXIX.

civitate domnum Hludovi-
cum ad Imperatorem be-
nedicit.

817 Paschalis Papa factus
est et Baturicus Epi-
scopus.

818 Pernhardus rex car-
malum levavit.

819 Pernhardus interiit.
Hiltipaldus Episcopus
obiit et Odolfus co-
mes: Liuduvit carma-
tum levavit.

820 Hostis magna contra Hlu-
dovicum.

*821 Alia hostis.

*822 Dominus Hludovicus ad
Franconvadam, et Hludha-
rius in Langobardiam.

*823 Hyems magna: similiter
siccitas grandis et fames
valida.

Cod. E LXXIX.

818 Eigil (eligitur Abbas
Fuldensis.)

819 Dedicatio (ecclesiae Fuldensis).

822 Eigil (obiit) Straban (eligitur Abbas Fuldensis).

Die mit einem * versehenen Stellen sind von Mabillon, der diese Annalen breves Annales Ratisponenses nennt, ausgelassen worden.

Beilage Nr. II.
(S. 8, n. 12.)

Ueber die traditionelle Bildung der römischen Päpste,
von P. Agatho bis P. Stefan V, 678—891.

Da die Lebensbeschreibungen der Päpste vor Gregor II bei
Anastasius kaum die nothwendigsten Daten geben, wollen wir,
obwohl es als historische Thatsache angesehen werden muß, daß
Volk und Clerus von Rom, wenn auch öfter Ausländer, jedoch
immer nur solche zu Päpsten erwählte, welche in Rom zu Priestern gebildet worden waren, erst mit den von Anastasius ausdrücklich als Schüler eines vorhergehenden Papstes erwähnten
römischen Bischöfen beginnen. Die Seitenzahl bezieht sich auf
die Ausgabe des Anastasius bei Muratori script. rer. ital. III.
1. Theil. Die Jahre des Pontificats sind nach den Platner'-
schen Tabellen über die Stadtgeschichte Rom's angegeben.

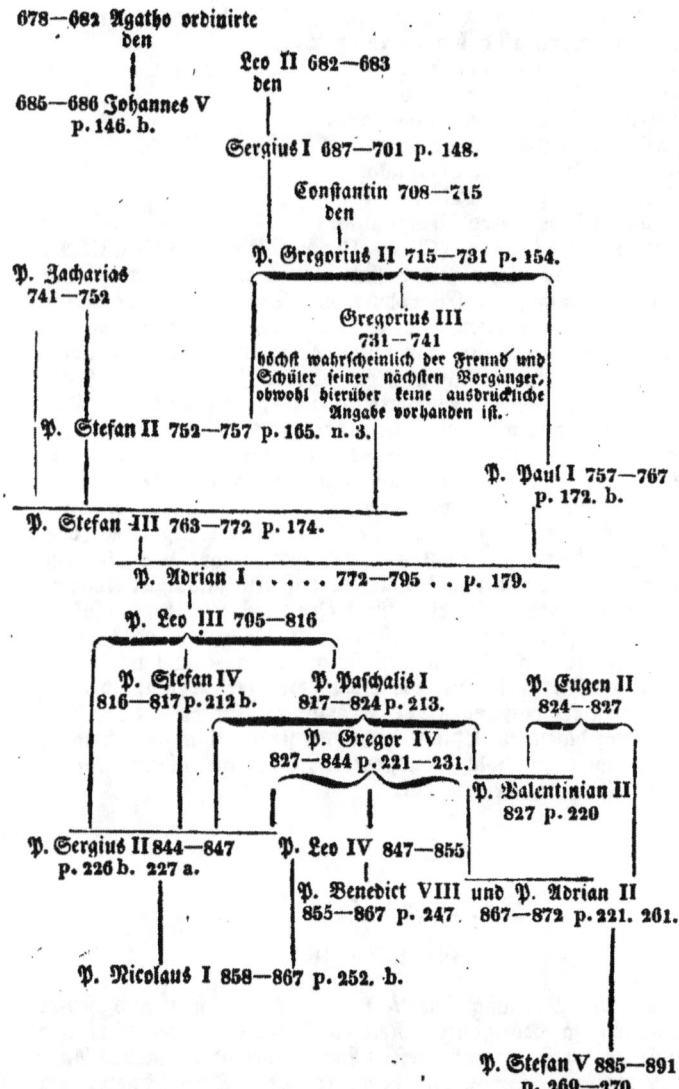

678—682 Agatho ordinirte
den

Leo II 682—683
den

685—686 Johannes V
p. 146. b.

Sergius I 687—701 p. 148.

Constantin 708—715
den

P. Gregorius II 715—731 p. 154.

P. Zacharias
741—752

Gregorius III
731—741
höchst wahrscheinlich der Freund und
Schüler seiner nächsten Vorgänger,
obwohl hierüber keine ausdrückliche
Angabe vorhanden ist.

P. Stefan II 752—757 p. 165. n. 3.

P. Paul I 757—767
p. 172. b.

P. Stefan III 763—772 p. 174.

P. Adrian I . . . . . 772—795 . . p. 179.

P. Leo III 795—816

P. Stefan IV
816—817 p. 212 b.

P. Paschalis I
817—824 p. 213.

P. Eugen II
824—827

P. Gregor IV
827—844 p. 221—231.

P. Valentinian II
827 p. 220

P. Sergius II 844—847
p. 226 b. 227 a.

P. Leo IV 847—855

P. Benedict VIII und P. Adrian II
855—867 p. 247 867—872 p. 221. 261.

P. Nicolaus I 858—867 p. 252. b.

P. Stefan V 885—891
p. 269—270.

Bei den nachfolgenden Päpsten verlassen uns die Quellen
auf's Neue, obwohl es sich bei Manchen noch mit großer Wahrscheinlichkeit nachweisen läßt. Es ist dieß im Ganzen einer
jener materiellen Beweise der Fortpflanzung ererbter Tradition,
deren Wahrheit jedoch vom theologischen Standpunkte aus, ungefährdet wäre, wenn uns auch die Quellen ganz verlassen hätten.

Ich füge hier noch einige jener Päpste hinzu, deren Abstammung ursprünglich longobardisch war.

Leo III ex patre Azuppio.

Paschalis I ex patre Bonoso.

Eugenius II ex patre Boemundo.

Leo IV ex patre Rodoaldo.

Johann VIII ex patre Gundo.

Adrian I ex patre Talaro.

Johann IX ex patre Rampoaldo.

Lando ex patre Raino. (Chron. Pandulfi Pis. apud Mur. III,2.)

Die Söhne dieser Väter sind aber bereits Römer. Man erklärt sehr häufig die Einwohner von Trastevere in Rom für die ächten Nachkommen der Altrömer; aber alle historischen Zeugnisse sprechen dafür, daß so oft Sachsen, (Angeln), Deutsche, Longobarden ic. sich in Rom niederließen, dieß in Trastevere geschah. Bemerkenswerth ist noch, daß auch P. Gregor VII (Hildebrand) von longobardischer Abkunft und kein Römer war; so auch P. Alexander II, der Gegenpapst Cadalous ic. Cf. Platina adnot. ad vitam Johannis XIII.

Was wir aber durch obige Zusammenstellung beweisen wollten, ist, wie innig es im Wesen der Kirche liegt, daß dem einen Volke durch das andere aufgeholfen werde, wie also das System der Beschränkung der Kirche auf den zufälligen Umkreis eines Staates nur verderblich für diesen selbst seyn kann. Wenn deshalb deutsche Gelehrte Italiener auf deutschen oder englischen Pfründen erblicken, mögen sie an dieser Zusammenstellung sich ein Beispiel nehmen, um etwas weniger vorlaut über die sogenannten Anmaßungen des römischen Stuhles zu eifern. Wir vertheidigen die letztern nicht, wo sie wirklich statt fanden; oft aber wird für solche ausgegeben, was viel tiefer liegende Verhältnisse zum Grunde hat.

Beilage Nr. III.

(S. 10. n. 16.)

Da die Krönung Otto's I zum Kaiser sein und seines Stammes, ja des ganzen Reiches Verhältniß zum römischen Stuhle bedingte, so muß dieser Moment besonders in das Auge gefaßt werden. Schon aus dem Eide, den Otto schwur, um Kaiser zu werden, ist ersichtlich, daß seine Krönung rein persönlich war und den Papst durchaus nicht verpflichtete, wie man jetzt in allen Geschichtsbüchern lesen kann, die Kaiserkrone für immer bei den Deutschen zu lassen.

Es lohnt deshalb der Mühe, darüber die Aussprüche der hauptsächlichsten Schriftsteller jener Zeit zu befragen, um zu

sehen, was denn das zehnte Jahrhundert von dieser Krö=
nung hielt.

Widukind nennt Otto schon zur Zeit der Ungarnschlacht Kai=
ser und erwähnt (S. 32. ed. Meib.) nur die Erweiterung
des Reiches, aber nichts von Krönung und Benediction. ·

Frodoardus: Otto Rex Romam pacifice adiit et amabi-
liter exceptus atque honore illic Imperiali sublima-
tus est,

Reginonis contin.: Rex — Romae favorabiliter susceptus
acclamatione totius Romani populi et cleri ab Apostolico
Joanne, filio Alberici, Imperator et Augustus vocatur
et ordinatur.

Liutprandus: Otto — miroque apparatu susceptus
unctionem suscepit imperii. VI. c. 6.

Thietmar: Insuper benedictionem a Domino Apostolico — cum sua conjuge promeruit imperialem patro-
nus Romanae effectus ecclesiae.

Chron. Hildesheim: Ille Apostolicus (Johannes) gratanter eum suscepit et honorifice collocavit super cathedram
Augustalis principatus auxitque super eum augustalem
benedictionem, ut Imperator Augustus vocaretur et
esset. (Leibnitz. I. p. 718). Außer diesen Autoritäten ver=
gleiche man noch:

Arnulfus I. c. 7. Otto primus in Teutonicis Imperator dictus Italicus (Murat. S. R. J. IV. p. 9.)

Annalista Saxo (Eccard. II. p. 302). Rex Romae favorabiliter susceptus acclamatione totius populi et cleri ab Apostolico Johanne Imperator vocatur et ordinatur.

Chronographus Saxo (Leibn. access. II. p. 170.). A Summo
Pontifice honorifice susceptus augustalis sedem principatus supersedit et pro tantae dilectionis praemio aucta super eum summi Pontificis benedictione IV non. Febr.
Imperator et Augustus appellatur.

Lambertus: — Johannes (eum) gratanter suscipiens honorifice super cathedram Augustalem posuit et benedictione
atque consecratione sua Imperatorem fecit.

Allen diesen Autoritäten, die einstimmig Einsegnung von
Seiten des Papstes und eine der Ordination der Priester ähn=
liche Erhebung auf den kaiserlichen Thron melden, steht gegen=
über die später verfaßte
Vita Mathildis (Leibn. script. I. p. 204.): Cum autem per-
venisset ad cathedram S. Petri simul cum uxore imperialem coronam accepit munere Christi et totius
populus Romanorum se sponte subjugavit ipsius domina-
tui et sibi solvebant tributa et post illum ceteris suis
posteris. Ueber die Tribute cf. Calles IV, 406. Diese vita
ist aber gar nicht mehr im zehnten Jahrhunderte geschrieben
worden (Contzen p. 114.), sondern unter Kaiser Heinrich II,

unter welchem bekanntlich mit den kaiserlichen Insignien eine neue Epoche beginnt, während es noch von Kaiser Otto III in der Grabschrift P. Gregor's V heißt: Tertius Otto..... Cognatis manibus (Gregorii V) unctus in imperium, nicht coronatus.

Daß der ältere Landulf, Leo von Ostia, Adam von Bremen ꝛc. von einer Krönung reden, darf uns nicht wundern, im Gegentheil man müßte sich wundern, wenn sie sich einmal des rechten Ausdrucks bedienen würden.

Die Krönung würde sich demnach in einen sacramentalischen Act, in eine Art von Weihe und Ordination auflösen, mit dem das Diaconenkleid des Kaisers bei der Krönung vollkommen übereinstimmt; eine Weihe, die nur der Papst oder dessen besondere Abgesandte vollziehen konnten und eben dadurch, durch diesen Act aus apostolischen Händen, den zweifachen König, zum Kaiser, zum Augustus, zum Vertheidiger der Kirche, zum Patricier Rom's machte. Die Päpste verrichteten bei der sogenannten Krönung der Kaiser jenen Dienst, welchen Samuel auf das Geheiß eines Höhern erst an Saul, dann, als dieser sich seiner Mission unwürdig gemacht hatte, an dem Sohne Isai's verrichtet hatte. Der Kaiser aber hieß deshalb in Wahrheit nicht ein vom Papste gekrönter, sondern a Deo coronatus pacificus Imperator. Vgl. die Bullen bei Georgius und Baronius, ad a. 967. (T. XVI. Lucae 1754. p. 168. 169.) Daß aber auch die Stelle aus dem Leben der Königin Mathilde nur in dem Geiste der übrigen Stellen genommen werden dürfe, erhellt aus dem Berichte der Nonne Hroswitha über die Krönung der Kaiserin Adelheid (die Krönung Otto's erwähnt Hroswitha nicht).

— atque ferens sceptrum capitis diademate pulchrum (vor der sogenannten Krönung, nämlich das Diadem' als doppelte Königin) atque sui cultus omnes regalis amictus:
Ornatus sed majoris suscepit honoris.
Augusto summo pariter mox conbenedici.
Und etwas weiter unten: Otto — Summum Pontificem —
Sedis Apostolicae fraudari fecit honore,
Constituens alium — —
Qualiter — —
Ipsius prolem post illum jam venientem
Scilicet Oddonem nutricis ab ubere regem
Ad fasces Augustalis provenit honoris
Exemploque sui digne fecit **benedici.**
Daß ferner die Hauptbedeutung bei Empfang der kaiserlichen Würde, nicht gerade in der Krönung lag — wurden ja auch die Päpste erst spät und vielleicht in dem Jahrhunderte der Ottonen noch gar nicht gekrönt — erhellt aus einer Stelle Kaiser Ludwig's II, welcher die Hoheit der kaiserlichen Würde so sehr wie irgend einer seiner Ahnen oder seiner späteren Nachfolger fühlte.

Dieser schreibt an den griechischen Kaiser Basilius: Carolus magnus, abavus noster, unctione hujusmodi per summum Pontificem delibutus, primus ex gente et genealogia nostra, pietate in eo abundante, et Imperator dictus est et Christus Domini factus est, renuensque Graeco morem gerere, qui Francorum Imperatorem appellari eum volebat, finem renovatae ejusdem dignitatis patefacit. A Romanis enim hoc nomen et dignitatem assumpsimus, apud quos nimirum primo tantae culmen sublimitatis et appellationis effulsit, quorumque gentem et urbem divinitus gubernandam et matrem omnium ecclesiarum Dei defendendam atque sublimandam suscepimus. Es ist deshalb im höchsten Grade gleichgültig und nur als historische Thatsache merkwürdig, zu wissen, ob, wenn man in der Ertheilung der kaiserlichen Würde, die aus dieser Stelle als rein persönliche Würde erhellt, wie in den übrigen Handlungen der katholischen Kirche nur eine Ceremonie sieht, zur Benediction noch die Krönung hinzukam oder nicht. Es mußte aber hier erörtert werden, auf welchen Punkt der Nachdruck zu legen ist; was die Zeitgenossen für die Hauptsache ansahen und welch' bedeutende Verpflichtungen für dieses Leben, welche Verantwortung für das zukünftige der deutsche König durch den sacramentalen Act auf sich nahm, der ihn, wie den Clerifer die Ordination zum Priester, so den König der Deutschen und Lombarden zum Kaiser, zum Beschützer der Kirche, zum Wahrer des Reichs und zum Patricier Rom's machte.

Beilage Nr. IV.
(S. 10. n. 18.)

Bibl. Mon. S. Emmerani Monachii. cod. D. XLVII Fol. memb. saec. XI.
Regale carmen.
Christus vincit. Christus regnat. Christus imperat.
Exaudi Christe. tribus vicibus.
Summo Pontifici et universali Papae vita.
Salvator mundi.
Sancte Petre
„ Paule
„ Andrea } tu illum adjuva.
„ Clemens
„ Sixte
„ Urbane

Ejusdem bibl. cod. F. XIII in 4 memb. saec. IX.
Litaniae.
In festis diebus quando laudes canendae sunt, expleta oratione a Pontifice antequam lector ascendat in ambonem, pronuntiant duo diaconi sive cantores respondente illis schola hoc modo:
Incipiunt laudes.
Ter. Exaudi Christe. Domno nostro Eugenio a Deo decreto summo Pontifici et Papae vita.

Regale carmen.

Exaudi Christe. trib. vicib.

Hierauf folgen 2 ausgelöschte Linien, welche wahrscheinlich die Gebete für den Bischof und Clerus enthielten.

Reconciliator mundi.

Scte. Alexandre
„ Polycarpe
„ Ambrosi } tu illos tuere.
„ Augustine
„ Valentine

Exaudi Christe. trib. vic.

Gloriosissimo Regi — vita et victoria.

Redemtor mundi.

Scte. Michael
„ Gabriel
„ Raphael } tu illum ad-
„ Joannes } juva.
„ Sigismunde
„ Oswalde

Exaudi Christe. trib. vic.

Reginae — salus et vita,

Amator ecclesie.

Scta. Maria
„ Felicitas
„ Perpetua } tu illam ad-
„ Anastasia } juva.
„ Sabina

Exaudi Christe. trib. vic.

Nobilissimae proli regali vitae.

Nutritor parvulorum.

Scte. Silvester
„ Marce } tu illam ad-
„ Germane } juva.
„ Albane

Exaudi Christe. trib. vic.

Monachorum atque heremitarum professionis charitas et humilitas multiplicetur.

Rector Angelorum.

Scte. Paule
„ Antoni
„ Benedicte } tu illos gu-
„ Hieronyme } berna.
„ Galle
„ Othmare

Litaniae.

Ter. Salvator mundi . Tu illum, adjuva.

„ Exaudi Christe . Domno nostro Hluduuvico Augusto a Deo coronato magno et pacifico Imperatori vita et victoria.

Ter. Scta. Maria. tu illum adjuva.

„ Exaudi Christe . Ejusque praecellentissimis filiis Regibus vita.

„ Scte. Petre. Tu illos adjuva.

„ Exaudi Christe . Domno nostro Hluduuvico Regi vita et victoria.

„ Scte. Paule . Tu illum adjuva.

„ Exaudi Christe . Exercitui Francorum vita et victoria.

„ Scte. Andrea . Tu illos adjuva.

„ Exaudi Christe . Domno nostro Baturico a Deo electo Pontifici vita.

„ Scte. Emmerane . Tu illum adjuva.

„ Exaudi Christe. Orthodoxis Catholicis Pastoribus et rectoribus nostris vita.

„ Scte. Martine . Tu illos adjuva.

„ Exaudi Christe . Omnibus fratribus nostris perfecta opera et vita.

„ Scte. Benedicte . Tu illos adjuva.

Christus vincit. Christus regnat. Christus imperat.

Rex Regum
Rex noster
Spes nostra
Gloria nostra } Christus vincit.
Misericordia nostra
Auxilium nostrum
Fortitudo nostra

Regale carmen.

Omnibus judicibus et cuncto exercitui Christianorum vita et victoria.

Victor mundi.

Scte. Joannes.

„ Philippe.

„ Dionysi.

„ Maurici.

„ Hilari.

„ Martine.

„ Perpetue.

„ Pauline.

Exaudi Christe. trib. vic.

Universo populo catholico pax, salus et prosperitas.

Ordinator saeculorum.

Scte. Irenaee⎫
„ Soter ⎪
„ Prosper ⎬ tu illos dispone.
„ Remedi ⎪
„ Benigne ⎭

Chrus vincit. Christus regnat. Christus imperat.

Jn dem Uebrigen ſtimmt dieſe Litanei mit der zunächſt folgenden vollkommen überein, ausgenommen, daß, wo dieſe nur Chrus vincit, dieſe immer Chrus vincit, Chrus regnat, Chrus imperat ſagt.

Litaniae.

Liberatio et redemtio⎫
nostra ⎪
Victoria nostra ⎪
Arma nostra invictis- ⎪
sima ⎬ Christus vincit.
Murus noster inex- ⎪
pugnabilis ⎪
Defensio et exultatio ⎪
nostra ⎪
Lux, via et vita nostra ⎭

Ipsi soli imperium, gloria et potestas per immortalia secula seculorum Amen.

Ipsi soli virtus, fortitudo et victoria per omnia secula seculorum Amen.

Ipsi soli honor, laus et jubilatio per infinita secula seculorum. Amen.

Beilage Nr. V.

(S. 14. n. 26.)

Siehe die angehängte Tafel.

Beilage Nr. VI.

(S. 17. n. 32.)

Siehe die angehängte Tafel.

Beilage Nr. VII.

(S. 81. n. 56.)

— Hujus temporis diebus cum a papa romano abdicatio
arnulfi et promotio Gerberti plurimis epistolarum scriptis
calumniarentur . episcopi quoque rei hujusmodi auctores
simulque et alii cooperatores diversis reprehensionibus re-
darguerentur . placuit episcopis gallie in unum convenire
et super hac reprehensione consulere . Quibus chele (?) collectis . sinodus habita est cui Rex Robertus praesedit considentibus metropolitanis Gerberto Remensi cui tota sino-
dalium causarum ratio discutienda commissa fuit. Siguino
quoque Senensi . Erchembaldo turonico, Daiberto bitu-
riensi aliisque horum comprovincialibus nonnullis . In qua
postquam ex patrum decretis rationes de statu sancte ecclesie promulgarunt . inter nonnulla utilia constitui et robo-
rari placuit . ut ab ea die . idem sentirent . idem vellent.
idem cooperarentur secundum id quod scriptum : erat eis
cor unum et anima una. Decerni et illud voluere . ut si
in qualibet ecclesia quaecunque tyrannis emergeret, quae
telo anathematis jugulanda videretur, id inprimis ab omnibus
consulendum et sic communi decreto agitandum et qui anathemate relaxandi sint . decreto communi similiter relaxandi
sint juxta quod scriptum : consilium a sapiente perquire .
Placuit quoque sanciri : ut si quid a papa romano
contra patrum decreta suggereretur ᴗ cassum et
irritum fieri . juxta quod apostolus ait . hereticum hominem et ab ecclesia dissentientem . penitus devita. Nec
minus abdicationem Arnulfi et promotionem Gerberti. quod
ut ab eis ordinate et peracte essent . perpetuo placuit
sanciri . juxta quod in canonibus scriptum habetur . Sinodi
provincialis statutum . a nullo temere labefactandum.

F. 54. b. Per idem tempus cum a germanorum episcopis domno Johanni Pape per epistolas sepenumero suggestum foret, ut Gerberti zemorum metropolitani promotionem abdicaret et Arnulfi abdicationem protinus factam
(sic) indignaretur . a papa in germaniam directus est Leo
monachus et abbas . qui vicibus pape potitus cum episcopis
germanie atque galliarum hujus negotii et indaginem faceret . et judicium . inde proferret. Qui humanissime ab
episcopis germanie exceptus. de habenda sinodo super hoc
negotio cum eis tractabat. A quibus legati gallorum regibus hugoni videlicet ejusque filio roberto directi sunt —
qui pape mandatum nec non episcoporum voluntatem super
hoc aperiant . eisque ut cum suis episcopis conveniant .
rationabiliter suadeant. Qui postquam impetrarent et locum

tempusque quo et quando conveniendum esset a regibus
discerent . eorumque animum ex hoc sibi referrent . Legati igitur (g.) directi sunt. Legatio (!) quoque perlata . quam
etiam reges serenissima mente excipientes . pape et episcoporum mandatis in nullo tunc refragati sunt. Sese consilium super hoc quesituros respondentes . atque equitatem
de omnibus facturos . Legatis itaque abductis per quosdam
regibus indicatum est, Adalberonem Laudunensium episcopum hec dolo ordinasse . Omnino etiam apud Ottonem
illud pridem tum pertractasse. Eorum vtrumque in voto
habuisse ut Ottonem Regem Galliis introducerent et reges
ingenio et viribus foras expungerent . Episcopos quoque
Germanie ideo convenire ut dolum quesitum expleant . Reges itaque fraude percepta . episcopis jam ad locum, quem
reges designaverant convenientibus. per legatos indicavere .
sese illuc non ituros . eo quod suorum praecipuos penes se non haberent . sine quorum consilio nihil
agendum vel omittendum sibi videbatur, Indi-
gnum et ut sibi aut amplius sapientes sint. Ipsi quoque si
indigent. in Gallias properent unde volunt edicant. Alioquin . redeant et sua ut libet curent. Horum res in contrarium relapsa est. Adalbero enim qui horum ministrum
sese prebuerat . cum delationis nescius reges moneret . ut
occurrentibus obveniret (sic) . rex veteranus fraudium non
ignarus . Ludovicum Caroli filium ab eo reposcit. quem in
captione Lauduni captum . ei custodiendum commiserat .
Repoposcit etiam ejusdem urbis arcem . quam similiter
commiserat . Quo credita reddere reniso . regii stipatores
animo indignante sub inferunt: cum tu o episcope in per-
niciem regum et principum . apud Ottonem regem et Ottonem tirannum plurima quaesieris . quomodo hic ante dominos tuos reges tam magnifica effingere non vereris?
Quid Ludovicum et arcem reddere metuis. si fidem regibus re-
servasse non dubitas? Quid igitur credita nolle reddere, nisi
contra reges infausta moliri? Evidentissime fidem abrupisti
cum apud Ottonem de regum interitu tractasti . eorumque
honorem subruere temptasti. Unde et perjurii reatu deti-
neris . Legationem etiam tanquam ab eis missam Ottonis
regis pertulisti . ac apud eum dolose ordinasti . ut ipse
cum paucis ad locum quod mosomum appellatur adveniret.
et militum multitudinem non longe expeditam haberet. Regibus quoque nostris adversum cum paucis occurrere sua-
sisti . atque nihil mali ex hoc proventurum spopondisti .
Hanc etiam adlocutionem utrique utilliman fieri dicebas .
cum hos et illum de communibus et privatis collocuturos fami-
liariter simulabas. Verum aliter tunc visum erat. cum hec ideo
pondebas . ut ab Ottone rege dominos tuos reges compre-
hendi faceres . regnumque francorum in jus illius trans-

fundi faceres, ut tu videlicet remorum metropolitanus, Odo
vero francorum dux haberetur . Idque tunc nobis omnino
potuit . sed ad tempus suppressum fuit. Et o summe di-
vinitatis miserationem inestimabilem . quantis miseriis
erepti . quanto ludibrio subtracti sumus. Instat tempus
quo parate insidie effectum promittunt. Episcopi enim
sub specie religionis ac si de promotione et abdica-
tione Gerberti atque Arnulfi episcoporum quesituri premis-
sis legatis adveniunt. Otto quoque rex mox (meti) aderit .
a quo non longe exercitus collectus predicatur. Si ergo
imus . aut pugnabimus aut capiemur. Si vero non imus
perjurii arguemur. Sed ire reges non expedit . eo quod
militum copia sufficiens eis non sit. Perjurii vero reatus
in te redundabit . cum tu solus regibus nesciis juratus sis.
Ad hec episcopus erubescens obmutuit. Quem cum unus
suorum his exterritum vidit . contra hec responsurus surrexit et sic locutus est. Horum omnium objector nihil intendat (loquatur). Adsum qui pro criminato rationem
reddo. Unus tantum hec proferat. Caput quoque suum
meo objiciat. Arma quoque armis comparet . nec non et
vires viribus conferat. Hunc pro domino suo insanientem
et fervidum Landricus comes sic' alloquitur. O optime mi-
les . harum ut video fraudium penitus es ignarus. Que
licet te ignorante . tamen ut predicantur quesite sunt.
Unde et tempera animum . mitiga fervorem. Belli neces-
sitatem non tibi imponas. Non te impellas . unde ingressus redire non poteris. Sed nunc meo usus consilio . paululum hinc secede . Dominumque tuum de his an vera sint
interroga . Si te ad pugnam hortatur . egredere . Si dicit
cessandum . furori parce. Secessit igitur dominumque vo-
catum an sic se res habeat interrogat. Episcopus utpote
a conscio est victus . rem ita esse querenti confessus est
unde pugnam inhibuit . Sedato itaque tanto fervore mili-
tis . res penitus innotuit . Detentus ergo regum jussu .
utpote desertor custodibus datur . Cujus milites mox regibus sacramento alligati sunt.

Interea cum galliarum episcopi a regibus prohibiti essent . ut ad sinodum statutam non venissent . episcopi tamen germaniae ne doli arguerentur si non accederent .
statuto tempore mosomium conveniunt . domini papae legatum secum habentes . Collecti ergo in basilica Scte. Dei
genitricis Marie ordinatim more ecclesiastico consedere .
scilicet Sugerus mimagardivirdensis. Leodid. f. trevirensis
nocherus leodicensis et haimo virdunensis: Horum medius
abbas leo resedit vicesque domini pape obtinuit . contra
quos etiam Gerbertus remorum metropolitanus qui solus ex
Galliarum episcopis regibus etiam interdicentibus advenerat
pro se responsurus ex adverso resedit. Consederunt quo-

que diversorum locorum abbates . ac clerici nonnulli .
Laici etiam Godofridus comes cum duobus filiis suis atque Ragenerus remensium vicedominus . quibus circum-
quaque silentibus episcopus virdunensis eo quod linquam
gallicam norat. causam sinodi perlaturus surrexit . Quum
inquiens ad aures domini pape sepissime perlatum est remorum metropolim pervasam et protinus et aequum pro-
prio pastore frustratam non semel et bis litteris sug-
gessit . quatinus nobis in unum collectis ꝰ tantum facinus
justa lance utrimque pensaremus . et sua auctoritate per
nos correctum ad normam reduceremus . Sed quum impe-
diente rerum diversitate id facere distulimus . nunc post
tot ammonitiones dominum hunc abbatem leonem et mo-
nachum mittere voluit . qui vices suas teneat . et rem me-
moratam nobis oboedientibus discutiat . Per quem etiam
scriptum sue voluntatis allegavit . ut si quid oblivio dero-
garet . scripto commendatum haberetur . Quod et in pre-
sentiarum audire' utile est . Et statim pertulit scriptum
atque in aures considentium recitavit quod quia brevitati
studemus et nobis minus fuit accommodatum . nostris scriptis inserere vitavimus . Post ejus recitationem Gerbertus
surrexit atque orationem per se scriptam in concilio mox
recitavit . Satisque apud illos luculenter peroravit . Sed
hanc addere hic placuit . quod 'plena rationibus plurimam
lectori utilitatem comparat . Cujus textus hujus modi
est. Qua completa legato papae mox legendam perrexit . Tunc episcopi omnes cum Godefrido comite qui eis
intererat simul surgentes . orsumque seducti quid agendum inde esset deliberabant . Et post paululum ipsum Gerbertum invitant . Cui cum post aliquot sermones a domino
papa et corpus et sanguinem domini ac sacerdotale officium
sub presentia legati prohibere vellent . ille mox e canonibus et decretis confidenter astruxit . nulli hoc imponen-
dum nisi aut ex crimine convicto aut post vocationem venire
ad concilium vel rationem contempnenti. Huic pt ne non
sese esse obnoxium . cum ipse etiam prohibitus accesserit
et cum nullo adhuc crimine convictus sit. Simulque hoc
ex africano et toletano conciliis asserebat . Sed ne domino
pape omnino reniti videretur a missarum celebratione sese
cessaturum usque in alteram sinodum spopondit.
   Et statim his dictis sessum reversi sunt. Quibus considentibus virdunensis episcopus iterum surgens eo quod
sinodi interpres habebatur . quum inquiens hoc unde hic
agitur deffiniri nunc non potest eo quod controversie pars
altera deficit . placet his dominis episcopis ut vobis de-
monstretur : presentis rationis causam in aliud tempus
transferendam . ut ibi qui intendat et qui refellat ante
judicem consistant . ut singulorum partibus discussis .

19 *

recti judicii proferatur censura . Ab omnibus acceditur et
laudatur. Destinatur ergo locus remis apud coenobium
monachorum sancti remigii . Tempus quoque die VIII post
natale S. Johannis baptiste . Quibus constitutis et dictis
sinodus soluta est.

(Richeri historiae finis).

Beilage Nr. VII a.

(S. 66. n. 16.)

In Bezug auf Gerbert möge hier Einiges aus der noch
ungedruckten Geschichte Richer's folgen. Ueber ihn selbst muß
ich auf die öfter erwähnte Recension von Hock's Gerbert in
den M. Gel. Anzeigen verweisen und erwähne nur, daß ich
die Mittheilung des Codex dem H. Bibliothekar zu Bamberg
Dr. Jäck verdanke.

(Fol. 35.) Quo tempore (Adalberonis Remensis metropolitani) monachorum religio admodum floruit, cum eorum religionis peritissimus metropolitanus hujus rei hortator esset et
suasor . Et ut nobilitati suae in omnibus responderet .
ecclesie sue filios studiis liberalibus instruere utiliter que-
rebat. Cui et jam cum apud sese super hoc aliqua delibe-
raret . ab ipsa divinitate directus est Gerbertus magni
ingenii ac eloquii . Quo primo dum tota Gallia ac si lu-
cerna ardente vibrabunda refulsit . Qui Aquitanus genere
in coenobio sancti confessoris Geroldi a puero alitus . in
grammatica edoctus est. In quo utpote adolescens cum adhuc incertus moraretur. Borellum citerioris Hispanie du-
cem orandi gratia ad idem coenobium contigit advenisse.
Qui a loci abbate humanissime exceptus post sermones
mutuos querebatur an in artibus profecti in Hispaniis habeantur sciscitatur . Quod cum promptissime assereret . ei
mox ab abbate persuasum est, ut suorum aliquem suscipe-
ret suumque in artibus docendum duceret . Dux itaque
non abnuens petenti liberaliter favit ac fratrum consensu
Gerbertum assumptum duxit atque hattoni (Ausonensi) episcopo instruendum commisit . Apud quem et jam in mathesi plurimum et efficaciter studuit . Sed cum divinitas
Galliam jam caligantem magno lumine relucere voluit .
predictis duci et episcopo (in) mentem dedit ut romam
oraturi peterent. Paratisque necessariis iter carpunt ac
adolescentem commissum secum ducunt . Inde urbem in-
gressi post preces ante sanctos apostolos fusas beate recordationis papam — adeunt ac sese ei indicant. quidquid visum

est de suo jucundissime impertiunt. Nec latuit papam
adolescentis industria . simulque et discendi voluntas . Et
quia musica et astronomia .in Italia tunc penitus ignoraban-
tur . mox papa ottoni regi germanie et italie per legatum
indicavit . illuc hujusmodi advenisse juvenem . qui mathe-
sin optime nosset suosque strenue docere valeret . Mox
etiam ab rege pape suggestum est ut juvenem retineret .
nullumque regrediendi aditum ei ullum preberet . Sed et
duci atque episcopo qui ab hispaniis convenerant . a papa
modestissime indicatur . regem velle sibi juvenem ad tempus retinere . ac non multo post eum sese cum honore
remissurum . insuper etiam gratias inde recompensaturum.
Itaque duci ac episcopo id persuasum est . ut hoc pacto
juvene dimisso ipsi in hispanias iterum retorquerent. Juvenis igitur apud papam relictus ab eo regi oblatus est. Qui
nunc rogatus in mathesi se satis possè . logice vero scientiam se addiscere velle respondit . Ad quam et pervenire
moliebatur . nam adeo in docendo ibi moratus est. Quo
tempore Remensium archidiaconus in logica clarissimus
habebatur . Qui a Lothario francorum rege eodem tempore ottoni regi italic legatus directus est. Cujus adventu
juvenis exhilaratus regem adiit atque ut G. committeretur
optinuit . Et cum eo per aliquot tempora hesit remosque
ab eo deductus est . A . etiam logice scientiam accipiens
in brevi admodum profecit Gerbertus vero cum mathesi
operam daret artis difficultate victus a musica rejectus est .
G interea studiose nobilitati a predicto metropolitano com-
mendatus ejus gratiam pro omnibus promeruit . Unde et ab
eo rogatus discipulorum turmas artibus instruendas ei adhibuit . dialecticam quoque ordine librorum percurrens
dilucidis sententiarum verbis enodavit . Inprimis enim por-
phyrii ysagogas i. e. introductiones secundum victorini rhe-
toris translationem . Inde etiam easdem secundum manlium
explanavit . Cathegoriarum i. e. predicamentorum librum
aristelis (sic) consequenter enucleans . Periermenias vero
i. e. de interpretatione librum cujus laboris sit apertissime
monstravit. Inde etiam topica i. e. argumentorum sedes a
tullio de greco in latinum translata et a manlio consule sex
commentariorum libris dilucidata suis auditoribus intimavit .
Nec non et quatuor de topicis differentiis libros . de sillo-
gismis cathegoriçis duos . de ypotheticis tres . deffinitio-
numque librum unum . divisionum quoque similiter unum
utiliter legit et expressit . Post quorum laborem cum ad
rhetoricam suos provehere vellet . id sibi suspectum erat,
quod sine locutionum modis . qui in poetis discendi sunt .
ad oratoriam artem ante perveniri nequeat . Poetas quoque adhibuit quibus assuescendum arbitrabatur . Legit itaque ac docuit maronem et statium terentiumque poetas .

Juvenalem quoque ac persium et oratiumque satiricos .
lucanum etiam historiographum . Quibus assuefaciens locu-
tionumque modis . compositos ad rhetoricam transduxit .
Qua instructis sophistam adhibuit . Apud quem novis contro-
versiis exercerentur ac sic arte agerent . ut praeter artem
agere viderentur . quod oratoris . . . videtur . Sed haec
de logica.. in mathesi quantus sudor expertus sit, non con-
gruum dicere videtur. Arithmeticam enim quae est mathe-
seos prima in primis dispositis accommodavit . Inde etiam
musicam multo ante galliis ignotam notissimam effecit .
Cujus genera in monocordo disponens eorum consonantias
sive simphonias in tonis ac semitonis . ditonis quoque ac
diesibus distinguens tonosque insonis rationabiliter distri-
buens in plenissimam notitiam redegit. Ratio vero astro-
nomiae quanto sudore collecta sit dicere . inutile non est .
ut et tanti viri sagacitas advertatur et artis efficacia lector
commodissime capiatur . Que cum pene intellectibilis
esset . tamen non sine admiratione quibusdam instrumentis
ad cognitionem adduxit . Inprimis enim mundi speram ex
solido ac rotundo ligno argumentatus minoris similitudine
majorem expressit . Qua cum duobus polis in orizonte
obliquaret signa septentrionalia polo erectiori dedit . au-
stralia vero dejectiori adhibuit . Cujus positionem eo cir-
culo rexit qui a grecis orizon, a latinis limitans sive deter-
minans appellatur . eo quod in eo signa . que videntur ab
his que non videntur distinguat ac limitet . Qua in orizonte
sic collocata ut et ortum et occasum signorum utiliter ac
probabiliter demonstraret . rerum naturas dispositis insi-
nuavit instituitque in signorum comprehensione . Nam
tempore nocturno ardentibus stellis operam dabat agebatque
ut eas in muxidi (sic) regionibus diversio obliquatas tam
in ortu quam in occasu notarent. Circuli quoque qui a
grecis paralleli a latinis equistantes dicuntur . quos etiam
incorporales esse dubium non est hac ab eo ante compre-
hensi noscuntur . Effecit semicirculum recta diametro divi-
sum . Sed hanc diametrum fistulam construxit . in cujus
cacuminibus duos polos boreum et austronothum notan-
dos esse instituit . Semicirculum vero a polo ad polum XXX
partibus divisit . Quarum sex a polo mensuris distinctis .
fistulam adhibuit . per quam circularis linea artici signa-
retur. Post quas etiam V diductis fistulam quoque adjecit . quae aestivalem circulationem indicaret. Ab inde quoque quatuor divisit fistulam identidem addidit unde equi-
noctialis rotunditas accommodaretur. Reliquum vero spatium
usque ad notium polum eisdem dimensionibus distinxit .
Cujus instrumenti ratio in tantum valuit . ut ad polum sua
diametro directa ac semicirculi perductione superius versa .
circulos visibus in expertos scientie daret atque alta me-

moria reconderet . Sed hoc ad circulos intellectibiles.
Quanto etiam studio errantium siderum circulos aperuerit
dicere non pigebit. Qui cum intra mundum ferantur et
contra contendantur . quo tamen artificio viderentur scru-
tanti non defuit . In primis enim speram circularem effecit hoc est ex solis circulis constantem . In qua circulos
duos qui a grecis coluri a latinis incidentes dicuntur eo
quod in sese incidant complicavit. In quorum extremitati-
bus polos fixit . Alios vero quinque circulos qui a graecis
paralleli a latinis aequistantes dicuntur coluris transposuit .
ita ut a polo ad polum XXX partes spere medietatem divi-
deret. Idque non vulgo neque confuse . Nam de XXX
dimidie sperae partibus a polo ad primum circulum VI
constituit . a primo ad secundum V

     a secundo ad tertium IV

     a tertio ad quartum itid. IV

     a quarto ad quintum similiter V

     a quinto usque ad polum VI.

Per hos quoque circulos eum (aereum?) circulum obliqua-
vit . qui a Graecis loxos vel zone . a latinis obliquus vel vitalis
dicitur eo quod animalium figuras in stellis contineat. Intra
hunc obliquum errantium circulos miro artificio suspendit .
Quorum absidas et altitudines, a sese etiam distantias, .
efficacissime suis demonstravit . Quod quemadmodum fuerit ob prolixitatem hic ponere commodum non est . ne
nimis a proposito discedere videamur. Fecit preter hec
speram alteram circularem intra quam circulos quidem non
collocavit . sed desuper ferreis atque aereis filis signorum
figuras complicavit axisque loco fistulam trajecit . per quam
polus celestis notaretur . ut eo prospecto . machina coelo
aptaretur. Unde et factum est ut singulorum signorum
stelle . singulis hujus spere signis clauderentur. Illud
quoque in hac divinum fuit . quod cum aliquis artem .
ignoraret . si unum ei signum demonstratum foret absque
magistro cetera per speram cognosceret. Inde etiam suos
liberaliter instruxit . Atque hec actenus de astronomia.

In geometria vero non minor in docendo cui nihil
ante gallie scriptum habebant, quantus labor expensus sit .
sermo impar dicere non sufficeret . Cujus introductioni
abacum i. e. tabulam dimensionibus .aptam opere scutarii
effecit . Cujus longitudini in XXVII partibus diducte no-
vem numero notas omnem numerum significantes dispo-
suit . Ad quarum etiam similitudinem mille corneos efficit
caracteres . Qui per XXVII abaci partes mutuati cujusque
numeri multiplicationem sive divisionem designarent. Tanto
compendio numerorum multitudinem dividentes vel multi-
plicantes ut pro nimia numerositate pocius intelligi quam
verbis valerent ostendi . Quorum scientiam qui ad plenum

scire desiderat, legat ejus librum quem scriþit ad C (Con-
stantinum?) grammaticum . Ibi enim hec satis habundanter-
que tractata inveniet.

(Eodem tempore Emma Regina et Ad (Adalbero) L.
(Laudunensis) episcopus infames stupri criminabantur id
tamen latenter intendebatur . nullius manifesto intentionis
teste . Sed quia suppsse dictum ad omnium aures devene-
rat . episcopis visum est id esse discutiendum . ne frater
et coëpiscopus eorum infamie tante subderetur . A supra-
dicto G (Gerberto?) Metropolitano collecta est episcopo-
ruṃ synodus apud sanctam Magram, locum remorum
diocesaneum . considentes que et quaeque utilia pertra-
ctantes (baß Uebrige hat ber Buchbinder weggeſchnitten)﹒
(Fol. 36.) Fervebat studiis numerusque . discipulorum in
dies accrescebat . Nomen etiam tanti doctoris ferebatur
non solum per Gallias sed etiam per germanie populos di-
latabatur. Transiitque per alpes ac diffunditur in italiam
usque Thirrhenum et adriatidem . Quo tempore Otricus in
Saxonia insignis habebatur . Hic cum philosophi faṁam
audisset adverteretque quod in omni disputatione rata rerum divisione uteretur . agebat apud suos . ut alique rerum
divisarum figurae . ab scolis philosophi sibi deferrentur .
et maxime philosophie eo quod in rata ejus divisione per-
pendere ipse facilius posset . an recte is saperet . qui
philosophari videbatur . utpote in eo quos divinarum et
humanarum scientiarum profiteretur . Directus itaque est
remos . Saxo quidam . qui ad hec videbatur idoneus . Is
cum scolis interesset et caute generum, divisiones a Gerberto dispositas colligeret . in ea tamen maxime divisiene,
que philosophiam ad plenum dividit . plurimum ordine
abusus est . Etenim cum mathematice physica par atque
coeva a Gerberto posita fuisset . ab hoc mathematice eadem
phisica ut generi species subdita est . incertumque utrum
industria an errore id factum sit . Sicque cum multiplici
diversarum rerum distributione otrico figura delata est.
Quam ipse diligentissime revolvens . Gerbertum male divi-
sisse apud suos calumniabatur . eoquod duarum equalium
speciarum alteri alteram substitutam ut generi speciem
figura mentiebatur . Ac per hoc nihil eum philosophie per-
cepisse audacter astruebat . Illudque cum penitus ignorare
dicebat . in quo divina et humana consistunt . sine quibus
etiam nulli sit philosophandum . Tulit itaque ad palatium
figuram eandem et coram Ottone augusto iis qui sapientio-
res videbantur eam explicavit. Augustus vero, cum et ipse
talium studiosissimus haberetur, an Gerbertus erraverit ad-
mirabatur . Viderat etenim illum et non semel disputan-
tem audierat . Unde et ab eo predicte figure solutionem
fieri nimium optabat. Nec defuit rei occasio . Nam vene-

randus remorum metropolitanus Adalbero . post eundem
annum romam cum Gerberto petebat. ac Ticini Augustum
cum Otrico repperit. A quo etiam magnifice exceptus est.
ductusque per padum classe ravennam. Et tempore oppor-
tuno . imperatoris jussu omnes sapientes qui convenerant .
intra palatium collecti sunt . Affuit predictus reverendus
metropolitanus . Affuit et Adso Abbas Dervensis . qui cum
ipso metropolitano convenerat . Sed et Otricus presens
erat . qui anno superiore Gerberti reprehensorem sese
ostenderat. Numerus quoque scolasticorum non parvus in-
fluxerat, qui id negotium perpenderant . et ob hoc immi-
nentem disputationis litem summopere prestolabantur. Here-
bant etenim an eorum doctissimo otrico quispiam resistere
auderet. Nec non et augustus hujusmodi certamen haben-
dum callide pertractabat. Nitebatur autem Gerbertum in-
cautum Otrico opponere ut si incautus appeteretur majorem
controversandi animum in contrarium movere . Otricum
vero multa proponere . nihil vero solvere hortabatur.
Atque his omnibus ex ordine jussi (!) considentibus augustus eorum medius sic e sublimi coepit.

Humanam inquiens ut arbitror scientiam crebra medi-
tatio vel exercitatio reddit meliorem . quotiens rerum ma-
teria competenter ordinatur sermonibus exquisitis . per
quoslibet sapientes efferatur. Nam cum per otium sepissime
torpemus . si aliquorum pulsemur questionibus ad utillimam
mox meditationem incitamur. Hinc scientia rerum a doctis-
simis elicita est. Hinc est quod ab eis prolata libris tra-
dita sunt nobisque ad boni exercicii gloriam derelicta.
Afficiamur igitur et nos aliquibus objectis quibus et animus
excellentior ad intelligentie certiora ducatur. Et eia in
quam jam nunc revolvamur figuram illam, que nobis anno
superiore monstrata est. Omnes diligentissime eam adver-
tant dicantque singuli . quid in ea aut contra eam sentiant.
Si nullus extrinsecus indiget . vestra omnium roboretur
approbatione . Si vero corrigenda videbitur . sapientium
sententiis aut improbetur aut ad normam redigatur. Coram-
que deferatur jam nunc videnda. Tunc Otricus eam in
aperto proferens a Gerberto sic ordinatam et a suis auditoribus exceptam scriptamque respondit et sic a domno
Augusto legendam perrexit. Que perlecta ad Gerbertum
delata est . Qui diligenter eam percurrens in parte appro-
bat et in parte vituperare simulque non sic eam sese ordinasse asseruit. Rogatus autem ab Augusto corrigere ait .
quum o magne Caesar Auguste te his omnibus potiorem
video . tuis ut par est jussis parebo . Nec movebit me
malivolorum livor . quorum instinctu id factum est, ut
rectissima philosophie divisio probabiliter dilucideque a
me nuper ordinata unius speciei suppositione vitiata sit.

Non enim ignoro . quemcunque bonum calumniis malivolorum assidue insectari. Dico itaque mathematicam, phisi-
cam et theologiam eque vas eidem generi subesse . Earum
autem genus eis equaliter participare. Nec fieri posse
unam eandemque speciem una eademque ratione eidem
speciei et parem esse . et ut inferiorem ac si generi speciem subjacere . Et ego quidem de his ita sentio . Ceterum si quis contra hec contendat . rationem inde affectet .
faciatque nos intelligere . quod fortassis nature ipsius ratio
nemini adhuc contulisse videtur . Ad hec Otricus innuente
Augusto sic ait:

Quum philosophie partes aliquot breviter attigisti, ad
plenum oportet ut et dividas et divisionem exodes. (!) Sic
quoque fieri poterit . ut ex probabili divisione vitiose
figure suspicio a te removeatur. Tunc, quoque Gerbertus:
Cum hoc inquit magni constet ut pote divinarum et humanarum rerum comprehensio veritatis . tamen ut nec nos
ignavie arguamur et auditorum aliqui proficere possint,
secundum vitruvii atque boetii divisionem dicere non pigebit . Est enim philosophia genus cujus species sunt pra-
ctice et theoretice . Practices vero species dico . dispen-
sativam . distributivam . civilem . Sub theoretice vero non
incongrue intelliguntur . phisica naturalis, mathematica in-
telligibilis ac theologia intellectibilis rursusque mathematicam sub phisica non preter rationem collocamus Nisusque
quod reliquum erat prosequi Otricus subintulit:

Miror, inquiens vehementissime quod phisice mathematicam sub depropinquo subdidisti . cum inter utramque
subalternum genus intelligi possit phisiologia . Vitiosum
etenim valde videtur si nimis longe petita pars ad generis
conferatur divisionem .

Ad hec Gerbertus . Inde inquit vehementius mirandum
videtur, quod mathematicam phisice sue videlicet coeve ut
speciem subdiderim. Cum enim coeve sub eodem genere
habeantur . majore inquam admiratione dignum videtur, si
alteri altera subdatur. Sed dico phisiologiam phisice genus
non esse quemadmodum proponis, nullamque earum diffe-
rentiam aliam assero . nisi eam quam inter philosophiam
et philologiam cognosco . Alioquin philologia philosophie
genus conceditur . Ad hec scolasticorum multitudo philosophie divisionem interruptam indignabatur eamque repeti
apud Augustum petebat . Otricus vero post paululum inde
repetendum dicebat . prius tamen habita ratione de causa
ipsius philosophie intendensque in Gerbertum . quae esset
causa philosophie sciscitabatur. Qui cum a Gerberto in
Apertius quid vellet ediceret, rogaretur, utrum videlicet
causam qua inventionem an causam cui inventa debetur .
ille mox ipsam inquit causam dico . propter quam inventa

videtur. Tunc vero Gerbertus: Quum inquit nunc patet, quid proponas . ideo inquam inventam esse ut ex ea cognoscamus divina et humana. Et Otricus.: cur inquit unius rei causam? tot dictionibus nominasti cum ex una fortassis nominari potuit . et philosophorum sit brevitati studere? Gerbertus quoque, non omnes inquit cause uno valent nomine proferri. Et enim cum a platone causa creati mundi causam non una sed tribus dictionibus bona divina (dei) voluntas declarata sit, constat hanc creati mundi causam non aliter potuisse proferri . Nam si dixisset voluntatem causam esse mundi, non esset consequens. Quaelibet enim voluntas id esse videretur, quod non procedit.

Atque hic Otricus . Si inquit divinam voluntatem causam conditi mundi dixisset, brevius quidem et sufficienter dictum foret, cum nunquam nisi bona fuerit divina voluntas . Non enim est qui abnuat bonam esse divina voluntatem . Et . Gerbertus: in hoc inquit penitus non contradico . Sed vide, quia constat divinam substantialitatem solummodo bonum, quamlibet vero creaturam participatione bonam. ad ejus nature qualitatem exprimendam bona additum est. Quod id ejus proprium sit. nam etiam cujuslibet creaturae. (Fol. 37.) Tandem quicquid illud sit, id sine dubio constat, non omnia causarum nomina una dictione proferri posse. Quae enim tibi umbrae causa videtur? An haec una dictione indicari valet? Sed dico umbrae causam esse corpus luci objectum . Atque hec brevius nullo modo dici valet. Si enim corpus umbre causam dixeris, nimis commune protulisti. Quod si corpus objectum volueris id quoque tantum non procedit, quantum ab hac parte relinquitur. Sunt enim corpora nonnulla atque etiam diversis objecta, quae umbrae causa esse non possunt . Nec abnuo multarum rerum causas singulis dictionibus efferri veluti sunt genera quae specierum causas nemo ignorat . velut est substantia . quantitas . qualitas . Alia vero non simpliciter proferuntur at rationale ad mortale. Tunc vehementius Otricus admirans ait: an mortale rationali supponis? Quis nesciat quod rationale deum et angelum et hominem concludat? mortale vero utpote majus et continentius omnia mortalia et per hoc infinita colligat? Ad hec Gerbertus . Si inquit secundum porphirium atque boetium substantie divisionem usque ad individua idonea partitione perpenderes, rationale continentius quam mortale sine dubio haberes. Idque congruis rationibus enucleari in promtu est. Etenim cum constet substantiam genus generalissimum per subalterna posse dividi usque ad individua, videndum est an omnia subalterna singulis dictionibus proferantur. Sed liquido patet alia de singulis, alia de pluribus nomen factum habere . De singulis ut corpus, de pluribus ut animatum

sensibile . Eadem quoque ratione subalternum quod est
animal rationale predicatur de subjecto quod est animal
rationale mortale . Nec dico quod rationale simplex predi-
cetur de simplici mortali . id enim non procedit. Sed rationale inquam animali conjunctum predicatur de mortali
conjuncto animali rationali . Cumque verbis et sententiis
nimium flueret et adhuc alia dicere pararet , ab Augusti
nutu disputationi finis injectus est eo quod et diem pene
in his totum consumpserant et audientes prolixa atque con-
tinua disputatio jam fatigabat . Ab Augusto itaque Gerbertus egregie donatus cum suo metropolitano in Gallias clarus remeavit.

Beilage Nr. VIII.

(S. 90. n. 79.)

Ueber die Crescentier.

Stammbaum der Crescentier.

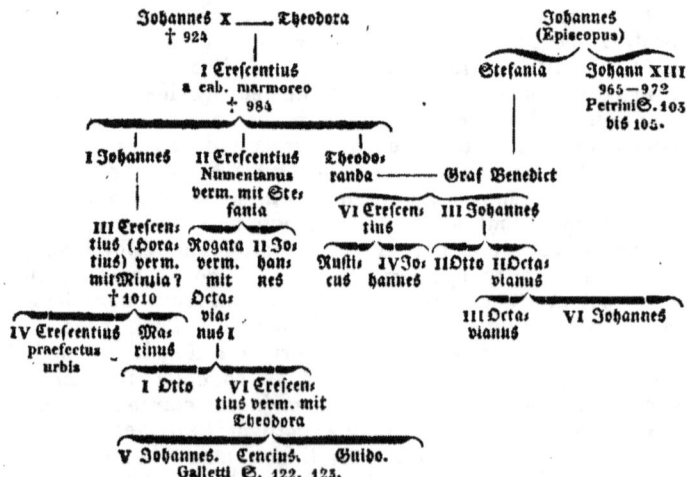

1) Crescentius caballi marmorei. Liutprand. VI. c. 6.
ad ann. 963.

Romae Benedictus Papa criminatus a Romanis et Crescentio Theodorae filio in castello Sancti Angeli custodia
mancipatus ibique strangulatus est. Hermann. contr. ad
ann. 974.

Offenbar bezieht sich auf keinen anderen, als auf ihn die
Grabschrift der Kirche des hl. Bonifacius auf dem Aventin
(S. Alessio). Baron. 996 XI.

Corpore hic recubat Crescentius inclytus ecce
Eximius civis Romanus, Dux quoque magnus.
Ex magnis magna proles generatur et alta
Joanne patre, Theodora matre nitescens.
Quem Christus animorum amans medicusque peritus
Corripuit languore pio, longaevo, ut ab omni
Spe mundi lapsus, prostratus limina sancti
Martyris invicti Bonifaci amplexus et illic
Se Domino tradidit, habitum monachorum adeptus.
Quod templum donis amplis ditavit et agris.
Hinc omnis, quicumque legis, rogitare memento,
Ut tandem scelerum veniam mereatur habere.
(Obiit) die VII mens. Jul. anno dominic. Incarn.
DCCCCLXXXIIII. C. R. M.

Täuscht uns nicht Alles, so war Crescentius die Frucht
der Liebe der Senatrix Theodora und des Ravennaten Johannes,
als Papst X 914 — 928, so daß gerade das Geschlecht
auserwählt war, die Päpste jeder Art mit Drangsalen heim-
zusuchen, das seinen Ursprung aus dem sündhaften Umgang
eines Papstes selbst empfangen hatte.

2) Der obigen Stelle des Hermanus Contr. sollte eigentlich eine andere desselben Autors vorhergehen:

ad ann. 969 — hoc tempore Rodfredus comes et Petrus
Praefectus cum aliis quibusdam Romanis Johannem
Papam (XIII) comprehensum et in castellum Sancti
Angeli retrusum et in exilium demum in Campaniam
missum per X et amplius menses affligunt, donec Rod-
fredo occiso a Johanne quodam Crescentii filio
ad suam Sedem vix tandem relaxatus rediret.

Ohne anzunehmen, daß dieser Johannes, welchen Andere zu
einem Bruder des Fürsten Pandulf von Capua machen, der
nach Leo Ost. II. c. 9 auch wirklich einen Bruder Johannes
hatte, woraus jedoch nicht folgt, daß dieser den Rodfred erschlagen habe, diesen Mord verübte, um die Rückkehr des
Papstes zu bewerkstelligen, da er höchst wahrscheinlich nur der
Herrschaft eines Fremden in der Stadt ein Ende machen wollte,
gewinnen wir hiedurch die einfache, aber wichtige Thatsache, daß
Crescentius einen Sohn hatte, welcher den Namen seines Groß-
vaters trug und wohl zu eben der Zeit auftrat, als sein Vater,
selbst languore longaevo correptus, keinen Antheil mehr an
den Geschäften nahm. Sonst wird dieser Johannes nicht wei-

ter erwähnt. Die Stammtafel besteht also bis jetzt folgender Maſſen:

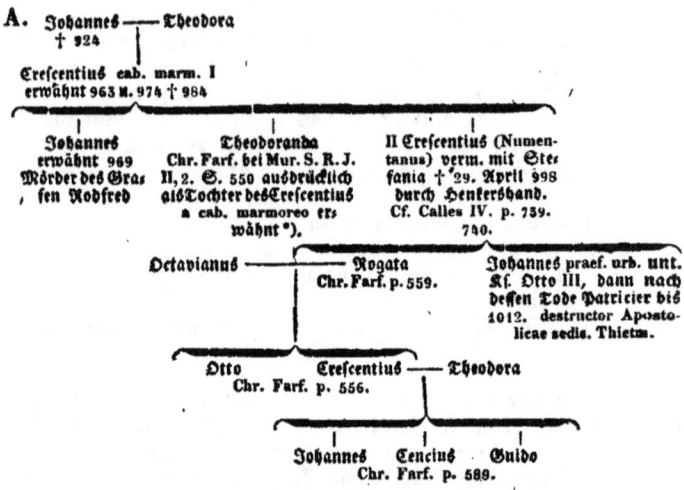

A. Johannes ——— Theodora
† 924

Crefcentius cab. marm. I
erwähnt 963 N. 974 † 984

| Johannes erwähnt 969 Mörder des Grafen Robfred | Theodoranda Chr. Farf. bei Mur. S. R. J. II, 2. S. 550 ausdrücklich alsTochter desCrefcentius a cab. marmoreo erwähnt *). | II Crefcentius (Numentanus) verm. mit Stefania † 29. April 998 durch Henkershand. Cf. Calles IV. p. 739. 740. |

Octavianus ——— Rogata
Chr. Farf. p. 559.

Johannes praef. urb. unt. Kf. Otto III, dann nach deſſen Tode Patricier bis 1012. destructor Apostolicae sedis. Thietm.

Otto   Crefcentius ——— Theodora
Chr. Farf. p. 556.

Johannes   Cencius   Guido
Chr. Farf. p. 589.

B. Fügen wir hier gleich die Kunde hinzu, welche wir aus Petrini memorie della citta di Palestrina S. 103 — 105 über die Abkunft dieses Grafen Benedict erhalten, so eröffnet ſich für uns die Genealogie eines neuen nicht weniger mächtigen Hauſes, als das der Crefcentier in Rom.

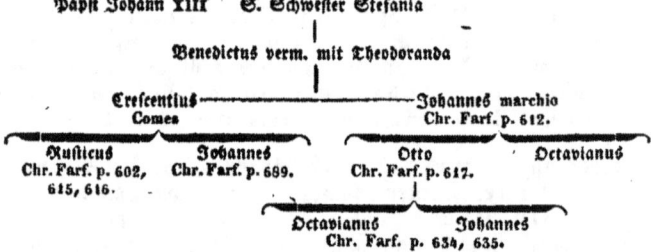

Papst Johann XIII   S. Schwester Stefania

Benedictus verm. mit Theodoranda

Crefcentius ——————————— Johannes marchio
Comes   Chr. Farf. p. 612.

| Rusticus Chr. Farf. p. 602, 615, 616. | Johannes Chr. Farf. p. 689. | Otto Chr. Farf. p. 617. | Octavianus |

Octavianus   Johannes
Chr. Farf. p. 634, 635.

3) Von dieſem zweiten Crefcentius konnte man noch zu den Zeiten des Cardinals Baronius auf dem Fußboden der

---

*) Da die Kinder dieser Frau als consanguinei des Crefcentius Numentanus erwähnt werden, von deſſen Herkunft jedoch keine weitere Nachricht Kunde giebt, so mag unſere Annahme, daß ſie ſeine Schweſter ſey, welche durch den gemeinschaftlichen Namen bekräftigt wird, wohl nicht zu gewagt ſeyn. Theodoranda ſelbſt war mit einem Grafen Benedict vermählt.

Kirche des hl. Pancratius an der aurelischen Straße die Grab=
schrift lesen. Sie lautet (Baron. 996 X):

Vermis homo, putredo, cinis, laquearia quaeris,
   His aptandus eris sed brevibus gyaris.
Qui tenuit totam feliciter ordine Romam
   His latebris tegitur pauper et exiguus
Pulcher in aspectu dominus Crescentius et dux
   Inclyta progenies quem peperit sobolem
Tempore sub cujus valuit Tyberinaque tellus *)
   Jus ad Apostolici valde quieta stetit
Nam fortuna suos convertit lusibus annos
   Et dedit extremum finis habere tetrum.
Sorte sub hac quisquis vitae spiramina carpis,
   Da vel huic gemitum, te recolens socium.

4) Nun wird aber noch ein dritter und vierter Crescentius
erwähnt. Der erste von diesen ist bekannt aus einer Grab=
schrift in der Diaconie der hl. hl. Cosmas und Damian.
(Baron. 996 XII).

Quisquis ab occasu properas huc, quisquis ab ortu,
   Axe vel a gelido sive calente polo,
Flecte precor geminos carmen lecturus ocellos,
   Sortis et humanae flebilis esto memor.
Et quod, amice, fuit, tumulo qui clauditur isto,
   Nunc cinis et pulvis quodque futurus eris.
Ei (Hi) mihi non vero Crescentius omine dictus
   Stamina cum nosset sors breviora sibi,
Ungue sed a tenero pietatis vomere sulcos
   Excoluit mentis semina grata serens.
Hospitibus tectum, nudis largitus amictum,
   Esuriam dapibus extulit, amne sitim
Sed eum ter denis subiit sex qui alter aristis,
   Quod terrae est, liquit sumere certus idem.
Sic tibi sit, cuncti post mortem talia reddant,
   Carmen in hoc tumulo quisquis amice legis.
Dic rogo dic lacrymis pietatis clausula Jesu
   Parce tuo famulo Ypsimemeta pie.
Obiit M. April. D. XXVI indict. VIII ann. Domin. incarn.
mil. X. Wer dieser Crescentius war, mögen Kundigere ent=
scheiden: aus seiner Grabschrift sehen wir nur, daß, wenn die
Geschichte seines Lebens uns auch nicht mit neuen Thatsachen
bereichert, er für sich doch den besten Theil erwählte. Da
was von ihm gesagt ist, auf keinen der bis jetzt erwähnten
Crescentier paßt, wollen wir sehen, ob das nächst folgende uns
nicht einigen Aufschluß zu geben vermag.

---

*) Dies muß sich auf die Verhältnisse Rom's unter P. Johann XV
beziehen.

5) Crescentius, des Horatius Sohn. In der Kirche der hl. Maria in Ara Cöli zu Rom befand sich folgende Grabschrift aus dem Jahre 1028:

Hoc jacet in parvo Magnus Crescentius antro,
    Qui fuit insignis nobilitate nimis;
Nomine praeclaro pater ejus Horatius eodem,
    Rebus qui miscuit . Consul in urbe fuit,
Qua nimium genitrix miro sermone Senatrix
    Mizina*) dicta fuit, maxima cum fuerit.
Haec vivam prolem summo dilexit amore,
    Planxit et hanc obitam semper eam memorans.
Hanc dolor hoc saxum faciebat adire venustum
    Et functae proli talia verba loqui :
O mihi care nimis fili laudate decore,
    Sanguine, fortuna, moribus atque tuis.
Ecce cinis pulvisque jaces, dulcissime nate,
    Spes patris atque decus, matris et apta salus.
Fili mi, tecum dum non sit corpore mecum
    Ferre tuum finem nec mihi morte libet.
Cui luctus cibus est et potus causa doloris,
    Suntque dies tenebrae, causa (que) mestitiae.
O tellus, caelum, freta cuncta plangite mecum,
    Vel mihi jam gemitum demite tam validum,
Aut cessent oculi sobolem lachrymando dolere,
    Seu mea ne rideant oculi (?) deficiant,
Flens ego tanta tibi describi Minzina feci
    Ut nostri Lachesis staminis arte ruat.
Anno milleno bis deno bisque quaterno
    Christus ut est dominus virgine progenitus.
Curreret undena cum tunc indictio plena
    Hic jussu domini carnis onus posuit,
Septembris decima cum lux foret ante calendas,
    Die legule precibus huic miserere Deus.

Hieß der Vater dieses Crescentius wie sein Sohn, so nannte er sich Horatius Crescentius, war aber, da nur die Mutter dem Sohne die Grabschrift setzen läßt und vom Vater erwähnt wird, er sey Consul gewesen, aller Wahrscheinlichkeit zufolge bereits vor dem Tode dieses Crescentius gestorben, was sich so gut mit den im Jahre 1010 verstorbenen Crescentius in Verbindung bringen läßt, daß wir nicht zweifeln, es ist dieser der in der Grabschrift n. 4 erwähnte (Horatius) Crescentius, Gemahl der Senatrix Minzina (die Kleine) und Vater des im Jahr 1028 verstorbenen Crescentius. Dieser aber, den die Grabschrift Magnus nennt, war wohl kein anderer, als der in Urkunden bei Galletti del primicero delle

---

*) Ein Johannes de Mincia wird in einer Bulle vom Jahr 1049 erwähnt. Ap. Ughelli I. p. 122.

santa sede erwähnte Crescentius praefectus urbis im Jahr
1011—1012, welcher einen Bruder, Namens Marinus, hatte.
(Cf. Gall. S. 10. 234. 243. 252.) Möglich, daß diese Brüder
die Söhne des (Horatius) Crescentius († 1010) waren, und
dieser selbst der Sohn des älteren Bruders des Crescentius
Numentanus, Johannes war. (Vgl. den Stammbaum). Auf
diese Weise haben wir den Stammbaum der Crescentier, soviel
er zu unserer Geschichte gehört, in einer Vollständigkeit vor
uns, wie er unseres Wissens bisher noch nicht entwickelt wurde.
Es bleibt nur noch übrig, auf das Verhältniß aufmerksam zu
machen, in welchem das Haus der Crescentier mit dem der
Grafen von Tusculum stand, welches von dem Ende des neunten Jahrhunderts bis weit über die Mitte des zehnten das
eigentlich herrschende in Rom gewesen ist. Denn gerade die
Crescentier waren es, die, nachdem die Macht der Grafen
durch das unruhvolle Pontificat P. Johanns XII gebrochen
worden war, sich in den letzten 25 Jahren des zehnten Jahrhunderts an ihre Stelle drängten und sich bis 998 auf dieser
Höhe erhielten. Durch den Sturz des zweiten Crescentius
gewann das Haupt der tusculanischen Grafenfamilie, Gregorius,
neue Kraft und behauptete sich gegen Kaiser Otto III und
P. Sylvester II beinahe als Gebieter von Rom. Erst in den
Unruhen, welche in ganz Italien nach dem Tode dieses Kaisers
ausbrachen, schwang sich Johannes, des hingerichteten Crescentius Sohn, von der Würde eines Stadtpräfecten zu der eines
Patriciers von Rom empor, in welcher er an König Heinrich II ein Gefäß mit Oel schickte, das unter dem Altar einer
Kirche in Rom (wahrscheinlich S. Maria in Trastevere, wie ich
mich von einer Inschrift daselbst entsinne) hervorgeflossen war.
In hoc signo, sagt Thietmar, der dieß erzählt, von diesem
Geschenke, clementiam rectoris nostri abundantem et illius
Patricii lasciviam latentem perpendo. Namque is Apostolicae sedis destructor muneribus suis et promissionibus
phaleratis regem a Domino constitutum palam saepe hono-
rificavit, sed Imperatoriae dignitatis fastigium hunc ascen-
dere multum timuit omnimodisque id prohibere clam tentavit. — Rex enim noster quamvis homo esset, zelum
Domini habuit et sanctarum violentas praedationes ecclesiarum fortis armatus vindicavit; hancque benignitatem nisi
caelitus sibi praestitam non habuit iste terrenus et natura
et actibus voragine coenulenta traxit in prae-
dam, quod multorum devota manus ad aram Apostolorum
pro peccatis congessit in hostiam. Qui cum non longe
post obiret, duplici ultione, ut vereor, confunditur et
domino Papae securitas regique nostro amplior potestas
aperitur. Dieß geschah im Jahre 1012 (cf. Baron. 1010. II.),
welches zugleich als der Zeitpunkt des höchsten Glanzes der
Crescentier angesehen werden muß, indem Johannes Patricier,

Crescentius aber Stadtpräfect war, zugleich aber auch als der Wendepunkt ihres Glückes, das mit dem Tode Johannes für immer dahin sank. Man sieht übrigens auch, daß Johannes sich durch das Schicksal seines Vaters nicht im Geringsten schrecken ließ, sondern das Hauptziel seines Geschlechtes, Verdrängung des Papstes wie des Kaisers, um die Herrschaft seines Hauses in Rom zu begründen, unablässig verfolgte. Die Chronik von Farfa erwähnt, wie Johann seine Neffen, die Söhne des Grafen Benedicts, die auf ähnlichen Pfaden wandelten und sich vorzüglich durch die Güter der Abtei Farfa bereicherten, begünstigte und hob. Aber sein früher Tod vernichtete seine ehrgeizigen und habsüchtigen Pläne und P. Benedict VIII, mit welchem sich die Reihe der tusculanischen Päpste wieder eröffnete, vollendete den Sturz des hochmüthigen und gottesräuberischen Hauses. Cf. Chr. Farf. 553. Seit dieser Zeit erhob es sich nie wieder zu bedeutendem Ansehen und Macht.

6) Es muß hier noch einer Inschrift an dem sogenannten Hause des Pilatus, auch Cola di Rienzo's, in Rom gedacht werden, von welcher in den Nachträgen zu dem dritten Bande der Beschreibung von Rom Erläuterung, sowie auch ein correcter Abdruck geschah. Da dieses Buch in Aller Hände ist, verweisen wir darauf und fügen nur hinzu, daß es dem gelehrten Herausgeber, H. Platner gelang, die früher geltenden Meinungen von den Besitzern dieses Hauses siegreich zu widerlegen und diese der Inschrift gemäß einem David, dem Sohne des Crescens und der Theodora zu vindiciren. Insofern verdient mein gelehrter Freund in seinen Forschungen vollkommen Beifall und Anerkennung. Wenn er aber nun weiter geht und S. 394 ausspricht, man könne in Crescens unmöglich einen andern als den großen Crescentius erkennen, der gegen Ende des zehnten Jahrhunderts Rom beherrschte, so müssen wir dieser Stelle nicht weniger widersprechen als der S. 674, wo H. Bunsen durch die Autorität des M. E. Curtius de Senatu Romano verführt, die Theodoranda und ihren Gemahl, den Grafen Benedict und den Octavian mit dem Erbauer des Hauses Nicolaus (nicht aber Nicolaus Crescentius) zu Kindern des Crescentius (Numentanus) macht. Gewiß eine nicht geringere Willkühr als die war, mit welcher man dieß Haus dem Cola di Rienzo zuschrieb. Denn

1. wird in der Inschrift nirgends Crescentius erwähnt; dieß ist aber so wenig einerlei mit Crescens, welches allein darin vorkömmt, als Constantius mit Constantin.

2. Ist uns aus keinem Zeugnisse bekannt, daß Crescentius Numentanus sich Crescens schrieb oder so genannt wurde, oder eine Gemahlin Theodora oder einen Sohn David oder Nicolaus hatte; Namen, welche, der Theodora's ausgenommen, in der ganzen Familie der Crescentier, der

Grafen von Tusculum nicht, ja im ganzen zehnten Jahr=
hunderte höchst selten oder nie vorkommen.

3. Wird die Gemahlin des Crescentius ausdrücklich Stefania
und nicht Theodora genannt. Vgl. oben die Stellen bei
Calles.

4. Gehören die gereimten Distichen, aus welchen die Inschrift
besteht, einem andern, als dem zehnten Jahrhunderte an,
wie zur Genüge aus den von uns mitgetheilten Grab=
schriften der Crescentierfamilie selbst und den bei Baron.
befindlichen Grabschriften P. Donus (972 I), des Metro=
politan Sergius (Bar. 977, III), P. Johanns XV, P. Gre=
gor's V, Sylvesters II, P. Johanns XIX (1009 II) ꝛc.
erhellt und noch aus einer Menge von Profaninschriften
dargethan werden kann.

5. Sollte jedoch Crescens mit Crescentius eins seyn und
muß dieser Crescens in einer Verbindung mit dem berühm=
ten Crescentius stehen, warum soll er dann nicht lieber der
bei Galletti in einer Urkunde erwähnte Crescentius Ge=
mahl der Theodora seyn, welche im J. 1061 als
Wittwe vorkömmt, und, obwohl unseres Wissens sonst
kein David als ihr Sohn erwähnt wird, die Mutter eines
Davids gewesen seyn kann, wenn anders, was Kundigere
entscheiden mögen, die Bauart des. Hauses mit der im
eilften Jahrhunderte üblichen übereinstimmt und nicht einem
späteren Zeitalter angehört.

Mit dem im Jahre 998 hingerichteten Crescentius hat,
wenigstens so lange man keine triftigeren historischen Zeug=
nisse vorbringen kann, diese Inschrift nichts zu schaffen. Ob
aber das Haus nicht in einer Verbindung mit der in einem
römischen Diplome vom Jahre 1019 erwähnten ara Crescentii de Arce, welche in fundum mola rupta
posita (sic!) steht? Von dieser scheinen jedoch die römischen
Topographen bisher vollständig Umgang genommen zu haben.
Wir überlassen ihnen daher diesen Punkt zur weitern reiflichen
Untersuchung.

Beilage Nr. IX.
(S. 109. n. 23.)

Ueber Abbo's Reise nach Rom.

Ich bin in Bestimmung der Chronologie über Erzbischof
Arnulf's und Gerbert's Wahl und Absetzung der dissertatio
de conciliis in causa Arnulfi R. A. ante annum 988 habitis
(Mansi XIX p. 90) gefolgt; nur schwankte ich in der Bestim=
mung des Jahres, wann Abbo die Reise zu dem Papste unter=

nommen haben sollte. Der Grund, welchen Mansi anführte, die Reise in das Jahr 997 zu verlegen, genügte mir deßhalb nicht, weil auch er, wie Bouquet, Mabillon etc. durch das Ansehen des Biographen des hl. Abbo, Aimoins sich verleiten ließ, die Absendung Abbo's als erst nach dem Tode K. Hugo's erfolgt darzustellen. (Mansi p. 92.) Wann aber dieser erfolgte, ist bekanntlich zum Gegenstand eines gelehrten Streites geworden. Während Bouquet mit Baronius ihn in das Jahr 998 verlegen, setzt ihn Mabillon (praef. 1. ad saec. VI) und Pagi ad Baron. 998 I in das Jahr 996. Wären aber die Belege, mit welchen die beiden letztern ihre Ansicht vertheidigen, auch weniger von diesen Gelehrten motivirt worden, so müßte, selbst abgesehen, ob das Todesjahr des K. Hugo in das Jahr 996 oder 998 fällt, dennoch das Jahr 997 als die Periode angesehen werden, in welcher Arnulf bereits aus dem Kerker entlassen war und seine erzbischöflichen Functionen wieder angetreten hatte. Der Beweis dafür beruht in der Chronik von Mouson, wo die Synode gehalten wurde, auf welcher Gerbert abgesetzt worden war (d'Achery spicil. II. p. 572. ed. Basnage). Dieses Chronikon, offenbar von mehrern Verfassern gemacht, welche Dinge, die sie erlebten, dahinein eintrugen, erzählt, nachdem es den 13. cal. Jul. 997 erfolgten Tod des Abtes Lietald berichtet: et 3 cal. ejusdem mensis ab Arnulfo Remorum Archiepiscopo substitutus et ordinatus est eidem loco Boso Abbas secundus. Da nun aber die Wiedereinsetzung Arnulf's, sie mag fallen in welches Jahr es immer sey, zunächst den Unterhandlungen Abt Abbo's mit dem Könige, um eben jene zu erlangen, dann Abbo's Rückkehr aus Italien, dieser selbst dessen Reise dahin und der Aufenthalt P. Gregor's in den Thälern von Spoleto vorhergehen, die dieser wohl schwerlich in dem Monat December und Januar besucht haben wird; da ferner die Ordination des Abt Boso nicht als erste Handlung des wieder eingesetzten Erzbischofs erwähnt wird und auch nicht gerade als solche gedacht werden muß: so ist also, alles dieß erwogen und ohne der Sache irgend einen Zwang anzuthun, Anfang November oder Ende October des Jahres 996 wohl der füglichste Zeitpunkt, in welchen die Absendung Abbo's gesetzt werden darf. Es ist kein Grund vorhanden, zu bezweifeln, warum der Papst nicht im Monate November noch in diesen Thälern verweilt haben sollte; bis gegen Ende December konnte Abbo wieder nach Frankreich zurückgekehrt seyn und nun bleibt noch der Zeitpunkt von beinahe 7 Monaten, oder wenn wir das Concil von Pavia, das jedenfalls vor Juli 997 gehalten wurde und zu dessen Zeit Arnulf schon wieder eingesetzt war, in den Monat Juni verlegen, wenigstens 6 Monate übrig, in welchen Abbo dem Könige die Aufträge des Papstes melden, K. Robert den Befehl zur Wiedereinsetzung Arnulf's geben und Abbo den Brief über die erfolgte Einsetzung desselben schreiben konnte, welcher seinem Inhalte nach zwar nicht ganz unmittelbar nach dieser Begebenheit, wohl aber, da von dem Concil von Pavia und den Beschlüssen der französischen Bischöfe, daselbst nicht zu erscheinen, ebenso wenig als von der Flucht des Papstes aus Rom (Mai 997) Erwähnung geschieht, doch vor Mitte Mai (als dem äußersten Zeitpunkte, in welchem dieses Ereigniß in Frankreich bekannt seyn mußte) geschrieben wurde, welchem gemäß Arnulf also auch vor Mitte dieses Monates schon wieder eingesetzt worden war. Nimmt man nun nach den unwiderleglichen Beweisen Mabillon's und Pagi's den 24. Oct. 996 als den Todestag K. Hugo's und, nach unseren Belegen Mitte Mai als den äußersten Termin der Wiedereinsetzung Arnulf's an, so ergibt sich also die Absendung Abbo's von selbst als eine Frucht ebensowohl der Furcht K. Robert's, Frankreich mit dem Interdicte belegt zu sehen, als des Todes K. Hugo's, des Hauptfeindes Arnulf's, wie seines ganzen Stammes.

Wir fügen noch eine Stelle aus dem Coder der historia Richeri Remensis hinzu. Diese selbst hört mit der Beendigung des Concils von Mouson auf; es folgen aber noch auf dem letzten Blatte, einige jedoch höchst unleserliche Zeilen, welche uns eine Nachricht mittheilen, die unsere Ansicht dieser Sache begründen hilft.

. . . . Gerbertum consulit ac ab eo confutatur. Alia sinodus . . . . racionaturus vadit ac ibi ratione pape data . cum nullus accu . . .

Dann folgt von anderer Hand mit anderer Tinte: XI saec.

Hugo rex populis toto corpore conjectus in oppido hugonis judeis (sic) extinctus.

Robertus rex patri succedens suorum consilio hertam duxit uxorem . ea usus ratione . quia melius sit parvum aggredi malum . ut maximum penitus evitetur, Robertus rex ducta berta uxore . in fulconem qui odonis adversarius fuerat fertur . et ab eo urbem turonicam et alia quae pervaserat vi recipit. Robertus rex in Aquitania ob nepotem suum Wilelmum obsidione Hilde . . . . Gerbertus iterum Romam adit ibique cum moram faceret Arnulfus a Roberto rege dim (ittitur) Gerbertus cum Rotberti regis perfidiam adnosceret Ottonem regem frequentat et patefacta sui ingenii peritia episcopatum ravennatensem ab eo accipit . Gregorius papa tandiu promittit arnulfo officium sacerdotale, donec in tempore rationabiliter aut legibus adquirat aut legibus amittat.

(sequitur:
Libellum quem hoc anno prestitistis de medicina et de speciebus metallorum quando in armario simul fuimus mihi — mittetis).

Gerbert kam mit Kaiser Otto im Mai 996 nach Rom und
blieb wohl daselbst, da wir keine Nachrichten über einen son=
stigen Aufenthalt haben, bis ihn entweder seine Krankheit
oder die Vertreibung des Papstes oder die bereits erfolgte Be=
freiung Arnulf's veranlaßte, Rom zu verlassen. In dieser Zeit
also befreite K. Robert — wobei freilich die Bemühungen des
Papstes verschwiegen sind, aber doch K. Robert, nicht König
Hugo, den gefangenen Erzbischof; es scheint aber kein Grund
vorhanden zu seyn, warum wir dieses cum moram face=
ret, nicht noch in das Jahr 996 zu setzen haben. Hiemit fällt
sodann die letzte Einwendung gegen unsere chronologische
Annahme hinweg.

Beilage Nr. X.
(S. 115. n. 34.)

Die königliche Bibliothek zu München enthält aus der
Handschriften = Sammlung von St. Emmeran eine passio
St. Adalberti auf Pergament geschrieben, mit demselben An=
fange wie die vita I. in den AA. SS. Boll. ad 23. April.
Da sie sehr einfach und schmucklos gehalten ist, so glaubte ich,
obwohl die Schrift das dreizehnte Jahrhundert beurkundet,
in den Besitz einer späteren Copie der ältesten und eigent=
lich genuinen vita S. Adalberti gekommen zu seyn. Dieß
könnte aber nur dann seyn, wenn man annehmen dürfte, der
der passio oder vita angehängte Theil von den Mirakeln des
hl. Adalbert, welcher fol. 26. b. eine Thatsache aus dem Jahre
1247 erwähnt, sey zu dem älteren hinzugefügt und nur dieser,
nicht aber die passio das Werk des dreizehnten Jahrhundertes.
Da aber für diese Annahme der Grund einfacherer Darstellung
der auch in der vita L. enthaltenen Thatsachen nur dann ange=
führt werden dürfte, wenn er durch einen anderen und ganz
sicheren, nicht aber durch eine Hypothese unterstützt werden
würde, so wollen wir lieber die Hoffnung, die wir hegten,
selbst für eine Täuschung erklären, als das ohnehin schon über=
große Reich künstlicher historischer Ansichten durch eine neue
Hypothese vermehren. Der erwähnte Coder trägt die Nummer
B. XXV. fol. membr.

Beilage Nr. XI.

(S. 128. n. 16.)

Ueber den Gegenpapst Johannes und die Rebellion des Crescentius.

Da die Aussagen der Schriftsteller über diesen Abschnitt nicht vollkommen übereinstimmen, ist es zur Förderung der Wahrheit dienlich, ihren critischen Werth zu untersuchen. Ich fange mit dem
1) Chron. Estense bei Muratori S. R. J. III. 2. p. 337 an. Dieses Chron. stammt ursprünglich aus dem Coder des Cencius i. e. des Presbyter Albinus her, und gehört zu den genuinsten Quellen der Papstgeschichte. Es enthält nie viele Nachrichten; diese aber sind werthvoll und in der Regel so gegeben, daß Inhalt und Abfassung ihre Aechtheit verbürgen. Der, oder besser gesagt, die Verfasser waren Römer, wie nicht nur aus mehreren Begebenheiten hervorgeht, die nur Römer wissen konnten, als auch daraus, daß der Coder ursprünglich römisch ist. Daß sich manchmal chronologische Unrichtigkeiten finden, schwächt seinen Werth deshalb nicht, weil eine critische Vergleichung mit den ältesten Handschriften noch nicht möglich war. Es erzählt:

Gregorius V sedit annum (os) I (II) mens. V et foras eum ejecerunt et Johannem Graecum elegerunt. Sed voluntate Dei Romam rediit atque cum magno honore susceptus est. Et apprehendere fecit illum scelestum invasorem et fecit ei oculos eruere et nasum cum lingua abscindere et in asello sedere, faciens per totam Romam fecit eum circumduci cum utre in capite.

2) Nicht minder genuin, aber nur für eine sehr kurze Epoche etwas ausführlich, ist der catalogus S. Pontificum bei Eckhard II.

Bruno qui et Gregorius, ex patre Ottone duce, matre Juditta, qui et nepotem suum III Ottonem statim Papa factus Imperatorem ordinavit, sedit a. II. m. IX, cui rebellans Crescentius in castello S. Angeli captus et truncatus per pedes in monte malo suspensus est. Cujus sedem Johannes Graecus cognomento Philagathos Episcopus Placentinus invasit. Sed ab Ottonis Vassore Birthilone correptus amputatis naribus et lingua effossisque oculis in asino caudam ejus tenens satis irrisorie per totam Romam ductus est.

Man sieht, diese Chronik erläutert bereits das fecit, faciens, fecit, der ersten, welche den Papst als Oberherrn von Rom erkennend, ihm alles zuschreibt, was zur Criminaljustiz

gehörig, in Rom vorfiel. Es ist deshalb zwischen den beiden
Stellen kein Widerspruch, sobald man sie, was zum Verständ=
niß einer jeden Sache gehört, in dem Sinne des Verfassers
und seiner Zeit auffaßt. Was das circumduci cum utre be=
trifft, so war dieß eine römische Sitte, welche wir bereits unter
P. Johann XIII an dem Präfecten Petrus ausgeübt sehen, und
also nicht eine Erfindung des deutschen Papstes. Nachdem ein=
mal Birthilo den Johannes ergriffen und verstümmelt hatte,
ließ sich das Volk nicht nehmen, sich durch seinen Umzug in der
Stadt das gewöhnliche Fest zu bereiten, dessen grausame
Satyre damals um so natürlicher war, als kalte Ironie noch
jetzt zu den Hauptzügen des römischen Charakters gehört.

3) Wir verbinden damit Stellen aus der Chronik Ber=
nard's Guidonis (cod. Vatic. n. 2040), welche zwar in Hin=
sicht auf die Zeit ihrer Abfassung, da der Verfasser gegen Ende
des dreizehnten und im Anfange des vierzehnten Jahrhundertes
lebte, nicht hieher gezogen werden dürfte; da sie aber ihrem
Inhalte nach aus verschiedenen Chroniken zusammengesetzt ist,
die, wie die des Bibliothekars Wilhelm, zum Theile in frühere
Zeiten heruntergehen, so enthält sie oft Nachrichten, die nicht
umgangen werden dürfen. Sie erzählt cod. cit. p. 67:

Gregorius V natione Saxus ex patre Othone cepit a. Dei
996, sedito annis II. m. 5, vacavit sedes dies XV. hic
prius dictus Bruno, cum esset consanguineus Othonis
M. ad instantiam imperatoris est in papam electus.
Sed post parvum tempus Crescentius consul urbis Pla-
cencium Episcopum de legatione Constantinopolitana
cum magna pecunia redeuntem in papatum intrusit.
Sed hoc factum per Imperatorem gravem ultionem recepit. In cronica Martini scribitur, quod Otho III Romam veniens ab isto Gregorio Papa coronatus est in
Imperatorem.

Johannes XVII natione Graecus Placentinus Episcopus
cepit a. Dei 999, sedit menses 10. In altera cronica
dicitur *) menses 5. vacavit sedes dies 20. hic nihil
constituit et vivente Papa Gregorio per consulem urbis
papatum habuit dando pecuniam, sed post per Imperatorem exoculatus fuit et consul decapitatus.

Man sieht, daß per Imperatorem in keinem anderen Sinne
gebraucht werden kann, als das fecit etc. in n. 1. vom Papste.
Wichtig ist die Angabe, der Grieche Johannes habe durch offene
Simonie von Crescentius die päpstliche Würde erlangt.

4) Hören wir nun Thietmar und die übrigen Geschicht=
schreiber der sächsischen Kaiserzeit:

----

*) Dieß entstand aus Verwechslung mit Johann XVIII, dem Nachfol=
ger Sylvesters II.

A. **Thietmar**: Crescentius autem Romae absente Papa
praedicto, qui post benedictionem Gregorius vocabatur,
Johannem Calabritanum, Theophanu Imperatricis dile-
ctum quendam comitem et tunc Placentinum antistitem
substituit et sibi imperium tali praesumtione usurpavit,
immemor j u r a m e n t i et magnae pietatis ab Ottone
Augusto sibi illatae . Insuper nuncii ejusdem (Ottonis)
a praedicto invasore capti diligenter custodiae tradun-
tur . Imperator mox ut haec audivit isto properans
Domnum Apostolicum sibi obviare per internuncios po-
stulavit . Johannes autem s u p p l a n t a t o r his appropin-
quantibus fugit, sed postea a fidelibus Christi et Caesaris captus, linquam cum oculis et naribus amisit.
Crescentius vero Leonianum ingressus claustrum, Imperatori resistere frustra tentavit . Namque Imperator
dominicam resurrectionem Romae celebrans post festi-
vos dies instrumenta bellica praeparans post Albas do-
mum Diederici, ubi ille perversus sedebat . Ekkichar-
dum Marchionem impugnare jussit; qui eandem per .
dies et pernox lacessere non desistens, tandem per
machinamenta alte constructa ascendit et eundem de-
collatum voce imperatoria per pedes laqueo suspendit
et timorem cunctis praesentibus ineffabilem intulit.
Gregorius autem Papa cum magno honore inthroniza-
tur et Caesar sine omni infestatione deinceps dominatur.
B. Annales Hildesh. 996 — non multo post Imperatore
Urbe excedente idem Crescentius Dominum Apostolicum nudum omnium Romana urbe expulit — ad a. 997.
Papa Ticini adunato plurium Episcoporum concilio
praefatum Crescentium anathemate perculit. Interea
Johannes, Placentinus Episcopus Constantinopoli reme-
ans, Romam intromissus Apostolicam sedem factione
Crescentii invaserat, unde ab universis Episcopis Italiae, Germaniae, Franciae et Galliae excommunicatur.
C. Mit diesen beiden stimmen der Annalista und chronographus Saxo in dem Wesentlichen überein. (Ueber sie
selbst vgl. Sonßen p. 106 u. 107); nur führt der letztere
nebst einem kurzen Lebensabrisse des Griechen Johannes
den Grund an, welchen seine Verfolger hatten, ihn zu miß-
handeln, sie fürchteten nämlich, ne, si eum ad Augustum
destinarent, impunitus abiret. Leibn. access. I, p. 208.
D. Der Mailänder Arnulf Mur. S. R. It. IV., von welchem
sein Landsmann Landulf schreibt — quae omnia cum Ar-
nulphus vir per omnia curiosissimus seriatim et studiose
inquireret, ut Romae gesta erant, cuncta in veritate
comperuit — schrieb, obwohl mehr als 70 Jahre nach
diesen Begebenheiten, hist. Mediol.
c. 11. Interim regnante Ottone tertio cum, matre Graeca

quidam Graecus, Graecae dominae Capellanus, factus
est Placentinus Episcopus, de quo dictum est, quod
Romani decus Imperii astute in Graecos
transferre tentasset. Si quidem consultu et ope
quorundam civium Romanorum, praecipue Crescentii
cujusdam praedivitis, Apostolicam sedem jam violenter
invaserat, dejecto eo, qui tunc insederat venerabili
Papa . Quo audito palam relicta Suevia venit Otto fe-
stinus Italiam.

c. 12. Nec mora; consilio habito cum optimatibus regni
Romanorum arripuit iter cum legionibus Latinorum ac
Teutonicorum, terrefaciens cuncta in circuitu loci. Ad
cujus introitum Roma concutitur universa. Graecus
ipse misericordiam clamat, Crescentius vero rebellio-
nem parat, tiberina S. Angeli munitus in arce . hunc
Imperator undique obsidione circumdat, omnibus belli
machinis quotidie oppugnans, donec pacto utrum-
que composito illius se tradidit potestati . Qui statim in prato Neroniano jussus est decollari. Stephania
autem uxor ejus traditur adulteranda Teutonibus .
Pseudopapa vero Graecus effossis oculis, abscissis naso
et auribus dorso asinae retroversus manu tenens caudam totam distrahitur per urbem . Sic Roma ante mo-
bilis Regis quievit in oculis.

Vergleicht man diese verschiedenen Erzählungen der Einen
Sache unter einander, so erhellt vor Allem das Resultat:

1. Den späteren Arnulf ausgenommen, herrscht in den Angaben dieser Schriftsteller kein Widerspruch, sondern das
Stillschweigen des Einen wird durch die Angabe des Andern ergänzt, und was der Eine nur so obenhin berichtet,
erzählt der Andere ausführlicher.

2. In der Zwischenzeit aber von Thietmar's Tode (1018.
Contzen p. 52) bis zur Abfassung von Arnulf's Geschichte
von Mailand, was nicht vor 1080 geschah, haben sich den
früheren Nachrichten widersprechende Berichte gebildet, wozu
vor Allem der eines Vertrages zwischen dem Kaiser und
Crescentius gehört. Die erste Nachricht darüber gibt wohl
der hl. Petrus Damiani in der Geschichte der Bekehrung
des Tamnus in der um das Jahr 1047 geschriebenen vita
S. Romualdi c. 25. Nach ihm hatte Tamnus, der Vertraute des Kaisers, in dessen Auftrag dem Crescentius
einen Eid persönlicher Sicherheit geschworen, der Kaiser
aber unter Beistimmung des Papstes diesen nichts desto
weniger hinrichten lassen; Romuald aber, welcher den Kaiser bei der Belagerung von Tivoli traf, erst dem Tamnus
zur Strafe befohlen, die Welt zu verlassen und ins Kloster zu gehen, dann auch dem Kaiser geboten, er solle zur
Buße auf den Berg Garganus wallfahren. An einer an-

deren Stelle äußert sich dann Petrus Damiani nochmal
über diese Begebenheiten: ep. I, 21. hier erzählt der ehrwürdige, jedoch etwas leichtgläubige Mann, die Römer
hätten den Gegenpapst auf die bekannte Weise verstümmelt, dann aber — obwohl ihm die Zunge fehlte — ihn
zu singen gezwungen: solch eine Strafe soll jeder erleiden,
der den römischen Papst aus seinem Sitze zu vertreiben
strebt. Ohne Zweifel bekehrte der Heilige den Tamnus,
der nachher Mönch und Märtyrer wurde; es ist auch kein
Grund vorhanden, zu zweifeln, daß der hl. Romuald, welcher, als er in seiner Jugend von seinem Vater gezwungen
worden war, an einem Streite thätigen Antheil zu nehmen, dafür eine Buße wie für einen Todschlag auf sich
nahm, dem Kaiser auch nur für die anbefohlene Hinrichtung eines Schuldigen eine geistliche Uebung zur Buße
auflegte, welcher sich dieser wohl auch ohne dieß unterzogen
haben würde. Andererseits aber, wenn Romuald dem
Tamnus, welcher nach der Erzählung ja nur Werkzeug zu
dem Betruge war, als Buße aufgab, Mönch zu werden,
mußte er, vor dem kein Unterschied der Person war, dem
Kaiser nicht eine noch stärkere auflegen? Es ist ferner
merkwürdig, daß fast alle Schriftsteller, welche von der als
gleichlautend dargestellten ächten Darstellungsweise dieser
Begebenheiten abweichen, in der Regel auch das Mährchen
von dem unerlaubten Verhältnisse des Kaisers mit des
Crescentius Wittwe adoptiren. Es ist nur Schade, daß sie
noch keine Ahnung von den schönen Dichtungen hatten,
welche auf ihre Berichte hin Gottfried von Viterbo erst
von Otto's II Blutmahlzeit zu Rom, dann von der Gemahlin Otto's III und der Verbrennung des ungenannten
Grafen zu erzählen wußte. Es ist ein gewaltiger Unterschied zwischen der poetischen und der eigentlich historischen
Geschichte des Mittelalters, die, beide gleich schön, in kri-
tischen Zeiten wohl geschieden werden müssen, gerade aber
gegen das Ende des zehnten Jahrhunderts hin fast unaus-
scheidbar in einander greifen. Wilhelm von Malmesbury,
Gottfried von Viterbo, Martinus Polenus u. A. haben das
Ihrige gethan, die poetische Anschauung des früheren Mittelalters hervorzubringen, welche in dem zwölften und dreizehnten Jahrhunderte die bereits überwiegende geworden
war und, obwohl sie sich fast in jeder Städtechronik findet,
dennoch uns nicht mehr bestimmen kann, poetische Ausschmückungen für Wahrheit anzunehmen. Um dieselbe Zeit,
in welcher Petrus Damiani die Lebensbeschreibung des hl.
Romuald's verfaßte, schrieb Rudolf der Kahlkopf (Glaber)
seine 5 Bücher Geschichten, deren erstes c. 4 eine weit-
läufige und durchaus nicht ungegründete Erzählung der
Belagerung der Engelsburg durch Kaiser Otto III enthält.

Nach ihr befahl der Kaiser, (d. h. was des Kaisers Leute
thaten, wurde dem Kaiser zugeschrieben) dem gefangenen
Gegenpapste Hände und Ohren abzuhauen und die Augen
auszustechen; den Crescentius aber, welcher nach einem
vergeblichen Versuche, die Gnade des Kaisers zu erlangen,
verwundet gefangen worden war, ließ Otto von der Höhe
seines Thurmes herabstürzen, dann mit Ochsen durch die
schmutzigen Gassen schleifen, und endlich an einem hohen
Galgen aufknüpfen. Irren wir uns nicht ganz, so ist diese
Erzählung der Grund des vermeintlichen Wortbruches, so
wie sie auch die Lösung der von uns gemachten Einwürfe
gegen den Bericht Damiani's gibt. Ein anderer Schriftsteller, welcher einhundert Jahre nach Kaiser Otto lebte,
Bonizo (lib. IV. p. 800), und der diese Verhältnisse wohl
eben so gut kennen mochte, als Arnulf und Petrus Damiani, erwähnt ebenfalls nichts von einer gebrochenen
Capitulation, sieht aber in dem frühen Tode des Kaisers
eine Bestrafung wegen der von ihm befohlenen Verstümmlung des Gegenpapstes. Hingegen weiß Leo von Ostia,
gleichfalls am Ende des eilften Jahrhundertes, zu erzählen, wie der Kaiser den Crescentius sacramento deceptum
cepit et mox quasi reum majestatis capite obtruncavit.
II. c. 18. Aehnliches erzählt der ältere Landulf, der sich
hiebei auf Arnulf beruft. Bei Leo aber ist es mehr als
wahrscheinlich, daß er die vita B. Romualdi vor sich hatte.
So häuften sich, je weiter die Zeit von dieser Begebenheit
fortschritt, Ausschmückungen und Hinzusetzungen, die die
ursprüngliche Wahrheit entstellten.

Es muß hier noch von einem Documente geredet werden,
welches über die Ereignisse des Schisma's vom J. 997 — 998
nicht unwichtige Nachrichten enthält. Es sind dieß die ursprünglich griechischen Acta S. Nili, welche der Cardinal Baronius in lateinischer Uebersetzung seinen Annalen einverleibte.
Man hat ihre Aechtheit zu bestreiten gesucht; aber was kann
man nicht alles bestreiten und verdächtigen? Daß sie mit einer
gewissen Abneigung gegen P. Gregor, und mit einer gewissen
Vorliebe für alles Griechische geschrieben sind, ist sichtbar; aber
wenn dieses ein Grund seyn dürfte, ihnen ihre Aechtheit und
sonstige Glaubwürdigkeit abzusprechen, wie stünde es dann mit
den Quellen der Geschichte? Warum wollen wir nicht vielmehr durch eine Vergleichung mit den übrigen Quellen sie des
subjectiven Gewandes entkleiden, das ihnen ihr Verfasser gegeben hat, und, da dann alle Zeugnisse der Gleichzeitigkeit, der
Autopsie c. für sie sprechen, sie als recht wohlthuende Bereiche-
rung des historischen Materials dieser Zeit gelten lassen und
benützen? Ueber Crescentius berichten jedoch diese Acta nichts,
obwohl es sehr wahrscheinlich ist, daß wenn jene Treulosigkeit
von Seite des Kaisers vorgefallen wäre, der Verfasser diese

Gelegenheit, den Sturz des griechischen Gegenpapstes noch tra=
gischer zu machen, nicht unbenützt hätte vorübergehen laffen.

Nach den hier entwickelten Forschungen und daraus her=
vorgegangenen Resultaten ist der Text verfaßt worden. Wir
verbinden damit einen weiteren Excurs über

den Tod Papst Gregor's V.

Baron. 996 XVIII ex actis S. Nili: Non multos post
dies (nach der Abreise Abt Nili aus Rom) Papa (Gregorius)
quasi tyrannus quidam inde (Roma) vi ejectus fuit (ut a
quibusdam audivi, qui haec dicebant) et oculis
orbatus sepulturae traditus fuit.

Vita S. Meinwerci c. 10: Bruno autem qui et Gregorius ab eo (Ottone III, nach der Vertreibung durch Crescen=
tius) restituitur, sed post discessum ejus a Romanis expulsus ac deinde veneno peremtus est, postquam annos ferme
2 et menses 9 Romanam ecclesiam rexerat.

Thietmar, et Chronogr. Saxo p. 208. — Dominus Papa
Gregorius sedem Apostolicam honorifice recepit eam usque
ad obitum libere insedit.

Zum Verständniß der erften Stelle ist nothwendig zu
wiffen, daß der Biograph des hl. Nilus, welcher diesen ein
Gottesgericht über den Papst anrufen läßt, und nun genöthigt,
sich nach einem solchen umzusehen, in der Erzählnng unbekann=
ter Menschen über das tragische Ende P. Gregor's ein solches
findet. Judicia Domini sunt imperscrutabilia. P. Gregor
handelte allerdings in der Bestrafung des Johannes etwas
rasch; aber ob ungerecht, ist dennoch die Frage, sowie nicht
minder, ob dem frühen Tode P. Gregor's wie P. Sylvesters
und des Kaisers selbst nicht andere Ursachen, wohl gar eine
von der Vorsehung beabsichtigte Hemmung der von diesen
Oberhäuptern der Christenheit ausgehenden Bewegung zum
Grunde hat. Die Acta laffen also den Papst an seinen Wun=
den sterben, wie es dem Gegenpapste widerfahren; der Bio=
graph des hl. Meinwerk, welcher aller Wahrscheinlichkeit nach
(Conzen S. 157) im dreizehnten Jahrhunderte lebte, schreibt
seinen Tod erhaltenem Gifte zu; beide aber berich=
ten eine neue Vertreibung. Daß der chronographus Saxo,
welcher diesem Allem widerspricht, und wohl vor dem Biogra=
phen des hl. Meinwerk lebte, genuine Quellen zur Geschichte
des zehnten Jahrhunderts nicht nur benützte, sondern wahrhaft
ausschrieb, ist aus den neuesten Forschungen so bekannt, wie
die Glaubwürdigkeit Thietmars. Nun ist aber auch das ein=
stimmige Stillschweigen aller übrigen Schriftsteller dieser Pe=
riode, in einer Sache, von der sie eben so sehr wiffen, als da=
von reden mußten, ein Grund, welcher nicht nur der Erzählung
jener Männer in den Actis S. Nili das Gleichgewicht hält,
sondern auch im Vereine mit den ausdrücklichen Worten Thiet=
mar's, troß der Möglichkeit der Sache, die Glaubwürdigkeit

der Acta wie der vita S. Meinwerci für diefe befondere Stelle fchlagend vernichtet. Würde noch ein Zweifel darüber walten, fo hebt ihn wohl auch die Grabfchrift P. Gregors, welche gleichfalls von einem folchen Schickfale keine Erwähnung macht, vollftändig auf. (Baron. ann. 999 I.)

Da die Befchlüffe der Synode zu Pävia im J. 997 bisher nur aus Udalrici Cod. Bamberg. wie Eckhard denfelben bekannt machte und fpäter nach der Bamberger Handfchrift E III. 21. membr. 4. in den mon. Germ. hist. bekannt wurden, bis Wafchersleben die ächten und vollftändigen in der Wolfenbüttler Handfchrift der Regino'fchen Sammlung fand und herausgab, fo dürfte es der Mühe lohnen, diefe den „Beiträgen" diefes Verfaffers zu entlehnen und befonders abzudrucken:

Beiträge zur Gefchichte der vorgratianifchen Kirchenrechts-quellen S. 189.

Gregorius servus seryorum Dei dilecto confratri Will. archiepiscopo et vicario nostro salutem et apostolicam benedictionem.

Decreta enim Synodi Papiensis, quibus ego licet indignus subscripsi et una mecum archiepiscopus Ravennas nec non archiepiscopus Mediolanensis cum aliis confratribus, quaeso, ducite ad memoriam, et ut haec ad profectum veniant auxilii operam impendite. Placuit sanctae synodo, ut omnes episcopi occidentales, qui in depositione Arnolfi archiepiscopi fuerunt et certis induciis vocati Papiensem synodum spreverunt et inconvenientes causas ad confundendam Synodum per laicalem personam miserunt, ab episcopi officio suspendantur. Adalbero Lodunensis episcopus, qui etiam metropolitanum suum apprehendit et tradidit, ab episcopi officio suspendatur. Auctoritate Julii Papae sancitum est, qui etiam orientales episcopos, ad Synodum venire spernentes, depositionis reos judicavit, illos vero absque apostolica auctoritate depositos innocentes remanere. Decretum est etiam, ut rex Robertus, qui consanguineam suam contra interdictionem apostolicam in conjugium duxit, ad satisfactionem convocetur cum episcopis his nuptiis incestis consentientibus; si autem renuerint, communione priventur. Item sancta synodus sancivit, ut Neapolitanus invasor, qui illius loci archiepiscopum apprehendere fecit et se in eundem locum per simoniacam haeresim constitui fecit, nisi satis faciat, anathematizetur. Constitui etiam, ut siquis episcopus presbyter aut diaconus aut clericus, Papa incolume et eo inconsulto, aut subscriptionem pro Romano Pontificatu commodare aut pietationem promittere aut sacramentum praebere temptaverit aut aliquid certe suffragium pollicitus fuerit, loci sui dignitate et omnium fidelium communione privetur et anathematizetur. Synodus Symmachi Papae decrevit sancta synodus, ut nemo sancti spiritus donum ven- dere praesumat aut pro alicujus episcopi, presbyteri, dia- coni vel alicujus ordinis consecratione pecuniam accipere, et qui dat, et qui accepit, et qui mediator est, anathema sit. Placuit etiam omnibus, ut Gisilharius episcopus, qui contra canones sedem suam dimisit et aliam invasit, in na- tale Domini Romam vocatus ad satisfaciendum veniat, quod si renuerit, a sacerdotali officio suspendatur. Notum Vobis etiam facimus, qualiter per communem consensum fratrum Crescentium, sanctae Romanae ecclesiae invasorem et de- praedatorem, a gremio sanctae ecclesiae et omnium fidelium communione segregavimus, et ut unusquisque Vestrum in suo episcopatu huic facto assensum praebeat caritative ro- gamus.

Ego Gregorius sanctae catholicae et apostolicae Roma- nae ecclesiae Praesul subscripsi.

Ego Johannes sanctae Ravennatis ecclesiae archiepisco- pus subscripsi.

Landulfus sanctae Mediolanensis ecclesiae archiepisco- pus subscr. Wido Papiensis ecclesiae episcopus subscr. Johannes Albanensis ecclesiae episcopus subscr. Blinwar- mundus sanctae Ipponensis ecclesiae episcopus subscripsi. Sigefredus sanctae Parmensis ecclesiae episcopus subscr. Johannes Mutinensis ecclesiae episcopus subscr.

Adam Taurinensis   „   „   „
Andreas Laudensis   „   „   „
Johannes Januensis   „   „
Constantinus sanctae Albanensis eccl. episc. subscr.
Albertus sanctae Brixensis eccl. episc. subscr.
Liutifredus Terdonensis eccl. episc. subscr.

Beilage Nr. XII.

(S. 133. n. 36.)

Schon während meines Aufenthaltes in Italien hatte ich mir vorgenommen, den Regionar der Stadt Rom nach der Handschrift des Klosters Einsiedeln gelegentlich zu copiren und mit einem Plane Roms aus dem dreizehnten Jahrhunderte zu vergleichen, welchen ich in einer Handschrift der Vaticana fand. Da mich aber mein gelehrter und trefflicher Freund, H. Dr. Emil Braun zu Rom, dessen freundliche und aufopfernde Güte wohl alle deutschen Gelehrten zu rühmen wissen, welche in den letzten Jahren nach Rom gekommen sind, um den Plan für die Zeitschrift des archäologischen Institutes bat, trat ich ihm den- selben in der Meinung ab, er würde so dem Publicum früher bekannt werden, als es durch mich hätte geschehen können. Dieses geschah jedoch in 3 Jahren nicht (ich verließ Rom im Sommer 1836) und es wird daher der Plan, wenn möglich, dem ersten Theile in lithographirter Abbildung beigefügt werden. In Bezug auf die Benützung des Regionar's häuften sich Schwierigkeiten an Schwierigkeiten und ich fand mich endlich genöthigt, die Beschreibung Rom's nach den in den Noten citirten Quellen zu verfassen, als ich gewahr wurde, H. Pr. Hänel sey mir mit critischer Herausgabe desselben längst schon zuvorgekommen. Da aber derselbe zur Veröffentlichung dieses werthvollen Manuscriptes der Seebodschen Jahrbücher sich bediente (Fünfter Supplementband. Erstes Heft 1838.), die wohl nur in die Hände der Philologen allein kommen, und sich unsere Bestrebungen selbst kreuzten, so möge der Regionar hier einen nochmaligen Abdruck finden.

Regionar der Stadt Rom nach der Handschrift des Klosters Einsiedlen.

A PORTA SCI. PETRI USQUE AD SCAM. LUCIAM IN ORTHEA.

IND. Circus flamineus
Rotunda
Thermae commodianae
Forum trajani et columna
ejus
Tiberis.

INS. Sci. Laurentii in damaso.
theatrumPompeji . cypresus.
Sci. Laurentii . Capitolium.
Sci. Sergii . ubi umbilicum
romae.

ARCUS SEVERI.

Sci. hadriani
Sci. Cyriaci

Cavallus constantini.

FORUM ROMANUM.

Sca. Agatha ibi imagines
pauli et scae. mariae.

SUBURA.

Thermae constantini
Sci. vitalis in vico longo ubi
caval opt.
Scae. eufemiae in vico patricii

pudentiana in vico patricii.
laurentii in formonso ubi
ille ossatus est.
Iterum p. subura. Thermae
traiani ad vincula.

A PORTA SCI. PETRI USQUE AD PORTAM SALARIAM.

IN SINISTRA PER ARCUM

Sci. Apollinaris

Sci. laurentii in lucina

Oboliscum

IND. Circus flamineus . ubi
sca. Agnes.
Thermae alexandrinae et
sci. Eustachii
Rotunda et thermae commodiane
Columna antonini

FORMA VIRGINIS

Sci. Silvestri . ibi balneum

Sca. Susanna . et aqua de- forma . lateranensae

Sci. felicis in pincis

Thermae sallustianae et piramidem.

A PORTA NUMENTANA USQUE FORUM ROMANUM.

INS. Thermae diocletianae

IND. Thermae sallustianae

Sci. cyriaci . Sci. vitalis

Sca. Susanna . et cavalli marmorei

Scae. Agathae in diaconia

Sci. marcelli

Monasterium Scae. Agathae

Ad apostolos

Thermae constantini

forum trajani

In via numentana foris mu- rum. IN SINIST. SCE. agnes . in DEXT. Sci. nicomedis

Sci. hadriani.

A PORTA FLAMINEA USQUE VIA LATERANENSE.

Pariturium

Sci. laurentii in lucina.

Sci. Silvestri . et sic p. porti- cum usque columnam AN- TONINI.

Oboliscum

Forma virginis fracta

Columna antonini

Sci. Marcelli . Interum p. por- ticum usque ad apostolos

via lateranense

In via flaminea foris murum

Thermae alexandrinae

in dextera Sci. valentini

Sci. eustadii et rotunda

in sinistra . tiberis

Thermae commodianae

Minervium . et ad scm. mar- cum.

A PORTA TIBURTINA USQ. SUBURA.

Sci. Isidori

Forma claudiana

Sci. Eusebii Via subtus mon

tem Thermae diocletiani

Scs. Vitus

Scae. Agathe

Scae. mariae in praesepio

Sci. Vitalis

Iterum sci. viti

Scae. pudentianae

Sci. laurentii in formonso ubi assatus est

Scae. eufemiae

Monasterium scae. Agathae.

ITEM ALIA VIA TIBURTINA USQUE AD SCM. VITUM.

Forma claudiana PER AR CUM Scae. Agathae

Scae. Bivianae NIMPHEUM Sci. Eusebii

In via tiburtiria foris murum

In sinis tra sci. ypoliti . In dextera sci. laurentii.

A PORTA AURELIA USQ. AD PORTAM PRAENE- STINAM.

fons sci. Petri ubi est car- cer ejus

Molinae. Mica aurea. Scae. mariae

Sci. Johannis et pauli

   per pontem
Sci. georgii . Sci. sergii
   per ar
Capitolium umbilicum
Sci. hadriani

   equus con

   forum ro
Sci. Cyriaci et thermae con-
stantini
   SUBU
Monasterium scae. Agathae
Sci. laurentii in formonso .
Sci. vitalis
Sca. pudentiana . et sca. eu-
femia
Palatium pilati . Sca. maria
major
Scus. vitus . Nympheum
Sca. Viviana

forma cladiana
In via praenestina foris murum forma claudiana

Sci. chrisogoni . et scae. ce-
cilie
majorem.
Palatinus ad scm. theodorum
cum
Sca. maria antiqua

stantini
Sci. cosmae et damiani
manum
Palatium trajani . ibi ad vin-
cula.
RA
Sca. lucia in ortheo.
Sci. silvestri et sci. martini

Palatium juxta iherusalem

Hierusalem '

Amphitheatrum
Forma lateranense . monasterium honorii
porta praenestina
Sca. helena scs marcellinus
et petrus.

A PORTA SCI. PETRI USQUE PORTA ASINARIA.

   per ar cum
Circus flamineus . ibi sca.
agnes
Thermae alexandrinae
Sci. Eustachii . Rotunda
Thermae commodianae
Minerviam . ibi sca. maria
Ad scm. marcum

forum traiani et columna ejus
Tiberis
   R. PER AR
Sci. hadriani. Forum romanum
Sci. cosme et damiani
Palatius neronis . Aeclesia
sci. petri
Ad vincula . Arcus titi et
vespasiani
Palatium traiani . Amphithea-
trum
Ad scm. clementem

cum
Sci. laurentii in damaso

Theatrum pompeji.
Cypressus
Sci. laurentii in minerva
Capitolium
Sci. sergii ibi umbilicum
romae
Sci. Georgii

CUM SEVERI
Sca. maria antiqua.
Ad scm. theodorum
Palatinus.

Testamentum . Arcus con-
stantini
Meta sudante

Caput affricae

Monasterium honorii. Forma claudiana

Quattuor coronati

Patriarchium lateranense.
Porta asi

Sci. Johannis in lateranis naria.

DE SEPTEM VIIS USQUE PORTA METRO VIA

In sinistra. Johannis et pauli

In dextra . clivus tauri

Forma lateranense

Ad scm. stephanum in celio monte

Ad scm. erasmum

Ite. alia via de porta metrovia . In dextera

Sca. maria dominica

ad scm. syxtum . In sinistra ecclesia

In via latina intus in civitate

Sci. Johannis

In sinistra

extra civitatem . In dextera sci. ianuarii

oratorium scae. mariae

oratorium sci. Sixti.

Sci. gordiani

Sca. eugenia . Ad scm. theodorum

DE PORTA APPIA USQUE SCOLA GRECA IN VIA APPIA

coclea fracta . Thermae antoninianae

Forma jobia . Sci. nerei et achillei

arcus recordationis

Sci. xysti.

INDE PER PORTICUM USQUE AD FORMAM PER VII VIAS.

IN SINISTRA . Circus maximus

IN DEXTERA . Sca. lucia

Mons aventinus. Septizonium

Palatinus

Et sic p. porticum usque ad

Scam. anastasiam

Item in eadem via extra civitatem

Sca. petronella . Nerei et achillei

Ad scm. januarium

Marci et marcelliani. Ad scm. soterum

Ubi systus martirizatus est

Sci. cornelii . xysti . faviani antheros et miltiades

Ad scm. theodorum

Ad scm. sebastianum

IN VIA PORTENSI EXTRA CIVITATEM IN DEXTRA. Abdo et sennes

In via aurelia extra civitatem in dext.

Sci. pancratii processi . et martiniani

In via salaria extra civit. . in dext.

Sci. Saturnini . scae. felicitatis cu. VII filiis .

In via pinciana extra civit. . in dext.

Scae. basilissae . sci. pamphilii

Proti et yacinthi . Sci. hermetis

Sci. Johannis caput.

	turres	propugnacula	posternas	necessariae	fenestrae majores forinsecus	minores
A porta sci. petri cum ipsa porta usque portam flamineam . . .	16	782	3	4	107	66
„ „ flaminea cum ipsa porta usque ad portam pincianam clausam . .	29	644		3	75	117
„ „ pinciana clausa — — — — — — salariam .	22	246		17	200	160
„ „ salaria — — — — — — numentanam .	10	199		2	70	65
„ „ numentana — — — — — — tiburtinam .	57	806		2	214	200
„ „ tiburtina — — — — — — prenestinam .	19	302 cum porta praenestina		1	80	108 major
„ „ prenestina usque asinariam . . .	26	504		6	180	150
„ „ asinaria usq. metroviam	20	342		4	130	180
„ „ metrovia usque latinam	20	294		17	100	183
„ „ latina usque ad appiam	12	174		6	80	85
„ „ appia usque ad ostensem . . .	49	615		24	330	284
„ „ ostense usq. ad tiberim	35	733		17	138	211
A flumine tyberi usque ad portam portensi . .	4	59			10	15
A porta portensi usq. aureliam . . .	29	400		2	137	163
„ „ aurelia usque tiberim	24	327		11	160	131
A flumine tiberi usque ad portam sci. petri .	9	489	2		21	7
PORTA SCI. PETRI IN HADRIANEO sunt	6	164			14	19
	387	7070	5	116	2046	2144

Sunt simul turres 383. propugn. VIIXX. posternae V.
necess. CXVI. fen. maj. forins. IILXVI.

* Ich habe der größeren Lesbarkeit wegen statt römischer Ziffern arabische gewählt.

Ich füge diesem Berichte des Ungenannten von Einsiedeln noch einige Angaben bei, welche ich einem Coder der vaticanischen Bibliothek (Bibl. Vat. n. 1960. gr. Fol. Perg.) entlehne, und welche in dem Original an der Seite des unten folgenden Planes der Stadt Rom geschrieben sind. Der Coder ist aus der ersten Hälfte des vierzehnten Jahrhunderts und enthält die von Muratori bekannt gemachte Chronik des Jordanes nebst einer Beschreibung der Welt (mappa mundi), zu welcher

außer dem, früher nicht bekannten Plane des mittelalterlichen Rom's
Pläne von Jerusalem und Antiochia und ein höchst merkwürdiger Plan von Ptolemais (St. Jean d'Acre) mit den verschiedenen Quartieren und Burgen der abendländischen Nationen,
der Ritterorden ꝛc. gehören. Da Ptolemais im Jahre 1291
den Kreuzfahrern abgenommen wurde, muß dieser Plan also
wenigstens aus dem dreizehnten Jahrhunderte seyn. Ich habe
ihn, da er meines Wissens der einzige ist, welcher aus dieser
Periode von Ptolemais existirt, getreu nachgezeichnet und gedenke ihn bei einer passenden Gelegenheit herauszugeben. Der
Plan von Jerusalem ist ausführlicher und genauer als der von
Raumer in seiner Geschichte der Hohenstaufen mitgetheilte.
Der Plan von Rom, dessen Vorhandenseyn bisher ganz unbekannt war, kann ebenfalls aus dem dreizehnten Jahrhunderte
seyn. Ich nahm ihn deßhalb als aus dem nächstfolgenden
Jahrhunderte an, weil die Chronik Jordans bis in dieses führt
und die unten folgende Notiz mit vielem Grunde vermuthen
läßt, daß er aus der avignonesischen Periode, also aus der Zeit
Cola's di Rienzo sey. Die Wichtigkeit des Fundes für Freunde
der Topographie von Rom möge mich bei meinen Lesern ent-
schuldigen, daß ich den Plan als Zugabe zu der Geschichte der
deutschen Päpste bestimmte.

Da die Erklärung der Zeichen auf dem Plane angebracht
ist, folgen hier noch die Seitenangaben, welche auf jenem keinen Platz mehr fanden:

Viae famosae sunt XXXV:

Numitana, graiana, apia, latina, lavicana, penestrina,
tyburtina, salaria, flaminia, emilia, claudia, valleria, aurelia,
campania, hostensis, portuensis, janiculensis, laurentina, gal-
lica, ardeatina, cornelia, tyburtina, cluicia, triumphalis et
VII aliae, quae vel a quibusdam populis vel a locis, ad
quae tendunt, vel a quibusdam eventibus nomen accepe-
runt. Tme (thermae) autem Romane sunt XXXIII.

Zu unterst steht noch folgende Notiz:

Roma suorum cineres vidit sub Duce Breno, incen-
dium suum meruit sub Alarico et Mince. fratro Galaonis
R. Britanie (sic). Successivos atque quotidianos ruinarum
defectus deplorat et maceric senis decrepit, vix potest
alieno baculo sustentari nil habens honorabile vetustatis
praeter antiquatam lapidum congeriem et vestigia tumosa.
Ex gestis B. Benedicti Antistitis, Canusiae dum Roma per
Totilam destruetur, ait, Roma a gentibus non exterminabi-
tur sed tempestatibus, coruscis et turbinibus et terremotu
fatigata macescet in semet ipsa.

Circum Tarquinius Priscus edificavit et Romanos ludos
instituit, circum putant dictum a circuitu equorum, quia
circum metas equi discurrebant.

Teatrum a spectando nominatum est verum propter lu-

dos senioos (scenicos) contemplabatur et est semicirculus
figure, amphiteatrum vero circularis ex duobus teatris.

de Montibus Rome.

Tarpeius in quo est capitolium, virgo Romulo regnante
tarpea clipeis sabinorum est mortua. Celius, hunc Tull. Ho-
stilius urbi adjecit . Aventinus et Janiculos (sic) quos Anc.
Martius urbi addidit. In Janiculo Janus colebatur, qui ja-
niculum oppidum edificavit, Palatinus qui et Quirinalis .
Esquilinus qui et Salustius, Biminalis quos Servius Rex VI
urbi adjecit.

De portis Ade . It. porta flaminea circa ecclesiam S.
Mariae de populo et per eam itur ad pontem Milvium .
It. porta calina quae est circa templum Adriani circa mon-
tem S. Petri trans tyberim. trans tyberim sunt portae III
et in civitate leonina III.

Noch bemerke ich, daß mir nicht unbekannt ist, daß die
Abfassung der mirabilia urbis Romae nicht in das zehnte oder
eilfte Jahrhundert fällt. Ihr Inhalt lebte jedoch lange, bevor
er niedergeschrieben wurde, in dem Munde des Volkes und deshalb hielt ich mich auch für berechtigt, den Gebrauch von ihnen
zu machen, welchen der Text weist. Die Zusammenzählung
der Zinnen ꝛc. bei dem Anonym. Einsiedl. ist fehlerhaft, weshalb ich sie verbesserte und den verbesserten Text in n. 30
S. 132 aufnahm.

Beilage Nr. XIII.

(S. 148. n. 1.)

In Bezug auf die longobardischen Rechtsverhältnisse dürfte
den Freunden der Geschichte das folgende Vocabular vielleicht
nicht unerwünscht seyn:

Ex codice Vaticano 5000 (5001).

Vocabularium Longobardicum.

Astalin deceptio, fraus.
Asto voluntarie.
Anagrip. faidam vel manum aliquid apprehendere.
Aldia de manu libera nata.
Adamund ose extraneum.
Actogilt q. in quo queritur.
Arimannus qui sequitur scutum dominicum.
Arischil adunancio.
Andecavert lex langobardorum

Aystan irato animo.
Barbanus patruus.
Bandum vexillum.
B.
B.
B.
Camfio pugna seu pugnator.
Cafan heres.
Cassia casile vel paliarium.
Carolas.
Crapurciguarfi sepultura.

Edoniare firmare vel absol-
vere se a culpa.

Exigias pertica traversa.

Erino subtus cubitum.

E.

E.

Faida inimicitia.

Ferquidum similem.

Fulvor filius legitimus.

Fara genealogia, gno. (gene-
ratio).

Fardefio quod adux' d' paren.

Fulfreat per quantam manuum
datam.

Figangit.

Ferena esculum.

Fornacchar arvus.

Figangi culpa.

Figang. tent. in furto.

Frea.

Furnacar campus non clusus.

Figangus.

Guadribora per quadrubium.

Gargathunchin qualitate per-
sonae.

Gastaldeus.

Guccurion orbitaria qui mu-
lieri viante steterit.

Gairethix obligacio.

Guidrigilt el solj'.

Gilgilt qui donum recipit.

Gaida et giseleum ferrum et
astula sagipte.

Gaida cartula.

Gasindeus.

Galo gualdo.

Gafant parens coheredes pro-
ximos.

Gamalos confabulatores.

Gal.

Guaregane.

h. h.

Inpans qui in votum regis
demictitur.

Ingargathugi secundum arbi-
trium regis sicut appreciatus
fuerit juxta qualitatem psone.

Infraida refugium apud alium.

Inderzon sepis aliena.

Instricatum fraiatum.

Ljndilail qd. in die obitus
sive reliquid.

Launegilt.

Liberta que libera dimissa est.

Lagi superienuculum.

Langelongam.

Lithingi quedam nobilis pro-
sapia.

Marpahis strator.

Morgincap quarta pars.

Maruuorf.

Mundium dominium.

Marioth brachium supercubi-
tum.

Nasca striga.

Odan quem adjecta littera
Godan dixerunt ipse est
qui apud Ros. Mercurius dr.

Obertus ruitura. curtis.

Prolaub spolia de mortuo.

Proditor indicator.

Plobam cogum.

Pleuma.

P. Q. Q.

Sculdais rector loci.

Stalaria.

Scamara furto.

Scilpol armiger.

Stupla resaucio.

Sala.

Stolesaiz

Selmundia in sue potestatis
arbitrio.

Snaida.

Socas.

Sonorpahir verris q. alios vincit in grege pugnans.

Thingare dispaciliter seu igno-
biliter natus q. eciam dr, no-
thus amissionis. naturalis.

Thincx donatio.

Thingit trabicem i. trabicel-
lum vitis.

Trenuo i. subtus cubitum.

Trogingis.

Treuua.

T.
Vualapaoz qui se furtum vesti-
mentum aliud induerit ut
capite vel facie se transfigu-
raverit latrocinandi animo.

Unice **VI** medietatis . uncie
IV tertie pars.
Vidrebora. Vecorion.
Ususcapio. Vafreda.

Beilage Nr. XIV.

(S. 175. n. 32.)

Bullarium Papst Gregor's V.

1. Herluino S. Cameracensis ecclesiae antistiti . Inc. cu-
rae pastoralis officium; privilegii concessio. dat.
per manus Petrisgionis notarii (sic) et scriptoris S. R.
Ecclesiae . mense Majo ind. IX anno I. Gregorii P. imperii Ottonis XI. ap. Baldericum chron. Camer. p. 197.
ed. Duaci. 1615. 8.

2. Monasterio SS. Cornelii et Cypriani in Filsche. inc. desiderium quod ad religiosum . confirmatio privilegiorum . dat. p. m. Petri Regionarii . in mense Majo
ind. IX, IX cal. Jun. ap. Zeitschrift für Archivkunde von
Höfer I, 3. p. 536. Hier ist jedoch ein Druckfehler einge=
schlichen, indem es wohl statt monachi inferantur S. 537
heißen muß: moniales inferantur.

3. Odiloni Abbati Cluniacensi, erwähnt von Mabillon ann.
LI, 33 aus dem Bullario Cluniacensium p. 10.

4. Vinizoni Abbati S. Salvatoris in monte Amiato . inc.
quoniam semper sunt; confirmatio privilegiorum .
dat. p. m. Johannis Episcopi Sanctae Albanensis Ecclesiae . ind. XI. Gregorii Pontificis anno I. . Ottonis coronati imperatoris anno I. 6 cal. Jun. ap. Ughelli Ital. sacra P. III p. 710.

5. Werenfrido Abbati Stabulonensi . anno 996 ind. IX.
mense Junii die II, citirt von Mabillon annal. LI, 21.

6. Breve recordationis de lite judicata . Für die Aebtissin
Theodora vom Kloster des hl. Blasius zu Nepte, citirt aus
dem Archive der Kirche der hl. Maria in via lata von
Georgius ad Baronii annales T. XVI . p. 349 n. 2. anno
I. mense Julio.

7. Abboni rectori Floriacensium . citirt in Abbo's Brief ad
Gausbertum Abbatem S. Juliani monasterii apud Turonos
ap. Bouquet X p. 439.

8. Abbatiae Sancti Ambrosii . inc. postquam Beato Pe-
tro; confirmatio privilegiorum. dat. p. m. Johannis S. A.
E. Ep. 4 cal. April. anno Domini Gregorii P. II. ep.
Mansi coll. concil. XIX p. 200.

9. Congregationi Montis Majoris . inc. Convenit apostolico moderamini; confirmatio Hugonis Episcopi in
Abbatem . dat. p. m. Petri notarii et scriniarii S. R. E.
in mense Aprili et ind. XI. ap. Baluz. Miscell. IV p. 432.

10. Diploma pro monasterio Sublacensi : Petro presbytero
et monacho atque Abbati . Si semper sunt conce-
denda . confirmatio privilegiorum. dat. p. m. Johannis
Ep. S. Alb. E. et bibliothecarii S. R. E. anno I (II cf.
Georgius ad Baron. l. c.) ind. XI. ap. Murat. antiqq.
ital. I p. 943.

11. Willegiso Moguntino Archiepiscopo et vicario nostro .
Decreta enim . Transmittit ei decreta Papiensis synod.
ap. Wasserschleben Beiträge zur Geschichte der vor-
gratianischen Kirchenrechtsquellen. Leipzig 1839. p. 189.

12. Johanni S. Ravennat. Ecclesiae Archiepiscopo . inc.
divinae remunerationis praemia; restitutio Episcopatus Placent. ad ecclesiam Ravennatensem . dat. p. m.
Johannis S. A. E. Ep. ind. X (XI) non. Jul.

13. Alphano dil. et rever. S. Beneventanae Ecclesiae Archiepiscopo . inc. cum summae et apostolicae'.
confirmatio privilegiorum . dat. p. m. Antonii not. in
mense Aprili ind. XI. Ughelli It. sacra ed. Venet. VIII
p. 72.

14. Monasterio de Petershausen. inc. Desiderium quod
ad religiosum . confirmatio privilegiorum . ap. Mansi
XIX p. 205.

15. Alawico Abbati Augiensi Monasterio de Reichenau .
confirmatio privilegiorum . erwähnt in einem Diplom Kaiser Otto's III in Schonhuth's Chronik des ehemaligen Klosters Reichenau . Freyburg im Breisg. 1836. 8. §. 17. Ex-
cerpta Tschudiana ap. Würdtwein nov. subs. VI p. 147.

16. Gerberto S. Ravennat. ecclesiae Archiepiscopo . inc.
quoniam apostolicae sedis; concessio pallii . dat.
p. m. Petri notarii et scriniarii S. R. E. in mense Aprili
ind. XI, 4 cal. Maj. anno II. ap. Mansi XIX p. 201.

17. Arnulpho Ausonensi Episcopo . inc. Divina nobis
saluberrima . anno Gregorii P. III., Ottonis II. in
mense Madio ind. XI. ap. Mansi XIX p. 227. Baluzii
Misc. II p. 117.

18. Martino Abbati S. Andreae Apostoli Andaone . p. m.
Benedicti scriniarii S. R. E. mense Januario . ap. spici-
leg. VII p. 197? Citirt von Mabill.

19. Monasterio S. Petri Perusiensis . confirmatio privile-
giorum . ex bulla Sylvestri P. II. ap. Ughelli It. sacra
IX p. 918. (Mabill. AA. SS. Ord. S. Bened. saec. V.
T. I p. 70.)

20. Confirmatio donationis Vicecomitis Stefani de Gabalita.
ap. Mabill. annales T. IV p. 116.

21. Arnulfo Remorum Archiepiscopo (? anno 996) . inc. Apostolici culminis.

22. Ad Constantiam Reginam . inc. cum devotissimam. Da K. Robert die Königin Constanze bei Lebzeiten P. Gregor's noch nicht geheirathet hatte, so kann dieser Brief nicht von diesem Papste geschrieben worden seyn.

23. Ad Abbonem Abb. Floriac. litterae. Quia litterarum. Bouquet X p. 431.

Beilage Nr. XV.

(S. 178. n. 4.)

Der Codex Richer's enthält noch folgenden, bisher unbekannten Brief P. Sylvesters II, welcher höchst merkwürdige Aufschlüsse über den Zustand Roms unter diesem Papste gewährt:

Silvester episcopus servus servorum dei dilecto suo Ottoni cesaris semper aug. totius imperii decus et insuper apostolicam benedictionem.

Multa vobis per Gregorium Tusculanum ob vestram cautelam demandavi que fama volans protulit . Sed que nobis apud ortam inter sacra missarum solempnia pervenerunt, non leviter accipienda censeo . hi namque qui servicio nostro nihil prebuerunt seditionem et tumultum in ecclesia excitaverunt contra eos qui romana nobis munuscula offerrebant offerrique debere ab aliis acclamabant . Inferbuit acrior ira quod quedam paupercula contra suum judicem apud nos conqueri ausa est quasi illa conquestio ad invidiam comitis esset facta . Itaque intra sancta sanctorum districtis gladiis inter hostium furentium gladios urbe excessimus . Prima que debuerunt nobis esse hospicia in adventu nostro cum pridie essent stantia disparuerunt. Secunda tales exitus habuerunt. Sed de his alias . Hoc solum nunc si non propter nos saltem propter vos vestrosque precor ut que nostri juris in sabino a quibuslibet detinente per vestrum nostrumque legatum in nostrum dominium revocentur . ut indigentiam rerum summoveat presens copia fructuum. data prid. id. jun.

per omnia honor.

et quum nuper insignia portarum beati michaelis archangeli in adriano tempore nocturno sublata sint, omissa preceptione apostolica suis locis jubemus ea restitui. Quod nisi abhinc usque ad proximum apostolorum natalem factum esse constiterit, sint sub gravissimo anathemate qui hoc sacrilegium commiserunt et qui consenserunt vel qui celando conscii sunt, donec resipiscant et per dignam emendationem satisfaciant. dat. cl. jun.

Beilage Nr. XVI.
(S. 183. n. 26.)

(Cod. S. Emmerani Bibl. Monac. T. XIX in 4 membr. saec. XI. fol. 2.)

Rythmi de obitu Ottonis III Imp. et electione Henrici II Imp.

Quis dabit aquam capiti?
Quis sucurret pauperi?
Quis dabit fontes oculis
Lacrymosis populis
Sufficientes lacrymae (as)
Mala mundi plangere?

Ad triumphum ecclesiae
Coepit Otto crescere:
Sumsit Otto imperium
Ut floreret seculum:
Vivo Ottone tertio
Salus fuit populo.

Postquam terrae malitia
Ascendit ad sydera,
In celum raptus abiit,
Regem caeli adiit:
Viva habet palatia
In aeterna patria.

Regnorum robur periit,
Quando Otto cecidit .
Dum Otto noster moritur,
Mors in mundo oritur:
Mutavit caelum faciem
Et terra imaginem.

Plangat ignitus oriens
Crudus ploret occidens:
Sit aquilo in cinere,
Planctus in meridie.
Sit mundus in tristitia,
Nostra luge cythara.

Plangat mundus, plangat Roma,
Lugeat ecclesia .
Sit nullum Romae canticum
Ululet palatium .
Sub Caesaris absentia
Sunt turbata sacoula.

Vorassent lupi populum,
Finis caret omnium:

Ipsi caeli compluerent
Elementa ruerent,
Nisi En ricus viveret
Rex et victor fieret.

Contra divinum consilium
Nec magnum nec minimum.
In tribus pene mensibus
Omnis cessit gemitus:
Enricum sine sanguine
Praefecit monarchiae.

Quod nulla arma bellica
Hoc Dei potentia:
Quod non est ante secula,
Nostra habens tempora .
Festinat mundus undique
Ad Enricum currere.

Triumphat Bajoaria
Fortis servit Francia:
Collum cassa fallacia
Flexit Alemannia .
Dat manus Lotharingia,
Fida est Thuringia.

Pugnax currit Saxonia
Ad subjectum obvia .
Recepit jugum solitum
Sclavus in opprobrium,
Ut sub tributis serviat
Sicut quondam fecerat.

Regum creatrix maxima
Clamat jam Italia:
Enrice curre, propera :
Te expectant omnia .
Nunquam sinas te principe
Arduinum vivere.

Currunt isti, currunt illi,
Fit concursus omnium .
Germania et Bellagica
Torva curvant genua .
Currit Leo et patriam
Credit Bajoariam.

Nunquam Enricus gaudeat,
Nunquam felix valeat,
Si Leonem Episcopum
Non faciat ditissimum
Si non summittet legibus
(hostes ejus) . . . pedibus.

Beilage Nr. XVII.

(S. 207. n. 18.)

Verzeichniß von deutschen Bischöfen in Italien
von den Jahren 950 — 1060.

Päpste: Bruno,   Gregor V 996 — 999
        Suidger, Clemens II
        Poppo,   Damasus II
        Bruno,   Leo IX
        Gebhard, Victor II } 1047 — 1061.
        Friedrich, Stefan IX
        Gerard, Nicolaus II

		Ughelli It. sacra	pag.
Bischöfe von Arezzo: Everard od. Bernard um	963	I	414
Alpert od. Edembert „	972	„	—
Elimpert „	987	„	—
Immo „	1037	„	1015
Heymus „		„	—
Bischöfe v. Foligno: Heinrich „	1031	„	688
Sigemann „	1041	„	—
Bischöfe v. Mantua: Petrus „	945	„	861
Hildolf „	1017	„	—
Conon (Conrad) „	1054	„	—
Bischof Gottfried von Volterra „	1034	„	1434
Bischof Rudolf von Orvieto (Gallus) „	975	„	1465
Bischof Sigfrid von Orvieto „	1028	„	—
Bischöfe v. Bologna: Albert (?) „	960	II	12
Adelfred (?) „	1034	„	14
Bischöfe v. Parma: Humbert (?) „	968	„	157
Sigfrid (?) „	1000	„	160
Bischof Inzo von Modena (?) „	1030	„	115
Bischöfe von Como: Azzo „	921	V	275
Ubald } Galli „	952	„	276
Petrus „	995	„	279
Hebrardus „	1004	„	280
Alberich „	1010	„	282
Litiger „	1031	„	285
Benno von Meißen, kaiserlicher Vicar „	1049-61	„	288
Bischof Jacob von Fiesole (Bavarus) „	1024	„	—
Patriarchen v. Aquileja: Poppo, kaiserl. Kanzler „	1016	V	48
Eberhard, Canonicus v. Augsbg. „	1044	„	56
Godebold „	1049	„	—
Revengerus „	1065-68	„	—
Sigeard (Graf von Plejen) „	1068	„	—

			Ughelli It. sacra	pag.
Patriarchen von Aquileja:	Heinrich um 1077-1083		V	58
	Friedrich ,, 1084		,,	—
	Ulrich ,, 1086-1112		,,	—
	Richard ,, 1112		,,	60
Bischof Benno (?) von Concordia		,, 996	,,	327
Bischöfe v. Piacenza:	Sigulf) Galli (?)	,, 951	II	206
	Wido III)	,, 1045-1049	,,	—
Bischöfe v. Padua:	Urso .	,, 1010	,,	434
	Burkhard .	,, 1031	,,	437
	Arnold .	,, 1045	,,	—
	Berculf .	,, 1057	,,	439
	Ulrich .	,, —	,,	—
	Milo .	,, —	,,	—
	hl. Bellinus	,, 1123	,,	—
Bischöfe v. Verona:	Walter	,, 1036-1054	,,	754
	Dietbold .	,, 1055	,,	762

n bis eilften Jahrhunderte.

neuer Zeit. Tüb. theol. Quartalſchrift 1835. I.)

a nach Phanaria in Armenien

gen. Silvanus,

Schüler Macedonier.

getödtet.

　　　Simeon, gen. Titus. (II) 3 Jahre
　　　lang Lehrer, dann verbrannt um 690.

dorus

u
Zad

Verläß
Partei g

　　　　　　(VI)
ntgegen Sergius (Tychikus) der Paraclet. (770—800?).
ünſtigt die Paulicianer. (800—824). Nur einer ſeiner
t nach deſſen Tode die völlige Ausrottung der Baaniten
n. Dieſe ſelbſt theilen ſich in

	2. Kynochoriten	und	3. Haſtaten.
Nach	Dieſe ermorden den kathol.		Ermorden den Para-
durch die	Biſchof von Neucäſarea.		kondakis und fliehen
			zu den Saracenen.

mit en. Argaum, Amara und Tephrika werden ihr Aſyl
um heißt Laodicea, Mopſueſtier von Sergius gegrün-
en, Coloſſer. Die in Phrygien und Lykaonien hießen

Teph lich den Chryſocheir ſchlägt (873). Dieſer kömmt um
und die

Die atriarchen von Antiochia nach Philippopolis, wo ſie
wahrſchei ſich trotz den Bekehrungsverſuchen Alexius des Com-
nenen (1

Beilage Nr. XIX.
(S. 224. n. 43.)

Bonizonis Sutriensis Episcopi epitome Pontificum Romanorum ex cod. J. 48 Bibl. Vallicell. Rom.

Dicam breviter de Stephano V de Formoso, cujus tpbs Franci pdiderunt, Saraceni occupaverunt Siciliam et de Joe. Tusculano, cujus tpbs Rⁱ Cap^{ei} principatus sibi tyrannidem vindicavere et de quod. Silvero. viro omnium artium liberalium peritiss^o, qui primitus Abbas Bobien', postea AEps Ravennas, postea vero R. Ptfx effectus est, et X^o Joe. Tuscul^o fre. majoris Alberici, qui pugnavit cum Saracenis et ab Italia pulsos in Siciliam fugavit. Hic aedificavit basilicam in Palatio Later', et de Silvestro Tuscul. gne. et de quod. Bened^o ejusd. Ppe R^o, qui uno eodemq die et laicus fuit et Ptfx et de Joe. Tuscul^o gne., qui Octonem Rgem Saxonum coronavit Imp^{em}, et de quod. Silvestro Tiburtino, qui mortuo Alberigo Tusculano, qui principatus sibi nomen vindicaverat, a Crescentio Numentano, qui Patricius dicebatur Ppa coronatus est, quinq. et sm. Octonem Imp^{em} ordinavit; postea vero cum magno dedecore ab eod. Crescentio apparatu (papata?) expulsus est, et quid. Joes. Placentinus Epus. Graecus gne. legatione functus Octonis junioris a Constpli rediens, dum Romam orationis causa veniret, a pto. Crescentio et a R^{is} capitur et tenetur et licet invitus tamen Ppa infelix ordinatus. R^{us}. Quod audiens Rx mente effrenus R^{am} veniens ipsum Cresc^m diu obsessum cepit et capite truncavit, ipsum vero Ptfcem oculis orbatum ceterisq membris debilitatum ad dedecus et ignominiam sacerdotalis ordinis per plateas Leoninae civitatis circumduci jussit sed antequam 30 dies implerentur anima et corpre. Rx impius defunctus est; et de Bened^o Tuscul^o, qui hereticum (Henricum) majoris Octonis nepotem Rgem Theutonicor. ordinavit Imp^{em}, et de ejusd. fre. Joe., qui uno eodemq die et laicus fuit et Ptfx. De his silendum mihi non credidi. Ceterum si quis de Thophelato Tusculano qualr. Joanni sacerdoti vendiderit papatum et qmo. uno eodemq tpe. Theophelatus et Gregorius et Silvester R^{us} non regnabant, sed vastabant Ptfcatum et qualr. Henricus Rx Corradi filius Ro. E^{am} a talibus pestibus liberavit, gnarus esse voluit, legat librum, quem dictavi, qui inscribr ad amicum et ibi inveniet haec ordabiliter digesta. Inveniet aut. et ibi qualr. Ppa Clemens electus est; qualrq. Henricus Imp^r ab eodem ordinatus sit et de Damaso ejus succore., quot in Papatum duxerit dies et de pclaro. Leone, quid in Ppatu egerit et quid ejus tprbs. novum evenerit, et de Stephano Gotfredi ducis

germano et qualr ejus tpbs. Patarea apd Mediolanum exorta
est, et de Nicolao Ppa et de lite, quam habuit cum Bene-
dᵒ invasore et quid egerit in Papatu, et de Alexandro
Ppa et de lite quam habuit cum Cadolo Parmensi et ejus
victoria et quid . . . . et de ejus fine et de sᵒ Gregorio et
de'ejus electᵉ et de vita ejus et moribus et qualr. in na-
tivᵗᵉ Dni. ad altare S. Mariae a Centhio viro Creduli captus
sit et eo die Dei gra. liberatus est, et de guerra quam
sustinuit cum Henrico Impᵉ et de controvᵃ quam habuit cum
Giberto et de aerumnis, quas sustinuit et de obsidᵉ civitatis
et sua et qualr. a Roberto Normann. Duce sit liberatus et
qualr. beato fine quievit, apertissᵉ declaratur. Urbani vero
Ptfcis acta et de ejus victoria, si quis scire voluerit, legat
librum, quem scripsi ad Ugonem Scismaticum et
ibi inveniet ad plenum dilucidata quae voluerit.

Johes. XII natᵉ . . sedit aˡˢ . . hic fuit tpbs II Ottonis,
qui subjugatis sibi Ungaris et universis ei adversantibus
de regno Francor. expulsis cum imperii gubernacula in
pace tenaret, audivit Adelectam Illstrem Reginam Uxorem
Lotharii Longobard. Rgis ac Actonem maximum Comitem a
Berlingario tyranno nequiter detineri obsessos inexpugna-
bili arce Canusii. Compatiens igr. afflictionibs tante Regine
in Lombardᵐ cum maxᵒ exercitu properavit et eod. nequam
Berlgrᵒ capto atq interfecto filiisq ejus prorsus a Regno
exclusis ptam. A. in uxorem accepit et Lombardor. regnum
in oi. tranquillitate possedit . post aliquantum vero tpis.
cum pace omnimoda frueretur, voluit Romam videre et de
consᵒ pcipue jamdˡ Actonis comᵗⁱˢ ad psentiam D. Jois. Pp.
filiali devotione accedere cui jurᵐ qd inferius continetur
corporaliter praestitit: Tibi D. Ppa Joi Ego O: pmitto et
juro p. Prem, filium et Sp. S., quod si promittente Deo
Romam venero S. R. Eᵃᵐ et pastorem ipss exaltabo sm.
meum posse. Et nunq vitam aut membra nec ipsum honorem, quem habes mea voluntate aut consu vel exhortatᵉ
perdes et Romam nullum placidum aut ordinationem faciam
de omnibus, quae ad te aut a Rᵒˢ ptinent sine tuo consᵒ et
quicquid de terra S. Petri ad nram. potatem venerit, tibi
reddam . Cuicunq regnum italᶜᵘᵐ commisero, jurare faciam
illum ut adjutor tui sit ad defendendum S. Petri terram
sm. suum posse. Quibus ita peractis honorifice a Rⁱˢ susceptus est et ab ipso Ptfce coronatus. Hic p. omnium
Germanor. regum appellatus Impr. est . hic pacata tota
Italia cum uxore in Saxoniam remeavit, de qua filium genuit
tam regni quam sui nois. succorem. Cui quidem filiam
Impʳⁱˢ Constplˡ de Romano sanguine procreatam in conjugem
dedit. Deinde ad pia opera intendens in allodio suo apud
Brubruich Eᵃᵐ mire pulchritudⁱˢ fabricavit et possessionibs
magnis divitem fecit . multitudinem pterea Paganor. habi-

tan' cti regnum ip⁵ relicta idolor. cultura convertit ad Xm. Cum g. his et aliis bonis operibs esset intentus, rep.ente in lecto aegritudinis decidit et pceptis Dnicis Sacramentis de hoc mundo migravit ad Xm . Cetera vero hujus historie diligens lector in libello S. Sutrini Epi. qui inscribitur ad amicum inveniet. Dieſes libellus iſt bekanntlich von Oeſele abgedruckt. Script. rer. Boic. gent. ⅠⅠ S. 792, woſelbſt auch der Epitome als in einem Wiener Coder befindlich Erwähnung geſchieht. Dieſe iſt unſeres Wiſſens früher noch niemals abgedruckt worden.

Beilage Nr. XX.

(S. 251.)

Bullarium Clementis Papae II.

1. Roingo ven. abb. Cura nos urget. confirmat privilegia Monasterii Fuldensis. script. per manus Joannis Scriniarii ac notarii nostri palatii . dat. pridie cal. Jan. p. m. Petri diac. biblioth. et cancell. S. Apl. Sedis anno D. N. J. Chr. 1046. Domn. Clementis L. II P. I. ind. XV. Ap. Schannat dioces. Fuld. p. 250.

2. Roingo Abbati monasterii Sancti Salvatoris Fuldensis: convenit apostolico moderamini: donat ecclesiae Fuldensi monasterium Sancti Andreae Romae. 3 cal. Jan. 1046. Ap. Mansi XIX p. 624.

3. Omnibus sanctae ecclesiae fidelibus: quod propulsis: ut Ravennatensis Archiepiscopus secundus a Romano Pontifice locus in conciliis absente imperatore tribuatur. post non. Jan. 1047. Ap. Mansi XIX p. 625.

4. Canonisatio S. Wiborodae reclusae virginis et martyris. Burkh. de casibus c. 6.

5. Johanni Salernitano Archiepiscopo: quotiens ita contingit; confirmat ejus translationem ex episcopatu Pestano in Salernitanum palliumque concedit . 12 cal. Mart. a. I. Ap. Mansi XIX p. 621.

6. Adelhelmo Abbati coenobii S. Michaelis Archangeli in monte monachorum . concedit privilegium amplissimum. 13 cal. Maj. Ap. Ludewig script. rer. Bamberg.

7. Adalberto Archiepiscopo Hamburgensi. Convenit apostolico. concedit privilegium. 8 cal. Maj. anno II ind. V (ind. XV anno I cf. Ussermann episcopatus Bambergensis p. 21 XXX). Ap. N. Staphorst hist. diplom. ecclesiae Hamburgensis I, 1. p. 399. Ap. J. G. Liljegren diplom. Suecanum vol. I. Holmiae 1829. 4.

8. Hartwigo Bambergensi episcopo . documentum spurium vel depravatum . dat. Viterbii 12 cal. Novembr. (Sept.?) Ap. Ludewig script. Cf. Ussermann Ep. Bamb. p. 24. XXXII.

Höfler, die deutſchen Päpſte.   **22**

9. Epistola Clementis P. II ad Episcopos, Principes et Magnates Galliae, qua eis Cluniacensis monasterii tuitionem commendavit . laud. ap. Mabillon AA. SS. VIII p. 579.

10. Praeceptum pro monasterio S. Mariae Vallis pontis et confirmatio privilegiorum ejusdem. Laudatum in bulla Leonis P. IX ap. Muratori antiqq. ital. VI p. 333.

11. Petro Abbati monasterii S. Thomae Apostoli ad Aposellam . dat. ibidem VIII cal. Octob. ind. II 1047. donat eidem terram S. Petri pro salute animae suae. Murat. annali VI p. 148.

12. Monasterio Tharissiensi . confirmat amplissima praedia . cal. Octob. (1047 in monasterio S. Thomae Apost. ad Aposellam). Ludewig script. rer. Bamb.

13. Ecclesiae Bambergensi; dispensatio saeculorum cal. Octob. 1047 (Ussermann p. 24. XXXIV). Ap. Mansi XIX p. 622. confirmat privilegia et possessiones.

Druckfehler.

Wegen Entfernung des Druckortes konnten einzelne Fehler nicht zeitig genug berichtigt werden.

S. 10 not. — lies Beil. IV statt III

„ 15 not. 27 „ vexarive st. vexative

„ 24 3. 27 „ Balmea st. Balmee

„ 48 3. 1 „ ihm st. him

„ 66 not. 16 „ Beil. VIIa. st. VII

„ 106 not. — „ pedanei st. pedani

„ 200 3. 19 „ Lebens st. Leben

„ 208 3. 25 „ nur st. nun

Kleinere Druckfehler möge der Leser selbst nachsichtig verbessern.

22 *

Abelly, L. episc., Medulla theologica ex sacris scripturis, conciliorum pontificumque decretis et sanctorum patrum ad doctorum placitis expressa, in qua quidquid, tum ad fidei mysteria sane ut recte intelligenda, et ab erroribus quibusvis secernenda, tum ad Sacramenta debite conficienda et ministranda, tum ad actiones humanas juxta divinae legis normam dirigendas spectare potest, facili ac compendiaria methodo explicatur. II Partes. Lex. 8. (54 Bogen.)   3 fl. 24 kr. od. 2 Thlr. 4 gr.

Augustini, Sancti **Aurelii,** opuscula, quibus institutio theologiae universae comprehenditur: In usum candidatorum theologiae coll. exedit. patrum congreg. S. Mauri. III Partes in 9 Volum. 8. 1762—67.   6 fl. od. 4 Thlr.
   Aus diesem ist besonders abgedruckt:
— — opuscula tria: De fide rerum quae non videntur. De catechizandis rudibus. Et de agone christiano. 8. 1762.
                                          36 kr. od. 9 gr.

Döllinger, Dr. J., Lehrbuch der Kirchengeschichte. 1r Band. gr. 8. 1836.   2 fl. 24 kr. od. 1 Thlr. 12 gr.
— — Geschichte der christlichen Kirche. (Neue Umarbeitung des früher erschienenen Handbuchs der Kirchengeschichte von Hortig und Döllinger.) 1r Bd. 1te u. 2te Abtheil. gr. 8. Preis incl. der letzten Abtheilung   6 fl. ob. 4 Thlr.

Görres, J., die christliche Mystik. 1r u. 2r Band. gr. 8. 1836 bis 1837.   à 3 fl. ob. 1 Thlr. 20 gr.
   Wir enthalten uns allen Raisonnements über vorstehendes ausgezeichnete Werk, und verweisen blos auf den hochwichtigen Gegenstand, den es abhandelt. — Der dritte Band, welcher das Werk beschließt, erscheint bestimmt im Laufe d. J. 1839.

Gretseri, Jac. S. J., Opera omnia, antehac ab ipsomet auctore accurate recognita, opusculis multis, notis, et paralipomenis pluribus, propriis locis in hac editione insertis aucta et illustrata, nunc selecto ordine ad certos tit. revocata, tomi XVII. med. fol. 1734—1740.
                                          75 fl. od. 50 Thlr.

Schenkl, P. Mauri de, institutiones juris ecclesiastici communis, et territoriis confoederationis germanicae, imprimis Bavariae ac Borussiae regnis particulariter accommodatae. Pars I. Prolegomena, et jus publicum cont. Pars II. Jus ecclesiasticum privatum. Editio, computatis alienis, decima, secundum recentissimum rerum ecclesiasticarum statum procurata, emendata et valde adaucta a J. Scheill. 8. maj. 1830. 6 fl. 30 kr.
                                          od. 4 Thlr. 8 gr.
   Bedarf ein Werk, wie vorstehendes, welches nun in der zehnten Auflage erschien, noch einer Empfehlung? — Gewiß nicht! — Der Verleger fügt nur noch bei, daß der Preis von 100 Bogen in gr. 8. und in correctem und schönem Druck und auf weißem Papier gewiß sehr billig zu nennen ist.

pin, Monachus?

Kahle V Kaiser 875—877

rl lagen	Lothar † früh	Ludwig der Stammler † auch unglücklich 877—879

Ludwig rex Galliae † 883	Karl rex Galliae fil. sp. 892—929	Karlmann fil. sp. durch einen Eber getödtet

Ludwig transmarinus 936 zum König gesalbt   Gisla

x Lotha- Gefängniß	Lothar Franciae rex 954—985	Mathildis, Gem. K. Konr. v. Burgund
Erzb. v. :ims	Ludwig V 985 Franciae rex † 987	Rudolf K. v. Burgund u. K. v. Italien 924—926

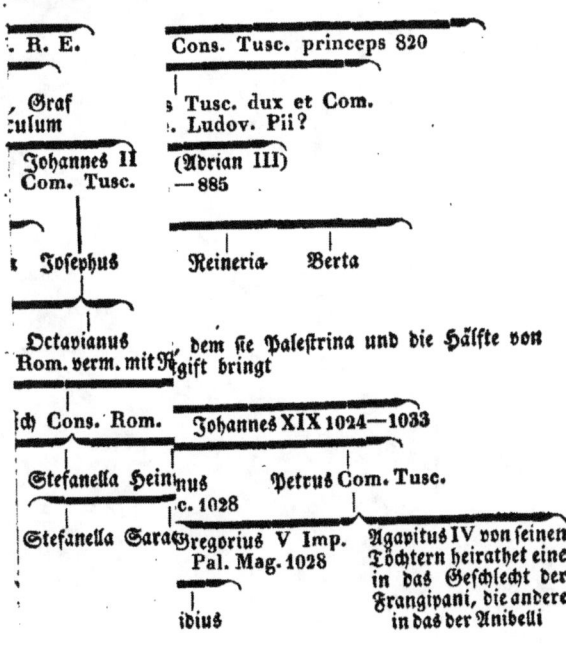

ius Cons. Rom.

Ptolomäus

. Frommen Gem
und Herr von Tu

. R. E.   Cons. Tusc. princeps 820

, Graf   s Tusc. dux et Com.
:ulum   . Ludov. Pii?

Johannes II   (Adrian III)
Com. Tusc.   —885

: Josephus   Reineria   Berta

Octavianus   , dem sie Palestrina und die Hälfte von
Rom. verm. mit Ägift bringt

ch Cons. Rom.   Johannes XIX 1024—1033

Stefanella Hein nus   Petrus Com. Tusc.
     c. 1028

Stefanella Sara Gregorius V Imp.   Agapitus IV von seinen
     Pal. Mag. 1028   Töchtern heirathet eine
     in das Geschlecht der
     Frangipani, die andere
idius   in das der Anibelli

as Jahr 991, 2 Säulen in der Kirche des
mei et filiorum ad duas columnas erin-
nmung der Tiber zu Grunde. Kircher S. 102.

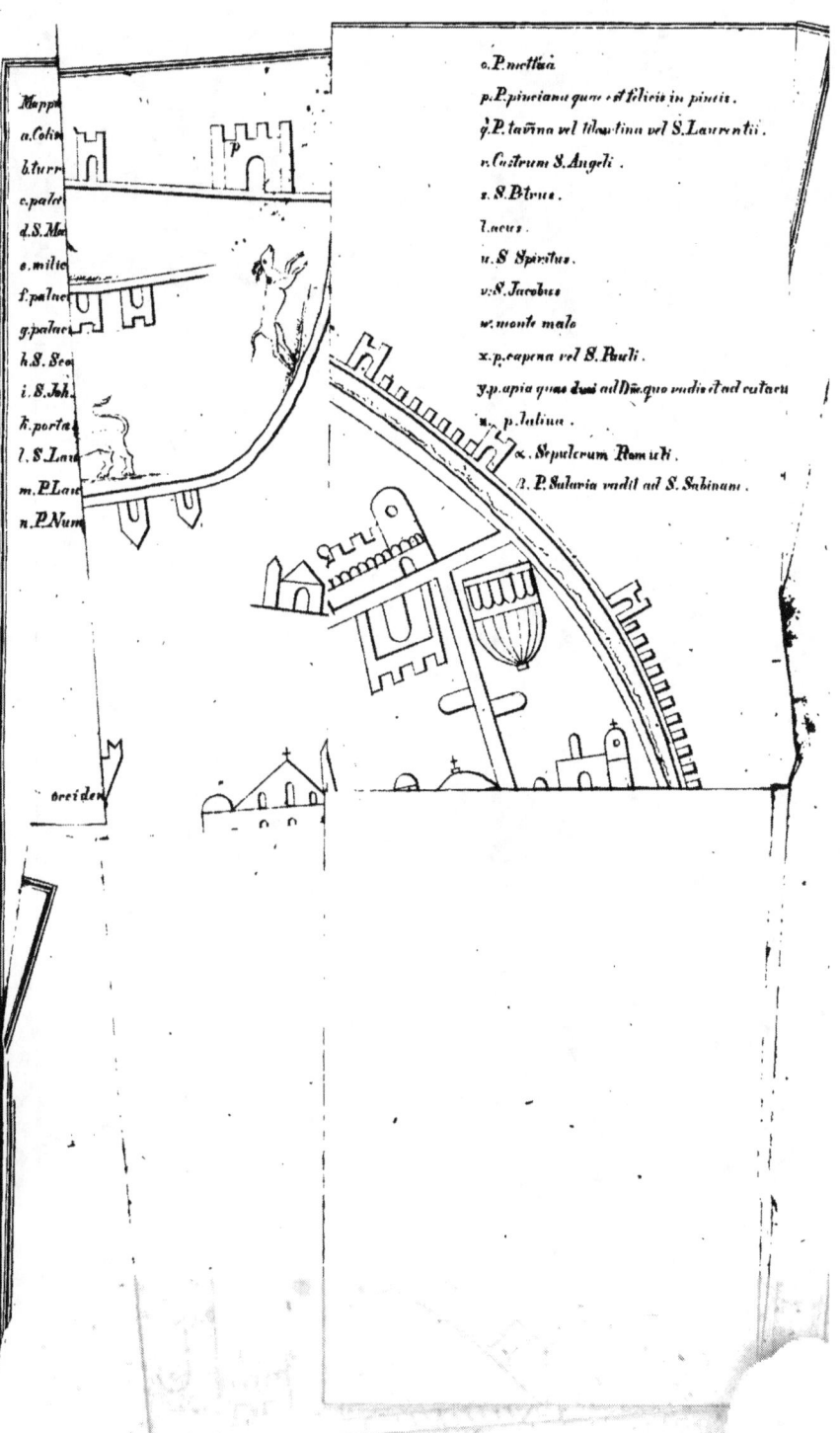

o. P. nottua.

p. P. pinciana quae est felicis in pinis.

q. P. tavina vel tiburtina vel S. Laurentii.

r. Castrum S. Angeli.

s. S. Petrus.

t. lacus.

u. S. Spiritus.

v. S. Jacobus.

w. monte malo.

x. p. capena vel S. Pauli.

y. p. apia quae ducit ad Dm. quo vadis et ad catacu

z. p. latina.

&. Sepulcrum Romuli.

A. P. Salaria vadit ad S. Sabinam.

Mappi

a. Colin

b. turr

c. palet

d. S. Mu

e. milio

f. palae

g. palac

h. S. Sco

i. S. Joh.

k. porta

l. S. Lau

m. P. Lau

n. P. Num

occiden

www.ingramcontent.com/pod-product-compliance
Lightning Source LLC
Chambersburg PA
CBHW051313060726
PP18533700001B/11

* 9 7 8 1 2 4 7 7 9 5 9 0 4 *